En couverture :
Hubert Robert
La Grande Galerie du Louvre sous la Révolution

ISBN 2-7118-0184-5

10, rue de l'Abbaye
75006 Paris

Notes et Documents des musées de France
1

La naissance du musée du Louvre

La politique muséologique sous la Révolution d'après les archives des musées nationaux (tome II)

par Yveline Cantarel-Besson
attachée aux Archives des musées nationaux

Ministère de la Culture
Editions de la Réunion des musées nationaux
Paris, 1981

CENTRAL LIBRARY
THE BRITISH MUSEUM

2ᵉ VOLUME (742)

AN 4

1 — *[17 janvier 1796].*

[1] Séance du 27 nivôse.

Présidence du Cⁿ Robert.

Le Conservatoire arrête qu'il sera écrit 1° au Ministre de l'intérieur en lui envoyant les états émargés des traitemens, tant des gardiens que des conservateurs, en y laissant les sommes en blanc; ce qui a été préparé. L'envoi sera fait en datte de ce jourdhuy. Le Cⁿ Ginguené ayant été prévenu hier par trois des membres du Conservatoire, il leur a répondu que le travail à ce sujet avait été présenté au Directoire exécutif et que bientôt on espérait une réponse. Ecrit en conséquence (743).

Il va être écrit au Cⁿ Le Breton pour l'inviter à obtenir du Ministre l'autorisation de prendre aux dépôts les baguettes dorées propres à encadrer les dessins des grands maîtres, en attendant que l'on se détermine sur les autres objets demandés (744).

Il sera encore écrit au C. Ginguené, Directeur général, pour lui demander l'autorisation ministérielle à l'effet d'établir les armoires dans la gallerie d'Apollon. Il luy sera rappelé qu'il en a été prévenu verbalement et qu'il a approuvé l'établissement et la destination de ces armoires (745).

Ecrit encore au Directeur général pour le prévenir [1 v.] qu'il a été reconnu qu'il faut deux mèches à chacun des réverbères établis dans la gallerie, lui demander l'ordre pour que l'entrepreneur de l'illumination puisse faire le service de ces deux mèches d'augmentation (746).

Ecrit au Cⁿ Hubert pour le prévenir que le Conservatoire a requis (deux maîtres maçons) [du maître maçon] (747) deux compagnons pour travailler aux massifs destinés à recevoir des statues.

Sur le rapport d'un membre que les grands tableaux peints par Le Brun représentant les batailles d'Alexandre ont été déplacés et qu'il faut les sortir de la gallerie d'Apollon, on observe qu'ils ne peuvent en sortir attendu la longueur des chassis et qu'il faut déclouer les toiles. On remarque encore que, les chassis (n'étaient) [n'étant](748) point à clef et d'ailleurs se trouvant vermoulus, il n'y a aucun espoir de pouvoir y retendre solidement les toiles. Sur quoi le Conservatoire, après avoir délibéré, arrête qu'il sera fait, par Renier, menuisier, des chassis nouveaux et à clef pour rétablir les tableaux dont il est question.

Le gardien Bidaut, logé au bout de la gallerie du Museum, étant obligé d'attendre tous les soirs les ouvriers qui sortent du travail de la partie que l'on parquette, on arrête qu'il lui sera fourni une chandelle tous les deux jours. L'un des entrepreneurs sera chargé d'en faire l'avance.

2 — *[19 janvier 1796].*

[2] Séance du 29 nivôse.

Présidence du C^n^ Robert.

Payement fait au C. Chévre de 208^l^ qui restaient entre les mains du trésorier reçues pour un mois de traitement (de diff.) [d'app^t^ de Joseph Chévre décédé](751).

[Le C^en^](749) Pierre-Joseph Chévre, portier du Museum, se présente au Conservatoire. Il met sur le bureau une procuration a lui donnée par la Citoyenne Catherine Rolle, Vve de [feu](750) Joseph Chévre, reçue par le notaire de Mettemberg, enregistrée à Delamort le 7 nivôse an 4 de la République. Par cette procuration, Pierre Joseph Chévre est autorisé à recevoir tout ce qui est dû à la succession de Joseph Chévre, vivant gardien du Museum, décédé à Paris le 4 brumaire dernier. Et attendu que le C^n^ Foubert, secrétaire du Conservatoire et trésorier, a reçu pour un mois de traitement dud. Joseph Chévre, échu au jour de sa mort, la somme de 208^l^ 6, ainsi qu'il est mentionné au procès verbal du 13 brumaire dernier, le C^n^ fondé de procuration en requiert la remise, ce qui a été à l'instant effectué, sur la quittance qu'il en a donnée et qui restera déposée au cahier des décharges et reconnaissances données au Conservatoire.

Payé à Chouteau, balayeur, 138^l^.

Payé à Chouteau, balayeur, pour le remboursement des balais qu'il employe au netoyement de l'escalier et de la cour du Museum, pour deux mois, la somme de 138^l^ sur ses quittances.

*Mémoire de restaurations du C^n^ Picault, montant en mémoire à 1240^l^* [2 v.]

Le C^n^ Picault, l'un des membres du Conservatoire, met sur le bureau un mémoire, expédié par triplicata, des restaurations par lui faites à différens tableaux provenans du Stathouder; ce mémoire porte au total en numéraire la somme de 1240^l^ dont l'évaluation en assignats est laissée en blanc.

Le Conservatoire certifie que les restaurations indiquées audit mémoire ont été faites pour le Museum des arts; renvoye le C^n^ Picault devant le Ministre de l'intérieur pour le règlement et le payement et, d'après le vœu du C^{n} Picault, le Conservatoire sollicite en sa faveur un acompte sur le montant du mémoire.

3 — *[21 janvier 1796].*

Séance du 1er pluviôse.

Présidence du C^{n} Fragonard.

Les conservateurs se sont réunis à 9 heures du matin dans l'intention de se conformer, pour l'exécution de la loy, à la formule dont ils (attendent) [attendaient](752) l'envoy ministériel (753).

Après avoir attendu jusqu'à l'heure de midy, un membre propose que les conservateurs se rendent à l'instant auprès du Directeur général. Sur cette proposition motivée, et le Conservatoire voulant recueillir les instructions nécessaires sur la conduite qu'il doit tenir pour obéir à la loi, il arrête qu'il va se rendre auprès du [3] Directeur général pour luy demander les lumières qui ne luy ont pas été données officiellement.

A une heure après midi.

Les conservateurs, en exécutant l'arrêté ci-dessus, ont rencontré rue du Bac (l'employé) [l'un des employés](754) du Bureau des Musées. Ils ont appris de lui que le C^{n} Ginguené ne serait pas visible en ce moment; que le Conservatoire recevrait demain ou après demain une lettre officielle contenant (les formalités) [la formule](755) qu'il faudra suivre et que jusques là toutte autre démarche à cet égard serait inutile. Sur quoi, les conservateurs sont revenus à leur salle d'assemblée à l'effet de s'occuper de leur (occupation) [opération](756) journalière.

Les C^{ns} Robert et Fragonard [proposent] que le Conservatoire s'occupe à l'instant de la vérification des émaux de Petitot qu'ils ont reçus avant hier à la bibliothèque nationale des mains des conservateurs, section des antiquités (758).

Les cartons dans lesquels sont ces émaux ayant été apportés, les C^{ns} Robert et Fragonard ayant reconnu [3 v.] sain et entier le scellé qu'ils y avaient apposé, les différens émaux ont été placés selon les N^{os} qui y sont attachés. Alors, d'après un double état (supportant) [inventaire portant](759) le titre de *Etat de la Collection* de portraits peints en émail, par le célèbre Petitot, inventaire et pièces y annexés, remis aux Citoyens Robert et Fragonard par les conservateurs du Museum d'antiquités, nous avons fait l'appel et nous avons trouvé et reconnu chacun desdits portraits par leur N^{o} et leur désignation.

Nous avons observé qu'il existe un portrait de plus qu'il n'en est indiqué dans le susdit état, portrait dont il est fait mention dans un écrit particulier signé Vincent, Robert et Le Monnier et qu'on y annonce comme étant celui de Monsieur frère du Roy (Louis 14) [Louis XIV.] (760)

Les deux commissaires du Conservatoire ont promis en son nom de fournir une copie de l'état ci-dessus spécifié aux conservateurs du Museum des antiquités, à l'effet d'opérer leur entière décharge de la remise des émaux de Petitot, au moyen de quoi le Conservatoire arrête qu'on procèdera, sans retard, à l'expédition dont il s'agit au bas de laquelle sera insérée la décharge du Conservatoire.

[4] On observera cependant qu'en faisant la remise des émaux les conservateurs du Musée des antiquités ont réservé une cassette d'acajou moucheté dans laquelle ces émaux avaient été renfermés ainsi qu'il est porté dans l'état ou inventaire remis avec eux.

Le Conservatoire satisfait de voir enfin le Museum des arts posséder une collection précieuse, sur laquelle il avait tant de droits, voudrait hâter le moment de livrer cette collection au désir du public, [il ne suspendra cette jouissance que pour établir] (761) des moyens solides de prévenir les dangers que pourraient courir ces objets soit en les livrant à l'étude, soit de la part de ceux qui tenteraient de les dérober. A cet effet, le Conservatoire arrête qu'il sera construit deux passe partout couverts de glaces, lesquels seront renfermés dans une boette destinée à être ouverte le jour et fermée la nuit. La collection des Petitot sera divisée et répartie entre ces deux passe-partout et les émaux ne seront vus et ne seront livrés à l'étude qu'au travers des glaces dont ils seront couverts.

On fait lecture d'une lettre en datte du 28 nivôse signée Ruelle, commissaire à la vente du mobilier national. Ce C^{n} prévient le Conservatoire qu'il est chargé par [4 v.] le Ministre des finances de faire procéder à la vente du mobilier du Raincy appartenant aux cidev^{t} d'Orléans (762). Il demande une copie du procès verbal qu'ont fait, il y a environ 18 mois, les commissaires du Conservatoire, pour la réserve des objets d'arts existans dans cette maison. La vente devant s'ouvrir le 6 du courant, cette opération ne doit pas être différée. Le Conservatoire délibérant sur la demande du C. Ruelle, relativement à la réserve cidevant faite de divers objets d'arts, marqués dans la maison du Raincy, pour être transportés au Museum de Paris, considérant qu'il est utile de reconnaître ces objets marqués par les commissaires du précédent Conservatoire et de réserver seulement ceux qui sont dignes de la collection où ils doivent entrer, arrête que ceux des membres du Conservatoire qui pourront se réunir à l'effet de procéder à cet examen, se transporteront au Raincy, après demain 3 pluviôse. Ils s'y présenteront, munis de la lettre du C^{n} Ruelle et du procès verbal des commissaires du précédent Conservatoire d'après lequel ils marqueront définitivement les objets qui doivent être réservés pour le Museum de Paris et en détermineront de suite le transport.

[5] Un membre propose de s'occuper activement (de s'occuper entièrement) de l'ouverture des portes demandée au Ministre, pour donner à la principale entrée du Museum là dignité qui lui convient. Il observe qu'un chef du Bureau des Musées a manifesté verbalement son désir que le Museum des arts fit un emploi convenable des localités qu'occupait la Bourse et qui sont rendues à leur véritable destination.

Un autre membre ajoute que le C^{n} Hubert, inspecteur des bâtiments, est disposé à suivre les intentions du chef du Bureau des Musées et à satisfaire aux désirs du Conservatoire, mais le C^{n} Hubert demande une autorisation du Conservatoire donnée d'après une délibération. D'après ces observations, considérant les inconvéniens qui ont toujours résulté d'un retard apporté dans les choses utiles, que l'objet dont il s'agit est de ce genre et que le vœu des artistes et du public est manifeste à cet égard, le Conservatoire arrête qu'il va être écrit en son nom au C^{n} Hubert pour l'inviter à envoyer des ouvriers à l'effet d'ouvrir seulement une des 3 portes demandées, de sorte que le public puisse en jouir décadi prochain 10 pluviôse (763).

4 — *[23 janvier 1796].*

[5 v.] Séance du 3 pluviôse.

Présidence de Fragonard.

Les membres du Conservatoire s'étaient réunis hier à leur salle d'assemblée pour y recevoir la lettre qu'on leur avait annoncée devoir être écrite par le Ministre de l'intérieur prescrivant le serment ordonné par la loi et en donnant la formule. Cet ordre n'est parvenu au Conservatoire que ce matin à neuf heures, il porte la datte du 27e jour du mois nivôse. C'est une ampliation de l'arrêté du Directoire exécutif adressée au Conservatoire par le Directeur général de l'instruction publique, signée Ginguené. L'arrêté du Directoire s'exprime ainsi :

« Tous les chefs d'administrations civiles, militaires et autres, feront prêter sans délai, par touttes les personnes employées sous leurs ordres et prêteront euxmêmes, le serment d'être sincèrement attachés à la République et de vouer une haine éternelle à la royauté. Chacun des employés écrira de sa main et signera ce serment dans la formule ci dessus et la remettra luy même au chef de l'administration dans laquelle il est employé.

« Ces sermens seront adressés par les chefs d'administration, avec celui des chefs eux mêmes, au Ministre [6] dans le département duquel ils sont compris, et ce dans le cours de la décade. Ces chefs y joindront la liste des employés qui n'auraient pas envoyé leur serment et seront responsables de l'exactitude de cette liste. »

Le Conservatoire considérant que 3 de ses membres se trouvent absens aujourdhuy pour le service du Museum; qu'il convient de prévenir tous ses employés de se réunir devant le Conservatoire assemblé pour satisfaire à l'arrêté du Directoire exécutif, arrête que tous les employés du Museum seront mandés à l'assemblée du Conservatoire qui aura lieu après demain 5 pluviôse; que lecture de l'arrêté du Directoire leur sera faite et, qu'après le serment écrit et signé individuellement par chacun des employés présens dans la formule prescrite, il sera procédé de même par les conservateurs présens à la prestation de leurs sermens individuels.

Les employés vont être prévenus par un mandat circulaire et la remise au 5 du courant est faite pour qu'aucun desdits employés n'en puisse prétendre cause d'ignorance.

On fait lecture d'une lettre écrite par le Cn Hubert, en datte d'hier 2 pluviôse. Il répond à la lettre qui lui a [6 v.] été adressée le même jour par le Conservatoire relativement à l'ouverture d'une porte qu'il luy est impossible de la consentir, ni de l'ordonner, sans une autorisation spéciale du Ministre qui la décidē nominativement. Le Cn Hubert motive son refus sur la règle établie pour le maintien de l'ordre dans les dépenses de constructions aux frais de la nation, règle dont il ne pourrait s'écarter sans encourir la peine de la responsabilité.

Le Cn Mazade, commissaire du Directoire général de l'instruction publique, se présente au Conservatoire; il y demande l'original de l'inventaire fait par lui et le Cn Le Brun des tableaux venus de Hollande (764). Il prévient le Conservatoire (que cet inventaire) (765) que, par une lettre du Directeur général, cet inventaire sera demandé au Conservatoire (766), mais qu'il peut regarder cette lettre comme nulle, d'après la remise qui vient de luy être faite. Les conservateurs invitent le Cn Mazade de se joindre au Citoyen Le Brun pour mettre enfin cet inventaire en règle, ainsi que ceux des autres objets venus de Hollande; de se rendre ensemble au Museum pour que tous les objets qu'il contient soient récolés et vérifiés sur lesdits inventaires, et que le Conservatoire sache enfin, d'après des désignations précises, quels sont tous les objets dont on les rend dépositaires. Le C^{n} Mazade demande qu'on prévienne le C^{n} Le Brun (767) et déclare qu'il se rendra au Museum le jour convenu.

5 — *[25 janvier 1796].*

[7] Séance du 5 pluviôse.

Présidence du C. Fragonard.

Les gardiens et employés au Museum, prévenus suivant l'arrêté mentionné au dernier procès verbal, se présentent au Conservatoire assemblé. Le secrétaire leur fait lecture de l'arrêté du Directoire exécutif concernant le serment.

Les gardiens nommés Mariguez fils, Bidaut, Mariguez père, écrivent et signent le serment d'après la formule contenue en l'arrêté du Directoire. Les autres gardiens nommés Barrois, Alliaume, Biagi, Daunois, Bosset, Brachet et Bouillet prononcent le serment dans les termes de la formule et déclarent ne scavoir écrire. Les 2 employés, Denyau commis aux écritures écrit et signe le serment, Evrard menuisier le prononce et déclare ne scavoir écrire.

Conformément à l'arrêté du Directoire ces sermens sont reçus par le Conservatoire assemblé, ils sont écrits en sa présence et à la suite l'un de l'autre sur une même feuille portant en tête l'extrait de son procès verbal.

Les gardiens et employés retirés, chacun des Conservateurs écrit et signe son serment sur la même feuille.

[7 v.] Le Conservatoire arrête qu'au bas de cette feuille sera mis le certifié conforme au relaté au procès verbal, signé du président et du secrétaire; qu'il va être écrit à l'instant au C.^{n} Ginguené (768), Directeur général, pour luy annoncer les sermens faits aux termes de l'arrêté du Directoire exécutif envoyé par lui au Conservatoire, et que la feuille des sermens et la lettre seront, à l'issue de la présente assemblée, portées et remises au C.^{n} Ginguené par les membres du Conservatoire.

Arrêté encore qu'il va être écrit particulièrement au C. Ginguené : 1° pour lui demander du fer que l'on dit exister dans le dépôt national dit Le chateau d'eau, et d'autoriser le C^{n} Hubert à le prendre pour employer dans la gallerie (769); 2° pour lui demander son approbation à l'effet de déplacer, dans la gallerie d'Apollon, les anciens panneaux de boiserie qui étaient couverts des tableaux de Le Brun et d'y établir une boiserie unie, formée de planches provenantes des caisses venues de la Belgique, pour exposer les passe partout qui contiendront les dessins des grands maîtres (770).

Il va encore être écrit au C^{n} Le Breton pour le solliciter d'appuyer les demandes de fer pour la gallerie et lui rappeller d'obtenir les baguettes nécessaires pour les cadres des dessins, lesquelles sont au dépôt de l'Infantado (771).

objets marqués au Raincy. [8]

Les C^ns Pajou, Dewailly et Picault rendent compte de la mission qu'ils ont remplie avant hier au Raincy. Ils y ont marqué divers objets propres à être transportés au Museum. L'état de ces objets a été certifié ce jourd'huy et va être envoyé au C.^n Ruelle, commissaire aux ventes du mobilier national, afin que les sudits objets ne soient pas compris dans la vente des effets de Raincy qui commence demain. L'état a été dressé et extrait sur l'inventaire des effets du Raincy, dressé par la Commission temporaire des arts.

Reconnaissance données aux Conservateurs du Musée des antiquités. Les portraits de Petitot.

Pour fournir aux C^ns conservateurs du Museum des antiquités la décharge des portraits de Petitot et des inventaires où ils sont désignés, le tout remis par eux aux membres nommés par le Conservatoire, ainsi qu'il est dit au procès verbal du 1 du présent mois, le Conservatoire arrête qu'une copie collationnée de l'état contenant la désignation des objets remis, certifiée par lui sous les signatures du président et du secrétaire, va être envoyée aux conservateurs du Museum d'antiquités. La reconnaissance au bas de la copie de l'état a été inscrite en ces termes :

Nous conservateurs du Museum des arts certifions la copie cidessus conforme à l'original qui nous a été transmis par les C^ns conservateurs du Museum des antiquités en nous délivrant tous les émaux et autres miniatures désignés dans cet état. Nous reconnaissons avoir reçu en outre des mêmes conservateurs un portrait en émail, dit être celui de Monsieur, frère de Louis XIV, indiqué dans un écrit signé Le Monnier, Vincent et Robin, [annexé] (772) au susdit état où ce portrait n'est pas mentionné. [8 v.]

La présente copie sera délivrée aux C^ns conservateurs du Museum des antiquités pour leur servir de décharge. Fait au Conservatoire assemblé le 5 pluviôse an 4 de la République.

mém^re de serrurerie Blampignon 231797 l.

Le C^n Blampignon, serrurier, présente en triplicata un mémoire [d'ouvrages] (773) de sa profession montant au total à la somme de 231,797^l, laquelle somme est évaluée à la marge, en numéraire, à 1189^l 12^s. Le Conservatoire certifie que les ouvrages contenus en ce mémoire ont été faits pour le Museum des arts. Il renvoye le C. Blampignon devant le Ministre de l'intérieur pour le règlement et le payement avec sollicitation, d'après le vœu du C^n Blampignon, d'un acompte de la moitié de la somme en demande.

6 — [27 janvier 1796].

[9] Séance du 7 pluviôse.

Présidence du C. Fragonard.

Mémoire du C. Scellier 109983.

Le C^n Scellier, marbrier, présente un mémoire de transport, placement et déplacement d'objets de marbre, faits sous sa direction. Ce mémoire porte au total à la somme de 109983^l. Le Conservatoire certifie que les ouvrages contenus en ce mémoire ont été faits pour le Museum des arts. Il renvoye le C^n Scellier devant le Ministre de l'intérieur pour le règlement et le payment avec sollicitation, d'après le vœu de l'entrepreneur, d'un acompte de la moitié de la somme en demande.

Les attachemens des articles contenus dans ce mémoire existent dans ceux qui ont été précédemment fournis par le C^n Scellier.

On a fait lecture des lettres suivantes en datte du 29 nivôse :

L'une, le Ministre de l'intérieur autorise le Conservatoire à prendre au garde meuble 4 grandes bannes pour couvrir les tableaux. On observe que cette demande a été adressée à la Commission il y a 3 mois (774) et que la réponse tardive rend l'objet inutile : c'était pour préserver les tableaux de la gallerie de la poussière des travaux qui ont lieu depuis ce tems.

La seconde lettre du Ministre demande que l'on continue à faire inscrire sur les bordures des tableaux les noms du maître et les sujets.

[9 v.] La 3e, du Directeur général, avertit le Conservatoire que le Ministre veut connaître l'état ou inventaire des objets du garde meuble qui doivent être transférés au Museum. Le Conservatoire arrête que les deux inventaires concernant cet objet seront adressés au Ministre.

Une 4e, par le Directeur général, en datte du 2 courant, demande des renseignemens relatifs à des réclamations de paye faites par les vétérans qui gardaient le Museum, avant la compagnie sédentaire.

Il sera écrit à l'instant au Ministre en lui envoyant l'état des objets qui ont été en dernier lieu marqués au Raincy, pour venir au Museum. Il lui sera demandé d'autoriser le dépositaire à délivrer ces objets aux Conservateurs.

En même temps, il sera présenté au Ministre une observation. L'état cidessus cité contient 14 girandoles qu'on lui proposera d'être employées à l'Institut. L'observation née à ce sujet est celle ci : la salle destinée aux assemblées générales de l'Institut doit être ornée d'une quantité d'objets d'art qui devraient faire partie de la collection du Museum. Pour qu'il ne résulte aucun re-

[10]

gret de cette privation, on propose que la salle des antiques reste, quant aux objets d'art qu'elle renfermera, sous la surveillance du Conservatoire du Museum. Elle sera, dans les circonstances, ornée des objets convenables aux sciences et aux arts qui y ont contracté alliance; alors elle serait ouverte au public les mêmes jours que le surplus du Museum.

Cette lettre (775) a été envoyée avec celle qui suit (776).

colonnes venant de Charleville, origmt de Liège.

Cette dernière, adressée au Directeur général, le prévient qu'il est arrivé aujourdhui deux voitures de Charleville apportant 2 colonnes et 7 chapiteaux de marbre. La facture de l'une de ces voitures porte 7300l de poids, l'autre 8200l. Le prix du charrois est porté à 2000 le cent; le nom du conducteur est capitaine; la datte de la lettre de voiture est 2 pluviôse jour du départ. Le Conservatoire, vu le prix exhorbitant d'un tel charrois, propose au Directeur général de prendre la voye convenable pour faire suspendre les envois, observant que les commissaires envoyés dans la Belgique n'ont pu prévoir de semblables abus.

Il a encore été écrit au C. Ruelle au Raincy en luy envoyant un double de l'état qu'on a fait passer au Ministre. Jusqu'à ce qu'il soit prononcé, le commissaire Ruelle voudra bien suspendre la vente des objets réservés par cet état (777).

7 —

[10 v.]

[29 janvier 1796].

Séance du 9 pluviôse.

Présidence du C. Fragonard.

autres marbres venant de Charleville.

Un membre rapporte qu'il est arrivé hier deux autres voitures de Charleville apportant une grosse colonne, deux tables, dix chapiteaux et 7 morceaux de marbre (bleu) [blanc] (778) pesant 11500, plus ce matin une autre voiture apportant deux colonnes de marbre blanc. L'arrivée de ces objets a été certifiée sur la lettre de voiture par les Cns Fragonard et Picault, membres du Conservatoire qui se sont trouvés présents.

Le Cn Le Brun a répondu hier à la lettre qui lui a été adressée par le Conservatoire, qu'il s'y rendra primidi 11 courant à 11 heures du matin.

Il va être écrit au Cn Mazade pour l'en prévenir (779), ainsi qu'il l'a désiré, en l'avertissant que les conservateurs s'y trouveront, à l'effet de recevoir les tableaux du Stathouder sur le recollement qui doit être fait (depuis) [de] (780) cet inventaire, non terminé depuis si longtems.

Le Conservatoire écrit au Cn Jussieu, conservateur du Museum des plantes; il l'engage à proposer à ses collègues l'échange qu'on propose d'un groupe d'enfans en marbre de Sarazin contre un groupe d'Hippomène et Atalante que le Museum des plantes à marqué à la maison de Nesle (781).

[11] Ecrit au Ministre en luy envoyant les inventaires des objets d'arts du garde meuble et les pièces y jointes, le tout au nombre de 6 pièces scavoir :

1° L'inventaire des objets choisis pour être vendus (en échange) [ou échangés] (782).

2° Lettre de la Commission temporaire des arts aux membres du Conservatoire.

3° Inventaire par Le Brun des objets propres à être conservés pour le Museum.

4° Lettre du Directoire de la Commission temporaire des arts relative à la transmission desd. objets au Museum.

5° Lettre de la Commission des revenus nationaux au Conservatoire.

6° Lettre du Directeur général au Conservatoire.

Dans la lettre au Ministre, le Conservatoire demande la confiance dont il a besoin pour les objets de détail et ensuite sur ses observations précédentes.

Sur les observations d'un membre qu'il est intéressant pour la décoration du Museum d'employer 4 grandes colonnes de marbre blanc venues de Liège, ayant leurs chapiteaux et bases de bronze doré; qu'on peut les placer très avantageusement à la principale porte d'entrée dans l'intérieur de la gallerie du Museum, en les couronnant d'une corniche architravée, et que cette opération peut avoir lieu à peu de frais en y employant des matériaux que possède le Museum; le Conservatoire, délibérant sur cette proposition et attendu qu'elle ne [11 v.] doit entraîner que des frais de main d'œuvre, arrête qu'il sera demandé un ouvrier en maçonnerie pour travailler à placer les colonnes ainsi qu'il vient d'être dit et dans le plus court délai possible, afin de prouver au public la jouissance qui en doit résulter.

8 — *[31 janvier 1796].*

Séance du 11 pluviôse.

Présidence du C^n Fragonard.

Mémoire du C^n Scellier 111627.

Le C^n Scellier, marbrier, présente un mémoire de bardages, transports, etc., de différens objets de marbre; ce mémoire montant au total à la somme de 111,627 l est fait en double ainsi que ses attachemens. Le Conservatoire certifie que les ouvrages contenus en ce mémoire ont été faits utilement pour le Museum des arts; renvoye le C^n Scellier devant le Ministre de l'intérieur pour le règlement et le payement avec sollicitation, d'après le vœu de l'entrepreneur, d'un acompte de la moitié de la somme en demande.

marbres arrivant de Charleville.

Ce matin il est arrivé de Charleville deux voitures apportant l'une une colonne et six autres objets en marbre blanc pesant 8000[l], l'autre une colonne avec son [12] emboisement *(sic)* de marbre pesant 5000[l].

Les Cns Mazade et Le Brun se sont trouvés réunis au Conservatoire à onze heures du matin, ainsi qu'il avait été dit dans la lettre du Cn Le Brun annoncée au dernier procès verbal.

Avant de procéder à l'appel des tableaux provenant du cabinet du Stathouder par recollement sur l'inventaire cidevt fait par les Cns Le Brun et Mazade, celui-ci propose qu'au fur et à mesure on indique à côté de la désignation du tableau 1° s'il a besoin de restauration et si elle est urgente et considérable ou peu importante ou s'il n'y a pas du tout de besoin, 2° de désigner en même tems les tableaux indignes du Museum par leur peu de mérite.

On procède à l'appel de tous les tableaux venant du Stathouder qui se trouvent préparés dans la salle d'assemblée du Conservatoire. Le Cn Mazade tenant un double de l'inventaire y fait à chaque article une annotation d'après le dire du Cn Le Brun. Cet appel est fait en présence du Cn Picault, les autres membres absens du Conservatoire. Le Cn Fragonard cependant se présente et assiste quelque moment à cette opération. A une heure et demie, il ne reste plus à vérifier que les tableaux étant [12 v.] dans la gallerie exposés et quelques uns petits enfermés dans une armoire, le tout au nombre de 40 ou environ.

Le Cn Pajou arrivant et le Cn Fragonard ainsi que le Cn Picault accompagnent les Cns Mazade et Le Brun pour terminer l'appel des tableaux. Tous les susdits rentrent au Conservatoire à trois heures, le recollement étant terminé.

Les conservateurs présens certifient le recollement fait sur l'inventaire et déclarent que le Conservatoire reçoit en sa garde les tableaux pour tels qu'ils sont désignés audit inventaire (783).

9 — *[2 février 1796].*

Séance du 13 pluviôse.

Présidence du Cn Fragonard.

marbres arrivant de Mezières et 2 tableaux.

Il est arrivé ce matin un charriot venant de Mezières apportan 2 colonnes de marbre et deux tableaux le tout pésant 12.400[l].

Le secrétaire paye au C. Niodot, papetier, la somme de 1338[l] pour fournitures au Conservatoire qui se trouvent soldées jusqu'à ce jour.

10 — *[4 février 1796].*

[13] Séance du 15 pluviôse.

Présidence du C. Fragonard.

voiture apport[t] 2 colonnes de marbre.

Ce matin est encore arrivé un charriot venant de Mezières apportant deux colonnes de marbre, pesant 11150[l] poids de marc, devant être payé à raison de 2300[l] le cent. Ce charriot attelé de 8 chevaux conduit par Lyonnois.

On fait lecture de 2 lettres adressées au Conservatoire par le Directeur général, en datte du 13 courant (784).

L'une avertit que le Ministre veut, avant d'approuver la proposition d'établir des armoires à hauteur d'appuy dans la gallerie d'Apollon, qu'on lui mette sous les yeux les plans et devis de cette opération.

L'autre lettre annonce que l'entrepreneur des illuminations est autorisé à mettre deux mèches dans les réverbères qui n'en devaient avoir qu'une. L'ordre pour l'entrepreneur est joint à la lettre.

Le C[n] Chotard est autorisé par le Conservatoire à continuer de sculpter les placages rapportés aux bordures destinées à 2 tableaux de Jouvenet.

Le Conservatoire considérant que les caisses contenant des marbres, actuellement déposées dans la partie nouvelle de la gallerie du Museum, obstruent le passage et qu'elles apporteraient des obstacles à l'arrangement qui va avoir lieu dans cette partie, arrête que les dittes caisses seront transportées dans le jardin du Museum.

Le C[n] Nadrau, menuisier, présente au Conservatoire le mémoire contenant la réclamation de la somme principale de 17500[l] qu'il a avancée pour le service du

[13 v.] Museum le 17 nivôse dernier, sur la demande du Conservatoire (785), il y joint l'intérêt de cette avance. Le Conservatoire certifie l'avance de la somme de 17500[l] en principal, faite à sa réquisition par le d. C[n] Nadrau. Il lui remet, pour être joint à son mémoire et justifier des motifs de cette avance et de son employ, les deux quittances, en suite l'une de l'autre, montant ensemble à la même somme de dix sept mille [cinq cent] (786) livres données au Conservatoire, l'une pour le cordage du bois et l'autre pour le charroi. Il renvoye le C[n] Nadrau devant le Ministre de l'intérieur avec sollicitation, d'après le vœu de l'entrepreneur, de luy rembourser cette avance ou de lui procurer au moins un acompte de la moitié de la somme en demande.

Le Conservatoire arrête aussi qu'il sera en même tems écrit au C[n] Ginguené, Directeur général pour l'in-

viter à faciliter au C^n Nadrau le remboursement de ses avances et qu'il luy sera observé que l'on a blâmé dans une autre circonstance le recours qu'a eu le Conservatoire à un entrepreneur, mais que dans (celuy) [celle-ci], il
[14] n'a pu se dispenser de faire payer des voituriers qui avaient charroyé 50 voyes de bois, qui ne pouvaient attendre; que d'ailleurs, dès le 11 nivôse, le Conservatoire avait demandé un bon d'urgence pour fournir à cette dépense et qu'on ne lui a pas répondu, qu'ainsi le 17 du même mois il a fallu emprunter, le Conservatoire n'ayant pas de fonds (787).

11 — *[6 février 1796].*

Séance du 17 pluviôse.

Présidence du C. Fragonard.

Arrivé hier une voiture de Mézières apportant deux tables de marbre pesant ensemble 3000^l à raison de 2300^l du cent; Laurent voiturier.

Le C^n Mazade, commissaire en cette partie, s'étant présenté au Conservatoire pour procéder à un inventaire de caisses précédemment arrivées, a été prévenu qu'il était encore arrivé plusieurs voitures chargées de marbre ces derniers jours.

Le C^n Renier fils, menuisier, présente un devis des dépenses de façon qu'occassionneront les armoires à
[14 v.] hauteur d'appui dans la gallerie d'Apollon, ce devis monte en assignats à la somme de (788).

Le Conservatoire arrête que copie en sera adressée au Ministre, suivant la demande qu'il en a faite, et qu'il luy sera observé que les bois nécessaires existent au Museum (789).

12 — *[8 février 1796].*

Séance du 19 pluviôse.

Présidence du C. Fragonard.

On fait lecture des lettres suivantes, signées du Ministre de l'intérieur, envoyées par le Directeur général :

L'une, en datte du 15 courant, porte : j'approuve la translation des objets que vous m'avez indiqués et qui sont déposés dans la maison Infantado.

Une autre lettre (790), en datte du 17 courant, porte : ... je vous autorise à délivrer aux C^ns Vincent et Gérard, sur leur récipissé, la toile qui leur est nécessaire pour l'exécution des deux monumens nationaux dont ils
[15] sont chargés. Cette toile vous sera remplacée. Vous ferez aussi faire les chassis dans les atteliers du Museum.

Une 3e lettre, même datte du 17 courant, porte que

le C[n] David, sur sa demande, est autorisé par le Ministre de l'intérieur à exécuter un tableau qu'il se propose de faire pour le prochain Sallon (791), dans l'un des atteliers de restauration, au 2e étage et isolé. Il remettra cet attelier après l'exposition de cette année.

On rappelle une lettre, en datte du 13 courant, écrite par le Directeur général (792). Il demande des renseignemens sur un tableau de Gérard Lairesse représentant Orphée et Euridice, réclamé par le C[n] Diffuy comme lui ayant été enlevé à Liège. Le Directeur demande quels ont été les motifs de l'enlèvement, etc. Le Conservatoire n'ayant aucune connaissance des faits demandés s'informe à l'un de ses membres, cidv[t] commissaire dans la Belgique à Liège, s'il a scu les motifs du représentant Fressine (793) pour enlever ce tableau au C[n] Diffuy. Cet ancien commissaire déclare qu'il ignore les motifs, mais qu'il scait que le tableau appartient au C[n] Diffuy et qu'il pense qu'il serait à propos de le luy restituer. Le Conservatoire arrête que cette opinion sera transmise au C[n] Ginguené en réponse à sa demande (794).

[15 v.] Un des membres propose et le Conservatoire arrête qu'il va être écrit au Ministre pour luy demander des fers que l'on démolit aux Quatre-Nations pour les employer à faire les instrumens nécessaires aux atteliers de restauration. Ecrit en conséquence (795).

Le même membre représente qu'il luy paraît de la plus pressante utilité d'établir des madriers en plats bords, des (chevres) [chevrons] (796) de 3[ps] 1/2 à 5 pieds et demie de longueur propres à former des chaises (terme de charpentier), les uns et les autres de bois de sapin, plus des cerces en bois de chêne de 15 à 18 pouces de long; le tout pour opérer les transports, déplacemens et repauses des objets de marbre, bronze et autres objets pesans, que par là on économisera les frais multipliés d'équipage dont les transports se renouvellent à chaque moment du besoin.

Ce considéré le Conservatoire arrête que le C[n] Nadrau est autorisé à fournir les susdits plats bords, [chaises] (797) et cerces, d'après l'apperçu qu'il en a présenté, qu'il les (écrira) [livrera] (798) au Conservatoire, lequel les fera marquer de son fer comme le sont les autres instrumens appartenans au Museum et (parceque) [que] (799) ces objets seront remis en compte au C[n] Scellier qui les représentera à toute réquisition.

13 — *[10 février 1796].*

[16] Séance du 21 pluviôse.

Présidence du C. Fragonard.

On fait lecture d'une lettre du Ministre, en datte du

13 pluviôse, reçue [seulement](800) hier matin. Elle est accompagnée d'un ordre tendant à faire suspendre les transports des marbres qu'on envoye de Charleville et de Mezières.

Cette lettre contient des reproches adressés au Conservatoire, sur des opérations isolées faites sans délibération, etc.

Le Conservatoire arrête qu'il sera fait au Ministre une réponse explicative sur tous les objets de sa lettre; lecture faite de cette réponse, elle est approuvée (801).

mémoire du C. Verrier peintre 100.683^{l}

Le C^{n} Verrier, peintre, présente par triplicata un mémoire d'ouvrages de sa profession montant au total à la somme de 100.683^{l} 18^{s} 4^{d} en valeur nominative, évaluée à 432.19.3^{d}. Le Conservatoire certifie que les dits ouvrages ont été faits pour le Museum et renvoye le C^{n} Verrier devant le Ministre de l'intérieur pour le règlement et le payement avec sollicitation, d'après le vœu du C. Verrier, de luy payer en acompte la moitié de la somme en demande.

Réparation à faire à la statue de Bacchus.

Le Conservatoire autorise le C^{n} Scellier, marbrier, à faire les réparations nécessaires à la statue en marbre représentant Bacchus, figure de 9 pieds de proportion, tirée de la salle des antiques, pour être placée à la principale porte d'entrée du Museum.

[16 v.]

On fait lecture de deux autres lettres du Directeur général, en datte du 17 courant (802) :

L'une annonce que le Ministre à accordé au C^{n} David, peintre, une pièce dépendante des atteliers de restauration pour y peindre un tableau que le C^{n} David a l'intention de faire. Il rendra cette pièce après l'exposition au Sallon.

L'autre lettre annonce que sur les toiles destinées aux atteliers de restauration, il sera fourni aux C^{ns} Vincent et Gérard, peintres, la toile qu'ils demanderont pour deux tableaux qu'ils ont à faire. Cette toile sera remplacée.

14 — *[11 février 1796].*

Séance extraordinaire du 22 pluviôse.

Présidence du C. Fragonard.

Le Conservatoire s'assemble pour entendre la déclaration que le C^{n} Descavelez, commandant la garde sédentaire des vétérans du Museum, les a prévenus qu'il avait à leur faire. Le C^{n} Descavelez est entendu; il entre dans sa déclaration en des détails dont [voici] le précis (est) essentiel :

[17]

J'ay rencontré hier un homme que j'ay connu cidv^{t} dans une prison où il était détenu pour vol. Il examinait l'extérieur de la gallerie du Museum du côté de la rue des Horties. Cet homme s'occupait de cet examen accompagné de deux autres individus, il m'a reconnu, m'a acosté, aussitôt ses acolytes ont disparu. Il m'a demandé si le Museum était gardé la nuit; sur ma réponse que ce n'était pas mon affaire et que je ne m'occupais que de la garde du jour, il m'a fait la confidence qu'il se préparait un bon coup, celui de voler le Musuem de tout ce qu'il a en métaux précieux; que ce vol aurait lieu sous peu de jours et que si je le voulais, j'en mangerais bientôt ma part.

Le Conservatoire ayant oui le citoyen Descavelez, l'engage à se rendre à l'instant auprès du Ministre de la police pour faire devant lui la déclaration dont le précis est ci dessus. Le Conservatoire nomme en même tems le Cn Robert, l'un de ses membres, pour accompagner le Cn Descavelez, être présent à sa déposition et demander au Ministre les ordres qu'elle exigera.

Le Cn Le Breton, chef du bureau des Musées, que l'on avait scu être dans la gallerie, est invité à descendre au Conservatoire. Il entend la déclaration ci dessus et est témoin de la détermination prise par le Conservatoire.

15 — [17 v.]

[12 février 1796].

Séance du 23 pluviôse.

Présidence du Cn Fragonard.

Le Cn Robert rend compte de la mission qu'il a remplie hier; il s'est rendu auprès du Ministre de la police avec le Cn Descavelez. Le Ministre, après les avoir entendu, a renvoyé le Cn Descavelez devant le bureau central pour y faire sa déclaration.

On fait lecture des lettres adressées au Conservatoire : l'une, en datte du 17 courant écrite de Marly, signée Picard, demande au Conservatoire la reconnaissance d'une tête en marbre, copie de la Vénus de Médicis qu'il a cidevant remise à deux des conservateurs.

Il presse l'enlèvement des objets marqués alors pour le Museum de Paris, attendu les déprédations auquelles ils sont exposés.

Le Conservatoire arrête qu'il sera envoyé une reconnaissance au Cn Picard par duplicata, attendu qu'il lui en a cidevt été envoyé une; que par rapport aux objets marqués (alors pour le Museum) (803) à Marly, la lettre du C. Picard sera envoyée au Ministre, avec prière instante d'employer les moyens nécessaires pour retirer ces objets du danger qu'ils courent et les faire transporter à Paris.

observations de la trésorerie nle sur le compte rendu

Une autre lettre, en datte du 19 courant, signée du Ministre, transmet au Conservatoire des observations à lui adressées par la trésorerie nationale sur le compte *par le Conservatoire.*

rendu par le Conservatoire de l'emploi d'une somme de 3336.4. Il sera répondu à ces observations.

Une autre lettre signée du Ministre, en datte du 21 courant, autorise le Conservatoire à faire enlever de la maison du Raincy tous les objets d'arts désignés dans la notte que lui a adressée le Conservatoire. Le Ministre annonce qu'il charge la Commission temporaire des arts de mettre ces objets à la disposition du Conservatoire.

Il l'autorise encore à placer dans la salle des assemblées générales de l'Institut les 14 girandoles désignées audit état.

Le C[n] Descavelez apporte au Conservatoire une reconnaissance de la Commission générale de police de la déclaration qu'il a faite, dont les membres du Conservatoire ont eu connaissance. Il dit que l'intention de cette Commission serait que l'on laissât consommer le vol afin de parvenir à prendre les coupables en flagrant délit, et préparant tous les moyens de les surprendre.

attelier prêté au C. David.

Le C[n] David, peintre, présente la lettre du Ministre qui lui accorde au titre de prêt une des pièces des atteliers de restauration; pour en jouir jusqu'à l'exposition qui aura lieu au Sallon du tableau que le C[n] David doit faire dans cette pièce. Un membre s'y transporte avec le C[n] David, il lui fait observer de quelle utilité est cette pièce pour les ouvrages de restauration, qu'elle n'est point isolée et qu'il faut établir des cloisons pour ôter la communication des magazins adjacens. Le Conservatoire arrête que l'on fera les cloisons nécessaires pour cette (opération) [séparation], que le Ministre en sera instruit et qu'il sera invité à faire restituer aux atteliers du Musée, aussitôt après l'exécution du tableau, une pièce qui leur est aussi nécessaire.

[18 v.]

16 —

[14 février 1796].

Séance du 25 pluviôse.

Présidence du C. Fragonard.

On fait lecture des lettres adressées au Conservatoire. L'une, en datte du 24 courant, signée Villette et Bayard gardes du garde meuble, annonce qu'il n'y a point à ce dépôt les grandes bannes que le Ministre de l'intérieur demande, d'après le vœu des conservateurs, pour l'usage du Museum. Ils offrent de grands rideaux si l'on veut les demander au Museum des plantes auquel ils ont été prêtés.

[19]

Une autre lettre signée du Ministre, en datte du 19. mais envoyée hier seulement par le Directeur général de l'instruction publique, annonce que les traitemens des conservateurs et des gardiens sont réglés à *l'octodécuple du traitement fixe et primitif*(805). Il paraît y avoir contradiction entre ce qui [est] annoncé dans le corps de la lettre, relativement aux gardiens, et une notte ajoutée à la suite de cette lettre qui porte le traitement des conservateurs par mois à 7500 l et celui des 8 gardiens chacun à 3750. Il n'est point parlé dans cette notte des deux portiers ni de Bouillet, garde de la salle des antiques, non plus que du menuisier Evrard.

Le Cn Vincent demande les toiles montées sur chassis ordonnées par le Ministre.

Une lettre, en datte du 23 courant, est adressée par le Cn Vincent, peintre. Il demande, en vertu de l'ordre du Ministre cidevt reçu, que l'on fasse apprêter dans les ateliers de restauration et monter sur leurs chassis deux toiles, l'une de 23 pieds sur 15, l'autre de 5 pieds sur 3.

Le Conservatoire arrête qu'il sera procédé à cette opération sous la direction du Cn Picault.

Le Cn Descavelez présente au Conservatoire un mémoire et deux états émargés relatifs à (des) [d'anciennes](806) réclamations d'indemnités faites par les vétérans qui ont précédé la compagnie sédentaire actuellement au Museum. Le Ministre ayant le 19 du courant demandé au Conservatoire des renseignemens à ce sujet et de certifier la demande des vétérans, le Conservatoire met sa recommandation sur le mémoire en faveur des vétérans et son vu sur leurs états émargés.

[19 v.]

Cet objet terminé le Cn Descavelez demande au Conservatoire d'entendre l'un des vétérans de sa compagnie qui a aussi une déclaration à faire et des renseignemens à donner sur le vol du Museum que l'on dit projetter. Le commandant annonce que le vétéran à des connaissances sur les individus disposés à de telles actions, attendu qu'il a été longtems geôlier de prison.

Ce vétéran dit se nommer Durocher. Il déclare que, sur la confidence que lui a faite son commandant du vol projetté, il a été ce matin visiter la gallerie du Museum, examiner par où l'on pouvait craindre que les voleurs pussent s'introduire; qu'étant occupé de cet examen, il a apperçu deux individus placés dans une maison de la rue des Horties, lesquels par deux fenêtres et à deux étages différens paraissaient examiner les fenêtres de la gallerie; qu'il a cru reconnaître les figures de deux hommes de cette profession, mais cependant qu'il ne les a pas pu juger avec certitude; qu'il pense que ces deux individus étaient dans un escalier aboutissant à une allée dont il suppose qu'ils ont la clef; qu'étant descendu, et ayant sorti du Museum le plus vite qu'il a pu pour aller reconnaître le lieu où étaient ces hommes, il en a rencontré deux venant de ce côté, mais qu'il ne peut assurer être les mêmes; que ceux qu'il a rencontré il les connaît pour être du métier; qu'ils luy ont offert de boire bouteille et qu'il a accepté; en buvant il leur a demandé si mainte-

[20]

nant ils étaient bien calés, à quoy ils ont répondu qu'ils ne tarderaient pas à l'être, qu'une bonne affaire se préparait, etc., et qu'il pense qu'il s'agit en cela du vol projetté au Museum.

Le Conservatoire après avoir écouté la déclaration du C^n Durocher, rapportée cidessus par extrait, engage de nouveau le C^n Descavelez à se rendre au bureau central de la police avec le C^nDurocher, lequel y fera sa déclaration comme suite de celle faite avant hier par le C^n Descavelez.

Eux retirés, le Conservatoire fait inviter un citoyen qui copie dans la gallerie du Museum pour vouloir bien répéter ce qu'au rapport d'un des gardiens ce C^n aurait dit, qui pourrait avoir trait au vol du Museum. Ce citoyen se rend au Conservatoire et déclare qu'il a effectivement dit qu'étant à Lauzanne, il avait entendu un anglais, aux enfans duquel il montrait le dessin, dire que l'Angleterre travaillait à avoir les plus beaux morceaux de peinture de Florence et de France ou (qu'il) [qu'elle] les ferait détruire. Le Conservatoire a jugé au surplus que la déclaration du C^n n'a aucun trait au vol préparé. Lui retiré, le Conservatoire arrête que nonobstant la connaissance qu'à le C^n Le Breton des déclarations faites et des craintes connues relativement à la supposition d'un projet de voler le Museum, il va en être écrit au Ministre de l'intérieur pour lui réitérer par écrit ce que lui aura annoncé le C^n Le Breton; que la lettre rappellera les déclarations faites, la conduite du Conservatoire; qu'il invitera le Ministre de l'intérieur à demander au Ministre de la police les moyens actifs que peuvent exiger les circonstances et en même tems que l'on se hâte d'apprécier la valeur de ces diverses déclarations. Il lui sera demandé encore de décider s'il faut retirer de la gallerie les objets de métaux précieux et les renfermer dans un dépôt particulier contigu à la cazerne des vétérans. La lettre est écrite par le secrétaire et copiée de sa main pour ne rien laisser transpirer. Elle sera à l'instant portée au Directeur général (807).

[20 v.]

Le C^n Descavelez revient au Conservatoire. Il luy remet un écrit adressé par les commissaires du bureau central au Conservatoire en datte de ce jour. Cet écrit porte que le C^n Descavelez vient de donner de nouveaux renseignemens sur le vol prémédité au Museum...; que les commissaires prendront, dès aujourdhuy, pour empêcher toutte tentative sur ce dépôt précieux, tous les moyens possibles; qu'ils enverront cette après midi un de leurs inspecteurs les plus intelligens pour prendre avec le C^n Descavelez les moyens les plus sûrs, etc...

[21]

3 mémoires du C. Scellier, marbrier.

Le C^n Scellier, marbrier, présente 3 mémoires chacun en double avec les attachemens. Ces mémoires contiennent les ouvrages de transports faits pour le Museum : le 1er monte à la somme de 25.252, le second à la somme de 13.072, le 3e à la somme de 49.887. Le Conservatoire certifie que les ouvrages contenus aux susdits mémoires ont été faits pour le Museum des arts; il renvoye le C^{n} Scellier devant le Ministre de l'intérieur pour le règlement et le payement avec sollicitation, d'après le vœu du C^{n} Scellier, qu'il luy soit payé en acompte la moitié de la somme en demande.

17 — *[15 février 1796].*

[21 v.] Séance extraordinaire du 26 pluviôse.

Présidence au C. Fragonard.

Un des membres rend compte qu'il a été appelé la nuit dernière par le vétéran Durocher, envoyé par le C. Descavelez; qu'il s'est rendu chez celui-ci où il a trouvé deux inspecteurs envoyés par la police. Tous ensemble sont montés dans le Museum où le conservateur leur a fait voir, autant que le permettait la lueur d'une lanterne, tous les endroits par lesquels on pourrait supposer qu'entreraient des voleurs. Vers onze heures et demi on s'est ajourné à ce matin pour reprendre plus exactement cette visite.

A huit heures le même conservateur s'est réuni à l'un des citoyens de la police de la veille; un autre inspecteur de police ou juge de paix s'est joint à eux et l'examen de touttes les issues intérieures du Museum a été fait avec soin. Le juge de paix voyant arriver les étudians s'est retiré chez le C^{n} Descavelez, ayant craint d'être reconnu.

Et de suite le même membre du Conservatoire a conduit l'inspecteur de police chez le C^{n} Sevestre, sous inspecteur des bâtimens, avec lequel ils sont revenus au Museum. Le C^{n} Sevestre a montré alors à l'inspecteur de police touttes les issues extérieures, et l'a conduit au dessous et au dessus des voûtes de la galerie.

[22] Le C^{n} Descavelez se présente au Conservatoire. Il annonce qu'il a rendez vous dans la cour du Louvre avec le chef du vol prémédité; qu'ils doivent se réunir au cabaret; que luy Descavelez y fera trouver le juge de paix et l'inspecteur de police dans un cabinet voisin pour y entendre tout ce qui sera dit.

Le Conservatoire engage ce citoyen à continuer de prévenir le bureau central de police de tout ce qui a trait à cette affaire.

Cependant le Conservatoire a chargé 4 des plus forts gardiens de veiller avec des armes; visite a été faite et la porte des travaux a été barrée haut et bas et le Conservatoire arrête que les visites de nuit par un de ses membres seront continuées pour s'assurer de l'exactitude des gardiens.

18 — *[16 février 1796].*

Séance du 27 pluviôse.

Présidence du C. Fragonard.

Etats émargés dressés sur l'octodécuple. [22 v.]

Le secrétaire présente les états émargés, tant supplémentaires pour les mois frimaire et nivôse, que le présent mois (nivôse) [pluviôse](808) en entier. Ces états, tant pour les conservateurs que pour les gardiens, sont faits conformes à l'octodécuple, arrêtés et envoyés au Conservatoire, mais on observe que dans la lettre du Ministre on cite les 8 gardiens anciens et non les 3 nouveaux scavoir Bosset, Bouillet et Brachet.

11 gardiens compris dans les états.

Le Conservatoire délibérant à ce sujet se détermine à mettre, comme cidevant, les 3 derniers dans l'état des 8 anciens, attendu que par leur nomination, il est dit qu'ils auront le même traitement que les autres. En écrivant au Ministre, pour l'envoi des états émargés, il lui sera observé que Brachet et Bouillet font de jour et de nuit au Museum le service des autres gardiens; à l'égard de Bosset portier qu'il fait le double service des salles basses du Museum.

sollicitations en faveur d'Evrard.

Le Conservatoire arrête encore qu'il sera fait au Ministre des représentations et les plus instantes sollicitations en faveur du C^n Evrard, menuisier. Il luy sera exposé la misère profonde où est ce C^n et qu'il a le mérite de supporter avec patience dans l'espoir d'une amélioration à son sort; qu'il nous cachait son état de détresse que nous avons découvert; on fera valoir son talent, sa sagesse, son assiduité au travail.

On demandera au Ministre que ce C^n participe à l'accroissement du traitement à compter du 1er frimaire, [23] scavoir 60^l par jour en supplément des 40^l par jour qu'il a seulement reçu pendant frimaire; 50^l en supplément à 100 l. qu'il a reçu pendant nivôse et l'on demandera 200 par jour le présent mois et suivants, en observant que les ouvriers de sa profession reçoivent des entrepreneurs actuellement 350 par jour. Il sera aussi demandé pour le C^n Denyau, dans l'espoir qu'il travaillera plus assidument, 21^l par jour en supplément au mois frimaire où il ne recevait que 9^l du Conservatoire; 30^l par jour en supplément du mois nivôse où il a reçu 50^l par jour sur l'arrêté du Ministre et pour ce mois ci et suivant 100^l par jour.

La lettre écrite dans ce sens est présentée et agréée (809).

Le Conservatoire agrée de même deux lettres adressées au Ministre, en datte d'hier, conformes à ce qui avait été précédement délibéré sur les sujets qu'elles comportent :

L'une instruit le Ministre que le C^{n} David, peintre, a vu la pièce qui lui est prêtée, par ordre du Ministre, faisant partie des atteliers de restauration; qu'il faut établir des cloisons pour la séparer des magasins adjacens. Le Ministre sera prié d'exiger que cette pièce soit restituée aux besoins du Museum dans le temps prescrit (810).

L'autre lettre adressée au Ministre lui renouvelle la demande de lits de camp pour coucher les gardiens de service au Museum pour la garde de nuit (811); les motifs sont plus pressants attendu les craintes des vols que l'on dit projettés.

La suite des informations, démarches et précautions relatives [au vol projetté] (812) a été remise à cet instant pour en réunir touttes les particularités. L'un des membres du Conservatoire rend compte qu'hier, vers les 9 [23 v.] heures du soir, il a été invité de se rendre chez le même C.^{n} Descavelez. Là il a trouvé plusieurs officiers de la police; ils luy ont dit que le rendez vous du C^{n} Descavelez au cabaret avec les individus cidevant cités a eu lieu; que d'un cabinet voisin le juge de paix et l'inspecteur de police ont entendu tout ce qui a été dit; qu'il en résulte en effet que ces individus projettent de voler au Museum; que le C^{n} Descavelez et eux déposeront à la police le texte de tout cet entretien.

Les officiers de police ont déclaré aux membres du Conservatoire que l'intention de la police est de parvenir à prendre tous les voleurs en flagrant délit; que pour y parvenir, il fallait absolument laisser en place tous les objets dont on peut craindre le vol et qu'à l'égard des issues connues, il fallait les laisser dans leur état habituel et à cet effet ôter les barres qui ont été mises à la porte des travaux, ce qui a eu lieu ce matin avant l'entrée des ouvriers au Museum.

D'après les renseignemens, le C^{n} Descavelez se rend ce matin au Conservatoire avant 9 heures. Les conservateurs assemblés nomment deux d'entre eux, les C^{ns} Pajou et Picault, pour se rendre chez le Ministre de la police avec le C^{n} Descavelez lui faire la déclaration de tout ce qui a eu lieu et est venu à leur connaissance.

[24] Le C^{n} Descavelez, avant de partir pour cet objet, déclare au Conservatoire que le chef de ces fripons lui a dit qu'il se rendrait ce matin au Museum avec un de ses camarades pour y prendre leurs dimensions sur le vol qu'ils projettent pour la nuit prochaine.

Les C^{ns} Pajou et Picault de retour au Conservatoire racontent qu'ils n'ont pu parler au Ministre de la police, mais qu'ils ont trouvé dans ses bureaux le juge de paix et les officiers de police qui suivent cette affaire; qu'il a été expédié devant eux un ordre du Ministre y relatif. Le C^{n} Descavelez revient avec cet ordre; copie en est faite à l'instant, elle est signée du C^{n} Descavelez et des Conservateurs, (elle est rendue) [l'original est rendu](813) au capitaine pour l'usage et la copie reste au Conservatoire.

Les hommes, annoncés devoir venir visiter le Museum, s'y présentent en effet vers l'heure de onze heures; ils s'y conduisent exactement de la manière qui avait été annoncée par le C.^{n} Descavelez.

Deux gardiens avaient été prévenus et postés à l'effet de laisser entrer les deux individus, après avoir fait quelques difficultés de recevoir les assignats qu'ils devaient offrir pour pénétrer au Museum un jour qui n'est pas celui des entrées publiques. Deux conservateurs s'y sont trouvés; ils ont observé lesdits individus de mauvaise mine. Le C^{n} Descavelez les précédait. On a remarqué

[24 v.]

avec qu'elle attention les fripons examinaient aux mêmes les issues du Museum, surtout du côté du quay. Ils avaient, avant, examiné les objets précieux déposés sous des cages de verre; ils ont, en payant une seconde fois, pénétré dans la partie nouvelle de la gallerie.

Après qu'ils se sont retirés, les gardiens Daunois et Biagi (ceux qui avaient été prévenus) se sont rendus au Conservatoire; ils ont déposé chacun sur le bureau les assignats que ces deux individus leur ont donnés pour les laisser entrer. Les gardiens déposent de tous les mouvemens qu'ils leur ont vu faire.

Le C^{n} Descavelez se présente encore; il dit que ces gens lui ont parlé, qu'ils regardent l'exécution de leur coup comme certaine; que celui d'entre eux qui paraît chef doit entrer par une fenêtre du côté de l'eau, marquée par eux; descendre le vol qui sera reçu par ceux qui d'avance seront cachés dans des baraques; qu'ils feront deux paquets, même trois si le casque et le bouclier sont assez précieux pour en faire un; qu'ils effectueront le vol vers 4 heures du matin etc.

Le C^{n} Descavelez se retire pour aller continuer ses déclarations à la police et continuer de se concerter avec elle pour les sûretés à prendre et la conduite à tenir qu'elle préscrira.

Les conservateurs arrêtent qu'ils resteront à portée de se rendre au Museum sur la 1re réquisition qui leur

[25]

sera faite de la part des officiers de police qui ont demandé à conduire cette affaire dans le silence et exigé qu'il ne parut aucune inquiétude, ni qu'il ne fut fait aucun mouvement inusité dans le Museum.

La séance levée à 4 heures passées.

19 — *[17 février 1796].*

Séance du 28 pluviôse.

Présidence du C. Fragonard.

Les membres du Conservatoire s'étaient réunis hier presqu'à tous les instans du jour pour entendre les rapports qui pourraient avoir lieu relativement au vol projetté. Ils s'étaient retirés chez eux vers les dix heures du soir, [sans qu'alors](814) il se fut encore présenté au Museum aucun des gens de la police soit pour diriger, soit pour agir dans cette occasion. Vers minuit, les conservateurs ont été avertis chez eux que la police avait paru peu après dix heures; qu'elle avait disposé les postes, que chacun y était rendu. Les membres du Conservatoi- [25 v.] re alors se sont rendus en leur salle ordinaire d'assemblée où ils ont appris en détail ce que la police avait exigé qu'on fit dans l'intérieur du Museum pour parvenir à arrêter les voleurs en flagrant délit. Les gardiens du Museum avaient été placés dans les endroits marqués par les officiers de police; tous les gardiens se sont portés avec zèle à remplir la mission qu'on leur a donnée. Le C^n^ Colikers, suisse de la porte du midi du Louvre, est venu se joindre aux gardiens ainsi qu'à Bosset, ils sont postés.

Les conservateurs sont restés dans leur salle sans lumière jusqu'au jour; alors ils ont scu que les mal intentionnés ne s'étaient point présentés au Museum; que la police avait relevé tous les postes où les gardiens étaient restés avec exactitude; que chacun d'eux avait fait son devoir et s'afligeait que cet étrange complot n'ait pas l'issue dont ils s'étaient flattés : celle de prendre les fripons qu'on leur avait annoncés.

Un membre rend compte à ses autres collègues qui n'avaient pas du se montrer pour éviter, leur a t'on dit, tout éclat, qu'on a visité la gallerie et que tout ce qu'elle renferme est à sa place.

Le C^n^ Descavelez se présente au Conservatoire à 6 heures du matin, ils sort de chez lui; il dit qu'il est resté [26] hier jusqu'à neuf heures 1/2 du soir avec les trois fripons; qu'ils devaient agir la nuit qui vient de se passer, mais que sans doute les dispositions de la police ont été à l'extérieur trop apparentes et que les voleurs s'en seront apperçus; il ne conçoit pas que, d'après ce qui s'est passé, on n'ait pas trouvé dans ce qu'on a vu et (que d'après ce qui s'est passé on n'ait pas trouvé dans ce qu'on a vu et)(815) entendu des motifs suffisans pour arrêter ces fripons qui dit il vont aller voler ailleurs. Il ajoute qu'il a envoyé chez le chef, ce matin, un de ses vétérans nommé Martin auquel il doit 6000 l pour une montre que celui-ci lui a vendue; que le C^n^ Martin ayant frappé à la porte de son débiteur, celui ci lui a répondu que sa femme était sortie, qu'il ne pouvait oûvrir, attendu qu'elle avait emporté la clef. Lui Descavelez pense que cet homme avait avec lui ses deux acolytes et que c'est là le motif pour lequel il n'a pas ouvert à Martin.

A 6 heures et demie du matin les conservateurs se retirent.

Ils se rassemblent de nouveau à midy.

Le C.n Descavelez vient leur montrer un rapport qu'il vient de faire, pour l'adresser dit il au Ministre de la police. Le Conservatoire ne juge pas qu'il doive faire au C.n Descavelez aucune observation sur son rapport; il l'enverra luy-même.

[26 v.] Un membre observe qu'il est à propos de rappeler qu'hier après midi les conservateurs réunis ont visité le dépôt contigu à la cazerne; ils n'ont rien remarqué qui puisse donner des inquiétudes à cet égard. Il annonce qu'il a apperçu les deux individus dans le Museum et qu'aussitôt il a appellé le Cn Durocher vétéran et l'a envoyé à la suite de ces fripons.

En cet instant (3 h. après midy) le Cn Durocher vient avertir les conservateurs que les deux individus suspects (qui) sont maintenant dans le Museum; qu'avant d'y monter, ils sont entrés chez le C n Descavelez pour l'engager à aller dîner avec eux; que Descavelez n'est pas chez lui. Deux conservateurs se rendent dans la gallerie qui est aujourd'hui ouverte au public; ils y voient les deux mêmes individus qu'ils y ont vu hier matin, occupés à examiner particulièrement les objets de métal en or et argent, auxquels ils s'arrêtent de préférence.

Etat demandé par le Ministre pour parvenir à avoir le pain.

Le Cn Le Breton vient au Conservatoire. Il remet une lettre circulaire du Ministre. Il avertit les conservateurs qu'il faut envoyer, demain le matin, l'état que cette lettre prescrit de donner pour participer, par chacun des employés du Museum, à l'indemnité en pain accordée aux fonctionnaires et salariés de la République.

20 — *[18 février 1796].*

[27] Séance du 29 pluviôse, 7 heures du matin.

Présidence du C. Fragonard.

Suite de la relation de ce qui a rapport au vol projetté.

Hier vers les 3 heures après midi suivant la déclaration de deux membres, le Cn Descavelez et le juge de paix étaient à la salle d'assemblée du Conservatoire. Descavelez leur a dit qu'il avait rendez vous avec l'un des fripons pour aller ensemble au cabaret convenir de ce qu'il y aurait à faire pour consommer cette nuit prochaine le vol projetté; qu'ainsi il fallait reprendre les précautions et les préparatifs employés hier; que l'affaire n'était pas manquée. La cause pour laquelle les fripons n'ont pas exécuté leur projet la nuit dernière est venue de ce qu'ils ont apperçu de la lumière dans le Museum (ce sont les deux réverbères). Lui Descavelez les a rassurés ce matin à cet égard en leur apprenant que cette lumière était habituelle toute la nuit et d'où elle provenait; c'est pour s'en assurer que ces voleurs sont venus au Museum depuis ce que leur a dit le C[n] Descavelez. Il entre dans beaucoup de détails qui n'ont pu être retenus.

Entre huit et neuf heures du soir, le C[n] Descavelez dit qu'il est convenu avec les fripons qu'il se montrerait à eux sur le balcon du Museum, cette nuit, une lanterne à la main à 11 heures avec un des gardiens nommé Daunois qu'il leur a désigné et ce pour les instruire qu'il n'y a nulle barre qui puisse empêcher l'ouverture de la porte de travail et leur indiquer qu'il n'y a rien à craindre pour eux et qu'ils peuvent agir. Il a, dit-il, fait tout son possible pour les rassurer et les engager à agir. Le C[n] Descavelez avec l'inspecteur de la police, accompagné cette fois [seulement](816) d'un homme de la police, disposent les postes de l'intérieur; on y employe des gardiens du Museum mais non le C[n] Colikers qu'on refuse parce qu'il tousse.

[27 v.]

Deux vétérans de la garde du Museum sont employés scavoir : le C[n] Descavelez et le C[n] Martin. Un membre du Conservatoire a observé que ce dernier, créancier du chef des voleurs, a été posté à la porte du travail par laquelle on doit présumer que se serait fait la retraite. Ce membre dans sa sollicitude aurait désiré que les postes les plus importans fussent confiés à ceux des employés du Museum sur la fermeté et le zèle desquels on pouvait compter, ce qui le mettait en contradiction avec Descavelez qui voulait choisir les hommes pour les postes. Le C[n] juge de paix, qui a montré beaucoup de zèle et de sollicitude dans cette affaire, a été posté près de la croisée indiquée par le C[n] Descavelez, comme devant être la sortie des vols. Le C[n] Descavelez s'est retiré chez luy comme la nuit précédente.

[28]

Le (Conservatoire) [conservateur](817) concevant des inquiétudes à pris le parti de rester armé dans la gallerie, accompagné du gardien Bidaut; il n'en est sorti qu'à cinq heures.

Dès neuf heures du soir, deux des conservateurs qui n'avaient pas veillé la nuit dernière en entier se sont réunis au Conservatoire, avec deux autres conservateurs qui ont de nouveau passé cette nuit.

A six heures du matin le Conservatoire se trouvant rassemblé et cette dernière nuit s'étant écoulée comme la précédente, sans autre événement, les membres ont déclaré au juge de paix et à l'inspecteur de police qu'un tel état de choses ne leur paraissait pas devoir continuer; que les employés du Museum ne pourraient continuer ces veilles redoublées et qu'ils pensaient, puisque les vues et les espérances de la police n'avaient pas été remplies, qu'il était prudent d'ôter quant à présent de la vue les objets qui tentaient la cupidité des mauvais sujets. L'un des deux a répondu que cela empêcherait [de parvenir](818) à prendre les voleurs en flagrant délit, l'autre, que l'on croit être le juge de paix [au contraire] a pensé comme les conservateurs.

En conséquence les conservateurs, réunis dans leur salle, arrêtent qu'il va être procédé à l'instant à l'enlèvement de tous les objets précieux en matière d'or et d'ar-

[28 v.]

gent, afin qu'ils se trouvent retirés de la gallerie avant l'heure de l'ouverture publique. Et de suite il a été procédé par des conservateurs acompagnés de six gardiens au transport de tous ces objets dans le dépôt à 3 clefs qui est contigu à la cazerne des vétérans et où l'on entre par le logement qu'occupe le C^n^ Denyau, commis aux écritures. Tous ces objets seront émargés sur l'inventaire à chacun de leur article.

Le Conservatoire arrête en outre qu'il se rendra auprès du Ministre de l'intérieur auquel ils rendront compte verbal de la suite des événemens sur les premiers desquels il lui a été écrit; qu'ils lui déclareront le parti qu'ils viennent de prendre de retirer les objets susdits dans le dépôt et qu'ils solliciteront auprès de lui les moyens de leur procurer la sécurité nécessaire pour la conservation des objets précieux de tout genre qui doivent exister, être constamment réunis dans un monument tel que celui-ci; en même tems ils lui demanderont qu'il en soit distrait les objets riches mais sans aucun mérite du côté de l'art qui seront jugés n'être pas dignes de l'exposition.

Le Conservatoire arrête encore que la porte d'entrée du travail va être barrée comme elle l'avait été avant les derniers événemens.

[29]

A deux heures précises, il se présente au Conservatoire deux citoyens, inspecteurs de police, que l'un des membres reconnaît pour les avoir vus employés ces derniers jours au service extérieur du Museum. Ils remettent sur le bureau une lettre du Ministre de la police, en datte de ce jour, signée Merlin. Elle contient en substance l'ordre adressé au Conservatoire de faire remettre sur le champ en place dans le Museum les effets que les conservateurs ont fait enfermer ce matin dans un dépôt; l'objet est en remettant ces objets en évidence d'attirer les voleurs. C'est pour aujourdhuy et demain qu'il faut encore tenter ces moyens §.

Le Conservatoire après avoir entendu la lecture de cette lettre, fait apparaître les gardiens. D'abord on reporte dans la gallerie les deux meubles à glaces qui en avaient été descendus, ensuite on reporte et place en évidence et dans les mêmes endroits tous les objets déplacés ce matin.

Les deux porteurs de la lettre du Ministre ont dit au Conservatoire que si les voleurs n'avaient pas effectué leur projet cette nuit, c'est parceque l'un d'eux, prêt à monter, avait été arrêté dans son dessein par le qui-vive d'une sentinelle; qu'ils espèrent que les fripons reviendront à la charge.

A 3 heures et demie un membre déclare que tout est remis en place.

[Etats émargés remis par le C.n Descavelez pour indemnité des vétérans anciens] (819). [29 v.]

Le Conservatoire écrit au Cn Ginguené Directeur général. Il lui envoye les états émargés et le mémoire des anciens vétérans servant au Museum que le Cn Descavelez avait remis au Conservatoire. Il observe au Directeur général que ces états émargés annoncent une indemnité et non pas un payement de 2 mois d'arriéré que demandaient les vétérans. Le Conservatoire ajoute qu'il n'a pas vu les vétérans qui ont du signer ces états (820).

Réponses aux observations de la trésorerie nationale sur le compte du C.n Foubert. Voir le cahier des lettres datte de ce jourd'huy.

Le Conservatoire envoye au Ministre les réponses aux observations de la trésorerie nationale sur le compte rendu par le Cn Foubert en fructidor an 3 (821). Ces réponses par articles sont inscrites derrière la feuille d'observations envoyée par le Ministre; elles sont transcrites à la suite de la lettre au Ministre, en datte d'aujourd'hui, sur le cahier des lettres du Conservatoire.

Le Conservatoire écrit au Cn Picard, inspecteur des bâtimens nationaux à Marly (822). Il lui envoye reconnaissance d'une tête en marbre, copie de la Vénus de Médicis qu'il a délivrée aux Cns Pajou et Dewailly, membres du Conservatoire, quand ils ont été marquer les objets dignes du Museum.

Séance levée à 4 heures.

[21] *[20 février 1796].*

[30] Séance du 1er ventôse.

Présidence du C. Pajou.

Le Cn Pajou prend son tour de présidence en commençant la séance.

Plusieurs membres du Conservatoire rapportent ce qui a eu lieu les 29 et 30 au soir relativement aux moyens employés pour surprendre sur le fait les auteurs du vol projetté.

Les conservateurs, comme il a été indiqué dans le dernier procès verbal, après avoir fait replacer tous les objets précieux suivant l'ordre qui en avait été donné par le Ministre de la police, [ont continué, le soir du même jour 29, à faciliter aux agents de la police] (823) les préparatifs qu'ils ont jugé à propos de faire pour remplir leurs vues. Touttes leurs dispositions ont été secondées et les gardiens en état de veiller s'y sont conformés. Les conservateurs, dans le cours de cette soirée et jusqu'à onze heures ou [tous] (824) les postes ont été placés, se sont succédés au Conservatoire. Alors deux des conservateurs ont encore veillé pour attendre le succès des opérations de la police. Les voleurs ont vainement été attendus. La journée, la soirée et la nuit d'hier ont été en tout semblables aux précédentes et la relation des soins que la police a pris pour son objet et de ce qui a été fait par le Conservatoire pour les seconder se trouveraient exactement les mêmes que celles ci dessus.

Les inspecteurs de police ont dit à des membres du Conservatoire que les individus dont on a si bien connu le projet vont être arrêtés.

[30 v.]

En conséquence, le Conservatoire arrête qu'il ne fera aucun changement que d'après les ordres du Ministre lesquels il attendra; que cependant on barera les entrées par où l'on pourrait craindre et que les conservateurs tâcheront d'entretenir parmi les gardiens la surveillance pendant les nuits dans l'activité qui doit résulter des craintes qu'ils viennent tous d'éprouver.

Lettre de la Com sion temp. des arts, objets du Raincy.

On fait lecture des lettres, l'une en datte du 29 pluviôse, intitulée Commission temporaire des arts, prévient que le Ministre de l'intérieur l'a chargée de mettre à la disposition du Conservatoire les objets du Raincy désignés dans un état joint à la lettre de la Commission. Elle propose au Conservatoire de charger le C n Nadrau de ce transport, attendu qu'il a déjà une mission de transporter dans les dépôts nationaux quelques objets qui sont au Raincy.

Inventaire de colonnes, 13 pluviôse.

Un 2e paquet ouvert offre l'inventaire en datte du 13 pluviôse dernier, certifié par le Directeur général, des colonnes et marbres dernièrement arrivés de Liège, à mettre au rang des inventaires du Museum.

Mémoire du C n Renier, menuisier. 736567.

Le C n Rénier fils, menuisier, présente en triplicata au Conservatoire un mémoire d'ouvrages de sa profession, montant au total de 736 567 l, dits au cours des assignats et en numéraire à 2950 l 17 s. Le Conservatoire certifie que les ouvrages mentionnés en ce mémoire ont été faits pour le Museum des arts; renvoye le C n Rénier devant le Ministre de l'intérieur pour le règlement et le payement avec sollicitation, d'après le vœu du Cn Rénier, qu'il lui soit payé en acompte la moitié de la somme en demande.

22 — [31]

[21 février 1796].

Séance du 3 ventôse.

Présidence du C. Pajou.

Lecture est faite d'une lettre du Ministre, en datte du 27 pluviôse, reçue hier. Il demande qu'il soit établi une police sevère dans l'école du Museum, attendu la conduite indécente d'une partie des élèves. Il veut encore que les gardiens ne fassent point payer aux étudians leur service et ne reçoivent pas des citoyens.

Le Conservatoire détermine qu'il sera écrit au Ministre que l'on va préparer des réglemens relatifs à sa demande ; qu'ils lui seront fournis. Il lui sera fait des observations sur l'inconvénient d'exiger des choses qui ne seraient pas exécutées. Ecrit en conséquence (825).

Tableau de paysage de Philippe de (Champagne) [Champaigne].

Le Conservatoire a renvoyé au dépôt des Augustins un tableau paysage de Ph. de (Champagne) [Champaigne], toille pliée en deux, suivant la reconnaissance de ce jour donnée par le Cn Lenoir.

Il est encore écrit au Ministre en lui envoyant la lettre du Cn Picard, inspecteur des bâtimens de Marly (826). Le Ministre est invité à prendre en considération l'avis de ce citoyen sur les dilapidations à craindre pour les objets marqués à Marly. On luy demande encore d'ordonner le transport des objets du dépôt de Nesle, le local plus étendu du Museum exigeant cette réunion.

chandelles 100 francs payés.

Les Cns Nadrau et Scellier ayant cédé chacun un paquet de chandelles au Conservatoire, ces chandelles provenant de celles qu'ils ont obtenu de l'agence, il leur a été remboursé 10l par livre de chandelle qu'ils avaient déboursés. L'un des 2 paquets a été rendu au Cn Bosset [portier] (827) qui en avait prêté autant au Conservatoire.

23 — [31 v.]

[24 février 1796].

Séance du 5 ventôse.

Présidence du C. Pajou.

nomination d'Evrard à l'employ de menuisier des atteliers de restauration par le Ministre.

Lecture des lettres du Ministre :

L'une, en datte du 1er ventôse, confirme la nomination d'Evrard dans son emploi; le Ministre demande que le Conservatoire luy propose un traitement pour ce bon et sage ouvrier.

De la même datte, autorisation de remettre le tableau de Gérard Lairesse (828).

Du 3 ventôse, le Ministre blâme les changemens

faits sans autorisation dans la gallerie d'Apollon. Il observe que les conservateurs ne sont chargés que de donner leur avis sur le placement ou déplacement des objets d'art et non pour ordonner la moindre espèce de travaux.

Une lettre du Directeur général, du 3 ventôse, prévient que les ordres ont été donnés au garde meuble pour qu'on fournisse les lits et meubles qu'on a sollicités pour le Museum.

Projet d'affiche règlement[re] provisoire adressé au Ministre.

Le Conservatoire en répondant au Ministre sur la police à introduire dans le Museum pour les étudians, lui a envoyé hier un projet d'affiche provisoire tendant à ce but. Il y a joint le projet des billets d'entrée qui seront substitués à ceux actuels. Le Conservatoire l'a invité à déterminer les motifs, la forme et même la rédaction du règlement provisoire qu'on lui propose (829). La lettre et les projets seront inscrits au Cahier des lettres.

Reconnaissance du tableau de Gérard Lairesse. [32]

Le C[n] Gantois, fondé de pouvoirs du C[n] Diffuy, se présente au Conservatoire qui luy remet le tableau représentant Orphée peint par Gérard Lairesse, d'après la lettre du Ministre de l'intérieur au bas de laquelle le C[n] Gantois en donne sa reconnaissance au Conservatoire (830).

Destination du bas relief de Jean Goujon.

Le Conservatoire détermine que le bas relief en bronze représentant le repos de Diane par Jean Goujon, tiré du château d'Anet (831), sera placé dans la petite cour du Museum sur le mur qui sépare du jardin du C[n] Vien. Il sera demandé au C. Hubert de faire faire le dossier pour porter ce monument et l'arrêter dans cette place.

Remise au C[n] David des clefs de la pièce qui lui est prêtée par le gouvernement.

Un membre rend compte des dispositions qui ont été faites au nom du Conservatoire pour mettre le C[n] David, peintre, en possession de la pièce que le gouvernement lui prête pour y faire un tableau. Les clefs de cette pièce sont déposées sur le bureau pour être remises au C[n] David et le mettre en possession de cette jouissance pour le tems qui a été fixé par ordre du Ministre.

Mémoire du C[n] Huin, vitrier, 324,173[l].

Le C[n] Huin, vitrier, présente en triplicata un mémoire d'ouvrages de sa profession montant à la somme de 1390 en numéraire, évaluée en assignats à la somme 324,173[l]. Le Conservatoire certifie que les ouvrages ont été faits pour le Museum des arts; renvoye le C[n] Huin devant le Ministre de l'intérieur pour le règlement du mémoire et le payement avec sollicitation, d'après le vœu du C[n] Huin, qu'il lui soit payé en acompte la moitié de la somme en demande.

Le C[n] Chévre, portier de la nouvelle porte d'entrée du Museum par les salles que la Bourse occupait, demande à être reconnu portier du Museum en cette partie [32 v.] et qu'il lui soit attribué comme aux autres le traitement des gardiens dont il fait le service.

Depuis l'événement qui a menacé le Museum d'un vol projetté, le Conservatoire s'est continuellement occupé de la recherche des moyens qui pourront s'opposer à la réussite d'une pareille entreprise; d'abord il a fait consolider les fermetures des entrées par lesquelles on peut supposer que des voleurs chercheraient à s'introduire. Il demandera qu'il soit construit des éperons sur la corniche (au dessus) [au dessous](832) des croisées de la gallerie, dans les endroits où il les croit nécessaires. Il présentera un projet de surveillance nocturne de la part des gardiens lorsqu'on aura obtenu les lits de camp sollicités pour cet objet. Il proposera que deux chiens roquets aboyant soient entretenus mais dans ce moment le préservatif qui (pourrait) [paraît](833) être le plus urgent est celui de placer deux clochettes, l'une dans le milieu de la gallerie pour que les gardiens qui seront couchés aux deux bouts puissent s'avertir réciproquement, l'autre cloche sera placée au dehors de manière à pouvoir au besoin avertir ensemble et les vétérans et les gardiens logés près de la cazerne. Vu d'urgence, il sera écrit au C^n Hubert pour luy demander ces clochettes et un ouvrier pour les placer(834).

demande de 2 clochettes au C^n Hubert.

24 — [33]

[26 février 1796].

Séance du 7 ventôse.

Présidence du C^n Pajou.

Le C^n Scellier, marbrier, présente en triplicata un mémoire d'ouvrages de transports, placemens, etc., d'objets d'art de marbre. Le mémoire porte au total 1299^l 18^s en numéraire, payable en assignats au cours. Le Conservatoire certifie que ces ouvrages ont été faits pour le Museum des arts. Il renvoye le C^n Scellier devant le Ministre de l'intérieur pour le règlement et le payement avec sollicitation, d'après le vœu du C^n Scellier, qu'il lui soit payé en acompte la moitié de la somme en demande.

Mémoire du C^n Scellier marbrier à 1299^l 18^s en numéraire dont il demande le payem^t en assignats au cours.

Le C^n Deschamps présente un mémoire de maçonnerie montant au total à la somme de 98.974^l 10^s. Le Conservatoire certifie que les ouvrages mentionnés ont été faits pour le Museum des arts; renvoye le C^n Deschamps devant le Ministre de l'intérieur pour le règlement et le payement avec sollicitation, d'après le vœu de l'entrepreneur, qu'il lui soit payé en acompte la moitié de la somme en demande.

Mémoire du C. Deschamps maçon de 98.974^l 10^s.

Le C^n Chotard, peintre doreur, présente un mémoire d'ouvrages de sa profession montant à 14.710^l ou 147^l 2 valeur numéraire. Le Conservatoire certifie que lesd. ouvrages ont été faits pour le Museum. Il renvoye

Mémoire du C. Chotard doreur à 14,710^l.

le C[n] Chotard devant le Ministre de l'intérieur pour le règlement et le payement.

Le Conservatoire observe que le C[n] Chotard annonce qu'il est contraint d'interrompre l'inscription sur

[33 v.]

les bordures des tableaux du nom de l'auteur et du sujet, attendu qu'on lui a réglé un précédent mémoire de ces objets au dessous de ce qu'il paye à ses ouvriers. [Des ordres reçus du Ministre exigeans la continuation de ces inscriptions] (835) le Conservatoire le sollicite de prendre en considération les représentations du C[n] Chotard.

D'après les représentations du C[n] Chévre, portier, le Conservatoire approuve la lettre adressée au Ministre par laquelle on demande qu'il soit traité comme les autres portiers et assimilé aux gardiens (836).

25[l] de chandelles accordées par le Ministre.

Une lettre du Ministre de l'intérieur autorise le Conservatoire à faire prendre au bureau central du canton de Paris 25 livres de chandelles.

chapiteaux et bases de bronze prov[t] de Liège déposés.

Un membre déclare qu'il a été porté hier, dans le dépôt aux 3 clefs, les objets suivans composant les bases et les chapiteaux en bronze appartenant à 4 colonnes de marbre venues de Liège; scavoir 17 collicoles, 53 feuilles, 4 fleurons, 27 volutes, 15 tailloirs, 4 tambours, 4 bases.

grand plat de vermeil replacé dans la galerie.

Le Conservatoire arrête que le grand plat de vermeil qui est dans ce dépôt, objet provenant de chez M[de] de Brionne (837), sera reporté dans la gallerie et placé sous le vase duquel il dépend.

Etat des objets d'arts et meubles marqués au dépôt de Nesle.

Les C[ns] Pajou et Dewailly rendent compte de la mission qu'ils ont eu à la maison du dépôt de Nesle. Ils y ont fait le recollement des objets d'art cidevant marqués pour être transportés aū Museum, ensemble des meubles propres à ce monument. Ils mettent sur le bureau l'état ou inventaire descriptif de ces objets (838).

[34]

Le Conservatoire arrête que copie de cet état sera faite et envoyée ensuite au dépôt de Nesle pour y fixer l'attention sur les objets marqués et en donner décharge au fur et à mesure qu'ils seront retirés.

demande au Ministre d'un traitem[t] fixe de 6000 par mois pour le C. Evrard.

Le Conservatoire délibérant sur la demande du Ministre de lui proposer un traitement fixe pour le C[n] Evrard, menuisier, détermine qu'on demandera 6000 livres par mois ce qui revient au même que les 200[l] par jour demandées pour le mois dernier. On sollicite en même tems le Ministre de faire arrêter les états émargés que le Conservatoire lui a envoyé il y a onze jours; ces états sont pour les 3 derniers mois échus sur lesquels on (a) [n'a] reçu qu'un faible acompte (839).

25 — *[28 février 1796].*

Séance du 9 ventôse.

Présidence du C^{n} Pajou.

Un membre observe que le parquet de la nouvelle partie de la gallerie est terminé jusqu'à l'endroit où commence le mauvais planchéyage de l'ancienne partie. Une voix générale s'élève pour demander que le parquet soit continué jusqu'au grand sallon d'entrée. Tout le

[34 v.]

parquet nécessaire existe, une portion même est amoncelée dans la gallerie où il gêne et il serait coûteux de l'en sortir pour le rapporter dans un autre moment. Il ne faut que quelques lambourdes et des frais de main d'œuvre pour achever l'opération que mérite à tous égards le sanctuaire des arts; sur quoy le Conservatoire délibérant arrête que le Ministre sera sollicité d'accorder la continuation du parquet et d'ordonner qu'il y soit procédé sans interruption.

arrêté concernant l'arrangement à faire dans la gallerie.

Pour garnir la nouvelle partie de la gallerie et parvenir à déterminer cette opération d'une manière avantageuse et stable, le Conservatoire arrête provisoirement que tous les tableaux, présumés dignes d'y être exposés, seront portés dans cette partie; qu'alors les conservateurs réunis en détermineront le choix. Il en sera de même des objets d'art en sculpture ou autres et des meubles. Le choix déterminé, il sera pris un arrêté relativement aux places que devront occuper chacun de ces objets désignés par un plan, si on le trouve nécessaire.

demande au Ministre la continuation du parquet de la gallerie.

Le Conservatoire détermine qu'il va être écrit au Ministre 1° pour lui demander la continuation du parquet de la gallerie du Museum, en appuyant les sollicitations à cet égard de tous les motifs qui peuvent la faire valoir (840).

[35]

2° pour demander 4 lits de veille pour les gardiens (841), le conservateur du garde meuble ne pouvant les remettre, sous cette désignation, que d'après une autorisation spéciale. Ces lits n'avaient pas été bien désignés dans la demande qui en a été faite cidev^{t} par le Conservatoire.

26 — *[1er mars 1796].*

Séance du 11 ventôse.

Présidence du C^{n} Pajou.

certificats envoyés d'après la formule pour obtenir la ration de pain.

Une lettre du Directeur général, en datte du 7 courant, [reçue hier contient un] (842) modèle de la déclaration que (doit) [doivent] (843) écrire de leurs mains chacun des individus employés au Museum pour obtenir le pain accordé par l'arrêté du Directoire et le Directeur demande que l'on se conforme à cette formule. La déclaration ayant été écrite ce matin par tous ceux qui sont état de le faire, le Conservatoire certifie la signature des individus qui ne peuvent écrire le certificat en entier.

Le tout est adressé ce jourdhui au C^{n} Ginguené en

[35 v.] lui écrivant qu'on s'est strictement conformé à ce qui est prescrit par sa lettre (844).

statue de la Vierge par Pigalle offerte au Museum.

Une lettre du Ministre de l'intérieur, en datte du 5 courant, reçue hier, annonce qu'il a chargé la Commission temporaire des arts de faire transporter au dépôt des Augustins les statues qui décoraient le dôme des Invalides; il observe que l'une d'elles, une Vierge par Pigalle passe pour être fort belle; le Ministre autorise le Conservatoire à la faire transporter au Museum si elle en est jugée digne.

Délivré au C[n] Evrard, menuisier, copie certifiée par le Conservatoire de la lettre du Ministre qui le confirme dans son employ.

27 — *[3 mars 1796].*

Séance du 13 ventôse.

Présidence du C. Pajou.

autorisation pour prendre au garde les objets de Nesle, de Marly.

Lecture des lettres : La 1re en datte du 9 ventôse, signée Bénezech, reçue hier, autorise le Conservatoire à faire transporter des dépôts de Marly et de Nesle au Museum les objets marqués. Le Ministre renvoye la lettre du C[n] Picard.

autorisation pour prendre au garde meuble les 4 lits.

[36]

La seconde aussi du Ministre de l'intérieur, timbrée bureau particulier, en datte du 11 ventôse, reçue hier, annonce que le Ministre vient d'autoriser le directeur du garde meuble à fournir, pour servir aux gardiens, les 4 lits de veille demandés le 9. La lettre porte en marge : Le chef du Bureau pr. le Ministre signé Endrieux. n[a] depuis, le C[n] Le Breton a dit que ce C[n] a la partie du garde meuble.

Payé 250[l] à Mariguez fils, pour autant..., pour 25[l] de chandelles.

Remboursé par le C[n] secrétaire à Mariguez fils la somme de 250[l] qu'il a payé au bureau central pour 25[l] de chandelles accordées suivant la mention qui en a été faite [au procès verbal du 7 courant] (845).

28 — *[5 mars 1796].*

Séance du 15 ventôse.

Présidence du C. Pajou.

certificat donné au C[n] Malpé qu'il travaille et copie au Museum.

Le C[n] Malpé, étranger étudiant au Museum, représente son billet d'entrée [datté] (846) du 1er frimaire dernier. Il demande au Conservatoire de luy donner un certificat qu'il a, depuis son admission, (ou) journellement travaillé et copié au Museum. Sur le rapport des membres qui ont vu en effet led. C[n] Malpé travailler avec assiduité dans la gallerie, le certificat par luy demandé luy est accordé, pour luy servir ce que de raison.

autre au C[n] Fleuriau.

Le C[n] Fleuriau fait la même demande et obtient le même certificat.

[36 v.]

Sur la demande d'un nombre d'artistes étudians au Museum qui se sont présentés au Conservatoire assemblé, le Conservatoire arrête : à commencer demain 16 ventôse la gallerie du Museum sera ouverte à 8 heures du matin et l'étude ne sera terminée qu'à 5 heures du soir. Le septidi de chaque décade l'étude du matin sera terminée et les étudians seront tenus d'emporter leurs chevalets [de sorte](847) qu'à 1 heure précise ils soient retirés. Le primidi de chaque décade le grand sallon sera ouvert à 8 heures du matin et la gallerie à 9, après que les places auront été tirées au sort.

29 —

[7 mars 1796].

Séance du 17 ventôse.

Présidence du C. Pajou.

Etats des lits fournis par le garde meuble au Museum. Cet état mis au rang des inventaires.

Un des membres du Conservatoire met sur le bureau un état, signé Bayard, en datte du 15 du courant, contenant le détail des 4 lits de veille, couches et garnitures qui ont été livrés pour le Museum par le dépôt du garde meuble. Ces lits ayant été examinés par les conservateurs, on a reconnu que les garnitures et dépendances sont en grande partie vermoulues. Quelques réparations dont ils ont besoin seront faites par les femmes des gardiens et remboursées. Un autre état (de ce jourdhui)(848) en date de ce jourdhuy, signé Bayard, détaille différens objets de linge que le garde meuble a encore livré au Museum, à valoir sur les demandes qu'il avait faites; cet état mis au rang des inventaires.

[37]

Le Conservatoire arrête relativement à l'emploi de ces 4 lits, que 3 sont destinés pour les gardiens qui coucheront dans la gallerie du Museum et le 4e pour celui qui couchera dans la gallerie d'Apollon.

Le Conservatoire arrête, comme partie de la police du Museum relative aux gardiens, qu'ils coucheront déshabillés dans les 4 lits de veille susdésignés.

chandelles rendues aux gardiens.

Arrête encore que, sur les chandelles reçues en dernier lieu, il sera rendu aux 8 gardiens, à chacun 2 chandelles pour leur rembourser celles qu'ils avaient dépensées avant l'établissement des réverbères.

Ecrit au Ministre, pour lui demander les baguettes dorées du dépôt de l'Infantado en lui détaillant ce qui a fait obstacle à leur remise(849).

Deux des conservateurs ont déterminé sur 3 cadres préparés l'arrangement des portraits peints par Petitot qui vont y être renfermés sous glace et exposés au Museum.

30 —

[9 mars 1796].

[37 v.]

Séance du 19 ventôse.

Présidence du C. Pajou.

Un des membres du Conservatoire propose à l'assemblée de s'occuper des moyens tendans à la conservation des tableaux précieux que l'on livre à l'étude, en ajoutant à tous ceux qui existent déjà à cet égard. La matière mise en délibération, considérant qu'on ne scaurait trop réunir de précautions pour arriver au but qu'on se propose, consistant à maintenir l'utile et précieuse étude établie au Museum en faveur des artistes en état d'en profiter et en même tems à mettre les chefs d'œuvre qu'on leur procure à l'abri de toutte espèce de dangers, le Conservatoire arrête :

Les petits tableaux précieux seront mis sous glace.

tous les tableaux flamands et hollandais servans à l'étude dans le Museum, dont les dimensions le permettront, seront, avec leurs bordures, placés sous glace dans une boette qui sera fermée.

31 — *[11 mars 1796].*

Séance du 21 ventôse.

Présidence du C. Pajou.

Lecture aux étudians de la lettre du Ministre. [38]

Le président annonce que ce matin à l'ouverture de la gallerie, tous les étudians rassemblés, il leur a fait lecture de la lettre du Ministre, en datte du 17 pluviôse, relative à la police de l'école. Cette lecture a été entendue avec satisfaction de la part des vrais artistes et en général tous les étudians ont promis de profiter de la leçon par une conduite décente dans le Museum; plusieurs même ont demandé que cette lettre fut affichée.

Le Conservatoire s'était déterminé à (finir) [faire](850) la lecture de la lettre du Ministre parce qu'il n'a pas reçu de réponse à sa proposition d'établir une police dont il a envoyé le projet. La lettre du Ministre ne contenant point l'autorisation de l'afficher, ne doit pas l'être; d'ailleurs le Conservatoire ne croit point devoir déterminer des règlemens de police sans l'attache du Ministre.

[Demande de chevaux au Cn Leuchère.](851).

On écrit au Cn Leuchère, Directeur général des charrois. Le Conservatoire lui demande de procurer des chevaux pour le transport des objets de Marly, d'après la lettre du Ministre de les enlever (852).

[Demande au Me de 6 colonnes qui sont à Montmorency.](853)

Ecrit encore au Ministre pour luy demander de faire arriver au Museum 6 colonnes de marbre vert antique, que l'on doit prendre bientôt à Montmorency (854).

Les états émargés pour les gardiens et pour le Conservatoire ont été remis aujourdhuy, payables demain, mais les états pour Evrard et pour le Cn Denyau n'ont point été reçus aux bureaux du Ministre.

Ecrit au Cn Ginguené pour le solliciter de faire

expédier ces deux états (855).

32 — [38 v.]

[13 mars 1796].

Séance du 23 ventôse.

Présidence du C. Pajou.

Lecture des lettres. La 1re est la copie d'une lettre écrite au nom du Ministre, en datte du 11 ventôse (copie demandée hier à la Direction générale).

traitement du commis expd[re] près le Conservat[e] 2700 par mois.

Elle annonce que (pour) le traitement du commis aux écritures (856) doit avoir pour base l'arrêté du Directoire du 16 pluviôse qui fixe le traitement primitif de ces sortes d'emplois à 5 francs par jour ou 150 par mois; l'octodécuple est de deux mille 700 par mois.

Quant au traitement du C[n] Evrard, le ministre demande que l'on cherche un point fixe pour évaluer son traitement à l'octodécuple.

traitement d'Evrard 6000 par mois.

Une lettre du Ministre, en datte du 21 reçue hier, autorise le Conservatoire à porter ce traitement d'Evrard à 6000[l] par mois, en justifiant que cet ouvrier est utile au Museum et que son travail équivaut au traitement qu'on luy accorde. Cette lettre ajoute que le Ministre se réfère à sa lettre du 11, concernant le commis aux écritures (Na : c'est la copie de cette lettre du 11 que nous avons envoyé demander, ne l'ayant pas reçue, non plus que les états émargés qu'elle annonce renvoyés).

Une 3e lettre du Ministre, en datte du 21 courant reçue hier, prescrit de se conformer, à compter du 1er germinal prochain, dans les états qui sont présentés, à la loi qui veut qu'à cette époque on exprime les valeurs en francs, décimes et centimes.

Autorisation aux C[ens] Scellier et Nadrau pour prendre au Raincy les objets qui doivent être transportés ici.

En vertu de (la lettre) [l'autorisation] (857) du Ministre de l'intérieur, contenue en sa lettre du 21 pluviôse dernier, le Conservatoire autorise le C[n] Scellier à se rendre au Raincy à l'effet de préparer le transport des objets d'art qui doivent être apportés au Museum. Le C[n] Scel- [39] lier est aussi autorisé à diriger et faire exécuter ce transport aussitôt que le C[n] Leuchère aura fait fournir les chevaux que le Conservatoire a sollicité à cet effet. L'état desd. objets sera remis au C[n] Scellier qui donnera décharge provisoire au fur et à mesure de l'enlèvement. Le Conservatoire donne les mêmes pouvoirs au C[n] Nadrau pour agir concuremment avec le C[n] Scellier.

Nouveaux états émargés des C[ns] Evrard et Denyau.

Le Conservatoire arrête que les états émargés pour les C[ns] Evrard et Denyau seront refaits, d'après ce qui est prescrit par les lettres cidessus; qu'ils seront renvoyés demain au Ministre (858) et qu'il sera sollicité d'améliorer s'il est possible le sort du commis expéditionnaire.

33 — *[15 mars 1796].*

Séance du 25 ventôse.

Présidence du C^n Pajou.

Recette des traitements pour les mois frimaire, nivôse et pluviôse.

Le secrétaire, faisant fonction de trésorier, fait la répartition des traitemens des gardiens et membres du Conservatoire.

Il a reçu ce matin au trésor national, sur les états émargés, arrêtés par le Ministre, la somme totale de .... 226,756[l] 19

C'est pour les supplémens aux mois frimaire et [39 v.] nivôse et pour le mois entier pluviôse que l'on a reçu, scavoir : Pour chacun des 11 gardiens (Chévre n'étant point encore employé comme tel par le Ministre) ci 10,417, 6,8

Cette somme est formée,

1° Pour supplément au mois frimaire .. 3,333,13,4

2° Pour supplément à nivôse 3,333,13,4

3° Pour le mois entier pluviôse 3,750

Cette d^re somme fixe.

Pour chacun des 5 membres du Conservatoire,

1° Supplément au mois frimaire 5,933, 6,6

2° Supplément nivôse 5,933, 6,6

3° Pour le mois entier pluviôse 7,500

.... 19,366, 7

Le secrétaire,

1° Supplément [au mois frimaire] 4,666,13,4

2° Supplément [nivôse] 4,666,13,4

3° Mois entier pluviôse 6,000

.... 15,333, 6,8

Touttes ces différentes sommes ont été, en présence du Conservatoire, distribuées et remises à chacun des gardiens et des membres composant le Conservatoire.

Un paquet mis sur le bureau est ouvert; il renferme les états d'Evrard et Denyau et la lettre du Ministre, en datte du 11, qui les renvoye (859). Ce paquet avait été adressé, par la Direction générale, par erreur, à la trésorerie nationale; c'est elle qui le renvoye au Conservatoire.

Avant de faire la répartition aux gardiens qui avaient été mandés, le président reproche au nommé Ballois l'ivresse dans laquelle il a été vu hier. Il déclare que si aucun des gardiens tombe dans ce défaut l'entrée [40] de la gallerie leur sera interdite et qu'ils seront renvoyés. Le président et d'autres membres ajoutent les remontrances que l'on a cru les plus propres à faire rentrer Ballois dans une conduite plus convenable et à préserver les autres contre une pareille faute.

34 — *[17 mars 1796].*

Séance du 27 nivôse.

Présidence du C^n Pajou.

Une lettre du C^n Duperrier, inspecteur général des transports militaires, en datte du 24 courant, nous renvoye, pour obtenir des chevaux, à l'agence des transports de l'intérieur. Il a été écrit aujourdhui à cette agence (860).

injonction du Ministre de ne faire faire aucun transport, placem[t] ou déplacement sans en avoir exposé la nécessité.

Une lettre du Ministre, en datte du 25 courant, enjoint au Conservatoire de ne faire aucuns transports, placements et déplacements des objets d'arts sans en exposer dans un mémoire la nécessité.

accident arrivé à un tableau de Snyder.

Un membre rend compte que ce matin un beau tableau de Snyder représentant une chasse a été crevé par la chute d'une échelle. Ce fâcheux accident est arrivé par la gêne qu'a éprouvée l'un des gardiens dans son passage lorsqu'il transportait un tableau pour le replacer et l'on peut attribuer la gêne où il s'est trouvé à l'affluence dans cet endroit de plusieurs étrangers qui avaient exigé l'entrée au Museum.

[40 v.]

On observe que dans la vue de prévenir de tels accidens, un arrêté du Conservatoire affiché interdit généralement à touttes personnes l'entrée du Museum le septidi de chaque décade, ce jour étant destiné à l'arrangement des tableaux qui ont servi à l'étude et netoyement du Museum. Les gardiens ayant été appelés au Conservatoire, il leur a été demandé pourquoy ils n'exécutaient pas à la rigueur la consigne donnée; ils ont répondu qu'ils se trouvaient pour ainsi dire forcés tantôt par des étrangers qui faisaient valoir leurs transports, tantôt par des députés du peuple qui exigeaient de même l'entrée du Museum.

arrêté qui exclut toutte personne de l'entrée du Museum le 7[di]

Le Conservatoire enjoint aux gardiens d'exécuter ponctuellement la consigne qui refuse l'entrée au Museum à toutte personne indistinctement le septidi de chaque décade. Dans le cas où quelque citoyen prétendrait faire valoir des motifs de se refuser à ce règlement, il sera invité par les gardiens de s'adresser au Conservatoire pour y exposer ses prétentions.

35 — *[19 mars 1796].*

Séance du 29 ventôse.

Présidence du C. Pajou.

[41]

Le Directeur général a envoyé les déclarations qu'il avait fait demander à chacun des individus attachés au Museum, certifiées et signées de lui. Ces déclarations sont destinées à justifier qu'en qualité d'employés on doit participer à la distribution du pain d'après la loi y relative.

Une lettre du Ministre de l'intérieur annonce qu'il sera remis au représentant du C^{n} J. J. Payen, en présence du C^{n} Martin, commissaire du Bureau des domaines, les objets d'arts qui seront désignés par celui-ci appartenir à cette succession (861).

36 — *[21 mars 1796].*

Séance du 1er germinal.

Présidence du C. Dewailly.

Le C^{n} Dewailly prend aujourdhuy son tour de présidence.

1200 fs payés à Anglade pour sciage de 12 voyes de bois.

Le C^{n} Anglade se présente pour recevoir le payement du sciage qu'il a fait de 12 voyes de bois, dans le bûcher du Museum. Le prix convenu entre l'un des conservateurs et le d. Anglade étant de cent livres par [41 v.] voye, il a été payé aud. Anglade, sur sa quittance donnée en présence du Conservatoire, la somme de 1200 francs.

80 f. payé à Vaudé gardien.

Payé à Vaudé, gardien, sur sa quittance et en présence du Conservatoire, la somme de 80 francs pour le remboursement du blanchissage [de deux paires de draps de lit pour la garde du Museum] (862).

Plus restitué en nature 2 chandelles.

37 — *[23 mars 1796].*

Séance du 3 germinal.

Présidence du C. Dewailly.

[L'agence des charrois intérieurs promet des chevaux pour les objets du Raincy et de Marly.] (863)

Une lettre de l'agence des charrois intérieurs, en datte du 20 ventôse reçue hier, annonce que l'on fournira des chevaux pour les transports du Raincy et de Marly, lorsque les entrepreneurs se présenteront pour statuer l'instant de ces opérations.

D'après cette lettre le C^{n} Scellier est mandé. La lettre, avec le vu du Conservatoire, lui est remise et il est chargé de prendre avec l'agence les arrangemens nécessaires pour remplir sa mission en vertu du pouvoir dont il est porteur, ainsi que le C^{n} Boucaut son collègue.

[Un quart de voye de bois accordé à chacun des gardiens.] (864)

Les gardiens sollicitent auprès du Conservatoire un secours en bois à brûler, cet objet de premier besoin étant par son prix actuel hors de leurs moyens. Le Conservatoire considérant le malheur des circonstances, mais sans que cela forme règle ou usage pour l'avenir, arrête [42] qu'il sera donné une (nombreuse) [membrure] (865), mesure d'une voye, en bois déjà scié, à partager entre deux gardiens, ce qui fait un quart *(sic)* de (bois) [voye] (866) pour chacun. Le C^{n} Denyau sera compris pour une part égale dans cette distribution.

38 — [42 v.]

[25 mars 1796].

Séance du 5 germinal.

Présidence du C. Dewailly.

Bordure dorée offerte au Conservatoire par le C. Milet-Mureau.

Une lettre du C^{n} Milet-Mureau, Directeur des fortifications, annonce au Conservatoire que ce C^{n} a bien voulu demander au Ministre de la guerre l'autorisation de livrer au Museum un cadre doré d'or moulu, trouvé au magazin des outils. Ce C^{n} annonce qu'on peut envoyer chercher le cadre avec le reçu du Conservatoire au bas de la lettre.

Arrêté qu'il sera [écrit](867) au C^{n} Mureau une lettre de remerciements qui contiendra le reçu du Conservatoire (868), la sienne conservée comme titre de l'objet et mise au rang des inventaires.

39 — [42 v.]

[27 mars 1796].

Séance du 7 germinal.

Présidence du C. Dewailly.

Ballois, gardien, met sous les yeux du Conservatoire un mémoire qu'il désire présenter au Directoire exécutif. Ce mémoire tend à obtenir une suppression de l'ordre qu'il a reçu de rejoindre son corps en qualité de grenadier; Ballois demande aux conservateurs d'appuyer sa demande. Les conservateurs mettent au bas du mémoire le certifié que Ballois est employé au Museum en qualité de gardien et qu'il est utile dans son employ, c'est tout ce que les conservateurs doivent et peuvent dire avec vérité, d'après la loy.

On fait lecture d'une lettre adressée au Conservatoire par le C^{n} Neveu, instituteur à l'école polytechnique, appuyée de plusieurs artistes dans l'objet de sa demande. Elle consiste à placer le C^{n} Piffre, cidevt employé comme modèle à cette école. Le Conservatoire renvoye la lettre aux professeurs des écoles de dessin en y joignant leur recommandation.

Un membre observe qu'une clef de la porte de la gallerie d'Apollon, qui s'est trouvée ouvrir la porte d'entrée du grand sallon, a été retirée des mains d'un des gardiens [qui](869) l'avait pour l'entrée seule du grand sallon.

à Chouteau, balayeur, 90 francs.

Payé à Chouteau, balayeur, pour remboursement de balais, 90 francs.

40 — [43]

[29 mars 1796].

Séance du 9 germinal.

Présidence du C^{n} Dewailly.

On fait lecture d'une lettre du Directeur général de

l'instruction publique, en datte du 8 courant. Il prévient le Conservatoire que les commissaires de la comptabilité nationale ont informé le Ministre qu'il existe aux archives de cette comptabilité un tableau original de Dumont Le Romain représentant un christ; on croit qu'il mérite les honneurs du Museum. Le Directeur invite le Conservatoire à prendre connaissance de ce tableau (870).

Le Conservatoire arrête que l'on ira prendre le tableau en présentant la lettre du Directeur et un reçu du Conservatoire; un membre s'y transportera.

Le C[n] Niepce, fondé de pouvoirs de Me de Spinola, héritière de Marbeuf, donne décharge, sur le registre, des objets qui appartiennent à la succession de ce dernier. Cependant pour la délivrance de ces objets, le Conservatoire attend la présence du commissaire qui doit présenter un état de ce qui appartient ou revient aux héritiers Payen, dans ces effets Marbeuf, et ce qui en revient à d'autres héritiers; le tout d'après la lettre adressée au Conservatoire par le Ministre, le 27 ventôse dernier (871).

Le C[n] Chotard, peintre doreur et chargé de la sculpture des cadres pour le Museum, demande et le Conservatoire lui accorde un certificat que les travaux qu'il fait ou fait faire dans ce genre sont et doivent être comptés à la journée.

41 — *[31 mars 1796].*

[43 v.] Séance du 11 germinal.

Présidence du C[n] Dewailly.

Le C[n] Pellagot, charpentier entrepreneur du Museum, prévient le Conservatoire que l'on démolit les échafauds de la cid[t] église de la Magdeleine; que ces bois seront distribués aux travaux divers des établissemens publics. Il invite les conservateurs à demander, pour servir aux lambourdes du parquet de la gallerie, mille pièces de bois. Ecrit en conséquence au Ministre et sollicité cette demande comme urgente en le priant d'ordonner que le bois sera livré au C[n] Hubert (872).

42 — *[2 avril 1796].*

Séance du 13 germinal.

Présidence du C. Dewailly.

fauteuil de Rubens.

Un voiturier venant de Lille remet au Museum une caisse mentionnée en sa lettre de voiture, dite renfermer le fauteuil de Rubens.

La lettre de voiture parle à la réquisition du C[n] Lanlé de L'Isle. La caisse contenant le fauteuil porte le poids de 50 livres; la voiture sous la conduite d'Annot.

La caisse ouverte, il s'y est trouvé une chaise de bois vermoulu, portant en sculpture au haut de ses deux montans des têtes de lion. Cette chaise est gainée de cuir, déchiré sur le siège, tendu avec des clous, à tête ronde, de cuivre. Sur le dossier sont imprimés des ornemens en dorure, en partie effacés, un écusson au centre a du renfermer des armoiries; au dessus est écrit — Pet. Van. Rubens (audessus) [au dessous](873) de l'écusson on lit difficilement ao. 1633.

[44]

Le Conservatoire arrête que ce meuble précieux pour les amis des arts, en ce qu'il rappelle le grand peintre à qui il a appartenu, sera placé dans la gallerie du Museum, élevé sur un socle au dessous de l'un des plus beaux tableaux de ce maître.

demande adressée au Ministre du restant de la gallerie.

Le Conservatoire écrit au Ministre de l'intérieur et lui demande le reste de la gallerie(874).

43 —

[4 avril 1796].

Séance du 15 germinal.

Présidence du C. Dewailly.

Tableau de Dumont Le Romain représ[t] un Christ apporté des archives de la comptabilité nle.

Le Bureau étant levé après l'assemblée du Conservatoire du 13 courant, le C[n] Robert a fait apporter le tableau de Dumont Le Romain, représentant un Christ(875), qui lui a été remis sur la lettre du Ministre de l'intérieur par la Commission de la comptabilité nationale, tableau qui était aux archives de cette comptabilité.

[44 v.]

Ce tableau est sans bordure, le Conservatoire juge qu'il doit être envoyé dans l'un des dépôts nationaux.

Le C[n] Foubert a reçu hier, sur les états ordonnés du Ministre, scavoir :

pour les 11 gardiens du Museum, à raison de 3750 f. par mois, pour le mois ventôse, au total	41,250 fcs
pour le Conservatoire à raison de 7500 fs [par mois pour 5 et 6000](876) pour le secrétaire, mois ventôse	43.500
pour le C. Denyau commis, à raison de 2700 fs par mois, pour le mois ventôse	2.700
total......	87.450

Le Conservatoire assemblé ce jourdhuy reconnaît que ces différentes sommes ont été distribuées à chacun de ceux à qui elles appartenaient.

Le C[n] Evrard, menuisier, ayant reçu en son nom ses états ordonnancés pour les trois mois arriérés et supplément de ces mois brumaire, frimaire et pluviôse en a touché luymême à la trésorerie le montant total qui est de .... 14,.... *(sic)*.

On observe que l'état émargé du C[n] Evrard pour le

mois dernier ventôse, montant à la somme fixe de 6000, n'a point été envoyé avec ceux ci-dessus pour le même mois.

Et encore que les états relatifs au C^n Denyau, pour les 3 mois susdits arriérés, ne nous ont pas été envoyés.

45 — *[6 avril 1796].*

[45] Séance du 17 germinal.

Présidence du C. Dewailly.

arrêté concern^t la sûreté des tableaux gravés, au C. Laurent.

Le Conservatoire, délibérant sur les moyens de conserver les tableaux que l'on prête d'après les ordres du gouvernement à l'entreprise de gravure dirigée par le C^n Laurent, détermine que les tableaux qui seront demandés par ce C^n ne seront déplacés [et livrés] (877) qu'en présence de l'un des conservateurs et reçus de même; que le C^n Laurent sera prévenu qu'il est indispensable pour la sûreté de ces morceaux précieux qu'ils soient dans son attelier sur les chevalets où on les place pour les copier.

46 — *[8 avril 1796].*

Séance du 19 germinal.

Présidence du C. Dewailly.

Un membre observe que, dans l'intention d'approprier et de rendre décente l'entrée du Museum, les portiers ont été assujettis à supprimer les cages à poulles qui existaient dans la cour ainsi qu'à n'y laisser vaguer aucune espèce de volailles. Les portiers se sont conformés à cette injonction, mais on voit encore des poulles salir la cour et [les] entrées du Museum.

Sur quoy, le Conservatoire détermine que tout particulier employé ou habitant dans le Museum sera [45 v.] prévenu de ne laisser vaguer aucune espèce de vollaille soit à l'entrée soit dans la cour de ce monument national des arts.

Le C^n Hacquin a remis au Conservatoire un tableau du Poussin représentant Jésus-Christ communiant ses apôtres (878); ce tableau a été rentoilé par le C. Hacquin.

47 — *[10 avril 1796].*

Séance du 21 germinal.

Présidence du C. Dewailly.

Envoi des états émargés pour le mois germinal.

Ecrit au Ministre de l'intérieur en lui envoyant les états émargés de tous les employés du Museum pour le présent mois germinal (879).

Etat des travaux du C. Evrard envoyé au Ministre.

Ecrit encore au Ministre (880) en lui envoyant 1° un état des ouvrages faits par le C^n Evrard, menuisier, pendant un mois, pour mettre à même de juger si leur valeur équivaut au traitement qui lui est accordé; 2° copie des lettres du Ministre qui ont reconnu Evrard employé aux atteliers de restauration et fixé son traitement.

Le C^{n} Robert écrit au Conservatoire que retenu au lit par un violent accés de goutte, il ne pourra participer à ses travaux que lorsque cette cruelle maladie lui en laissera la faculté.

48 — *[12 avril 1796].*

[46] Séance du 23 germinal.

Présidence du C. Dewailly.

Le C^{n} Denyau, ayant touché les 3 mois d'arrièré qui luy étaient dus, remet au Conservatoire quinze cens francs qu'il en avait reçu à valoir sur le mois pluviôse.

Il annonce que l'état émargé du C^{n} Evrard, menuisier, pour le mois ventôse, a été fait sur un taux différent que son traitement et qu'il sera rectifié dans les bureaux où l'erreur a été commise.

49 — *[14 avril 1796].*

Séance du 25 germinal.

Présidence du C. Dewailly.

Un membre observe que l'on a vu arriver les bois, cidevant demandés par le Conservatoire, destinés à faire les lambourdes du parquet de la gallerie; que le Ministre ne l'a point instruit cependant si la pose du parquet est arrêtée; qu'il est indispensable qu'il soit instruit de l'époque où commenceront ces travaux afin qu'il ait le tems de vuider la gallerie, de garnir le grand sallon, comme il le projette afin de n'interrompre ni l'étude, ni l'entrée publique pour la jouissance des objets les plus précieux du Museum.

Sur quoy, le Conservatoire détermine qu'il va être écrit au Ministre pour le prier de faire connaître au Conservatoire l'époque précise où commenceront les travaux du parquet d'après les motifs cidessus.

[46 v.] En même tems il sera demandé au Ministre (881) s'il a reçu quelques renseignemens sur la chaise de Rubens que l'on a l'intention, si cet objet le mérite, de placer dans la gallerie du Museum.

50 — *[16 avril 1796].*

Séance du 27 germinal.

Présidence du C. Dewailly.

Lettre du Ministre relative à des ta-

Une lettre du Ministre de l'intérieur, en datte du 25 reçue hier matin, demande au Conservatoire de chercher *bleaux demandés pour le sallon des conférences du Corps législatif.*

parmi les tableaux qui sont au Museum et ne doivent pas entrer dans la collection précieuse qui sera exposée ceux dont les grandeurs et le sujet conviendraient, d'après les dimensions que donnera le C^{n} Naigeon, pour décorer le sallon des conférences du Corps législatif(882).

Les conservateurs se sont livrés dès hier à cette recherche, après avoir envoyé demander les mesures au C^{n} Naigeon. Il ne s'est trouvé aucun tableau convenable par les grandeurs, que des tableaux d'église et par conséquent impropres à la destination proposée.

Aujourdhuy le C^{n} Naigeon a été invité à se transporter au Museum où les conservateurs, chargés de se concerter avec luy, lui ont proposé de chercher les tableaux demandés à la manufacture des Gobelins où ils scavent qu'il en existe dont les sujets sont convenables [et les grandeurs approchent celles indiquée.

[47]

Sur quoi il est déterminé que deux membres du Conservatoire se rendront aujourd'hui, après midi, aux Gobelins pour y reconnaître et indiquer au C^{n} Naigeon qui les accompagnera les sujets qu'ils croiront convenables](883) pour satisfaire à la demande du Ministre, à prendre parmi les tableaux disponibles de cet établissement.

51 —

[18 avril 1796].

Séance du 29 germinal.

Présidence du C. Dewailly.

Mémoire du C. Renier, menuisier, 475.353 f.

Le C^{n} Renier, menuisier, présente par triplicata un mémoire des ouvrages de sa profession qu'il a faits sous la conduite du C^{n} Hubert et l'inspection du C^{n} Sevestre; ce mémoire montant au total à la somme de 475.353^{l} 2. Le Conservatoire certifie que lesd. ouvrages ont été faits pour le Museum national des arts; renvoye le C^{n} Renier devant le Ministre de l'intérieur pour le règlement et le payement.

52 —

[20 avril 1796].

Séance du 1er floréal.

Présidence du C. Picault.

Le C^{n} Picault prend son tour de présidence pour le présent mois.

[47 v.]

Présentation du compte du Conservatoire depuis le 18 fructidor an 3 jusqu'au 30 germinal an 4.

Le C^{n} Foubert met sur le bureau le compte qu'il a adressé en recette et dépense depuis le 18 fructidor an 3 jusqu'au 30 germinal dernier inclusivement.

La recette est 8964 fr et la dépense de 9004^{f} ,77^{cms} d'où il résulte que le solde montant à 140^{f} 77^{c} est dû au Conservatoire.

Le C^{n} Foubert observe que d'après les observations

de la trésorerie sur le [1er](884) compte rendu, envoyées par le Ministre de l'intérieur suivant sa lettre en datte du 19 pluviôse, le compte rendu présentement est fait au nom du Conservatoire et conforme d'ailleurs à tout ce qui a été demandé par la trésorerie.

Cependant comme le Cn Foubert s'est volontairement chargé de la comptabilité envers le Conservatoire, celui ci dans son intérieur doit examiner le compte et, après vérification, donner au Cn Foubert la décharge de cette comptabilité. Le Conservatoire nomme pour l'examen dud. compte les Cns Robert et Pajou.

Mémoire du C. Nadrau.

Le Cn Nadrau, menuisier, présente un mémoire d'ouvrages et de transports, faits en frimaire et nivôse an 4, montant au total général à la somme de 132.360l 10 s. Le Conservatoire certifie que les ouvrages de transports, journées et fournitures détaillés au mémoire ont été faits utilement pour le Museum national des arts; renvoye le Cn Nadrau devant le Ministre de l'intérieur pour le règlement et le payement. Le Conservatoire sollicite, d'après le vœu du Cn Nadrau, qu'il luy soit accordé en acompte la moitié de la somme en demande.

53 — [48]

[22 avril 1796].

Séance du 3 floréal.

Présidence du C. Picault.

On fait lecture de deux lettres en datte du 2 floréal :

Lettre concernant le logement des sous officiers de la garde.

L'une signée Benezech, contresignée Ginguené, [annonce](885) que l'on peut disposer de deux pièces que le CnBossut a consenti de céder pour y loger les sous officiers de la garde militaire du Museum.

Lettre concernant la dernière partie de la gallerie du Museum.

L'autre signée Ginguené annonce que le Directeur général a fait part au chef de la 3e Division de la demande qu'a faite le Conservatoire du restant de la gallerie; il a répondu que le Ministre a écrit à la Commission d'inspection des bâtimens du Corps législatif pour l'inviter à faire débarrasser la partie réclamée en faveur des arts. Le Directeur invite le Conservatoire a suivre cette opération.

Comptabilité arrêté et approbation du compte présenté par le C. Foubert.

Les Cns Pajou et Robert, nommés pour examiner et vérifier le compte présenté par le Cn Foubert, déclarent qu'ils l'ont trouvé exact et conforme aux pièces justificatives sur (lequel) [lesquelles] il a été dressé. En conséquence le Conservatoire déclare que le Cn Foubert demeure quitte et déchargé de la recette portée audit compte et que le reliquat montant à 140 fr 77c est dû au Cn Foubert par le Conservatoire au nom duquel (il) [le compte](886) a été rendu.

objets marqués au

Le Cn Villette, directeur du garde meuble, se pré-

garde meuble réclamés de nouveau auprès du Ministre.

[48 v.]

sente au Conservatoire; il le prévient que chaque jour on vient marquer des objets précieux faisant partie de ce dépôt; il désirerait connaître ceux qui ont été marqués pour le Museum. Les conservateurs, en remerciant le C^{n} Villette de son avis, luy déclarent qu'ils vont écrire au Ministre (887) à ce sujet attendu qu'il a retiré tous les inventaires qu'avait le Conservatoire sur ces objets.

Le C^{n} Hubert, architecte, se présente au Conservatoire; il lui donne communication d'une lettre à lui adressée par le Ministre de l'intérieur qui ordonne le parquetage, demandé par le Conservatoire, de l'ancienne partie de la gallerie.

Le Conservatoire fait part au C^{n} Hubert de l'intention où il est de décrocher tous les tableaux, d'en placer une partie dans le grand sallon afin d'interrompre le moins possible la jouissance du public et même l'étude qui se continuera dans le grand sallon dès qu'il sera arrangé. Pour parvenir à ce double but, le Conservatoire invite le C^{n} Hubert à faire préparer les lambourdes et tous les matériaux qui doivent être employés au parquetage, afin que ce travail employe moins de tems. Le C^{n} Hubert entrant dans les vues du Conservatoire lui annonce qu'il fera tout préparer à l'effet susdit et le prévient qu'il pense être en état de commencer le primidi qui suivra la prochaine décade.

Le Conservatoire délibérant ensuite sur les moyens à prendre pour le déplacement de tous les objets existans dans la gallerie du Museum arrête, comme objet indispensable et préparatoire, que l'étude sera interrompue à compter du sextidi au soir, que les étudians vont être dès aujourdhuy prévenus par une affiche de cette suspension.

[49]

affiche :

Les C^{ns} étudians au Museum sont prévenus que l'étude dans ce monument sera interrompue à compter de sexitidi soir six floréal, à cause des travaux qui vont avoir lieu dans la gallerie.

Les étudians (sont) [seront] (888) prévenus par une nouvelle affiche mise à la principale porte d'entrée du Museum du jour où l'étude sera rétablie provisoirement dans le grand sallon, pendant la durée des travaux de la gallerie.

Autre affiche pour être insérée dans les journaux (889).

Museum national des arts.

Les conservateurs préviennent leurs concitoyens que le Museum sera fermé à compter de décadi soir dix floréal, à cause des travaux qui vont avoir lieu dans la gallerie.

Afin de suspendre le moins possible les jouissances et l'étude des arts, on va réunir dans le grand sallon d'exposition ce qu'il pourra contenir des plus précieux tableaux du Museum. L'ouverture très prochaine du sallon sera annoncée aux entrées principales de ce monument et dans les journaux.

Lettre insérée au Journal de Paris signée Le Brun relative au Museum.

Une lettre insérée dans le Journal de Paris de ce jour, signée Le Brun (890), contenant des observations sur le Museum, ayant été lue dans l'assemblée du Conservatoire, il arrête que la datte en sera conservée ainsi qu'un exemplaire afin d'y avoir recours au besoin.

[49 v.]

Les C^ns^ Pajou et Dewailly sont nommés par leurs collègues à l'effet de se rendre auprès des citoyens composant la Commission d'inspection des bâtimens du Corps législatif pour y solliciter, d'après la lettre du Directeur général cidessus mentionnée, la remise de la partie de la gallerie réclamée.

54 —

[24 avril 1796].

Séance du 5 floréal.

Présidence du C. Picault.

Mémoire de mastic et de la pose des feuilles sur les figures de marbre nues du Museum 2430.

Le C^n^ Scellier présente au Conservatoire le reçu des C^ns^ Maderoy frères auxquels il a payé, sur la demande du Conservatoire, la somme de 2430 francs, pour avoir mastiqué et mis en place des feuilles de plomb sur touttes les figures nues du Museum et encore pour avoir mastiqué le bras de la figure en marbre de Néron, placée à la porte d'entrée. Le Conservatoire certifie l'ouvrage mentionné en l'écrit du C^n^ Scellier comme ayant été fait pour le Museum et, sur la demande des conservateurs, payé par le C^n^ Scellier qu'il renvoye devant le Ministre de l'intérieur.

autorisation au C. Scellier de placer les marbres des salles d'entrée.

[50]

Le Conservatoire autorise le C^n^ Scellier a dresser et mettre (en place) [aux places] (891) qui luy sont indiquées les figures, bustes et autres objets de marbre actuellement déposés dans les salles d'entrée du Museum.

réclamations des artistes étudians au Museum.

Les artistes étudians au Museum se présentent en grand nombre au Conservatoire. Ils luy font plusieurs demandes, scavoir :

qu'il leur soit accordé un local pour terminer les ouvrages commencés avant que l'étude soit interrompue;

que les chevalets soient mobiles ou qu'on leur permette d'apporter les leurs;

que les glaces que l'on a commencé à poser sur les petits tableaux soient plus rapprochées du tableau, en plaçant la glace dans la bordure au lieu de renfermer le tableau et la bordure dans une boette portant la glace.

Le Conservatoire répond qu'il fera en faveur de l'étude tout ce qu'il croira pouvoir la faciliter et luy être utile mais, qu'avant tout, il tiendra aux précautions qu'il a prises et qu'il pourra encore imaginer pour la conservation des tableaux que la République a bien voulu jusqu'ici déplacer pour les (porter) [prêter](892) à l'étude.

Quant à accorder un délai pour terminer les ouvrages commencées, le Conservatoire annonce aux étudians qu'il se propose de placer promptement dans le grand sallon les tableaux qui sont à l'étude; qu'elle se trouvera interrompue peu de tems; qu'au surplus, s'il se peut qu'il accorde une partie de la gallerie d'Apollon pour y continuer l'étude, il le fera volontiers mais que sur le tout il réfléchira sur les moyens et la possibilité de satisfaire aux demandes des étudians.

Mémoire du C. Scellier pour placement d'objets d'arts, 1,078,502.1.11. [50 v.]

Le C[n] Scellier présente un mémoire de bardages et placemens d'objets d'arts en marbre faits pour le Museum des arts; ce mémoire porte au total la somme de 1.078,502[l] 1[s] 11[d]. Le Conservatoire certifie que les ouvrages mentionnés au mémoire ont été faits pour le Museum des arts; renvoye le C[n] Scellier devant le Ministre de l'intérieur pour le réglement et le payement avec sollicitation, d'après le vœu du C[n] Scellier, de lui accorder en acompte la moitié de la somme en demande.

55 — *[26 avril 1796].*

Séance du 7 floréal.

Présidence du C. Picault.

Envoy au Ministre du compte du Conservatoire.

Hier le compte mentionné aux précédens procès verbaux a été envoyé par triplicata au Ministre de l'intérieur, en ce compris les pièces originales.

La lettre qui accompagne cet envoy (893) demande au Ministre une somme quelconque présumée suffisante pour continuer pendant six mois les dépenses intérieures de la nature de celles portées aud. compte.

L'avis proposé au D. gl pour être inséré dans les journaux relatifs à la fermeture du Museum. [51]

En réponse à la lettre que nous avons adressée au Directeur général le 4 courant avec envoy d'une annonce pour la fermeture du sallon, le Directeur nous renvoye seulement une copie exacte de l'annonce que nous lui avons proposée, avec son approbation au bas.

Comme la lettre adressée au Directeur lui rappellait qu'une lettre précédemment adressée au Ministre lui avait soumis nos intentions sur le déménagement de la gallerie, sur l'exposition d'une partie des tableaux précieux dans le grand sallon pendant les travaux du parquet, que nous n'avons point reçu de réponse du Ministre et que celle au Directeur lui demandait de faire connaître au Conservatoire la décision du Ministre sur tout les objets de ses demandes, le Conservatoire se trouve dans le cas de regarder comme approbation celle de l'affiche qui annonce les intentions du Conservatoire.

Pourquoi il arrête que l'annonce va être portée aux journaux; qu'elle sera affichée aujourdhuy aux portes du Museum.

D'après cette approbation, regardée comme décision du Ministre et du Directeur général, le Conservatoire arrête que, des primidi prochain, il va s'occuper avec activité de préparer les moyens de meubler le grand sallon des tableaux qu'il pourra contenir, afin de l'ouvrir le plus tôt possible tant à l'étude qu'au public.

nouvelle méthode de placer sous glace les tableaux précieux. [51 v.]

Un membre met sous les yeux du Conservatoire un tableau dont la glace est très rapprochée de la toile attendu qu'elle est encadrée dans la bordure; cette méthode qui paraît préférable à la première employée pour essay, tant pour faciliter l'étude que pour l'économie, est adoptée par le Conservatoire.

56 — *[28 avril 1796].*

Séance du 9 floréal.

Présidence du C. Picault.

Après avoir délibéré sur les moyens les plus prompts et en même tems les plus économiques de démeubler la gallerie, de garnir le grand sallon ainsi qu'il a été déterminé, le Conservatoire arrête :

1° on prendra primidi prochain quatre bons ouvriers, dont 2 ou 3 charpentiers, lesquels joints aux huit gardiens, dont quatre sont faibles par l'âge ou la complexion, seront employés aux travaux cidessus, conduits et dirigés par les conservateurs;

2° à cet effet, le Conservatoire se réunira primidi prochain à 7 heures du matin;

3° d'abord tous les objets de métal d'or ou d'argent, cristal de roche, ou tout autre très précieux, seront transportés dans le dépôt à 3 clefs;

[52]

4° tous les autres petits objets en bronze, porcelaines ou marbre précieux, seront déposés dans les armoires du local où se rassemble le Conservatoire; il en sera de même des petits tableaux;

5° Le C^n^ Scellier, marbrier, est chargé et autorisé à faire transporter 1° les colonnes de marbre qui sont couchées dans la partie de la gallerie nouvellement parquetée dans le dépôt qui est au delà derrière la loge de Bidaut; 2° ensuite le C^n^ Scellier fera transporter de la gallerie actuellement garnie, aux places qui lui seront indiquées dans la partie nouvellement parquetée, tous les objets pesans de marbre qui ne pourront l'être par les gardiens, soit par leur pesanteur, soit à cause de leur conservation et qui demandent des machines pour leur transport;

6° il sera fait notte sur les inventaires, au fur et à mesure des déplacemens, du lieu où chacun des objets sera déposé et ceux qui devront être remués par le Cn Scellier lui seront désignés;

7° les gardiens attachés au Museum ayant représenté que relativement aux travaux qui vont avoir lieu, par lesquels ils seront occupés depuis 6 heures du matin jusqu'au soir, leur traitement annuel ne peut suffire à les faire subsister et d'autant moins que pendant la fermeture du Museum ils seront privés des profits qu'ils retirent des dons volontaires faits journellement soit pour les [52 v.] cannes et autres effets gardés à l'entrée du Museum soit autrement, ils demandent au Conservatoire de venir à leur secours en leur faisant payer le travail par journées, comme travail extraordinaire, ainsi qu'il a été fait par le passé.

Les conservateurs ont représenté aux gardiens que, depuis que leur traitement était porté à l'octodécuple, ils ne devaient pas prétendre à être payés de leurs journées à l'instar des ouvriers étrangers; qu'ils devaient considérer que dans leur emploi annuel il se trouvait des momens de travail assidu et beaucoup d'autres où, ne travaillant qu'à tour de rôle, ils avaient du tems de libre. Mais les gardiens ont persisté en disant qu'il s'agissait de vivre dans tous les momens et qu'il était manifeste que leur traitement, dans les circonstances actuelles, ne leur en fournissait pas les moyens. Sur quoy, le Conservatoire leur ayant dit qu'il en délibérerait eux retirés, le Conservatoire se croit par justice et par nécessité obligé d'arrêter :

pendant le travail assidu et forcé qui va avoir lieu au Museum, les gardiens seront employés au rôle des ouvriers extraordinaires et ils seront payés comme eux seulement, cependant en ajoutant au traitement fixe des gardiens, calculé par jour, ce qui s'en manquera pour atteindre le prix des journées qui seront réglées pour les ouvriers appellés du dehors.

Ce supplément aura lieu pour ceux des gardiens en état de se livrer aux travaux dont il s'agit et qui les feront [53] assiduement; quant aux autres gardiens qui ne pourront se livrer qu'à de faibles travaux ils ne recevront que la moitié du supplément, ainsi qu'il s'est pratiqué sous le précédent Conservatoire, pour les jours où ces gardiens seront occupés.

57 — *[30 avril 1796].*

Séance du 11 floréal.

Présidence du C. Picault.

déménagement de

A sept heures du matin, les membres du Conserva-

la gallerie du Museum commencé.

toire étaient réunis dans la gallerie; on a procédé à l'enlèvement des objets précieux dans l'ordre prescrit dans l'arrêté mentionné au procès verbal de la dernière séance.

Les gardiens secondés par un ouvrier pris à la journée ont rempli la tâche de cette matinée avec zèle et activité.

Les six membres du Conservatoire s'étant distribués entre eux la conduite du travail ont toujours accompagné les gardiens et les ouvriers.

Lettre du Ministre relative au garde meuble.

[53 v.]

On fait lecture d'une lettre du Ministre en datte du 9 floréal, reçue hier, adressée au Conservatoire. Elle annonce qu'il adopte le travail fait par le Conservatoire sur le choix des objets d'art qui sont au garde meuble et qui méritent d'être transportés au Museum. Le Ministre dit qu'il a, conformément aux résultats de ce travail, indiqué au Ministre des finances les objets dont il pourra disposer pour des objets de finances et que le surplus réservé pour le Museum sera mis à la disposition du Conservatoire suivant les articles qu'il désignera.

Lettre du C. Janvier, orloger.

Le C^{n} Janvier, orloger, propose de profiter du déménagement de la galerie pour faire porter chez lui la sphère mouvante de sa composition, pour réparer les accidens qui dit il y sont arrivés, et mettre le public a portée d'en jouir.

Le Conservatoire arrête que le C^{n} Janvier sera invité à venir luy même faire enlever et accompagner les gardiens qui porteront cette sphère chez luy (894).

Reconnaissance du C. Vincent de deux tableaux de C. Lorrain.

Le C^{n} Vincent, peintre, invite le Conservatoire à lui prêter et confier deux paysages de Claude Lorrain de forme ovale; le Conservatoire accédant à sa demande lui livre lesd. tableaux sur sa reconnaissance.

Le Conservatoire arrête qu'il sera écrit au C^{n} Robin, orloger au Louvre, pour l'inviter à être présent demain le matin au transport de ses ouvrages dans un lieu de dépôt (895).

bout damasquiné d'un sabre retrouvé, envoyé au C. Millin.

On a trouvé le bout damasquiné d'un sabre faisant partie d'une armure venue de la Hollande que l'on a remise au C^{n} Millin conservateur du Museum des antiquités. L'ouverture de la caisse ayant été faite dans une des salles du dépôt du Museum, ce morceau (est) [a] sans doute échappé aux recherches faites dans les papiers découpés qui faisaient l'emballage; il va être envoyé au C. Millin en lui écrivant à ce sujet (896).

[54]

58 — *[2 mai 1796].*

Séance du 13 floréal.

Présidence du C. Picault.

On fait lecture de deux lettres [l'une] (897) en datte

du 12 floréal signée du Ministre de l'intérieur et du Directeur général, [l'autre même datte signée du Directeur général] (898).

Lettre du ministre de l'intérieur annonçant ses intentions sur les divers musées et qui tend à régler leurs prétentions.

La 1re expose les intentions du Ministre que désormais chaque Museum spécial ne contienne que des objets analogues au but de son établissement et qu'ils y soient placés dans un ordre méthodique; que tout doit tendre au complément du Musée central et non pas que les dépôts particuliers cherchent à rivaliser avec luy.

Cette lettre autorise les conservateurs du Musée central des arts à marquer au Musée des Petits Augustins les objets qui peuvent embellir la belle collection confiée à leurs soins.

L'autre lettre répond aux informations demandées relativement au fauteuil de Rubens; le Directeur général n'a point eu de renseignemens à cet égard (899).

Recette du mois germinal. traitement.

[54 v.]

Le Cn Foubert fait remarquer une erreur commise dans les bureaux du Ministre de l'intérieur relativement au traitement des gardiens du Museum. Les états émargés pour eux ainsi que pour tous les autres employés avaient été fournis non par quinzaine, mais pour le mois entier germinal. L'état concernant le Conservatoire et celui isolé du Cn Denyau, commis, ont été réduits en mandats aux sommes fixes anciennes qui avaient été octodécuplées en assignats, et cela pour le mois entier; mais, dans l'état des gardiens, cette réduction n'indique que la moitié de ce qui revient à chaque gardien, c'est à dire qu'au lieu de porter 208f 32cms en mandats, dont 3750 font l'octodécuple, on n'a porté que 104f 16cms.

Le Cn Foubert propose néanmoins de recevoir à la trésorerie sur cet état, on y mettant en notte l'erreur de fait qui y existe; en y annonçant que ce payement tiendra lieu aux gardiens de la 1re quinzaine de germinal seulement. Il sera fait ensuite un nouvel état pour la 2e quinzaine lequel sera envoyé avec les états du mois courant.

Etat émargé d'Evrard, déjà arriéré pour ventôse, n'a point été envoyé, non plus que celui de germinal.

Il faut ajouter que les états émargés pour Evrard, tant du mois ventôse que du mois germinal, n'ont point été envoyés avec ceux ci dessus et que cet infortuné citoyen se trouve encore arriéré dans une recette qui lui fait tant de besoins.

Après cet exposé, le Cn Foubert ayant été recevoir à la trésorerie a fait, étant de retour et le Conservatoire encore assemblé, la répartition des sommes par lui touchées.

Quoique l'ordonnance portat au total en mandats la somme de 3712f 43cms (en mandat) on a payé moitié

[55]

seulement en mandats, sauf l'appoint qui a été porté sur l'autre moitié payée en assignats; en sorte que le secrétaire a reçu 1850 f et en assignats 33.522 f.

Ces sommes en présence du Conservatoire ont été réparties, scavoir :

1° à Denyau en mandat 75 f, en assignats 1350 f.

2° à chacun des gardiens en mandat 50 f et en assignats 973 l 10 s, en ce compris 36 pour l'octodécuple de 2 fr. en mandats qui n'ont pu être payés dans ce papier; au total pour les 11 gardiens en mandats 550 f. en assignats 10708 l 10 s.

3° aux conservateurs à chacun en mandat 200, en assignats 3894 (on a) [en ce] (900) compris 144 f pour l'octodécuple de 8 f en mandats qui n'ont pu être divisés; au total pour cinq. . . . 1000 f en mandats et en assignats 19470 l ;

4° au secrétaire en mandat 225 f et
en assignats 1950
l'octodécuple de 225 étant 18 *(sic)* 4050
C'est la somme qui revient net pour le
mois germinal 6000

Ecrit au Cn Grandjean chef du bureau de la comptabilité.

Ecrit au Cn Grandjean pour le prévenir de l'erreur commise dans l'état émargé des gardiens du mois germinal et pour les deux états arriérés d'Evrard (901).

59 — [55 v.]

[4 mai 1796].

Séance du 15 floréal.

Présidence du C. Picault.

Une lettre du Directeur général fait part au Conservatoire des instructions du Ministre, qu'il soit consacré un jour par décade à recevoir des amateurs une rétribution en faveur des indigens, à l'entrée du Museum.

Réponse au D. G. relative à un jour indiqué pour la rétribution en faveur des indigens.

Le Conservatoire répond à l'instant à la demande du Directeur que chacun des membres contribuera de son mieux à cet acte de bienfaisance; il fait les observations nécessaires à ce sujet (902).

Demande d'un règlement de police pour le jardin.

Le Conservatoire écrit en même tems au Directeur au sujet de la police qu'il est justifié d'établir dans le jardin du Museum; il luy envoye un projet de règlement à ce sujet et l'invite à le renvoyer promptement (903).

Accordé aux gardiens moitié des journées qu'ils réclament.

Les gardiens avaient depuis 3 jours déposés sur le bureau des états de journées de travail qu'ils envisagent comme extraordinaires, par eux faits pour le Museum en ventôse et vendémiaire dernier. Ils en réclament le payement répétant que leur traitement ne leur fournit pas les premiers besoins. Le Conservatoire tourmenté par les circonstances et par la nécessité de pourvoir à ses travaux journaliers, notamment à ceux très importans et très (et très) instants qui ont lieu maintenant, arrête que, quant aux réclamations des gardiens pour le genre de travaux qui a eu lieu en ventôse et germinal il leur sera accordé moitié seulement des journées qu'ils réclament, lesquel-

[56] les seront évaluées et fixées d'après les prix de journées qui existaient dans ces deux mois.

Depuis le 11 courant, les conservateurs ont dirigé avec activité le déménagement de la gallerie, les gardiens aidés seulement d'un ouvrier étranger au Museum ont transporté tous les objets portatifs ou qui par leur nature ne demandaient pas une direction particulière.

Les Citoyens Janvier et Robin, orlogers qui avaient demandé qu'on leur portat les pendules par eux faites pour les réparer, ont été appellés pour diriger l'enlèvement et surveiller le transport chez eux qui a été effectué à scavoir, une sphère chez le C. Janvier, une pendule pyramidale chez le C^n Robin et deux autres de lui portées au dépôt de Nésle.

Le C^n Thomire, sculpteur de la manufacture de Sévres, a été appellé pour démonter et transporter les différentes parties des deux grands vases de porcelaine provenant de cette manufacture (904). Ils ont été déposés dans la gallerie d'Apollon par lui et ses ouvriers.

L'un des conservateurs a continué à faire l'état des objets pesants de marbre qui sont enlevés par les ouvriers du C^n Scellier, dirigés par lui. Le C^n Scellier sollicite lui même cet état, fait en double, qui détermine d'avance ses mémoires.

[56 v.] Il a été (obmis) [oublié] d'insérer au procès verbal qu'il a été trouvé sur le fauteuil de Rubens, dans la gallerie du Museum les 9 et 10 du courant, deux petites pièces de vers qui paraissent avoir été faits dans une même intention; elles implorent, particulièrement en faveur des ouvrages de Rubens dont le beau coloris sert de prétexte, l'entrée du jour dans la gallerie par sa voûte. C'est le vœu de tous les amis des arts.

60 — *[6 mai 1796].*

Séance du 17 floréal.

Présidence du C. Picault.

Plusieurs gardiens ayant été appelés au dehors pour monter leur garde militaire, le travail de l'enlèvement des tableaux a beaucoup langui.

Le C^n Hubert, dès hier, a mis un nombre d'ouvriers à lever les planches de la gallerie ce qui gêne le travail du Museum et occasionne en même tems une poussière qui incommode les tableaux restans.

Lettre du C^n Hubert architecte qui invite le Conservatoire à ne point faire d'exposition au sallon.

[57] Il vient d'être remis au Conservatoire, ce matin à onze heures, une lettre du C^n Hubert dattée d'hier par laquelle il observe qu'il sera dispendieux de placer des tableaux dans le grand sallon et il assure que pour éviter cette opération le Conservatoire peut compter qu'il aura fait poser le parquet dans l'espace de 6 semaines.

Le Conservatoire considérant que le Directeur général a fait publier l'avis au public qui annonce la prochaine ouverture du sallon garni d'un choix des tableaux pris dans les 3 écoles; qu'il n'est pas certain que le C^{n} Hubert puisse remplir sa promesse de terminer le parquet dans 6 semaines; qu'il n'est pas vrai d'ailleurs que cet arrangement de tableaux dans le sallon devienne l'objet d'une grande dépense; qu'elle n'excédera celle qui doit nécessairement avoir lieu pour le déplacement et le transport des tableaux de la gallerie, soit à la gallerie d'Apollon, soit dans la partie de la gallerie nouvellement parquetée, que du prix de quelques journées d'ouvriers qu'exigera le placement des grands tableaux qui formeront le cordon supérieur de cette exposition; ne pouvant enfin, sans se (trouver) [montrer] inconséquent, manquer aux engagemens pris pour ainsi dire avec le public et les artistes étudians par l'annonce qui a été faite; les membres réunis du Conservatoire persistent à exécuter l'exposition dans le sallon, que le Directeur général a agréée par la publication de l'affiche.

[Mém^{re} du C. Mouret pour feuilles posées sur les statues, etc... 5500 f.](905) [57 v.]

Le C^{n} Mouret, sculpteur, présente un mémoire d'ouvrages qui consistent à avoir posé et mastiqué des feuilles en plomb laminé, après en avoir mis aux plâtres qui ont été brisés, pour le montant desquels ouvrages il porte 22 journées à (5500) [250 — 5500](906). Le Conservatoire certifie que les ouvrages ont été faits pour l'utilité du Museum et renvoye le C^{n} Mouret, pour le règlement et le payement, devant le Ministre de l'intérieur.

61 — *[8 mai 1796].*

Séance du 19 floréal.

Présidence du C. Picault.

[Arrangement des tableaux des trois écoles dans le sallon d'exposition.] (907).

Depuis hier on travaille à l'arrangement des tableaux dans le sallon; trois charpentiers et l'ouvrier qui précédemment travaillaient avec les gardiens, les aident dans cette opération. Les deux premiers cordons des grands tableaux des écoles flamande et italienne sont formés.

[Les autres musées refusent la proposition du Ministre d'indiquer un jour où l'on payerait une rétribution au profit des indigens.](908) [58]

Plusieurs des conservateurs ont appris ce matin du C^{n} Le B *(sic)*(909) que les autres Musées de Paris opposaient, aux vues de bienfaisance que le Ministre avait eues, une loi qui déclarant que touttes les richesses des Musées sont des propriétés nationales, on ne peut, sous aucun prétexte, exiger une rétribution pour les voir. Comme il n'y a point d'apparence que le Ministre demande d'un Musée ce qui ne sera pas fait par un autre, dans ce genre, le Conservatoire pense que la proposition du Ministre, d'indiquer un jour où l'on payerait une rétribution, n'aura pas lieu.

[Proposition d'un moyen d'entrer dans les vues bienfaisantes du Ministre.] (910)

D'après cette réflexion, le C^n^ Foubert propose d'entrer dans les vues bienfaisantes du Ministre par un moyen qui ne pourra éprouver aucune des contradictions qui ont fait rejetter le 1er par les autres Musées. J'offre, dit le C^n^ secrétaire, de faire une notice des tableaux précieux des trois écoles que nous allons réunir dans le sallon d'exposition. Je tâcherai de répandre dans ce Livret quelques notes sur les objets les plus importans afin d'ôter, autant qu'il est possible, la sécheresse ordinaire aux catalogues; moi, je consacre dés à présent le produit de cet ouvrage à l'indigence. Vendu à la porte du sallon au profit des indigens, annoncé précédemment, le produit net en sera envoyé au nom du Conservatoire au Bureau général de bienfaisance, après en avoir instruit le Ministre et le Directeur général. Le Conservatoire agrée les propositions du C^n^ Foubert, y applaudit et l'invite, vu le peu de tems qu'il a d'avance, à ne pas perdre un moment pour que la notice puisse être imprimée pour le jour de l'ouverture du Sallon.

[58 v.] On fait lecture d'une lettre du Ministre, en datte du 17 courant. Le C^n^ Denon luy a demandé qu'il luy fut donné une place dans la gallerie d'Apollon pour continuer à graver le tableau de Paul Potter; il autorise le Conservatoire a la lui accorder s'il n'y trouve point d'inconvéniens. Lorsque le C^n^ Denon se présentera, il luy sera déclaré par le Conservatoire que sa demande ne peut être examinée en ce moment.

62 — *[10 mai 1796].*

Séance du 21 floréal.

Présidence du C. Picault.

On a continué à placer dans le sallon les plus beaux tableaux de chaque école, avec le même nombre d'ouvriers aidant les gardiens.

Les titres des tableaux pour former le Livret ne peuvent se prendre qu'à mesure que les tableaux sont en place, pour éviter l'inconvénient des changemens.

Consentem^t^ donné par le Conservatoire que le gardien de Nesle livre une pendule à la demande du Ministre de la guerre.

Le C^n^ Villette, conservateur du garde meuble, se présente au Conservatoire. Il fait part d'une lettre du Ministre de (l'agence) [la guerre] (911) qui demande [59] qu'une pendule faite par Robin, ornée de trophées de guerre en bronze doré, fut livrée et portée à la Maison du Ministre. Cette pendule avait été reportée ces jours derniers au dépôt de Nesle, sous la conduite du C^n^ Robin. Trois des membres du Conservatoire ont donné, au dos de la lettre du Ministre, le consentement du Conservatoire que cette pendule fut livrée au Ministre par le conservateur du dépôt.

63 — [12 mai 1796].

Séance du 23 floréal.

Présidence du C n Picault.

Le même travail du sallon a été continué.

Mémoire du C n Bouilley, mouleur, montant à 21660 f.

Le C n Bouilley, mouleur, présente au Conservatoire un mémoire d'ouvrages de sa profession, montant au total la somme de 21660 f. Le Conservatoire certifie que les dits ouvrages ont été faits utilement pour le Museum des arts; renvoye le C n Bouilley devant le Ministre de l'intérieur pour le règlement et le payement avec sollicitation, d'après le vœu du C n Bouilley, qu'il lui soit payé en acompte la moitié de la somme en demande.

[59 v.] L'arrangement du sallon commençant à prendre de la stabilité par rapport aux tableaux que l'on y place, le C n secrétaire continue à former le catalogue destiné, suivant les intentions du Conservatoire, à être vendu au profit des indigens. Aussitôt qu'il sera terminé, le manuscrit, certifié par les conservateurs, sera présenté au Directeur général de l'instruction publique; l'approbation du Ministre sera demandée, tant pour le Livret en luy même, que pour l'objet de sa destination.

Livret du sallon pour l'exposition des tableaux des 3 écoles.

64 — [14 mai 1796].

Séance du 25 floréal.

Présidence du C. Picault.

L'arrangement des tableaux au sallon avance vers sa fin et les membres du Conservatoire qui s'en occupent particulièrement et du matin au soir assurent le C n secrétaire que, demain, il pourra fixer les articles de son catalogue d'une manière invariable, ce qu'il n'a pu faire jusqu'à présent.

Ce matin les 3 charpentiers pris à la journée pour aider les gardiens n'ont point travaillé, ayant été dès hier avertis de cesser leur travail au sallon.

65 — [16 mai 1796].

[60] Séance du 27 floréal.

Présidence du C n Picault.

Lecture du manuscrit du Livret, vérification et approbation du Conservatoire.

Le C n Foubert fait lecture au Conservatoire assemblé du manuscrit du catalogue des tableaux réunis au sallon, après avoir, avec plusieurs des conservateurs, collationné dans le sallon même ce catalogue relativement aux objets qu'il annonce (912).

Le Conservatoire certifie le recollement et arrête le manuscrit pour être, comme il a été dit, présenté au Directeur général par le C n Foubert, au nom du Conservatoire. Le C n secrétaire part pour remplir cette mission.

Le secrétaire, de retour au Conservatoire, lui rend compte que le Cⁿ Ginguené a applaudi aux vues du Conservatoire relativement à la vente du Livret en faveur des indigens; que dans ce sens il approuve qu'il ait été fait un catalogue, que, vu l'urgence, le Directeur a chargé le Cⁿ Le Breton d'écrire en son nom au Cⁿ Attiens Jay, directeur de l'imprimerie des sciences et des arts, rue Thérèse, nº 6, pour lui demander que ce Livret fût imprimé promptement et proprement; que, lui Foubert, ayant demandé que lecture fut faite du manuscrit afin qu'il put recevoir l'autorisation d'impression dans la forme ministérielle relativement au Conservatoire, le Cⁿ Le Breton en a fait la lecture et que le Directoire n'y a rien trouvé qui doive en empêcher la publication; que le Cⁿ Le Breton a remis au Cⁿ Foubert la lettre adressée à l'imprimeur et que demain au matin le secrétaire remettra la lettre et son manuscrit, attendu qu'il veut aujourdhuy ajouter les dattes des naissances et morts de chacun des peintres nommés dans ce catalogue. Le Cⁿ Foubert demandera que la lettre soit conservée, attachée au manuscrit, attendu que l'autorisation officielle du Ministre n'a pu avoir lieu aujourdhuy, parceque ce n'est pas un jour de signature.

Approbation vbale du C. Ginguené des intentions du Conservatoire pour la vente du Livret au profit de l'indigence. Lettre par lui remise pour le faire imprimer.

[60 v.]

Le Cⁿ Foubert met sur le bureau une lettre du Ministre de l'intérieur, en datte d'aujourd'hui, qui vient de lui être remise au Directoire de l'instruction publique avec un règlement de police pour le jardin du Museum. Le Ministre approuve le projet de règlement envoyé par le Conservatoire et le renvoye conforme, signé de lui. Le Ministre annonce en-même tems qu'il écrit au bureau central de la police de Paris de faire supprimer les échopes adossées au mur du jardin, ce que le Conservatoire n'a point demandé quoiqu'il luy paraisse que cette suppression puisse avoir un but d'utilité.

Réception d'un règlement de police pour le jardin du Museum, arrêté par le Ministre.

Le Conservatoire détermine encore qu'il va être fait un projet d'annonce du jour de l'ouverture du Sallon, dans lequel on préviendra les artistes étudians que les tableaux ne sont point déplacés tant que l'étude aura lieu au sallon.

Projet d'annonce pour l'ouverture du Sallon envoyé au D. g. de l'inst. pub.

Les étrangers seront aussi avertis que, pendant les 7 jours par décade consacrés à l'étude, ils ne seront introduits, [en justifiant](913) de leurs passeports, que depuis une heure après midi jusqu'à 4 heures, attendu que dans ce local étroit l'étude serait obstruée.

[61]

Le public sera prévenu que le Sallon lui sera ouvert les mêmes jours que cidevant savoir les 8, 9 et 10ᵉ de la décade.

Ce projet d'annonce sera envoyé demain au Directeur général de l'instruction publique. Il lui sera demandé une autorisation officielle, tant pour cette annonce, attendu les innovations à l'ancien usage qu'elle renferme, que pour la destination du produit du Livret proposée par le Conservatoire (914).

Mémoire du C. Scellier. 646,396.

Le Cn Scellier, marbrier, présente au Conservatoire un mémoire de transports, placements etc., montant au total à la somme de 646.396 f valeur nominale. Le Conservatoire certifie que lesd. ouvrages ont été faits utilement pour le Museum des arts et renvoye le Cn Scellier devant le Ministre de l'intérieur pour le règlement et le payement dud. mémoire, d'après le vœu du Cn Scellier, le Conservatoire sollicite qu'il lui soit payé en acompte la moitié de la somme en demande. Ce mémoire est présenté en double avec deux attachements dont un destiné à rester au Conservatoire comme pièce de renseignement.

Mémoire du C. Blampignon. 343,892.

[61 v.]

Le Cn Blampignon, serrurier, présente au Conservatoire un mémoire d'ouvrages de sa profession montant au total à la somme de 343,892 f valeur nominale. Ce mémoire est présenté par triplicata dont un destiné à rester au Conservatoire comme pièce de renseignement. Le Conservatoire certifie que les ouvrages contenus audit mémoire ont été faits utilement pour le Museum des arts; renvoye le Cn Blampignon devant le Ministre de l'intérieur pour le règlement et le payement en sollicitant, d'après le vœu du Cn Blampignon, qu'il lui soit payé en acompte la moitié de la somme en demande.

66 — *[18 mai 1796].*

Séance du 29 floréal.

Présidence du C. Picault.

Lettre concernant le C. Fattori, garde de la salle où sont déposés les vaisseaux.

Lecture des lettres. La 1re, [en date du 26 floréal signée] (915) du C. Ginguené, demande des renseignemens relatifs au Cn Fattori (916), garde de la salle du Louvre où sont déposés les modèles de vaisseaux qui servaient aux démonstrations que faisaient les professeurs aux élèves ingénieurs. Cette lettre est accompagnée des mémoires du Cn Fattori qui demande les émolumens de sa place.

[62]

Lettre de l'administration de la Monnaye qui demande que les membres du Conservatoire viennent choisir des émaux.

La 2e lettre, en datte du 28 floréal, adressée par l'administration des Monnoyes au Conservatoire, le prévient que, le 1er prairial à une heure, il sera fait à la Monnaye la remise des émaux qui y ont été déposés, au Musée qui doit les réclamer. Les conservateurs sont invités à s'y trouver. La lettre est signée : Monges, Bertholet. Les Cns Robert et Pajou sont nommés par le Conservatoire pour se rendre primidi à la Monnaye.

Remise de la partie de la gallerie

Les Cns Pajou et Dewailly rendent compte qu'hier ils ont été prevenus qu'enfin la partie de la gallerie te-

tenant au pavillon de Flore.

nant au pavillon de Flore, réclamée auprès des C^ns commissaires du Conseil des Anciens (917), a été vuidée des meubles qui y étaient déposés; que le Conservatoire pouvait en disposer en faisant ouvrir les cloisons de séparation dans l'intérieur. En effet, dès ce matin, les commissaires du Conservatoire ont fait faire cette ouverture et la fermeture de la porte qui communique au pavillon de Flore; des barres de fer existant on a demandé qu'un fort cadenas y fut appliqué.

67 — *[20 mai 1796].*

[62 v.] Séance du 1er prairial.

Présidence du C. Robert.

2 fûts de colonne de la suc^n Prédican remis au C. Legentil, héritier.

Le C^n Legentil, fondé de procuration de ses cohéritières, se présente à l'effet de retirer du Museum deux fûts de colonnes en stuc imitant le granit qui appartenaient à la succession du C. Prédican (918). Ce citoyen présente sa procuration et une lettre signée Ginguené qui l'autorise à retirer ces objets qui étaient cidevant au dépôt de Nesle, plus une lettre du C^n Naigeon qui invite le Conservatoire à les lui délivrer. Le Citoyen Legentil met sa décharge sur le registre.

Objets d'émail choisis à la Monnaye pr le Museum.

Les C^ns Robert et Fragonard rendent compte qu'ils ont trouvé, parmi les objets qu'on leur a présenté à la Monnaye, 12 portraits de Petitot, un cheval d'argent doré portant une petite figure et deux dessus de boëtte en mosaïque, lesquels conviennent à la collection du Museum des arts. L'état de ces objets sera fait par les administrateurs de la Monnaye, envoyé au Conservatoire; alors la demande en sera faite au Ministre de l'intérieur.

En réponse à la demande du C^n Ginguené relative au C^n Fattori, on répond qu'informations prises ce vieillard est recommandable et que le Directeur général est invité à prendre son sort en considération (919).

Le C^n Philippeau chargé de faire les N^os des tableaux du sallon.

[63] Le C^n secrétaire annonce au Conservatoire qu'il a chargé le C^n Philippeau de faire et de veiller à l'application des N^os sur les tableaux du Sallon, correspondans au Livret. Ce C^n sera chargé encore de surveiller la vente du Livret, ainsi qu'il l'a fait et s'en est bien acquitté lors de la dernière exposition.

68 — *[22 mai 1796].*

Séance du 3 prairial.

Présidence du C. Robert.

Livret du Sallon, 2000 exemplaires payés d'avance des deniers du C^n

Le C^n Foubert rend compte des démarches qu'ont occasionné l'impression du Livret et les annonces nécessaires au public, soit pour l'ouverture du Sallon, soit relativement à l'étude qui doit y avoir lieu. La réponse du

Foubert.

Ministre sur ces objets n'étant point encore venue, on ne peut mettre en délibération que des projets à cet égard; mais le C^{n} Foubert observe que le retard éprouvé peut produire entre autres inconvéniens celui de diminuer la recette que l'on devait espérer en faveur de l'indigence par la vente du Livret, particulièrement par le renchérissement des frais d'impression. Ceux que le C^{n} Jay avait établi pour deux mille exemplaires seraient dans le cas

[63 v.]

d'augmenter, par la dégradation journalière des assignats, si l'on n'acquitait ces frais dès ce moment même. En conséquence, le C^{n} Foubert fait l'offre de payer dès aujourdhui les 33500[l] en assignats, prix demandé pour l'impression de deux mille exemplaires du Livret, sauf à s'en rembourser sur le produit de la vente. Le Conservatoire adhère à la proposition du C^{n} Foubert. Celui ci annonce que le C^{n} Jay, imprimeur, lui a promis de garder la planche du Livret pendant la décade prochaine afin de pouvoir continuer l'impression si l'on a lieu de croire qu'il puisse en être vendu un plus grand nombre.

Le C^{n} Foubert propose et le Conservatoire arrête que le règlement de police relatif au jardin du Museum, affiché écrit à la main, sera imprimé ainsi que l'annonce qui doit être mise dans les journaux [pour l'ouverture du Sallon](920), au nombre de 25 exemplaires chacune, ensuite affichés dans le jardin et dans le Museum; cette dépense sera prise sur le produit du Livret.

69 — *[26 mai 1796].*

Séance du 7 prairial.

Présidence du C. Robert.

[64]

La dernière assemblée n'ayant offert aucun sujet essentiel de délibération, il n'a point été dressé de procès verbal.

Benoit Richarme et Louis Boulet demandent des places de gardiens.

Une lettre du Directeur général signée Ginguené, en datte du 28 floréal dernier, n'a point été mentionnée aux procès verbaux (de) [précédens](921) ce jour. Elle invite le Conservatoire à faire inscrire, dans la liste des citoyens qui demandent à être placés au Museum, les C^{ns} Richarme et Louis Boulet qui le lui ont demandé, l'un en qualité de gardien, l'autre de garçon de salle.

Livret et affiches.

Le C^{n} Foubert rend compte des démarches multipliées qu'ont exigé l'impression du Livret, celle de l'affiche qui annonce l'ouverture du Sallon qu'il a fait placarder hier dans le Louvre, aux entrées du Museum et dans l'intérieur. Il met sur le bureau l'affiche sur laquelle doit être fixé le prix de vente du Livret [quand on l'aura déterminé. Le C^{n} Jay imprimeur doit envoyer aujourd'huy un nombre d'exemplaires](922) et continuer les jours suivants. Le C^{n} Foubert a écrit et envoyé en même temps à 33 journalistes l'annonce de l'ouverture du Sallon. L'envoy de ces lettres a eu lieu avant hier le matin.

Les 2000 exemplaires du Livret ont été payés des deniers du C^n Foubert, comme il a été dit, mais l'affiche de l'annonce, celle du prix fixé du Livret et celle de la police pour le jardin, (celle ci n'est point encore reçue) n'ont point été payées, le C^n Jay s'étant refusé à l'offre que lui en a fait le C^n Foubert.

[64 v.] Le secrétaire met sur le bureau le projet d'affiche, qui ne sera point imprimé, ayant pour titre : Règlement pour l'étude dans le sallon d'exposition. Ce projet est arrêté; plusieurs copies en seront placées, une au dehors de la porte d'entrée du sallon, les autres en dedans.

30 Livrets reçus à valoir.

Le Ministre devant venir ce soir accompagné, on écrit au C^n Jay imprimeur que l'on attend les Livrets. Le gardien rapporte qu'il n'a pu trouver le C^n Jay mais on lui a remis 30 Livrets coupés à valoir et l'on promet d'en envoyer 500 cette (aprèsdiner) [après midi](923).

Le Conservatoire ayant délibéré sur le prix du Livret pour la vente, se détermine à le fixer provisoirement à 100^l en assignats. Le C^n Philippeau est appellé; on lui fait part des intentions du Conservatoire; il imprimera, sur les affiches qui doivent indiquer ce prix, 100 francs en chiffres, en se servant des caractères de cuivre qu'il a employés pour les N^os. Il prescrira aux femmes des gardiens qui débiteront le Livret de ne point changer de forts assignats et de refuser la vente si les particuliers ne se présentent que dans l'intention de faire cet échange, d'autant plus qu'il faut sauver aux indigens la fraude qui s'établirait en présentant de faux assignats. Il ne sera donné reçu que des assignats de 100^l et audessous, à

[65] l'exception des assignats au dessus de 100. qui seront offerts par des personnes bienfaisantes.

70 — *[28 mai 1796].*

Séance du 9 prairial.

Présidence du C^n Robert.

Portrait de Mde Le Brun.

Le Conservatoire envoye au C^n Naigeon une reconnaissance d'un portrait de Mde Le Brun, lequel sera porté chez le Ministre de l'intérieur pour remplacer momentanément un portrait (de) aussi de Mde Le Brun que le Ministre a chez lui et qu'il prête à la Société des amis des arts.

71 — *[1 juin 1796].*

Séance du 13 prairial.

Présidence du C^n Robert.

La dernière assemblée n'a offert aucun sujet intéressant de délibération. Le Sallon a été ouvert au public

[65 v.] d'après l'annonce le 7 au matin. L'affluence du public a été assez grande pendant les 3 jours, moindre cependant le jour de la fête de la victoire.

Ouverture du Sallon. 1er produit du Livret.

Le 11, le sallon a été ouvert à l'étude. Les barrières avaient été enlevées pour ne point gêner les étudians.

Le Cn Jay, imprimeur, a envoyé les 4 premiers jours 1950 Livrets, suivant la déclaration du Cn Philippeau aujourdhuy 13. Ce Cn déclare qu'il en a été vendu 840. Le prix est resté fixé à 100 f. chaque exemplaire. Plusieurs particuliers, notamment le Ministre de l'intérieur, ont donné au delà de ce prix, attendu que le Livret se vend au profit de l'indigence; le Ministre pour un Livret a donné 3000 f.; un particulier étranger a donne 10.000 f, &.

Planches retirées de la gallerie pour le service du Museum.

Le Cn Picault déclare au Conservatoire qu'il a été retiré parmi les planches levées dans la gallerie, pour servir à l'usage des atteliers de restauration et du Museum 1° cent planches de sapin de 10 et 11 pieds environ, de 14 à 15 lignes; 2° six morceaux de mêmes planches, de 4 à 5 pieds de long. Il en sera donné reconnaissance au Cn Sevestre au nom du Conservatoire par une copie de cet article.

Le secrétaire ayant écrit et envoyé demander au Cn Bouin les états émargés du Museum, il a reçu 1° un état

[66]

émargé pour les seuls gardiens, pour la 2e quinzaine du mois germinal; 2° l'état émargé du mois entier floréal, pour tous les employés au Museum. Le 1er porte au total (pour onze gardiens à raison de 104f, 17cms) à 1145.87.

L'autre portant : pour le Cn Denyau 150 f,
pour Evrard
et le secrétaire chacun...... 333,33 cms
pour chacun
des gardiens............... 208,33
pour chacun
des conservateurs.......... 416,67 5191,64

Un ordre pour recevoir accompagne cet envoy — il porte le même total 6337,51

En même tems le gardien envoyé rapporte, avec les états cidessus, le compte rendu par le Conservatoire le 1er floréal an 4, avec touttes les pièces au soutien en original. Le compte porte le vu du Ministre de l'intérieur, plus la signature du Directeur général. Ce compte est accompagné d'un mandat sur le trésor national portant la somme à recevoir douze mille francs, sans désignation d'espèces.

72 —

[3 juin 1796].

Séance du 15 prairial.

Présidence du Cn Robert.

[66 v.]

Le secrétaire fait la distribution entre touttes les

personnes employées au Museum de la recette qu'il a faite hier des sommes cidessus mentionnées.

Faute de petits assignats, il ne remet à chacun que la somme qui peut se former en mandats et l'apoint réservé pour l'instant où l'on pourra se procurer de la monnaye en petits assignats.

Ainsi il est redu pour apoint : à chacun des gardiens 365 f; à chacun des conservateurs 480; à Evrard et au secrétaire à chacun 350.

Les gardiens ont reçu en mandats chacun 300 f; les conservateurs chacun 400; le commis 150; Evrard et le secrétaire chacun 325.

Sur l'exposition du mètre.

On reçoit une lettre signée Ginguené, en datte du 14 prairial. Le Directeur invite le Conservatoire d'exposer le mètre, cidevant envoyé, sans l'instruction qui avait été demandée, le bureau du Conseil des poids et mesures regardant comme suffisante l'inscription gravée sur le mètre (924).

Dessins choisis au dépôt de Nesle.

Les Cns Pajou et Fragonard, après avoir travaillé pendant plusieurs séances au dépôt de Nesle en qualité de commissaires du Conservatoire à trier les dessins qui sont dans ce dépôt, ont fait transporter hier au Museum le résultat de leur opération. Les dessins choisis par eux qui ont été marqués en présence du Cn Naigeon de l'estampille du Conservatoire, reçue du Conservatoire précédent, portant en petits caractères les deux lettres R.F. [67] Ces dessins (reportés) [répartis] (925) en 4 cartons sont au nombre de 1070 dessins, tous de l'école italienne; aujourdhuy 15 ont été apportés, (les) [trois] (926) autres portefeuilles ou cartons contenant (même école) les trois 638 dessins.

Recette de 12000 f en mandats pour les dépenses du Conservatoire.

Dans la recette faite hier au trésor national est comprise la somme de 12000 livres *(sic)* en mandats destinée sans doute aux dépenses matérielles ou intérieures du Conservatoire, mais comme il a été observé dans le dernier procès verbal, le mandat de 12.000 f accompagne le compte rendu avec les pièces au soutien (lequel a été laissé au trésor national en y recevant les 12000 f) (927) sans lettre qui indiquât la destination de cette somme.

Le Cn Philippeau, chargé de la direction de la vente [du Livret, a remis ce matin au Cn Foubert, en assignats au dessus de 100 f., le produit jusqu'à ce jour de cette vente,] (928) montant au total à 109,750 f. auquel joignent 3000 que le C Foubert a reçu le jour de l'ouverture, payé par le Ministre de l'intérieur pour un Livret ci 3,000

Le total de ce que le secrétaire a reçu [s'élève] (929) cejourdhuy à 112,750
sur laquelle somme ci contre de 112,750

le C^n Foubert s'est remboursé 1° de celle de 33,500. qu'il a avancée à l'imprimeur, le 4 du présent mois, suiv. quitt.^ce
. . . . 33,500
2° de celle de 2800 payée ensuite suiv.^t quitt.^ce
. . . . 2800 36.300
Reste 76.450

[67 v.] Plus, prélevé 100 f. payés par le secrétaire pour une liste de 33 journalistes auxquels il a envoyé l'annonce de l'ouverture du Sallon, 33 journalistes
. . . . 100 f
2°, 100 f payé à un gardien pour la colle des affiches . . . . 100 f
3°, 25 f pour des ports de lettres envoyées 25
Reste net le dit jour, sur la somme re- 225
çue entre les mains du C^n Foubert 76.225

Laquelle somme de 76,225 sera portée aujourd'hui chez un notaire pour être échangée contre des mandats.

73 — *[5 juin 1796].*

Séance du 17 prairial.

Présidence du C. Robert.

Suite des dessins apportés du dépôt de Nesle.

Les commissaires du Conservatoire ont fait apporter, hier 16, trois portefeuilles contenant ensemble (525) [522] (930) dessins de l'école flamande; [le tout venant du dépôt de Nesle. Ainsi les sept portefeuilles de l'école italienne et les trois portefeuilles de l'école flamande contiennent] (931) (contenant) ensemble 2.230 dessins dans 10 portefeuilles.

Ecrit au Ministre pour luy demander l'approvisionnement du Museum en bois à bruler. [68]

On détermine qu'il va être écrit au Ministre de l'intérieur (932) pour le prier de fournir au Conservatoire les moyens d'approvisionner pendant la belle saison le Museum de cinquante cordes de bois que l'on croit suffisantes à la consommation du Museum pour cette année.

Tableau suisses, copie de Teniers, envoyé au dépôt de Nesle.

Le Conservatoire a envoyé hier au dépôt de Nesle un tableau représentant un corps de garde de suisses, dénommé dans l'inventaire fait par le C^n Le Brun (933), des tableaux provenans du Stathouder, sous le titre de copie de Teniers, N° K, ce tableau faisant partie de ceux qui ne sont pas dignes d'être exposés au Museum. Il en a été donné reconnaissance, en l'absence du C^n Naigeon, par le C^n Parent, garçon du dépôt. Cette reconnaissance est placée dans le carton des décharges données au Conservatoire.

Journées réclamées par les gar-

Sur les sollicitations réitérées des gardiens, le Conservatoire détermine un état des journées par eux récla-

diens pour les travaux extraordinaires.

mées pour travaux extraordinaires. Le nombre des journées étant fixé, il s'agit de connaître quel a été le prix des journées d'ouvriers aux époques où celles-ci sont demandées. Le C^{n} Pellagot, entrepreneur de charpente, a été invité de se rendre à la prochaine assemblée du Conservatoire pour luy indiquer les prix des journées et à faire l'avance de ce qui reviendra à chaque gardien pour cet objet, en soustrayant du prix de la journée ce que chaque gardien reçoit pour son traitement. Il sera fait mention au prochain procès verbal des sommes fixées et du total de cette dépense.

74 — [68 v.]

[7 juin 1796].

Séance du 19 prairial.

Présidence du C. Robert.

Envoi des états émargés pour le mois prairial.

Ecrit au Ministre de l'intérieur en lui envoyant les états émargés de tous les employés au Museum pour le présent mois; représenté l'état de détresse où ils sont par les circonstances (934).

Ecrit au C. Mazade, demandé les invent^{res} des objets dont on lui envoye l'état.

Ecrit au C^{n} Mazade, commissaire de la Direction de l'instruction publique, en lui envoyant une notte des objets venus de Hollande ou de la Belgique dont il a fait les inventaires et qu'il n'a pas remis au Conservatoire; sollicité cet envoy comme pressant (935).

Mémoire du C. Huin, vitrier, à 576504.

Le C^{n} Huin, vitrier, présente par triplicata un mémoire d'ouvrages de sa profession montant au total à la somme de 576,504. Le Conservatoire certifie que lesdits ouvrages ont été faits utilement pour le Museum central des arts; renvoye le C^{n} Huin [devant le Ministre de l'intérieur pour le règlement et le payement, avec sollicitation qu'il soit payé, suivant le vœu du C^{n} Huin,] (936) en acompte la moitié de la somme en demande.

Suite des dessins apportés de la maison de Nesle. fin. Total 2494, plus encadrés 39.

Hier il a été apporté deux portefeuilles, marqués (des) n°s 1 et 2, contenant 264 dessins tous de l'école française. Du même jour 18 courant, il a encore été apporté des dessins encadrés et sous verre au nombre de 39, lesquels sont des différentes écoles. Ainsi, les dessins

de l'école italienne sont au nombre de	1708
ceux de l'école flamande au nombre de	522
et ceux de l'école française au nombre de	264
Total des dessins en portefeuilles	2494

75 — [69]

[9 juin 1796].

Séance du 21 prairial.

Présidence du C. Robert.

Inspecteur des bâtimens civils.

Le C^{n} Bonnet, architecte, se présente au Conservatoire; il lui communique une lettre du Ministre de l'intérieur, en datte du 4 ventôse, par laquelle il est nommé l'un des inspecteurs généraux des bâtimens civils de la République.

Le Conservatoire arrête qu'il va être remis au C^n Bonnet un ordre aux portiers et gardiens du Museum de lui [en](937) procurer l'entrée pour y remplir ses fonctions, touttes les fois qu'il le requérera.

Lettre au Ministre pour lui demander l'exemption des gardes et de leur payement pour les conservat^rs et les gardiens.

Après délibération, les conservateurs déterminent qu'il va être écrit au Ministre de l'intérieur pour luy représenter que les gardes militaires distraient les gardiens d'un service assidu nécessaire. On lui demandera d'en faire exempter les gardiens et les conservateurs (938).

76 — *[11 juin 1796].*

Séance du 23 prairial.

Présidence du C. Robert.

Remise de 21 bordures de tableaux à la C^ne Ve Deville.

[69 v.]

La C^ne Desroches Ve Deville (939) se présente au Conservatoire; elle réclame 21 bordures de tableaux qui ne luy avaient pas encore été remises, lesquelles lui sont délivrées sur la reconnaissance mise en marge de l'article, sur le registre contenant les objets d'arts apportés au Museum.

Le C^n Robert, l'un des conservateurs, fait part à ses collègues que le Ministre de l'intérieur s'est adressé à lui pour connaître le produit du Livret jusqu'à ce jour; qu'il lui a demandé en même tems de lui envoyer les assignats audessus de 100 f que cette recette a procuré, en annonçant qu'il les ferait échanger contre des petits assignats qu'il renverrait en place. Le C^n Robert s'est fait donner par les débiteurs du Livret l'état de toute la recette; il l'a envoyée au Ministre d'après sa demande. Le C^n Robert montre la réponse que le Ministre lui a adressée; il le remercie du produit du Livret que le Ministre envisage comme très considérable et satisfaisant, n'ayant remarqué sans doute que les valeurs nominales et n'ayant pas été prévenu qu'il faut avant tout en déduire les frais d'impression de vente &. Le Ministre annonce au C^n Robert qu'il enverra un ordre de porter le produit du Livret (à la fin du mois) au bureau général de Bienfaisance.

77 — *[13 juin 1796].*

[70]

Séance du 25 prairial.

Présidence du C. Robert.

inventaires demandés au C. Mazade.

Le C^n Mazade répond au Conservatoire (sa lettre dattée du 21 courant), qu'il n'est plus commissaire... qu'il a rendu compte au C^n Ginguené de notre demande &.

Le Directeur écrit au Conservatoire, en datte du 23

courant, il me paraît juste de faire avec le Cⁿ Mazade un récolement général de tous les objets qui ont été remis et dont les inventaires prouvent que nous n'en avons pas donné décharge; après quoi le Cⁿ Mazade prêtera ses procés verbaux dont le Conservatoire fera faire des copies que le Directeur certifiera.

Nouvel arrêté qu'aucun tableau ne sera déplacé.

Une C^{ne} peintre sollicite le Conservatoire que l'on change de place [un](940) des tableaux du sallon, pour le mettre plus à sa portée pour en faire sa copie. Quoique ce déplacement (peut) [puisse] être fait sans nuire à l'arrangement linéaire des cadres, cependant le Conservatoire se refuse à ce déplacement en observant à la C^{ne} artiste que des demandes semblables lui seraient faites, qu'elles seraient sujettes à des inconvéniens sans que l'on pût s'y refuser, sans mécontenter ceux qui les feraient. Il est de nouveau arrêté que sous aucun prétexte aucun tableau ne sera déplacé.

78 — [70 v.]

[15 juin 1796].

Séance du 27 prairial.

Présidence du C. Robert.

Lettre du Cⁿ Tinet qui annonce dix tableaux et un vase étrusque vens d'Italie.

On fait lecture d'une lettre signée Tinet, agent des arts près l'armée d'Italie, en datte du quartier général de Milan le 7 prairial.

Le Cⁿ envoye au Conservatoire un état portant les N^{os} de 7 caisses renfermant dix tableaux et un vase étrusque qu'il dit avoir été expédiés et devoir partir le 8 prairial pour la France. Il annonce que l'arrivée des voitures ne doit point tarder lors de la réception de sa lettre. Ces caisses sont adressées par le Cⁿ Tinet [au Conservatoire du Museum.

Le Conservatoire arrête de répondre au Cⁿ Tinet](941), de l'inviter à envoyer la notte des villes ou autres lieux d'où chacun des tableaux a été tiré &.

envoi de cette lettre au Direct. général.

Ensuite on envoye au nom du Conservatoire la lettre du Cⁿ Tinet au Directeur général(942).

Echange par le Ministre de l'intér. de petits assignats contre des gros pour 35400.

Le Cⁿ Robert reçoit de l'envoy du Ministre de l'intérieur, a [luy] adressé, 35400 f. en assignats de 5 L., en échange de pareille somme en assignats audessus de 100 f., faisant partie du produit de la vente du Livret que le Cⁿ Robert avait envoyé au Ministre sur sa demande. Le Cⁿ Robert envoye sa reconnaissance au Ministre et remet au Cⁿ Foubert les 35400 f. en petits assignats.

Le Cⁿ Foubert prend sur cette somme (sauf a remplacer en mandats ce qui appartient au Livret) les appoints qui sont dûs tant aux gardiens qu'aux conservateurs pour le mois floréal :

Scavoir à 4 conservateurs à chacun 480 f., le Cⁿ Pajou absent, en tout 1920 f.; à chacun des gardiens

[71] 365 f., pour 11 gardiens 4015 f.; à Evrard 325 f.; pareil 325 f. revenant au secrétaire qui ne les a point pris.

79 — *[17 juin 1796].*

Séance du 29 prairial.

Présidence du C. Robert.

Payement fait aux gardiens 675 f (sic) (943) 100

Le trésorier paye en petits assignats à Bidaut gardien 100 f, à Vaudé 100 f, à Mariguez père 100 f, à Daunois 195, à Biagi 100 f, à Ballois 70 f, pour remboursement de blanchissage de draps ou autres dépenses énoncées en leurs quittances, plus 100 f à Mariguez fils.

Etat de rappel pour une indemnité aux employés arrêtée par le Direct^re exécutif.

Une lettre signée du Ministre de l'intérieur, contresignée du Directeur général en datte du 26 courant, reçue hier, demande un état de rappel de traitement de tous les employés au Museum, à l'effet de leur accorder une indemnité du tiers des émolumens fixes qu'ils ont touché ou dû toucher en floréal : Cet état ayant été dressé de suite est mis sur le bureau pour recevoir les signatures des six membres du Conservatoire. Le C^n Pajou étant absent, l'envoi, ainsi que de la lettre du Ministre qui accompagne cet état, expédié par triplicata, sera différé jusqu'au retour du C^n Pajou (944).

Arrêté concernant la rétribution à donner aux personnes qui ont soigné et fait le débit du Livret.

[71 v.] Sur la proposition du C^n Foubert, le Conservatoire détermine qu'il sera prélevé sur le produit du Livret en assignats le 5e de la récolte totale; que ce 5e sera divisé en (5) [20] (945) parties et distribuées comme il suit : scavoir 1° — 12. vingtièmes aux femmes des gardiens qui débitent le Livret, afin que cette gratification répartie entre les gardiens leur procure un soulagement; 2° — 5 vingtièmes seront attribués au C^n Philippeau, pour les soins journaliers et la surveillance active qu'il a donnée à la vente et aux comptes du produit; 3° — 3 vingtièmes au C^n Denyau pour avoir inscrit journellement ce que quelques particuliers ont payé volontairement en faveur des indigens au delà du prix fixé du Livret.

Le C^n Foubert annonce qu'il fera demain le compte du produit net de son Livret, d'après le résultat qui lui sera fourni par le C^n Philippeau; après quoy, le C^n Foubert écrira au Ministre en lui envoyant ce résultat. Il l'instruira de tout ce qui concerne cette opération imaginée en faveur de l'indigence qui (la) [en] (946) devra le produit aux vues bienfaisantes du Conservatoire.

Le Conservatoire délibérant sur les échanges qu'il est autorisé à faire d'objets d'arts appartenans au Museum, qui ne seraient pas des ouvrages capitaux des différens maîtres, contre ceux qui seraient reconnus supérieurs, considérant que l'opération de ces échanges [72] pourrait donner lieu à des critiques malveillantes si les conservateurs se rendaient pour ainsi dire juges et parties dans de pareilles circonstances, celle qui s'offre en ce moment, par la proposition du Citoyen Desmarais (947), d'échanger deux tableaux de Vernet qu'il possède et qu'il regarde comme supérieurs en mérite à aucun de ceux que le Museum a de ce maître, contre d'autres tableaux que le Museum ne veut pas exposer :

Arrêté pour demander au Ministre l'assistance de 2 artistes pour les échanges qui seront proposés au Museum.

Le Conservatoire arrête qu'il va être écrit au Ministre de l'intérieur; nous lui demanderons son agrément pour nous adjoindre dans cette opération deux artistes connaisseurs, scavoir les C^ns Vincent et Le Brun. Réunis aux conservateurs, il sera statué 1° si le tableau présenté est supérieur à ceux du même maître que possède le Museum; l'affirmative à la pluralité décidera que l'échange aura lieu; 2° il sera statué sur les objets demandés en échange par le possesseur de l'ouvrage supérieur, de manière à régler les intérêts réciproques du vendeur et de la République.

80 — *[19 juin 1796].*

[72 v.] Séance du 1er messidor.

Présidence du C. Fragonard.

Lettre au Ministre de l'int.^r relative au Livret.

Le Conservatoire écrit au Ministre de l'intérieur; il lui envoye le compte du produit du Livret, depuis le 8 prairial jour de l'ouverture du Sallon jusqu'au 30 inclusivement. Il y joint un extrait des dons volontaires faits au profit de l'indigence au delà du prix du Livret (948).

Compte du produit du Livret au 1er messidor.

Le Conservatoire observe au Ministre qu'il ne croit pas le net produit actuel suffisant pour être offert au bureau de bienfaisance, et lui donne des renseignements sur l'arrivée prochaine des tableaux d'Italie.

D'après le compte envoyé au Ministre, il reste aujourdhui entre les mains du C^n Foubert en mandats 3300 f, appoint des assignats 242, plus en monnaye métallique 111 f, 25 cms.

Ces sommes sont le net produit, après avoir distribué aux employés à la vente 1100 f. en mandats et 80 f. assignats qui forme 25 pour 100 de 133,072 l. en assignats; cette distribution leur sera faite demain.

Lettre au Ministre sur les échanges à faire par le Museum.

Ecrit encore au Ministre relativement aux échanges que l'on se propose de faire des tableaux surabondans ou médiocres du Museum contre des ouvrages de mérite. Propose qu'il soit adjoint aux Conservateurs dans ce cas seulement deux artistes pour déterminer l'échange indiqués : les C^ns Vincent et Le Brun (949).

81 — *[21 juin 1796].*

[73] Séance du trois messidor.

Présidence du C^n Fragonard.

Mémoire du Cn Scellier marbrier montant assignats à 557,859-15-2.

Le Cn Scellier, marbrier, présente un mémoire de transport, pose et dépose de différens objets d'arts; le Conservatoire certifie que lesdits ouvrages ont été faits utilement pour le Musée central des arts; renvoye le Cen Scellier devant le Ministre de l'intérieur pour le règlement et le payement dudit mémoire montant au total en assignats à la somme de 557,859 — 15 s 2 d. Le Conservatoire sollicite, d'après le vœu du Cen Scellier, qu'il lui soit payé en acompte la moitié de la somme en demande.

82 — *[23 juin 1796].*

Séance du 5 messidor.

Déclaration du Cen Picault de la distribution des toilles.

Le Cen Picault fait la déclaration suivante :

en vertu des lettres du Ministre (950), j'ai délivré : le 24 pluviôse, pour le Cen Vincent 20 aulnes 2/3 de toille prise sur la pièce n° 29809, d'une aulne de large;

plus, pour completter la toille du Cen Vincent pour un grand tableau, levé 13 aulnes (2/4) [3/4] (951) sur la pièce 28168, de 5-8- de large.

pour la toille de l'esquisse du Cen Vincent, levé une aulne 1/2 moins 1/16, sur la pièce 32205, de 7-8 de large.

du 24 prairial, pour le C n Gérard peintre, levé 24 aulnes 3/4 sur la pièce 29809.

plus, pour completter la toille du Cen Gérard, levé 6 aulnes un quart faible sur la pièce 24876 de 7-8 de large.

plus, pour la toille de l'esquisse, levé une aulne sur la pièce 15801 de 3/4 de large.

du même jour 24 pluviôse, pour la restauration du tableau de Snyder, levé 12 aulnes pour les deux toilles qui le rentoillent, sur la pièce n° 29810, d'une aulne de large.

Demande au Ministre d'une autorisation de préparer la galerie d'Apollon.

Proposition de décorer la porte de la gallerie avec des colonnes.

[73 v.]

Le Conservatoire arrête qu'il sera écrit au Ministre (952) 1° pour lui demander l'ordre officiel de vuider la gallerie d'Apollon pour y exposer tous les ouvrages d'arts ou autres objets d'histoire naturelle conquis en Italie, d'après son intention témoignée verbalement; 2° lui proposer de profiter du moment des travaux de la gallerie pour en décorer la porte d'entrée en y plaçant quatre colonnes de marbre blanc ornées de chapiteaux de bronze doré, venus de Liège et qui sont dans le jardin du Museum; cet objet serait peu dispendieux; l'entablement serait fait seulement en bois que le Museum peut fournir.

Détermination du Conservatoire de supprimer les glaces placées sur divers tableaux.

Le Conservatoire prenant en considération les différentes observations qui ont été faites relativement aux glaces placées sur quelques tableaux précieux dans l'intention de les conserver, ayant de son côté remarqué dans cet essai des inconvéniens qui résultent de la couleur de plusieurs des glaces, vu la difficulté d'en trouver qui soient assez blanches et assez nettes pour ne point influer sur le tableau et dénaturer à l'œil sa couleur, arrête que les glaces placées sur différens tableaux seront supprimées; mais en même tems, le Conservatoire se promet d'employer tous les autres moyens de conserver les précieux ouvrages dont la garde leur est confiée, et notamment celui de ne jamais les déplacer pour les exposer, comme ils l'ont été trés souvent, à divers dangers en les livrant à des copistes qui ne peuvent, même avec les plus grands soins, répondre de tous les accidents.

Payement de 1100 f en mandats, app 80 f assignats produit de 25 pour % pris sur la vente du Livret au profit des débitans §.

D'après le compte du produit du Livret, rendu par le Cn Philippeau le 1er messidor, le secrétaire dépositaire avait entre les mains 3,300 f. mandats, plus appoint en assignats 242 f et en monnaye métallique 111 f 25cmes, défalquation faite d'une somme de 1100 f en mandats plus 80 f assignats à distribuer aux personnes qui ont fait et conduit la vente du Livret. Cette dernière somme a été payée par le Cn Foubert, suivant la quittance générale qui lui en a été remise par le Cn Philippeau en datte de 4 courant.

83 — *[25 juin 1796].*

Séance du 7 messidor.

[74]

Le Cn Garnier fils, peintre, demeurant chés son père rue neuve des petits champs n° 464, se présente au Conservatoire. Il propose que l'on établisse au Museum un conservateur des meubles et autres objets d'ébénisterie, en le logeant et lui donnant un atelier. Ce citoyen déclare que son père, ancien et habile ébéniste, qui a travaillé dans le genre de Boulle et dont les ouvrages sont aussi recherchés, désirerait remplir cette place si elle venait à être établie; il en fait valoir l'utilité pour la conservation des meubles précieux de Boulle que possède le Museum, &. Le Conservatoire répond au Cn Garnier qu'il adressera sa proposition au Ministre de l'intérieur.

Proposition faite par le Cn Garnier d'établir une place au Museum pour l'entretien de l'ébénisterie.

Le Directeur général écrit, en datte du 2 ct; il parle du tableau de Vernet que possède le Cen Desmarais md, et de l'échange qu'on en pourrait faire &. Attendu qu'il a été écrit au Ministre à ce sujet plusieurs jours avant la lettre du Directeur et le Cn Foubert en ayant prévenu le Cn Le Breton, celui ci lui a répondu que la lettre adressée au Ministre lui est depuis parvenue, que l'on va faire droit à la demande du Conservatoire (953).

Lettre du Cn Ramel, Mtre des finances, relative au

On fait lecture d'une lettre, en datte du 6 ct, signée Ramel Ministre des finances. Il demande au Conservatoire de l'avertir du moment où il aura définitivement *triage à faire des objets d'arts du Museum.*

procède à l'examen de tous les ouvrages d'arts dont il est dépositaire et déterminé ce qui doit être conservé. Alors, dit le C^n Ramel, le Ministre de l'intérieur autorisera le Conservatoire à se désaisir de tout ce qui ne sera pas jugé digne d'entrer dans la célèbre collection du Museum. Le Ministre demande que cette opération soit faite avec célérité, attendu l'utilité dont elle sera pour le trésor public.

Triage des objets pour être renvoyés au dépôt.

Le Conservatoire arrête que le Ministre de l'intérieur sera instruit de la demande du Ministre des finances. Cependant le Conservatoire s'étant depuis longtems proposé de s'occuper de ce triage, d'ailleurs nécessaire pour vuider les dépôts encombrés du Museum, mais ayant été retardé par la difficulté de cette opération qui exige beaucoup d'espace dont on a manqué à cause des divers travaux faits à la Gallerie, le Conservatoire arrête encore que dès demain les membres se réuniront dès le matin pour procéder d'abord au triage des objets de métaux précieux, ce qui lui a été demandé par l'administration des Monnoies; que l'état de ces objets, manquant [74 v.] par l'art du mérite nécessaire pour être exposés au Museum, sera envoyé au Ministre.

Au surplus il sera en même tems proposé au Ministre un mode d'opérer l'épuration de tous les autres objets d'art en lui demandant pour adjoints à cette opération les C^ns Le Brun et Peyron, peintres. Celui ci s'est proposé, attendu que le C^n Vincent indiqué déjà pour l'opération des échanges se trouverait accablé par ces sortes de travaux et trop détourné de ceux de son art.

Arrêté aussi qu'il sera écrit séparément au Ministre pour lui demander de faire venir au Museum les objets d'art de Fontainebleau, encaissés depuis longtems à cet effet, et aussi ceux du garde meuble (954).

84 — *[27 juin 1796].*

Séance du 9 messidor.

Présidence du C^n Fragonard.

Suspension de la demande de deux artistes pour coopérer au triage.

Le Conservatoire délibérant de nouveau sur l'objet du triage des objets d'arts que renferme le Museum, renonce à faire la demande au Ministre de l'intérieur d'être secondé dans cette 1re opération par deux artistes, sauf, lorsque le 1er triage aura été fait, à prendre à cet égard le parti que l'on trouve convenable (955).

Le C^n Garnier fils présente au Conservatoire un mémoire à l'appui de la demande qu'il a faite pour son père; ce mémoire sera joint à la lettre que l'on a adressée au Ministre (956) et dont l'envoi sera différé.

Etat des tableaux

Le Conservatoire procède à former un état descrip-

demandés par le Mtre des finances. [75]

tif de dix tableaux choisis hier, en présence du Ministre des finances sur sa demande, parmi les tableaux qui ne doivent point rester au Museum, lesquels dix tableaux seront livrés sur l'autorisation du Ministre de l'intérieur placée au bas de cet état (957).

Etats émargés pour l'indemnité de prairial double du traitement fixe de ce mois.

Sur la déclaration du C^n^ Picault qu'une loi du 2 nivôse (958) *(sic)* attribue aux employés une indemnité double d'un mois, les états émargés en vont être dressés et de suite envoyés. Ils ont été remis au C^n^ Philippeau. Cette indemnité est du double d'un mois, attribuée au mois prairial, c'est deux fois la somme égale au traitement fixe d'un mois pour chaque employé.

85 — *[29 juin 1796].*

Séance du 11 messidor.

Avis sur les indemnités en vertu de la loi du 2 messidor.

Le C^n^ Montgéry, employé au bureau des finances de l'instruction publique, écrit en datte du 8 au sujet des états émargés pour l'indemnité (émargée) [accordée] (959) par la loi du 2 messidor; ils sont envoyés au Ministre avec lettre (960), portés par le C^n^ Philippeau à qui ils avaient été remis hier.

Le Conservatoire considérant que depuis son installation le C^n^ Foubert a bien voulu se charger, sous le nom de trésorier quoique cette place n'existe point au Museum, de la recette des traitements de tous les employés, de l'inscription, des calculs et de la répartition des sommes à chaque époque de payement, observant qu'en sus de ce travail une semblable recette exige des courses et des démarches multipliées auxquelles le C^n^ Foubert s'est trop longtems et obligeamment livré, et chacun des autres membres du Conservatoire désirant aussi vu leur âge et leurs occupations s'en trouver exempté, tous se sont réunis à inviter le C^n^Philippeau, concierge des écoles de dessin, faisant déjà pour les écoles une semblable recette qui le conduit dans les mêmes bureaux du Ministre et du trésor national, de faire en [75 v.] même tems la recette du Musée central des arts. Cette proposition ayant été faite au C^n^ Philippeau de la part du Conservatoire, le C^n^ Philippeau a protesté qu'il l'acceptait pour s'en acquitter avec zèle et pour témoigner d'autant plus au Conservatoire son attachement et sa reconnaissance de ce qu'il a dans différentes aoccasions cherché à faire en sa faveur.

Le C^n^ Philippeau est autorisé à recevoir les traitements et à en remettre les sommes au C^n^ Foubert secr^re^.

En conséquence le Conservatoire autorise le C^n^ Philippeau, concierge des écoles de dessin, à retirer en son nom les états émargés de tous les employés au Musée central des arts, à recevoir sur sa signature au trésor national le montant desdits états ordonnancés ainsi qu'à en remettre les sommes à chaque payement entre les mains du C^n Foubert, secrétaire dudit Musée. Le C^n Philippeau appellé au Conservatoire y reçoit l'extrait de l'arrêté cidessus par triplicata pour pouvoir.

Ecrit au Ministre des finances pour le prévenir que l'on a mis en vente au garde meuble et à la maison Infantado des objets, notamment des baguettes dorées et autres, marqués pour le Museum; demandé qu'il les rende à leur destination (961).

Ecrit au Directeur général de l'instruction publique, en réponse à sa lettre du 4 courant, que le Conservatoire croit à la justice de la réclamation du C^n Huin, vitrier, par les motifs expliqués dans la lettre (962).

86 — *[1 juillet 1796].*

Séance du 13 messidor.

Présidence du C^n Fragonard.

Recette des traitemens pour le mois entier prairial 5191 f 64 cs.

[76]

Hier le C^n Philippeau a remis au C^n Foubert, secrétaire, les états émargés pour le mois entier prairial; ces états étant encore ordonnancés sous le nom du C^n Foubert, il en a touché le montant ce matin au trésor nal, ... 5191 f 64 cs.

La répartition a été faite en présence du Conservatoire assemblé, savoir (à cause des mandats qui n'offrent pas de petites coupures) à chacun des onze gardiens 200 f auxquels il reste dû pour appoint 8 f 33 c;

au C^n Denyau 150 f. qui est la somme entière qui lui revient;

à Evrard et au secrétaire chacun 325 f., il leur reste dû 8 fr. 33 c;

aux autres membres du Conservatoire chacun 400 f, il leur reste dû 16 fr. 67 cmes;

à Evrard et au secrétaire leur revient chacun 333 f 33; donné 325, leur est dû 8 f 33 c.

Chevalet réclamé par le C^n (Maupetit) [Demontpetit].

Le C^n (Maupetit) [Demontpetit] (963) adresse au Conservatoire un mémoire dans lequel il expose que sa fille a perdu un chevalet au Museum; il en donne la description et demande que sa réclamation soit affichée. L'affiche sera remise aux gardiens auxquels on enjoindra de faire à ce sujet toutes les recherches qui seront en leur pouvoir.

payé à Chouteau 720 f.

Payé à Chouteau, pour balais, en assignats 720 f.

87 — *[3 juillet 1796].*

Séance du 15 messidor.

Présidence du C^en Fragonard.

Les bancs du jardin du Musée.

Une lettre, en datte du 12 courant, signée Bénézech, annonce que le Ministre a chargé le C^n Hubert de faire poser dans le jardin du Museum les douze bancs

Le Mtre donne 1500 l à la Ve Brébion sur le produit du Livret. [76 v.]

demandés par le Conservatoire.

Une autre lettre, signée du Ministre et contresignée Ginguené, datte en blanc de messidor an 4, reçue ce matin, autorise le Conservatoire à payer la somme de quinze cents livres en mandats, sur la recette du Livret des tableaux exposés au Museum, à la veuve Brébion ayant droit aux secours publics par son indigence, son âge et la dépense que va lui occasionner la nécessité de déménager. Cette somme sera payée dès que la Ve Brébion se présentera. Le Cn Foubert annonce qu'il la lui portera.

Le Cn Pellagot, entrepreneur de charpente, se présente au Conservatoire; il y déclare qu'il a mis le prix des journées réclamées par les gardiens (964) au taux où il payait celles de ses ouvriers aux mêmes époques; en sorte que le total des journées à payer, tant aux gardiens du Museum qu'au Cn Fourniet en particulier, en assignats réduits en mandats, s'élève à la somme ci mandats 4050 f app. assig. 325 f.

Après quoi, le Conservatoire signe au bas de l'état des dites journées l'autorisation au Cn Pellagot d'acquitter la de somme de 4050 — 325, sauf à la porter dans son mémoire pour en être remboursé.

88 — *[5 juillet 1796].*

Séance du 17 messidor.

Le procès verbal de cette séance n'aurait pas eu lieu, par l'absence du secrétaire, s'il y eut des arrêtés pris.

89 — *[7 juillet 1796].*

Séance du 19 messidor.

Présidence du Cn Fragonard.

Mémoire du Cn Pellagot montant en mandats à 17,506 f 8 c. [77]

Le Cn Pellagot, entrepreneur de charpente, présente un mémoire d'ouvrages de transports, journées d'ouvriers, &., montant au total, en mandats à la somme de 17,506 f 8 cm. Le Conservatoire certifie que le tout a été fait utilement pour le Museum central des arts; renvoye le Cn Pellagot devant le Ministre de l'intérieur pour le payement.

Recette et distribution de l'indemnité de floréal, un tiers de mois, montant au total à 1730 f 51 c.

Le Cn Philippeau remet au Cn Foubert la somme de 1730 f 51 c. montant de l'indemnité de floréal qui est le tiers de chaque traitement fixe.

Le Cn Foubert a fait la répartition ainsi, faute de monnoye :

donné à chacun des 11 gardiens, auxquels
il revient .... 69 f. 44 cs.
seulement en mandats .... 50 f. ....
(pour) [leur] (965) reste dû à chacun .... 19 f. 44 cs.

qui seront acquittés lors de la recette de la double indemnité.

donné à Denyau 50 f pour son tiers qui ne demande pas d'appoint.

à Evrard, et à moi, nous revient 111 f. 11 c.; donné 100 f. mandats, reste dû pour appoint 11 f 11 cms.

à chacun des membres du Conservatoire il revient 138,89 cms; donné 125 f, reste dû 13 f 89 cms.

Colonnes à prendre au dépôt des Augustins.

Le Conservatoire arrête que les dix colonnes de marbre de couleur, marquées au dépôt des Augustins par les commissaires nos collègues, seront, en vertu de l'autorisation que nous avons du Ministre de l'intérieur de prendre ce qui convient au Musée central des arts dans les dépôts nationaux, transportées au Musée; autorisons le Cn Scellier, marbrier, à diriger et faire faire ce transport; il sera accompagné du Cn Dewailly notre collègue pour reconnaître les colonnes marquées.

La gallerie d'Apollon sera vuidée de tout ce qui y est déposé.

Arrête que la galerie d'Apollon va être vuidée de tous les objets qui y sont déposés pour être livrée aux travaux que l'on doit y faire; d'après l'annonce du Cn (Challegrin) [Chalgrin] architecte, il s'agit de préparer ce local pour y recevoir l'exposition des dessins des grands maîtres livrés à l'étude sous glace.

Lettre du Conservatoire adressée à l'Institut des sciences et arts pour donner aux membres, l'entrée du Museum, sur leurs cartes.

Sur l'observation de deux membres du Conservatoire, il arrête que son vœu est que les membres des trois classes de l'Institut ayent entrée au Museum, sur la présentation [de leurs cartes] (966) de l'Institut que le Conservatoire a fait connaître aux gardiens de ce monument des arts, écrit en conséquence à l'Institut.

[77 v.]

90 —

[9 juillet 1796].

Séance du 21 messidor.

Présidence du Cn Fragonard.

Lecture des lettres.

Lettre de l'Institut des sciences et des arts au Conservatoire.

Le Cn Mongez, secrétaire en tour de l'Institut des sciences et des arts, écrit au nom de l'Institut qu'il a reçu avec reconnaissance l'annonce que ses membres auront entrée au Musée central des arts sur la carte de l'Institut; cette lettre en datte du 19.

Même datte, le Ministre de l'intérieur, sous le contreseing du Directeur général, autorise le Conservatoire à s'adjoindre (d'après la demande qu'il en a faite) les Cns Vincent et Le Brun pour entamer la négociation de l'échange d'un tableau de Vernet avec le Cn Desmarais (967).

Sur l'échange des tableaux de Vernet appt. au Cn Desmarais.

Le Conservatoire arrête que Cn Desmarais sera invité à faire transporter au Musée central les tableaux de Vernet qu'il veut échanger. Le Conservatoire écrira aux Cns Vincent et Le Brun en leur demandant un jour fixe pour, réunis avec les conservateurs, s'occuper de cette opération.

Le Cn secrétaire annonce que, dès le quinze du courant, il s'est rendu chez la Ve Brébion, qu'il lui a offert le payement des 1500 f. en mandats, d'après la lettre du Ministre de l'intérieur, mais que la Ve Brébion a désiré, par des motifs particuliers, différer la réception de cette somme. Le Cn Foubert lui a déclaré que le Conservatoire tiendrait cette somme à sa disposition pour l'instant où elle témoignerait vouloir la toucher.

Remise par le C. Vincent des deux tableaux de Lorrain. [78]

Le Cn Vincent remet au Conservatoire les deux petits tableaux ovales peints par Claude Lorrain qui lui avaient été prêtés; sa reconnaissance lui est rendue (968).

Le Conservatoire arrête qu'il va être écrit au Ministre pour lui demander l'autorisation de livrer à la restauration les tableaux qui en ont le plus pressant besoin, avant de les placer dans la gallerie (969). Il sera observé que, depuis plus de six mois, l'état des tableaux qui demandent les plus pressantes réparations a été envoyé sans que nous eussions de réponse.

Envoi des états émargés pour le mois de prairial.

Signé les états émargés pour le mois prairial; remis ces états au Cn Philippeau.

91 — *[11 juillet 1796].*

Séance du 23 messidor.

Présidence du Citoyen Fragonard.

Mémoire du Cen Nadrau montant à la somme de 143,234 l - 1 s - 1 d

Le Cn Nadrau, menuisier, présente un mémoire d'ouvrages de transports, fournitures de bois, etc., montant au total à la somme de 143,234 l. 1 s. 1 d. Le Conservatoire certifie que lesdits ouvrages ont été faits utilement pour le Musée central des arts; renvoye le Cn Nadrau devant le Ministre de l'intérieur pour le règlement et le payement avec sollicitation, d'après le vœu du Cn Nadrau, qu'il lui soit payé en acompte la moitié de la somme en demande.

250 f. assignats payés à Bidaut.

Payé par le trésorier à Bidaut, gardien, pour blanchissage de linge, 250 f. assignats.

Arrêté qu'il sera écrit au Cn Hubert architecte, pour lui demander d'alterner les croisées dans la gallerie du Muséum, dans l'espace où l'on pose les parquets, ainsi qu'on l'a fait dans la partie précédente (970).

92 — *[13 juillet 1796].*

[78 v.] Séance du 25.

Partage de la double indemnité de prairial.

Le Cn Philippeau remet au Cn Foubert la somme de 10,383 f 28 cm, ou 10,375 f. mandats, appr. assignats 248 f 5 c, produit de l'indemnité du mois prairial mentionnée des autres parts.

Le C^{n} Foubert en fait la répartition comme il suit.
Scavoir :

à chacun des 11 gardiens, il revient dans cette indemnité le double du traitement d'un mois ci .... 416 f 66 cms
il faut ajouter ce qui leur est dû pour solde du traitement de l'indemnité de floréal, faute de monnoye pour l'appoint 19, 44
.... 436, 10
plus, il leur est encore dû de la répartition du traitement fixe de prairial 8, 33
.... 444, 43
Donné en mandats à chacun 450 f 450
ils redoivent au caissier qui le retiendra sur le 1er payement .... 5 f 57
Donné pour les 11 gardiens 4950 f.
Au C^{n} Denyau, donné la somme juste qui lui revient .... 300 fr.
A Evrard et au secrétaire, leur revient à chacun .... 666 f 66 cms
leur est dû, du traitement de prairial .. 8 f 33 cms
de l'indemnité du même mois 11 11
Total.......... 686 10
Donné à chacun mandats 675
leur reste dû........ 11 f 10 s.

[79] Aux cinq autres membres du Conservatoire, il leur revient à chacun dans l'indemnité double ci .... 833 f 34 cms
à chacun il est dû, traitement de prairial 16 67
plus indemnité du même mois 13 89
863 90
Donné à chacun........ 850
leur reste dû........ 13 f. 90.

Le trésorier trouve dans le partage une erreur contre lui (à vérifier).

Demandé le déplacem^{t} du chambranle de la cheminée de la 1re salle basse au C^{n} Hubert.

Le Conservatoire arrête qu'il va être écrit au C^{n} Hubert pour lui demander de faire déposer le chambranle de la 1re salle basse du Musée (971).

Arrêté pour échanger pour 2000 f de mandats contre de la monnoye métallique.

Vu l'impossibilité où le trésorier volontaire se trouve d'acquitter diverses petites dépenses du Musée, notamment le blanchissage des linges pour lequel on refuse le papier, le Conservatoire, contraint par la nécessité, arrête que le C^{n} Foubert voudra bien faire vendre pour deux mille francs de mandats, au cours du moment. Ces 2000 f seront pris sur le fonds de la caisse du Conservatoire.

Arrêté qu'il sera écrit au C^{n} Desmarais, md. de tableaux (972), pour lui demander l'envoi du tableau de

Vernet pour l'échange; son adresse ches Sauvage peintre, cour du Louvre.

93 — *[15 juillet 1796].*

Séance du 27 messidor.

Mémoire du Cn Scellier montant à 2;543,603.17-9

Le Cn Scellier, marbrier, présente un mémoire de transports, déplacements, pose, & a, d'ouvrages de marbre et de bronze, montant au total en assignats à la somme de 2.543,603 l. 17-9.

Le Conservatoire certifie que ces travaux ont été faits utilement pour le Musée central des arts; renvoye le Cn Scellier devant le Ministre de l'intérieur pour le [79 v.] règlement et le payement avec sollicitation, d'après le vœu de l'entrepreneur, qu'il lui soit payé en acompte la moitié de la somme en demande.

Dépense de 2000 f. mandats; récette en échange de 115.10 s. en numéraire.

Le Cn Foubert met sur le bureau la note du Cn Lefevre, agent de change demt rue Thérèse butte St Roch; c'est celle de la vente qu'il a faite hier de 2000 f en mandats à 5 l. 18 s. pour %, produisant net, son droit de 1/8 prélevé, la somme de 115 l. 10 s. en numéraire.

Cette somme, d'après l'arrêté pris le 25 courant, est destinée à acquitter les menues dépenses du Musée forcées en numéraire; ainsi le trésorier portera en dépense dans son compte la somme de 2000 f en mandats et la recette de 115 l. 10 s. en numéraire.

certificat délivré au Cn Huin, vitrier.

Le Cn Huin demande un certificat de l'époque de l'arrivée de ses marchandises relatif à son mémoire montant à 324,173 l, en demande, certifié par le Conservatoire le 5 ventôse an 4. Le Conservatoire lui délivre un certificat dont la minute restera parmi les pièces de renseignements.

Lettre du Mtre des finances pour retirer les objets d'art du garde meuble.

Une lettre du Ministre des finances, en datte du 24 messidor, annonce au Conservatoire qu'il a donné des ordres au garde meuble pour délivrer tous les objets d'arts qui restent pour le Museum; il engage le Conservatoire à les retirer promptement; cette lettre est remise par le conservateur. Arrêté que deux des conservateurs se transporteront au garde meuble, qu'après avoir confronté les inventaires qui sont entre les mains du Cn Villette, conservateur de ce dépôt, et constaté ce qui doit être transporté ici, on emploiera les boêtes fermantes, [80] depuis longtems préparées à cet effet, pour faire arriver ces objets avec surêté.

Na, les inventaires du Cn Villette seront consultés, parce que le Ministre de l'intérieur a ches lui les doubles que possédait le Conservatoire mais qui lui ont été demandés il y a plusieurs mois par le Ministre, auquel ils ont été envoyés.

94 — *[17 juillet 1796].*

Réponse du Mtre à la demande du Cn Garnier, ébéniste.

Séance du 29 messidor.

Lecture d'une lettre du Ministre de l'intérieur, en datte du 27 courant, reçue aujourd'hui. Le Ministre annonce qu'il ne pourra prononcer sur la demande du Cn Garnier, ébéniste, qu'alors que le triage des meubles de ce genre qui doivent rester au Museum aura été fait (973).

Payement à la Ve Brébion de 1500l mandats, sur le produit du Livret.

La Cne Ve Brébion se présente au conseil et reçoit du Cn Foubert la somme de quinze cents livres en mandats, d'après la lettre cidevant écrite par le Ministre de l'intérieur.

L'un des membres annonce que le Cn Desmarais, md de tableaux, apportera demain au Museum le tableau de Vernet dont l'échange est proposé. Ecrit en conséquence au Cn Vincent et au Cn Le Brun pour les inviter à remplir les fonctions de commissaires dans cette opération (974).

Arrêté concernant les gardiens pour nettoyer les statues.

Sur la représentation d'un des membres, le Conservatoire arrête que l'un des devoirs des gardiens du Museum central des arts consiste à enlever avec soin la poussière qui couvre les statues, vases, etc... qui existent dans les salles basses, l'escalier, la cour et le jardin du Musée; qu'il est important que cette opération ne soit pas abandonnée au balayeur de l'extérieur du Musée et que copie du présent arrêté sera remis aux gardiens.

[80 v.]

95 — *[19 juillet 1796].*

Séance du 1er thermidor.

Présidence du Cn Pajou.

1re opération relative à l'échange proposé d'un tableau de Vernet.

Les commissaires Vincent et Le Brun se rendent au Conservatoire à l'heure indiquée; réunis au Conservatoire, le tableau de Vernet, envoyé par le Cn Desmarais, a été placé au milieu des plus beaux tableaux de ce maître appartenant au Musée central des arts. D'une voix unanime, les commissaires et les conservateurs ont jugé le tableau de Vernet, présenté à l'échange, particulièrement digne d'entrer dans la collection des meilleurs tableaux de chaque maître dont le Museum doit se composer.

Quant aux tableaux qui pourront être cédés en échange, la séance des commissaires a été remise au cinq du courant, à une heure après midi, pour les examiner, les décrire et les (examiner) [estimer] (975).

Le Conservatoire arrête qu'il va être écrit au Cn Pellagot (976), entrepreneur de charpente, pour l'inviter à se rendre ici à l'assemblée, entre une heure et trois, pour une opération de son état, le 5 thermidor an 4.

96 — [21 juillet 1796].

Séance du 3 thermidor.

Compte de vente du Livret pour messidor remis par le Cn Philippeau.

Le Cn Philippeau remet au Cn Foubert qui lui en a donné reconnaissance le compte de la vente du Livret pendant le mois de messidor :

le produit en assignats est de 21,745
en numéraire de .... 270,18s.

Le compte des 25 pour cent à remettre aux vendeurs et surveillans sera dressé et mentionné au prochain procès verbal. Cejourd'hui, d'après le compte préparé, le Cn Foubert a remis au Cn Philippeau pour être distribué 1° en assignats la somme de 5436,5
2° en monnoye métallique la somme de.... 84,5s

Il a été écrit au Ministre de l'intérieur pour lui demander l'autorisation de prendre au magasin de Chaillot les marbres nécessaires au Museum (977).

Demande de charrois au Cn Dutertre.

On écrit encore au Cn Dutertre, inspecteur en chef de l'équipage des transports militaires de l'intérieur, pour lui demander des voitures pour faire amener ici les objets d'arts du Raincy (978).

Lettre du Mtre au sujet d'une expérience de restaur.an à faire par le Cn Le Roy.

On fait lecture d'une lettre du Ministre de l'intérieur, en datte du 29 messidor, reçue ce matin, il demande que l'on procure au Cn Le Roy, ancien médecin, les moyens d'opérer une restauration de tableau par un moyen qu'il a découvert sans employer de vernis. Le Ministre adjoint au Conservatoire pour cet objet les Cns Vincent et Jollain peintres (979).

Arrêté de police pour l'étude dans le sallon.

Le Conservatoire détermine qu'il va être affiché dans le sallon d'exposition un nouvel extrait des procès verbaux qui annonce 1° qu'il ne sera déplacé aucun tableau du sallon pour l'étude; 2° qu'on ne passera aucun chevalet entre les barrières et les tableaux; 3° qu'on ne livrera à l'étude que les tableaux exposés dans le sallon.

Un membre demande et le Conservatoire arrête que les gardiens seront responsables de l'exécution de ces arrêtés, sous peine de destitution de leur emploi.

Mémoire du Cn. Scellier montant à 110.050 en assignats.

[81 v.]

Le Cn Scellier, marbrier, présente un mémoire d'ouvrages montant au total à la somme de 110,050 f en assignats. Le Conservatoire certifie que les ouvrages mentionnés en ce mémoire ont été faits utilement pour le Musée central des arts; renvoye le Cn Scellier devant le Ministre de l'intérieur pour le règlement et le payement avec sollicitation, d'après le vœu du Cn S ellier, qu'il lui soit payé en acompte la moitié de la somme en demande.

97 — [23 juillet 1796].

Séance du 5 thermidor.

Rétribution de

Le Cn Philippeau ayant représenté, au nom des

100 f. en numéraire pour la vente du Livret en messidor.

personnes chargées de la vente du Livret, que les assignats qui leur ont été offerts le 3 du courant, comme faisant partie de la récompense attribuée à leur travail, deviennent nuls entre leurs mains puisqu'aucun marchand ne veut les recevoir, il a été arrêté que la somme de 5436 f 5 cms en assignats serait rendue au C^{n} Foubert trésorier et qu'il y serait substitué en numéraire 15 f,75 cms ce qui a été effectué. En sorte qu'en joignant cette dernière somme de 15 f,75 cms à celle de 84 f 15 cms déjà donnée ledit jour 3, en numéraire, les personnes chargées de la vente du Livret auront partagé entr'elles, dans les proportions établies, au total la somme de 100 f. numéraire, pour leurs peines et soins à la dite vente pendant le mois messidor.

Compte du produit net du Livret en messidor et résultat au 5 thermidor envoyé au Ministre.

Le C^{n} Foubert présente le compte du Livret pour le mois messidor et le résultat de la recette pour ce mois et le précédent.

Ce résultat laisse en net produit, disponible en ce moment,

au profit des indigens scavoir en numéraire 225fr 55cms
en mandats 425fr
en assignats de 100 f et au dessous 62, 789f

[82]

Ce compte arrêté est envoyé au Ministre de l'intérieur (980) en lui observant quelles sont les causes qui ont obligé à substituer les assignats perçus de la vente du Livret, aux mandats appartenant à la caisse du Conservatoire par lesquels on les avait ci devant remplacés.

Le Ministre est prié d'indiquer l'emploi de ces sommes au profit des indigens, s'il en juge un plus convenable que celui de les remettre au bureau général de bienfaisance suivant les 1res intentions du Conservatoire.

estimation des tableaux échangés.

Les C^{ns} Vincent et Le Brun se rendent au Museum; accompagnés et en présence des conservateurs, les commissaires procèdent à l'estimation de divers tableaux destinés à l'échange du tableau de Vernet. L'état de leur travail sera mis au net; après quoi on rassemblera les observations des commissaires dont il sera fait mention au prochain procès verbal.

98 — *[25 juillet 1796].*

Séance du 7 thermidor.

Mémoire du C^{n} Scellier montant en assignats à 101,648.8.4.

Le C^{n} Scellier, marbrier, présente un mémoire d'ouvrages de transports, etc., montant au total à 101,648 f,8 . 4. en assignats. Le Conservatoire certifie que les ouvrages mentionnés audit mémoire ont été faits utilement pour le Musée central des arts; renvoye devant le Ministre de l'intérieur pour le règlement et la payement avec sollicitation, d'après le vœu du C^{n} Scellier, qu'il lui soit payé en acompte la moitié de la somme en demande.

Recommandations accordées au C^n Bouillet. [82 v.]

Le C^n Bouillet, gardien de la salle des antiques, demande au Conservatoire d'appuyer auprès du Ministre de l'intérieur et du Directeur général de l'instruction publique deux mémoires que ce citoyen présente, l'un pour demander un logement, l'autre une indemnité de payement pour avoir moulé des sculptures. Le Conservatoire met ses recommandations à chaque mémoire.

Les C^ns Le Brun et Vincént, réunis aux conservateurs, continuent l'estimation des tableaux que l'on peut offrir à l'échange du tableau de Vernet. Cette opération terminée, le C^n Le Brun, envisageant l'opération comme très délicate, émet le désir qu'il aurait que les C^ns Payet et Constantin, mds de tableaux, fussent appellés pour estimer les mêmes tableaux. En conséquence le Conservatoire arrête qu'il sera écrit aux C^ns Payet et Constantin, mds de tableaux (981), pour les inviter à venir, le 1er après demain, le 2° demain le matin, mettre un prix aux tableaux qui doivent servir à l'échange du tableau de Vernet, tableaux qui ont déjà été estimés par le C^n Le Brun, lequel a désiré que les C^ns cidessus dits en fassent aussi une estimation particulière.

99 — *[27 juillet 1796].*

Séance du 9 thermidor.

La fête qui a eu lieu cejourd'hui s'est opposée à la réunion des membres du Conservatoire; l'assemblée est remise à primidi prochain.

100 — *[29 juillet 1796].*

Séance du 11 thermidor.

Présidence du C^n Pajou.

Lecture est faite de deux lettres adressées par le Directeur général; elles sont en datte du 6 ct, reçues avant hier.

Renvoi d'un assignat de 250 provenant du Livret qu'on n'a pu échanger. [83]

Par l'une de ces lettres le Directeur renvoye inclus un assignat de 250 f qui avait été adressé au Ministre pour l'échanger, en lui envoyant le compte du Livret; cet échange n'a pu avoir lieu.

Quant à la notice des tableaux attendus d'Italie, le directeur annonce que le Ministre n'en a point reçu, excepté l'état des objets qui regardent le Musée central des arts.

Sur le transport des objets d'art qui sont à Fontainebleau.

L'autre lettre concerne la demande faite par le Conservatoire du transport des objets d'arts qui sont à Fontainebleau; le Ministre persiste à ajourner cette affaire, le Directeur assure le Conservatoire qu'il ne la perdra pas de vue.

Tableaux dont l'échange est proposé par le Cn Tolosan.

Par une lettre en datte du 8 courant (982) adressée au Cn Fragonard le Cn Tolosan fait l'offre au Conservatoire de céder, en échange de tableaux que le Musée central des arts ne doit pas conserver, scavoir un tableau de Venius, un de Santerre, plus un groupe de marbre de deux figures représentant Psyché et l'amour sur son pied d'estal, le tout fait par Guyard.

On annonce que le Cn Constantin, md de tableaux, a répondu à l'invitation du Conservatoire qu'il ne pouvait se charger de l'estimation des tableaux qui lui est proposée. D'un autre côté le Cn Payet à qui on avait adressé la même invitation s'est trouvé absent de Paris et la lettre du Conservatoire n'a point été reçue dans la maison du Cn Payet.

Sur quoi, le Conservatoire délibérant arrête qu'il va être écrit aux Cns Le Brun et Vincent (983) pour les inviter à se rendre au Conservatoire après demain 13 à l'effet de délibérer définitivement sur l'objet de l'échange, le Cn Desmarais désirant connaître le résultat de cette opération dont nous croyons cependant ne devoir rendre compte au Ministre que d'après la réunion des opinions des deux commissaires et des conservateurs.

[83 v.] Les gardiens du Musée sollicitent des balays de crin et des houssoirs, ceux qui servent étant tout à fait usés. On observe que l'on a de jour en jour différé l'acquisition de ces ustensiles dans l'espoir que le prix des mandats augmenterait, n'ayant d'autre monnoye pour les acheter et le marchand ne voulant en livrer qu'au comptant en numéraire ou mandats au cours; sur quoi on fait inviter le marchand à se rendre au Conservatoire, il déclare ne pouvoir livrer huit balays de crin et huit romasseaux ou houssoirs que moyennant 96 f numéraire ou mandats qui, à 3 l. 10 s. cours du jour, porteront cette acquisition en mandats à près de 300 l.

Sur quoi délibérant, le Conservatoire, reconnaissant que l'emplette de ces ustencîles ne peut plus se différer, arrête qu'ils seront payés en mandats sur le bordereau du cours qui sera fourni par le marchand avec la signature d'un agent de change, au bas du mémoire de fourniture.

101 — *[31 juillet 1796].*

Séance du 13 thermidor.

Présidence du Cn Pajou.

Les Cns Le Brun et Vincent réunis au Conservatoire, la délibération est ouverte sur l'objet de l'échange dont il s'agit. Les avis réunis, il est arrêté qu'on enverra au Ministre un rapport dont voici le résumé :

Rapport résumé de l'arrêté pris relativement l'échange du tableau de Vernet. [84]

Les deux commissaires adjoints et les conservateurs se sont assemblés les 1er, 5, 7 et 13 thermidor. Des deux tableaux présentés par le Cn Desmarais l'un a été rejetté, l'autre représentant une tempête a été d'une voix unanime jugé digne d'être placé au Musée central des arts.

Le surplus des séances a été employé à trier dans les dépôts du Musée les tableaux convenables pour l'échange et l'estimation (qui) en a été faite par le Cn Le Brun; mais lorsqu'on est venu à considérer que le Cn Desmarais ne veut point séparer ses deux pendants; qu'il maintient leur prix à une somme de 12000 f en numéraire, tandis que si ses 2 tableaux ont eu cette valeur en 1789, (et ils devraient) [il devrait](984) maintenant être baissé des trois quarts qui est le cours actuel; que le Cn Desmarais devrait d'autant plus les réduire dans cette proportion qu'il demande, et que le Cn Le Brun a en effet estimé, les tableaux à donner en échange un quart seulement de ce qu'ils valaient en 1789.

D'après ces observations les commissaires réunis ont déclaré qu'un tel marché serait trop onéreux à la République et qu'il convient d'y renoncer.

Ils estiment que si le Cn Desmarais consentait à vendre son tableau représentant la tempête pour le prix de 4800 f en numéraire, ils souhaiteraient alors que le gouvernement en fit l'acquisition. Le Ministre décidera s'il peut en faire l'offre au Cn Desmarais.

Le rapport rédigé sera signé des commissaires adjoints et des conservateurs et copie en sera gardée dans les pièces de renseignement du Conservatoire.

102 — *[2 août 1796].*

Séance du 15 thermidor.

Recette du traitement du mois entier messidor et de la double indemnité. [84 v.]

Le Cn Philippeau remet au Cn Foubert en mandats la somme de 15550 f et pour l'appoint des centimes (187) en assignats (740" 5') [747 f 5 c](985). Ces sommes sont le montant des traitemens pour le mois entier messidor et du triplement en indemnité.

Distribué entre les personnes attachées au Museum, le trésorier remet 1° à chacun des gardiens, à qu'il revient trois fois 208 f 33 cms faisant ensemble (524 f 99 cms) [624 f 99 cs], la somme de (525 f) [625] en mandats. Ils redevaient du payement fait le 25 messidor 5 f 57 cms; ils redoivent aujourd'hui un centime de plus. 5 f 58 cms;

2° au Cn Denyau 450 f;

3° à Evrard et au secrétaire donné à chacun 1000 fr, comme il ne leur revient que 999 fr 99 cms, ils redoivent au trésorier 1 cme;

4° à chacun des conservateurs 1250 fr., au lieu de 1249 f 99 cms qui leur reviennent, ils redoivent un centime, mais comme il est redû au trésorier 15 f 10 cms et à chacun d'eux 13 fr 90 cms, les appoints en assignats leur seront distribués en proportion, puisqu'ils sont donnés par le trésor national.

Rapport arrêté et envoyé au Ministre.

Le rapport de l'échange est lu et arrêté, signé et envoyé au Ministre (986).

Lettre du Mtre de l'intérieur concernant les tableaux demandés par le Mtre des finances.

On fait lecture d'une lettre du Ministre de l'intérieur en datte du 7 thermidor, reçue ce matin. Elle porte qu'il autorise le Conservatoire à remettre au Ministre des finances quelques tableaux pour décorer quelques pièces de sa maison, lesquels tableaux ne seront pas pris dans ceux du 1er mérite mais dans ceux qui ne sont pas destinés au Museum (987).

103 — *[4 août 1796].*

Séance du 17 thermidor.

Présidence du Cn Pajou.

Nouveau certifié d'un mémoire du Cn Nadrau. [85]

Le Cn Nadrau, menuisier, présente au Conservatoire les duplicata et l'extrait du procès verbal par lequel les conservateurs ont, le 23 messidor dernier, certifié son mémoire montant en assignats à 143,234 l. 1 s 1 d. Le Cn Nadrau déclare qu'il a été obligé de refaire ce mémoire déjà ordonnancé d'une somme de soixante dix mille livres à valoir aussi en assignats, parce que ce papier n'ayant plus cours il y (soit porté) [portera] (988) les sommes en mandats. En conséquence ledit entrepreneur remet deux duplicata de ce même mémoire pour être certifié par le Conservatoire, mais en même tems il lui laisse les deux duplicata et l'extrait ordonnancé du premier pour être anihilés, afin que l'on ne puisse supposer un double employ et il demande que le certifié du mémoire, valeurs en mandats, soit fait suivant le mode usité, ce que le Conservatoire a cru devoir lui octroyer après avoir barré l'extrait ordonnancé et les certifiés du 1er mémoire.

Le Cn Nadrau, menuisier, présente un mémoire d'ouvrages de transports, fournitures de bois, etc., montant au total à la somme de 24,716 fr 23 cms; les conservateurs certifient que lesdits ouvrages ont été faits utilement pour le Musée central des arts; renvoye le Cn Nadrau devant le Ministre de l'intérieur pour le règlement et le payement avec sollicitation, d'après le vœu du Cn Nadrau, qu'il lui soit payé en acompte la moitié de la somme en demande.

Payé en écus au Cn Niodot md. papetier 22-7.

Payé au Cn Niodot, suivant son mémoire acquitté cejourd'hui, la somme de 22 l. 7 s en numéraire, prise sur celui provenu de la vente de 2000 f en mandats, *à Martinez père 10 s.*

Demande au Mtre de marbres qui sont au dépôt nal à Chaillot.

mentionnés çidevant au procès verbal.

Payé à Mariguez père, pour blanchissage de draps, 10 s en numéraire.

Le C^n^ Scellier remet au Conservatoire un état des marbres qu'il a remarqués dans le dépôt de Chaillot propres à faire des tables pour le Museum : il en a pris les N^s^. qui sont mentionnés sur l'état. Il estime que les morceaux, au nombre de neuf, produiraient ensemble [85 v.] 36 à 45 tables depuis huit pieds jusqu'à 10 pieds de long. Le Conservatoire arrête qu'il va être écrit au Ministre pour lui demander ces neuf morceaux de marbre (989).

104 — *[6 août 1796].*

Séance du 19 thermidor.

Etat des tableaux demandés par le Mtre des finances, envoyés au Mtre de l'intérieur.

Le C^n^ Nogaret qui s'est présenté à diverses reprises et qui a choisi dans tous les dépôts du Museum les tableaux qu'il croit convenir au Ministre des finances et qu'il dit que le Ministre désire, annonce l'empressement du Ministre à jouir de ces tableaux. Les conservateurs lui réitèrent ce qu'ils lui ont dit chaque fois, que parmi les tableaux qu'il choisit ils ne peuvent lui délivrer que ceux qui ne sont pas destinés au Museum. En conséquence on a dressé l'état des tableaux choisis par le C^n^ Nogaret qui peuvent être livrés par le Conservatoire et cet état va être envoyé au Ministre de l'intérieur, en le prévenant qu'il ne sera livré que des tableaux de la classe contenue dans cet état sauf les tableaux qu'il contient des maîtres vivans lesquels rentreront au Musée après leur mort. L'approbation du Ministre au bas de l'état lui est demandée avant la délivrance des tableaux (990).

On fait lecture de deux lettres du Ministre de l'Intérieur, l'une en datte du 16, l'autre du 18 courant.

Lettre du Mtre. La gallerie d'Apollon sera préparée pour y recevoir les objets qui seront envoyés d'Italie tous autres travaux cesseront dans le Museum.

La 1re est relative aux demandes que le Conservatoire avait dès longtems faites pour l'arrangement de la gallerie d'Apollon. Le Ministre annonce qu'il ne sera fait aucuns travaux ni dans cette gallerie, ni d'ailleurs dans le [86] Museum, excepté la terminaison du parquet, attendu qu'il attend un plan général d'après lequel on puisse procéder sans courir le risque de se livrer à des dépenses inutiles.

La gallerie d'Apollon doit seulement être nettoyée pour y exposer les objets d'Italie.

L'autre lettre invite le Conservatoire à envoyer, le matin à dix heures, deux commissaires du Conservatoire au dépôt de Nesle, [pour y faire de concert avec ceux du conseil de conservation le triage définitif des objets à conserver pour le Museum. Les C^ns^ Pajou et Fragonard se rendent à cette commission. Les deux commissaires reviennent à l'assemblée du Conservatoire et lui rendent compte qu'ils ont fait au dépôt de Nesle](991), en présence des Cns Lacroix et Leblond membres de la commission de conservation des objets d'art et de science, le triage positif des objets qui doivent être réservés pour le Museum; pour cet effet on a enlevé la marque du Museum, qui est la lettre M placée sur chaque objet, de ceux auxquels les commissaires renoncent et cette même marque a été définitivement laissée sur les objets conservés.

Ecrit pour la troisième fois au Ministre de l'intérieur pour lui rappeller la demande d'un approvisionnement de bois (992).

105 — *[8 août 1796].*

Séance du 21 thermidor.

Remise des tableaux choisis par le Mtre des finances.

Le Cn Nogaret remet au Conservatoire une lettre du Ministre de l'intérieur en datte du 19 thermidor, contresignée Ginguené. Cette lettre est accompagnée de l'état des tableaux, copié et certifié Ginguené, sur celui que le Conservatoire avait envoyé au Ministre, contenant la désignation des tableaux choisis par le Ministre des finances. Par cette lettre, le Ministre autorise le Conservatoire à délivrer les dits tableaux sur récipissé de la personne qui fait pour le Ministre des finances (993).

[86 v.]

Le Cn Nogaret demande au Conservatoire que la reconnaissance soit donnée par le Ministre des finances au bas de l'état envoyé par le Directeur général; il se charge de prendre la signature du Ministre et donne provisoirement au Conservatoire une décharge au bas d'une copie de l'état qui vient d'être faite.

Mémoires de restauration du Cn Picault.
1er pour déboursés 21 f. 25 cms qui lui ont été payés sur la caisse du Livret.

Le Cn Picault, membre du Conservatoire, lui présente un mémoire des restaurations qu'il a faites à différens tableaux faisans partie de l'exposition actuelle du grand sallon; ce mémoire monte au total en numéraire à la somme de 21 fr. 25 centimes, attendu que le Cn Picault déclare qu'il ne demande pour les articles contenus en ce mémoire que ses seuls déboursés. Le Conservatoire certifie que les ouvrages de restauration mentionnés audit mémoire ont été faits utilement.

Attendu que (ces) [ce sont de] (994) simples déboursés demandés par le Cn Picault, le Conservatoire sur sa proposition arrête que cette somme de 21 fr, 25 centimes lui sera remboursée sur le produit du Livret, puisque l'ouvrage a été fait pour l'exposition du sallon, sauf au Ministre, quand on lui rendra compte de cette dépense, de la faire rembourser par le trésor national, s'il juge qu'elle ne doit pas être distraite de la caisse du Livret destinée aux indigens, ou que cette somme soit prise sur la caisse du Conservatoire.

2° montant à la somme de 1000 fr.

envoyé au Mtre pour le règlement et le payement.

[87] [1]

Le Cn Picault présente un mémoire de restauration d'un tableau, ce mémoire montant en numéraire à la somme de 1000 fr.

Le Conservatoire certifie que la restauration mentionnée en ce mémoire a été faite utilement et renvoye le Cn Picault devant le Ministre de l'intérieur pour le règlement et le payement, avec sollicitation, d'après le vœu du Cn Picault, qu'il lui soit donné un acompte sur le montant dudit mémoire.

D'après l'arrêté ci dessus le Cn Foubert paye au Cn Picault 21 fr, 25 cms sur la caisse du Livret. La quittance est mise au bas du mémoire.

Le Cn Nadrau, menuisier, rapporte au Conservatoire le même mémoire qu'il lui avait certifié pour la 2e fois le 17 du courant. Les sommes y avaient été portées en mandats; maintenant on a demandé au Cn Nadrau de les porter en numéraire. Ce Cn déclare qu'il a fait pour la 3e fois expédier les 3 copies de ce mémoire dont il demande le certifié et en laisse au Conservatoire les expéditions ainsi que les extraits des procès verbaux, qui demeurent nuls comme ceux du 1er mémoire.

Mémoire du Cn Nadrau montant à la somme de 765 l. 7 s. 2.

Le Cn Nadrau, menuisier, présente par triplicata un mémoire d'ouvrages montant au total en numéraire à la somme de 765 l. 7 s. 2 . Le Conservatoire certifie que les ouvrages mentionnés audit mémoire ont été faits utilement pour le Musée central des arts; renvoyons le Cn Nadrau devant le Ministre de l'intérieur pour le règlement et le payement avec sollicitation, d'après le vœu de l'entrepreneur, qu'il lui soit donné un fort acompte vu ses besoins résultans de l'ancienneté de ses avances.

106 — *[10 août 1796].*

Séance du 23 thermidor.

Il n'y a point eu d'assemblée à cause de la fête publique.

107 — *[12 août 1796].*

Séance du 25 thermidor.

Objets réclamés par la sucion Nicolay

Renvoyé quant aux bordures employées devt le Mtre de l'intérieur.

[87 v.]

Le Cn Jean Baptiste Marais se présente au Conservatoire. Il justifie qu'il est fondé de pouvoirs d'une héritière en partie de feu Aymard Charles François Nicolay et remet aux conservateurs une lettre a eux adressée, signée Bénézech et Ginguené, en datte du 19 thermidor. Elle autorise le Conservatoire à remettre audit Citoyen Marais, en sa qualité, les objets d'arts désignés dans un état signé Naigeon, conservateur du dépôt de la rue de Beaune, lesquels ont été cidevant remis par celui ci au Conservatoire du Musée des arts (995).

La remise des dits objets est faite à l'instant audit Cn Marais qui en donne sa reconnaissance au dos de l'état du Cn Naigeon et en émargeant les articles sur le registre du Conservatoire, à l'exception des bordures réclamées dont l'emploi a été fait et qui ont changé de dimensions. Les bordures réclamées sont :
1° neuf bordures sculptées et dorées, hauteur 4 pieds 4 pouces, largeur 3 pieds, largeur de profil 6 pouces; 2° trois bordures, id. hauteur 4 pieds, largeur 3 pieds, profil 1 pe 1/2.

Le Conservatoire quant à ces [12] bordures, renvoye le réclamant devant le Ministre de l'intérieur pour en demander l'estimation et le remboursement.

autorisation au Cn Nadrau de prendre au Musée français les bordures de bois de chêne.

Le Conservatoire autorise le Cn Nadrau à recevoir du Cn Lenoir, conservateur du Musée français, et à transporter au Musée central des arts toutes les bordures en bois de chêne qu'il reconnaîtra propres à être utilisées. Le Cn Nadrau en donnera une reconnaissance provisoire au Cn Lenoir laquelle sera ensuite échangée contre celle des conservateurs du Musée des arts.

64 f en numéraire payées pour des balais. [88]

Payé au Cn Lefèvre, md brossier, suivant son mémoire quittance de ce jourd'hui, pour 4 balais et quatre houssoirs, la somme de 64 f. en numéraire, faisant partie de celui provenu des 2000 l de mandats vendus.

10s payés à Alliaume.

Payé à Alliaume pour blanchissage de draps 10s.

108 —

[14 août 1796].

Séance du 27 thermidor.

Présidence du Cn Pajou.

Mémoire du Cn Scellier montant à 7775-11 3 en numéraire.

Le Cn Scellier, marbrier, présente un mémoire d'ouvrages de transport, etc., montant au total en numéraire à la somme de 7775l 11s. 3. Le Conservatoire certifie que les dits ouvrages ont été faits utilement pour le Museum central des arts, du 1er au 30 brumaire an 4, suivant les attachemens remis; renvoye le Cn Scellier devant le Ministre de l'intérieur, pour le règlement et le payement avec sollicitation, d'après le vœu du Cn Scellier, qu'il soit payé en acompte la moitié de la somme en demande.

Remise au Cn Mazade des extraits de son inventaire collationnés devt lui pour être certifiés et renvoyés par le Directeur gal de l'instruction publique. [88 v.]

Hier le Cn Mazade s'est rendu au Conservatoire; les extraits faits sur les inventaires dont le Cn Mazade lui avait confié les minutes, ont été collationnés. Il en résulte que les objets d'arts provenant du Stathouder, mentionnés dans lesdits extraits faits en double, sont tous les objets venant de la Haye dont le Conservatoire est chargé. Les doubles extraits ont été signés des conservateurs présens et remis au Cn Mazade pour être collationnés de nouveau à la Direction de l'instruction publique et l'un des deux certifié du Cn Ginguené Directeur, renvoyé au

Conservatoire comme minute (996) à mettre au rang des inventaires des objets qui sont en la garde du Conservatoire.

Mémoire du Cn Picault montant en déboursés à 73 l. 10 s.

Le Cn Picault présente un mémoire de déboursés pour différentes restaurations; le Conservatoire certifie que les restaurations y énoncées ont été faites utilement pour le Musée central des arts; renvoye le Cn Picault devant le Ministre de l'intérieur [pour le payement] (997).

109 — *[16 août 1796].*

Séance du 29 thermidor.

Deux mémoires du Cn Scellier certifiés pour la seconde fois.

Le Cn Scellier, marbrier, rapporte au Conservatoire deux mémoires qu'il avait certifiés les trois et sept du présent mois, le 1er montant en assignats à la somme de 110,050, le 2e à celle de 101,648, 8-4 l'un et l'autre en assignats.

Le Cn Scellier déclare que l'on a exigé qu'il reproduisit les mêmes mémoires valeur en numéraire et il présente ceux ci pour être certifiés dans la formule ordinaire. Il remet en même tems au Conservatoire les deux doubles de chacun de ses 1ers mémoires et les deux extraits du procès verbal faisant mention du certifié : le tout pour être biffé et annullé afin que l'on ne puisse supposer un double emploi. Quant aux attachemens qui ont été fournis avec les 1ers mémoires ils resteront les mêmes, sauf à substituer au certifié la datte de cejourd'hui à celle ci dessus citée.

Le Cn Scellier, marbrier, présente un mémoire [89] d'ouvrages de transports, bardages, etc. montant au total à la somme de 3258 fr. valeur en numéraire. Le Conservatoire certifie que les dits ouvrages ont été faits utilement pour le Musée central des arts du 11 au 20 vendémiaire an 4, suivant les attachemens fournis; renvoye le Cn Scellier devant le Ministre de l'intérieur pour le règlement et le payement avec sollicitation, d'après le vœu de l'entrepreneur, qu'il lui soit payé en acompte la moitié de la somme en demande.

Le Cn Scellier, marbrier, présente un mémoire d'ouvrages de transports, bordages, etc. montant au total à la somme de 3841 fr. valeur en numéraire. Le Conservatoire certifie que les dits ouvrages ont été faits utilement pour le Musée central des arts, du 1er au 10 vendémiaire an 4, suivant les attachemens fournis; renvoye le Cn Scellier devant le Ministre de l'intérieur pour le règlement et le payement avec sollicitation, d'après le vœu du Cn Scellier, qu'il lui soit payé en acompte la moitié de la somme en demande.

Demande par les gardiens de 126

Les gardiens du Musée présentent au Conservatoire un état des journées du travail extraordinaire qu'ils ont *journées de travail extraordinaire.*

fait pour le déménagement de la gallerie d'Apollon, dans le courant du mois dernier et du présent mois. Cet état porte au total 126 journées; il est certifié par le C^n Tomisier, ouvrier en chef du C^n Pellagot entrepreneur.

Le Conservatoire renvoye cet état au C^n Pellagot; il l'invite à régler le prix des journées d'après celui qu'il payait aux mêmes époques à ses ouvriers et à vouloir [89 v.] bien en avancer la valeur totale, en payant à chacun des gardiens dénommés au dit état ce qui lui revient; le C^n Pellagot portera la somme par lui avancée dans son premier mémoire d'ouvrages pour le Musée central des arts.

Lettre du Ministre concernant les tableaux de réception à l'ancienne académie que quelques artistes ont retirés.

On fait lecture des lettres, une en datte du 25 courant signée Bénezech. Le Ministre demande la note des objets d'art que les artistes donnaient à l'ancienne académie lors de leur réception et que quelques uns d'eux ont depuis peu retirés, avec ou sans autorisation. Il engage le Conservatoire à réprimer cet abus, ces objets étant considérés comme des propriétés nationales, et de préparer un endroit où tous ces objets puissent être déposés sans danger.

Etat des objets d'art recueillis en Italie adressés au Musée central des arts.

Une autre lettre, en datte du 26 thermidor, signée Ch de la Croix, Ministre des relations extérieures. Il envoye au Conservatoire un extrait de l'état des tableaux à lui adressé par les artistes commissaires envoyés en Italie. Les commissaires lui annoncent que les objets désignés dans cet état sont adressés directement au Conservatoire sous la surveillance du C^n La Bissardière et qu'au moment où l'on écrivait Rome n'avait encore fourni aucune contribution de ce genre.

110 — *[18 août 1796].*

Séance du 1er fructidor.

Présidence du C^n Dewailly.

Le C^n Scellier, marbrier, présente un mémoire que [90] le Conservatoire a certifié quant à l'existence des ouvrages énoncés le 27 messidor an 4. Ce mémoire, d'après les attachemens remis alors, comprend les travaux faits du 1er au 30 brumaire précédent. Il porte au total (de) la somme de 2,543,603^l 17^s 9d. en assignats; il a été réglé le 4 thermidor à 2,234,917^l 14-5 et sur cette dernière somme le C^n Scellier a reçu un acompte.

Le C^n Scellier présente en même tems et en double le même mémoire, mais dont les articles sont tirés en numéraire et montent au total à 27,245, 11.7; il déclare qu'on a exigé que ce mémoire fut ainsi rétabli en évaluations numéraires. Il demande que celui ci soit de nouveau certifié et cependant que le 1er mémoire qu'il représente demeure en sa possession, attendu qu'il y aura défalquation à faire sur le montant de celui fait en numéraire de l'acompte qu'il a déjà reçu en assignats, et que ce 1er mémoire portant son règlement lui est d'ailleurs nécessaire.

En conséquence le Conservatoire reconnaît que le mémoire fait par duplicata montant en numéraire à 27,245 l 11 s 7 d est le même qu'il a certifié quant à l'existence des ouvrages y exprimés qui ont eu lieu du 1er au 30 brumaire en 4; renvoye à cet égard à son certificat du 27 messidor dernier placé au bas du 1er mémoire qui lui a été présenté, l'expédition duquel contenant son règlement, en datte du 4 thermidor, mise sous les yeux du Conservatoire par le Cn Scellier lui a été rendue, à sa réquisition, et sur les motifs exprimés en l'arrêté du Conservatoire de cejourd'hui dont extrait lui a aussi été re- [90 v.] mis. Au surplus le Conservatoire renvoye de nouveau le CnScellier devant le Ministre de l'intérieur pour le règlement et le payement sauf l'acompte reçu du mémoire valeur en numéraire.

Mémoire du Cn Chotard montant en numéraire à 1204 l 13.

Le Cn Chotard, peintre doreur et sculpteur, présente un mémoire d'ouvrages de sa profession montant au total à la somme de 1204 l 13 s en numéraire. Le Conservatoire certifie que les dits ouvrages ont été faits utilement pour le Musée central des arts jusqu'à ce jourd'hui; renvoye le Cn Chotard devant le Ministre de l'intérieur pour le règlement et le payement avec sollicitation, d'après le vœu du dit Chotard, qu'il lui soit payé en acompte la moitié de la somme en demande.

Ecrit au Ministre de l'intérieur pour lui demander l'autorisation au conservateur du garde meuble de nous délivrer les objets d'art marqués pour le Musée central des arts.

Payé au Cn Millecens 6 fr. en numéraire.

Payé au Cn Millecens six francs en numéraire, pour huit souricières à l'usage des dépôts du Musée.

Ecrit au Ministre de l'intérieur (998) pour lui demander une autorisation adressée au Cn Villette, conservateur du garde meuble, afin qu'il prenne à St Cloud les baguettes dorées qu'il remettra au Museum pour border les dessins des grands maîtres.

111 — *[20 août 1796].*

Séance du 3 fructidor.

Présidence du Cn Dewailly.

Mémoire du Cn Scellier refait valeur en numéraire. [91]

Le Cn Scellier, marbrier, rapporte au Conservatoire un mémoire que les conservateurs ont certifié quant à l'existence des ouvrages y mentionnés, le 4 messidor dernier. Le mémoire comprend les ouvrages faits au Museum du 1er au 30 brumaire; il porte au total la somme de 557,859 l 15" 2, il a été réglé le 24 messidor suivant.

Le C^{n} Scellier déclare qu'il a été obligé de présenter de nouveau ce mémoire valeur en numéraire; en conséquence il le remet en double au Conservatoire pour être revêtu du certificat de l'existence des ouvrages. Il demande cependant que le 1er mémoire demeure en sa possession, attendu qu'il contient un arrêté et qu'il doit servir de base de comparaison entre les valeurs qu'il contient et celles du nouveau mémoire évalué en numéraire. En conséquence le Conservatoire reconnaît que le mémoire qu'on lui présente en duplicata, montant valeur en numéraire à 5534^{l} est le même qu'il a certifié quant à l'existence des ouvrages y exprimés, le 4 messidor dernier et ci dessus cité. Il remet au C^{n} Scellier l'expédition de celui ci portant un arrêté et le renvoye devant le Ministre de l'intérieur pour le règlement et le payement du mémoire refait valeur en numéraire, avec sollicitation, d'après le vœu du C^{n} Scellier, qu'il lui soit payé en acompte la moitié de la somme en demande.

Le C^{n} Pellagot, charpentier, rapporte au Conservatoire [91 v.] les doubles d'un mémoire que les conservateurs avaient certifié le 19 messidor dernier quant à l'existence des ouvrages et des avances y mentionnées. Ce mémoire montant en mandats à 17,506^{l} 8^{s} a été refait valeur en numéraire et il nous le représente sous cette nouvelle forme et par duplicata. Comme le 1er mémoire n'a point été fourni par le C^{n} Pellagot, qu'il n'est point réglé et qu'il nous en laisse les certificats que nous y avions mis, celui qu'il représente aujourd'hui va être certifié comme si le 1er n'avait point eu lieu.

Mémoire du C^{n} Pellagot remis en valeur numéraire.

Le C^{en} Pellagot, charpentier, présente un mémoire d'ouvrages et d'avances par lui faites pour le Musée central des arts, montant au total en numéraire à la somme de 1869^{l} 8^{s}. Les conservateurs certifient que les dits ouvrages ainsi que les avances de deniers ont été faits utilement pour le Musée; renvoyent le C^{n} Pellagot devant le Ministre de l'intérieur pour le règlement et le payement avec sollicitation, d'après le vœu de l'entrepreneur, qu'il lui soit payé en acompte la moitié de la somme en demande.

Compte de la vente du Livret pendant le mois thermidor.

Le C^{n} Philippeau a remis avant hier au C^{n} Foubert, secrétaire, le compte du produit du Livret pendant le mois entier thermidor; ce produit est de 339^{l} 15^{s} ci 339^{l} 15^{s}

Le C^{n} Foubert a reçu et donné quittance au C^{n} Philippeau et à l'instant lui a remis le tiers de cette somme pour être distribuée comme le mois passé ci .... 113^{l} 5

est resté net 226. 10

[92] (de l'autre part .... 226. 10^{s} [999])

sur laquelle somme de 226-10 le Conservatoire a accordé, à la demande du C^n Martiguez père, à titre de soulagement, la somme de 12 f attendu que ce gardien n'a point entré en partage dans la gratification donnée pour la vente du Livret, parce qu'il n'a point de femme ni de fille qui ayent, alternativement avec celles des autres gardiens, débité le Livret ci 12

Payé 12 f en numéraire à Martiguez père.

Reste net 214 l. 10 s.

Le compte du produit net de ce mois va être envoyé au Ministre en lui demandant de faire connaître son intention sur l'emploi des produits précédents réunis à celui-ci, au profit des indigens. Le Ministre n'a pas répondu à cette demande qui lui a été faite en lui envoyant le compte du mois précédent. Compte total en numéraire .... 436 l. 15 c.

62.789 f assignats, 425 f mandats. .

Envoi au Ministre de l'état des tableaux d'Italie.

Ecrit au Ministre en lui envoyant la copie de l'état que nous a fait parvenir le Ministre des relations extérieures (1000). Observé qu'il serait utile qu'il lui demandât la suite des inventaires qu'il peut avoir reçus, si le Ministre persiste dans l'intention où il était que tout ce qui viendra de l'Italie, en histoire naturelle, antiquités, etc., soit d'abord exposé au Musée central des arts.

Envoi au Mtre du compte du Livret. [92 v.]

Ecrit encore au Ministre en lui envoyant le compte du Livret dont les totaux sont ci-dessus (1001).

Envoi id. de l'état des morceaux de réception retirés par quelques artistes.

Ecrit idem et envoyé l'état que nous a remis le C^n Philippeau des morceaux de réception que quelques artistes avaient retirés des salles de la ci-devant académie (1002).

Annoncé que le Conservatoire va s'occuper des préparatifs pour l'exposition et invité le Ministre à fixer un jour de rigueur aux artistes pour envoyer leurs notices sans quoi le Livret n'aurait pas lieu.

5 l 8 s numéraire payées à Chouteau.

Payé à Chouteau, balayeur, suivant quittance 5 l. 8 s en numéraire.

Le Conservatoire charge les C^ns Pajou et Dewailly de prévenir le C^n représentant Camus que le Musée central des arts fera volontiers l'échange de quatre pieds destaux ronds en marbre blanc qu'il possède contre quatre pieds destaux quarrés aussi de marbre qui sont aux archives nationales.

Arrêté pour échanger 3000 l. de mandats - contre du numéraire.

Le Conservatoire considérant que chaque jour il est obligé à quelques dépenses en monnoye métallique, lesquelles sont acquittées par le C^n Foubert, secrétaire faisant volontairement les fonctions de trésorier, arrête que le Cn Foubert fera échanger contre du numéraire (pour) une somme de trois mille livres mandats.

112 — [22 août 1796].

Séance du 5 fructidor.

Mémoire du Cn Scellier montant à 47908 l. 10 s 9 d.

[93]

Le Cn Scellier, marbrier, présente en double et avec les attachemens un mémoire d'ouvrages de transports, bardages, etc., montant au total à la somme de 47.908 l. 10 s. 9 d. Ces ouvrages, suivant les attachemens, ont été faits du 23 fructidor an trois au 19 brumaire an 4.

Le Conservatoire certifie que les dits ouvrages ont été faits utilement pour le Musée central des arts; renvoye le Cn Scellier devant le Ministre de l'intérieur pour le règlement et le payement, en sollicitant, d'après le vœu de l'entrepreneur, qu'il lui soit payé à valoir la moitié de la somme en demande.

Lettre du Dr. gl. relative aux réclamations des htiers Nicolay.

On fait lecture d'une lettre du Cn Ginguené. Il renvoye au Conservatoire un mémoire des héritiers Nicolay qui réclament, dans des termes injurieux, contre l'offre qui leur a été faite de les rembourser en valeur réelle du prix des bordures dont les dimensions ont été changées ici. Le Conservatoire arrête qu'il sera répondu au Cn Ginguéné en lui rendant compte des faits; la réponse est faite et envoyée (1003).

3000 l mandats vendus, produit 83 l. 5 s.

Le Cn Foubert rend compte que les 3000 l. de mandats tirés de la caisse du Conservatoire, par lui remis avant hier au Cn Lefevre, agent de change, pour être vendus sur la place, ont produit, suivant la note qu'il présente, à raison de 2 l 16 s pour 100 francs, 83 l. 5 s. en numéraire.

Le Conservatoire écrit au Cn Desmarais, md de tableaux; ne le voyant plus reparaître au Musée depuis qu'on l'a prévenu de l'opinion des commissaires sur l'échange d'un tableau de Vernet par lui proposé, on le prévient de ce qui a été déterminé et qu'il a toujours été maître de le retirer s'il ne veut point attendre la réponse du Ministre (1004).

[93 v.]

Le Conservatoire écrit aux inspecteurs de la salle des Anciens pour demander le passage du jardin des Thuileries pour les porteurs des objets d'art qui vont être transportés ici du garde meuble (1005).

Arrêté pour le transport des objets d'art du garde meuble.

A l'égard de ce transport, il est arrêté que deux des conservateurs se rendront demain à huit heures du matin au garde meuble pour y inscrire les objets d'art qui en sortiront; que deux autres conservateurs resteront ici pour les recevoir; qu'ils en signeront les reconnaissances, lesquelles seront renvoyées au Cn Villette, conservateur du garde meuble; les caisses de transport seront fermées et les porteurs accompagnés d'un conservateur ou du Cn

Nadrau, entrepreneur.

Le Conservatoire arrête qu'il sera donné au C^n Chèvre, portier, une reconnaissance des 12 banquettes, provenant de la cidevant Bourse, qu'il a remis au Conservatoire.

113 — *[24 août 1796].*

Séance du 7 fructidor.

Présidence du C^n Dewailly.

Mémoire du C^n Boucaut 7861 l. numéraire.

Le C^n Boucaut, charpentier, présente un mémoire d'ouvrages de dépose, transports, etc. Ce mémoire est expédié par triplicata; il fait mention que les ouvrages ont eu lieu dans le courant des mois fructidor et vendémiaire ans trois et quatre et le total des sommes monte à [94] 7861 l. en numéraire. Le Conservatoire certifie que lesdits ouvrages ont été faits utilement pour le Musée central des arts; renvoye le C^n Boucaut devant le Ministre de l'intérieur pour le règlement et le payement avec sollicitation, d'après le vœu de l'entrepreneur, qu'il lui soit payé en acompte la moitié de la somme en demande.

Mémoire du C^n Scellier 33,207-16.

Le C Scellier présente en double un mémoire d'ouvrages de transports, etc., montant au total à la somme de 33,207-16^s. Le C^n déclare que les attachements qu'il a fournis avec le mémoire montant à 47,908-10 s, certifié par nous le 5 du courant, contiennent les ouvrages de ce mémoire et ceux du mémoire qu'il présente aujourd'hui. Le Conservatoire certifie d'après les dits attachemens que les ouvrages mentionnés au mémoire montant à 33,207^l, 16 s ont été faits utilement pour le Musée central des arts; renvoye le C^n Scellier devant le Ministre de l'intérieur pour le règlement et le payement avec sollicitation, d'après le vœu de l'entrepreneur, qu'il soit payé en acompte la moitié de la somme en demande.

Le C^n Descavelez, commandant la garde des vétérans sédentaires au Museum, se présente au Conservatoire. Il annonce qu'un inspecteur en chef de police l'a mandé et qu'il lui a dit qu'on avait vent d'un vol projetté au Musée; que l'on n'avait cependant à cet égard que des notions, mais qu'on les prévenait de redoubler de surveillance et qu'on l'avertirait lorsque l'on serait plus instruit.

Le C^n Descavelez paraît désirer (d') apprendre du Conservatoire dans quel lieu sont déposés les objets les plus sérieux; il dit qu'il scait qu'il existe un cabinet secret, mais qu'on ne lui a pas consigné les objets précieux d'une manière particulière.

[94 v.] Le Conservatoire invite le C^n Descavelez à remplir ses fonctions qui consistent à rendre actives, exactes et surveillantes principalement la nuit, les sentinelles posées, soit dans le jardin ci devant de l'Infante, soit dans la cour du Museum, de manière que personne ne puisse entrer ni sortir la nuit sans être reconnu par les portiers. On lui rappelle que la consigne est de ne laisser passer aux portes aucun paquet sans avoir été visité par les portiers et que les sentinelles ne doivent pas le souffrir; que d'ailleurs les portiers ont aussi des consignes de tenir les portes fermées à la nuit et de reconnaître alors les personnes qui entrent.

Le C^{n} Descavelez propose que l'on mette un réverbère sous le passage de la gallerie des artistes et un dans le jardin. Le Conservatoire va écrire à ce sujet (1006).

Hier les deux conservateurs qui s'étaient transportés au garde meuble en sont revenus à quatre heures et demie, faisant apporter trois caisses fermées. Les deux autres conservateurs qui les avaient attendu se sont réunis [avec eux] l'après dinée et les objets contenus dans ces trois caisses ont été placés dans des armoires de la salle d'assemblée du Conservatoire. Les deux conservateurs qui ont été recevoir au garde meuble, les C^{ns} Picault et Fragonard, ont rapporté un inventaire des objets [qui leur ont été délivrés dans cette séance. Ces objets] (1007) consistent tous en cristaux de roche montés ou garnis en différens métaux plus ou moins précieux. Cet inventaire a été signé double entre le conservateur du garde meuble et ceux présens du Musée des arts; ainsi que ceux ci le déclarent, ils annoncent encore que la suite de cette opération est remise, d'accord avec le C^{n} Villette, au nonidi matin.

[95] Un membre du Conservatoire observe qu'il serait prudent de renfermer quelques uns des objets qu'on vient d'apporter, ceux qui sont garnis en or ou très précieux par eux mêmes, dans le dépôt à trois clefs [; les porteurs des trois clefs] (1008) n'étant pas réunis, on arrête qu'ils se rassembleront aujourd'hui à cet effet.

114 — *[26 août 1796].*

Séance du 9 fructidor.

Présidence du C^{n} Dewailly.

Le secrétaire annonce qu'il a encore vu hier le C^{n} Le Breton; qu'il lui a répété ce que le C^{n} Robert avait dit ici, que le C^{n} Ginguéné, Directeur général de l'instruction publique, s'était chargé devant le Ministre de l'intérieur d'annoncer aux artistes l'ouverture du Sallon; le C^{n} Le Breton a répondu que le Conservatoire serait chargé de cette annonce et qu'il recevrait aujourd'hui une lettre à ce sujet. Le secrétaire a prévenu le C^{n} Le Breton que le Conservatoire ne fera rien annoncer que sur l'autorisation d'une lettre ministérielle.

Le secrétaire étant obligé de s'absenter pour affaires, demain et après demain, laisse sur le bureau le projet de l'affiche et l'annonce à insérer dans les journaux, ainsi que de la lettre circulaire les ayant adoptés; arrêté que l'affiche sera portée et l'envoi fait aux journalistes seulement lorsque l'autorisation ministérielle sera parvenue au Conservatoire.

Mémoire du Cn Huin, vitrier, mont^t à 624 l. 8 s numéraire. [95 v.]

Le Cn Huin, vitrier, présente un mémoire d'ouvrages de sa profession montant à la somme de 624 l. 8 s. en numéraire. Le Conservatoire certifie que les ouvrages ont été faits utilement pour le Musée central des arts, renvoye le Cn Huin devant le Ministre de l'intérieur pour le règlement et le payement, avec sollicitation, d'après le vœu du Cn Huin, qu'il lui soit payé en acompte la moitié de la somme en demande.

Autorisation de prendre les marbres à Chaillot.

On fait lecture d'une lettre du Ministre, en datte du 6 courant, qui autorise le Conservatoire à prendre au dépôt de Chaillot les marbres dont l'état lui avait été envoyé (1009).

A trois heures un quart, les Cns Picault et Fragonard arrivent du garde meuble; chacun d'eux chargé d'un objet précieux dans une moitié d'étui, l'un est un miroir enrichi de pierres, camées etc..., l'autre une bobèche aussi enrichie de camées etc..., ces deux objets sont déposés dans l'armoire aux cristaux.

Il arrive à l'instant un brancard chargé de baguettes dorées et un autre chargé d'une grande caisse contenant tous les autres objets reçus ce matin.

Les deux conservateurs arrivant demandent de remettre à ce soir l'ouverture attendu qu'ils sont fatigués; les autres conservateurs se réuniront à eux à cet effet et il est encore arrêté que les objets les plus précieux seront portés et fermés dans le cabinet à trois clefs.

115 — *[30 août 1796].*

Séance du 13 fructidor.

Il n'y a point eu d'assemblée le onze du courant attendu les préparatifs relatifs au transport des objets d'art du Museum. Ce qui concerne ces objets sera relaté ensemble. [96]

En vertu de la lettre du Ministre, en datte du six courant, qui autorise le Conservatoire à faire enlever du dépôt de Chaillot neuf morceaux de marbre numérotés dans l'état ci après, et si ceux là ne suffisaient pas de les remplacer au choix du Conservatoire, nous, conservateurs, autorisons le Cn Picault l'un de nos collègues à marquer, numéroter et faire enlever du dépôt de Chaillot les marbres nécessaires au Musée central des arts, pour les faire apporter où il conviendra pour être utilisés et employés au dit établissement (1010).

Sur le rapport des conservateurs occupés à recevoir les objets d'art du garde meuble, nous les autorisons à observer au C^n Villette, conservateur du garde meuble, que les étiquettes qui existent, gravées sur argent et qui servaient à indiquer tous les objets qui nous sont transmis, nous paraissent d'autant plus utiles pour le Musée des arts qu'elles resteraient sans emploi au garde meuble; en conséquence le C^n Villette est invité à comprendre les susdites étiquettes dans les inventaires des objets (réunis) [remis] (1011) au Musée et signés de nos collègues.

Hier, 12 courant, il a été apporté dudit garde meuble une grande caisse contenant les objets désignés dans le 3e inventaire, dont les conservateurs étaient porteurs. Chaque jour il se fait un inventaire au bas duquel les deux membres du Conservatoire qui reçoivent les objets mettent leur reconnaissance; c'est le 3e inventaire de ce genre.

On fait lecture d'une lettre du Ministre en datte du (1012) qui autorise le Conservatoire à retirer les mains des espagnolettes des croisées de la gallerie d'Apollon. Le Conservatoire, au bas de cette lettre, charge le C^n Blampignon de les recevoir et d'en donner décharge.

[96 v.] Une autre lettre du Ministre, en datte du 9 courant, engage le Conservatoire à faire annoncer dans les journaux l'ouverture du Sallon etc. Le C^n Foubert est chargé du Livret.

Une autre lettre du Ministre, en datte du 8, reçue hier, charge le Conservatoire de remettre au bureau général de Bienfaisance le produit net du Livret dont le compte a été envoyé au Ministre (1013). Le Conservatoire arrête qu'il sera écrit au bureau central (1014) et que la remise sera faite.

116 — *[1er septembre 1796].*

Séance du 15 fructidor.

Présidence du C^n Dewailly.

Mémoire du C^n Boucaut montant à 10,386.

Le C^n Boucaut, charpentier, présente un mémoire d'ouvrages de transports etc. montant au total à la somme de 10,386^l. Le Conservatoire certifie que les dits ouvrages ont été faits utilement pour le Musée central des arts; renvoye le C^n Boucaut devant le Ministre de l'intérieur pour le règlement et le payement, avec sollicitation, d'après le vœu de l'entrepreneur, qu'il lui soit payé en acompte la moitié de la somme en demande.

Mémoire du C^n Blampignon mon-

Le C^n Blampignon présente un mémoire d'ouvrages de serrurerie montant au total à 2156 l. 5 s. Le Conser-

tant à 2,156 l. 5 s.

[97]

vatoire certifie que les dits ouvrages ont été faits utilement pour le Musée central des arts; renvoye le Cn Blampignon devant le Ministre de l'intérieur pour le règlement et le payement, avec sollicitation, d'après le vœu de l'entrepreneur, qu'il lui soit payé en acompte la moitié de la somme en demande.

Mémoire du Cn Blampignon refait en numéraire et montant à 1,469-11.

Le Cn Blampignon rapporte au Conservatoire un mémoire en double et l'extrait du procès verbal du Conservatoire par lequel il a certifié le 27 floréal dernier l'existence des ouvrages y mentionnés; ce mémoire montait en assignats à 343,892. Le mémoire rapporté doit être regardé comme nul, en certifiant par le Conservatoire le nouveau mémoire, contenant les mêmes ouvrages mais portés en valeur numéraire, que le Cn Blampignon présente aujourd'hui. En conséquence le Conservatoire certifie de nouveau que les ouvrages contenus au mémoire du Cn Blampignon, montant à la somme de 1,469 - 11 s, valeur numéraire, ont été faits utilement pour le Musée central des arts; renvoye le Cn Blampignon devant le Ministre de l'intérieur pour le règlement et le payement, avec sollicitation, d'après le vœu de l'entrepreneur, qu'il lui soit payé à valoir la moitié de la somme en demande.

Mémoire du Cn Nadrau montant à 3,471 l 8 s 8 d.

Le Cn Nadrau, menuisier, présente un mémoire d'ouvrages de sa profession, montant au total à 3,471 l. 8 s. 8 d. Le Conservatoire certifie que lesdits ouvrages ont été faits utilement pour le Musée central des arts; renvoye le Cn Nadrau devant le Ministre de l'intérieur pour le règlement et le payement, avec sollicitation, d'après le vœu de l'entrepreneur, qu'il lui soit payé en acompte la moitié de la somme en demande.

Ecrit au Ministre de l'intérieur. Rapport sur les marbres de Chaillot.

[97 v.]

Le secrétaire rapporte qu'hier 14 il a été écrit au Ministre de l'intérieur :

1° en lui envoyant le rapport fait par le Cn Picault au sujet des marbres que le Conservatoire l'avait chargé de choisir et de marquer d'après l'autorisation du Ministre, dans le dépôt de Chaillot (1015);

Ecrit id. sur l'ouverture du Sallon pour l'exposition; les inconvéniens de la demande des cartes de Cn à l'entrée du Museum.

2° pour prévenir le Ministre des motifs qui ont déterminé à reculer l'ouverture du Sallon des artistes jusqu'au 10 vendémiaire et en même tems pour lui représenter les inconvéniens de la consigne qui exige la présentation des cartes de Cn à l'entrée du Museum. En même tems, le Ministre est instruit que l'on déchire les affiches du Conservatoire pour l'ouverture du Sallon, comme l'on déchire les affiches du gouvernement, dans les 24 heures, et jusques sur la guéritte des sentinelles (1016).

Reconnaissance du Bau gl de Bienfaisance de la remise

Le secrétaire représente la reconnaissance qu'il a reçue hier du produit du Livret, remis, d'après le vœu de Ministre, au Bureau général de Bienfaisance de Paris. Le *du produit du Livret.*

Cn Foubert a remis en même tems la lettre adressée par le Conservatoire aux administrateurs de ce Bureau. La quittance est signée du Cn Percher trésorier; elle contient la désignation des valeurs qui sont 62,847 en assignats, 425 francs en mandats, et 416l 5 en numéraire.

Erreur de 20l en numéraire rectifiée dans le compte rendu du Livret.

Le secrétaire, faisant en cette occasion fonction de trésorier, fait observer sur la minute du compte qu'il a envoyé au Ministre qu'il y a erreur d'une somme de 20l en numéraire au détriment du rendant-compte, en sorte que le total porté dans ce compte à 436l 5 s n'est réellement que de 416l 5 qu'il a remis au Bureau général de [98] Bienfaisance. Cette erreur est mentionnée sur la minute du compte et reconnue en présence du Conservatoire par la signature du Cn Pajou président.

Sur la présentation faite par le Cn Desmarais d'une lettre à lui adressée par le Ministre de l'intérieur relative à son tableau de Vernet : en attendant que la lettre du Ministre soit arrivée au Conservatoire, sur cet objet, le Conservatoire arrête [d'écrire](1017) aux Cns Vincent et Le Brun pour les inviter à se rendre au Musée après demain 17 pour suivre les intentions du Ministre (1018).

117 — *[3 septembre 1796].*

Séance du 17 fructidor.

Présidence du Cn Dewailly.

Mémoire refait du Cn Huin, vitrier, montant en numéraire à 1945 l.-13 s.

Le Cn Huin, vitrier, rapporte un mémoire en double avec l'extrait qui constate que le Conservatoire avait certifié l'existence des ouvrages mentionnés en ce mémoire, le 19 prairial dernier; ce mémoire montait en assignats à 576,504l . Le Cn Huin présente le même mémoire où les sommes sont portées en numéraire, montant au total de 1945 l 13 s; le 1er mémoire est annulé. Le Conservatoire certifie de nouveau que les ouvrages mentionnés au mémoire ont été faits utilement pour le Musée central des arts; renvoye le Cn Huin devant le Ministre de l'intérieur pour le règlement et le payement, avec sollicitation, d'après le vœu de l'entrepreneur, qu'il lui soit payé en acompte la moitié de la somme en demande.

Conclusion de l'échange avec le Cn Desmarais d'un tableau de Vernet qui lui appartenait.

[98 v.] Les Cns Vincent, Le Brun et le Cn Desmarais se sont réunis ce matin au Musée avec les conservateurs. Lecture a été faite de la lettre du Ministre, en datte du 13 courant adressée au Conservatoire, reçue hier, relative à l'échange d'un tableau de Vernet.

En conséquence de la décision du Ministre contenue dans cette lettre, le Cn Desmarais a fait choix, parmi les tableaux qui ont été cidevant jugés par les Cns Le Brun et Vincent réunis aux conservateurs n'avoir que des valeurs du commerce et ne devoir point entrer dans la collection du Musée, de dix sept tableaux dont les estimations réunies montent ensemble à la somme de cinq mille huit cents huit livres, somme égale (sauf huit francs) à la somme fixée par le Ministre.

Préalablement au choix fait par le C^n^ Desmarais, les C^ns^ Le Brun et Vincent ont avec les conservateurs vérifié et reconnu l'état et les prisées qui ont été cidevant faites des tableaux propres à être échangés et les 17 tableaux ont tous été pris dans cet état et aux mêmes prix y indiqués. Il a été à l'instant dressé l'état descriptif des dix sept tableaux choisis par le C^n^ Desmarais, où sont portées les estimations. Ils ont été ensuite livrés au C^n^ Desmarais qui en a donné sa reconnaissance provisoire, au bas du même état.

Et attendu que le tableau de Vernet, représentant une Tempête, appartenant au C^n^ Desmarais, est resté au Museum depuis le moment où il a été question de traiter avec lui de l'échange, cet échange se trouve effectué et

[99]

terminé par la remise faite au C^n^ Desmarais des dix sept tableaux qu'il a reçus en échange.

Il va être fait en double des expéditions de l'état des dix sept tableaux, lesquelles seront signées du C^n^ Desmarais, des C^ns^ Vincent et Le Brun, commissaires, et du Bureau du Conservatoire. L'une de ces expéditions sera remise au C^n^ Desmarais et l'autre restera au Conservatoire; copie en sera envoyée au Ministre (1019).

Les conservateurs ont continué hier la réception des objets d'art du garde meuble; une caisse qui contient ceux remis hier a été apportée au Museum et les objets ont été de suite renfermés dans les armoires de la salle d'assemblée du Conservatoire. Le 4e inventaire a été apporté par les deux conservateurs qui reçoivent au garde meuble; cette opération sera terminée aussitôt que le C^n^ Villette en aura déterminé le jour.

On arrête qu'il sera écrit au Ministre pour lui demander les étiquettes gravées sur argent qui existent au garde meuble et indiquent les objets remis au Musée (1020).

10^s^ payés à Vaudé.

Payé à Vaudé pour blanchissage 10 s.

118 — *[5 septembre 1796].*

Séance du 19 fructidor.

Remise des objets appartenant à Bourbon Conty.

Le C^n^ Cornu, fondé des pouvoirs du C^n^ Bourbon Conty, présente la lettre du Ministre de l'intérieur, en datte du 3 fructidor, qui l'autorise à retirer des dépôts nationaux les objets d'art qui appartiennent à son mandataire. Il remet encore au Conservatoire une lettre du C^n^ Naigeon qui renvoye ledit C^n^ au Conservatoire,

[99 v.]

d'après la même lettre du Ministre, pour retirer les objets qui ont passé du dépôt de la rue de Beaune au Musée central des arts(1021).

Parmi les objets réclamés se trouve une pipe asiatique. Le Conservatoire, en remmettant le corps et les accessoires de cet objet, observe que le couronnement de la pipe, ouvrage en filigrane d'argent, a été volé dans la gallerie du Museum où le tout était exposé, le 17 nivôse an 4. Extrait du procès verbal de cet événement sera remis au C^n^ Cornu.

Le C^n^ Cornu met son acquit sur le registre au bas de la description des objets tirés du dépôt de la rue de Beaune provenant de la famille Conty.

Les gardiens du Musée demandent que le Conservatoire leur donne un certificat qu'ils ne reçoivent point de numéraire pour leur traitement, afin disent ils qu'ils puissent obtenir la continuation du pain qu'on leur donnait.

Recette pour le mois entier de thermidor.

Le C^n^ Philippeau apporte au Conservatoire la recette des traitements pour les deux quinzaines du mois dernier thermidor montant en totalité à la somme de 5191 f 64, scavoir moitié ou 2595-82 cms en mandats valeur nominale et l'appoint en assignats pour 15 l 12 s, l'autre moitié 2595-82 tant en pièces de 5 f données au trésor national [pour 5^f^ 1^s^ 3^d^ chacune qu'en sols renfermés dans trois sacs](1022).

Partage entre tous les prenans des 2595-82 en mandats; en numéraire pareille somme.

Le C^n^ Foubert s'occupe à dresser la répartition proportionnelle de ces différentes espèces entre tous les prenans et le Conservatoire arrête que les sols pour les sacs tant de l'argent que des pièces de cuivre seront répartis entre les conservateurs et supportés par eux à la décharge des gardiens et autres employés du Museum.

La répartition est faite à toutes les personnes employées tant en mandats qu'en argent et monnoye, le tout compté par les prenans.

Vente de 6600 l. [100] *en mandats produit à 3 l. 4 s-210 f.*

Le bruit qui se répand que les mandats ont monté à la bourse, que ce qui donne lieu à cette hausse c'est qu'on recherche les mandats aux derniers jours du payement des biens nationaux et que le jour de demain en est l'échéance, le Conservatoire se détermine à vendre pour 6600^l^ de mandats tirés de la caisse du Conservatoire afin d'en réaliser quelque chose; ces mille six cents livres en mandats vendus par le C^n^ Lefevre, rue Thérèse.

Compte du Livret par le C^n^ Philippeau.

Le C^n^ Philippeau remet au secrétaire le compte de la vente du Livret jusqu'au 18 courant inclusivement, les Livrets étant consumés.

119 — *[7 septembre 1796].*

Séance du 21 fructidor.

Présidence du C^n^ Dewailly.

Solde du produit du Livret 166 l. 10 s. Arrêté concernant la distribution de cette somme.

Le dernier compte remis avant hier par les C^n Philippeau compléte la vente terminée le 28 courant au matin du Livret du Sallon qui vient d'être fermé ce matin. Le solde de cette vente, suivant le dit compte, s'élève à .... 166 - 10 s.

Le Conservatoire, d'après différentes observations, détermine qu'il n'y avait pas sur cette somme, telle parcimonie qu'on mit à récompenser les personnes qui ont vendu et surveillé la vente du Livret, de quoi faire une nouvelle offrande à l'indigence et que les employés du Museum ont pendant si longtems reçu pour traitement des valeurs presque nulles, qu'ils sont eux mêmes au [100 v.] rang des indigens. En conséquence on arrête qu'il sera offert et payé en gratification au C^n Philippeau, attendu les services particuliers qu'il rend au Conservatoire, et à tous les employés du Museum, en faisant chaque mois les différentes courses que nécessite la recette de leur traitemen, la somme de 30 f; qu'il sera donné en gratification particulière à Daunoy 6^l, pour frais de pansemens d'une blessure qu'il a reçue à la tête par la chute d'une bûche; à Mariguez père la somme de 6^l pour soulagement et par les mêmes motifs exprimés au procès verbal du 3 du présent mois; enfin qu'il sera délivré aux 11 personnes qui ont participé à la vente du Livret, dans les mêmes proportions que ci devant, la somme de .... 110^l.

Quant à la somme de 14 - 10^s restante, elle se trouve employée en faux frais relatifs au Livret ou à des affiches et annonces concernant le Museum, tels que colle, pourboire aux afficheurs et aux garçons de l'imprimeur, etc...

Le Sallon d'exposition étant terminé et celui de l'exposition des ouvrages des artistes français devant se préparer promptement, on s'occupe dès aujourd'hui à déplacer et à descendre dans le dépôt d'en bas, près de la salle d'assemblée du Conservatoire, tous les petits tableaux, et cela pour plus de sûreté relativement à des objets portatifs. Les grands tableaux seront ensuite transportés dans la grande gallerie et déposés à peu près aux places qu'ils y doivent occuper suivant la division des écoles.

Le Conservatoire, vu les accidents arrivés à plu- [101] sieurs objets d'art, considérant que les gardiens du Museum ont reçu hier, mais pour la 1re fois depuis longtems, une moitié de leurs traitemens en valeurs réelles; que cette moitié seule assure leur subsistance, et voulant saisir cette occasion désirée et attendue pour arrêter les abus qui ont eu lieu jusqu'à présent, arrête, d'après les

intentions du Ministre de l'intérieur :
1° il est deffendu à tous les gardiens du Museum d'introduire aucune personne, à titre d'étranger ou autrement, dans la gallerie du Museum qui va servir de dépôts, jusqu'au moment où les différens objets d'art seront mis en place;
2° il leur est également deffendu d'accepter les dons ou gratifications qui leur seraient offerts par des particuliers pour être introduits dans le Sallon d'exposition qui va avoir lieu, aux heures où il ne doit point être ouvert au public, ou sous tout autre prétexte que ce puisse être, relatif à l'intérieur du Musée des arts.

Les contrevenans sont prévenus qu'ils perdront leur emploi.

120 — *[9 septembre 1796].*

Séance du 23 fructidor.

Présidence du Cn Dewailly.

Demande du Cn Descavelez d'une attestation de bonne conduite.

Le Cn Descavelez, capitaine de la Compagnie de vétérans qui quittent le Musée, demande au Conservatoire une attestation (de bonne conduite et) de ses bons services et encore à rester dans son logement [avec] (ou) son épouse, jusqu'à ce qu'ils ayent trouvé à se loger. Il [101 v.] demande encore que plusieurs des vétérans continuent à coucher dans la cazerne jusqu'à leur départ. Le Conservatoire déclare au Cn Descavelez qu'il ne peut rien déterminer sur ses demandes et le renvoye devant ses supérieurs militaires et devant le Ministre de l'intérieur (1023).

Proposition du Cn Bourbon Conty d'échanger trois tableaux contre d'autres objets d'art.

Le Cn Cornu, lequel en qualité de fondé de pouvoir du Cn Bourbon Conty a retiré divers objets d'art le 19 du courant, se présente au Conservatoire. Il déclare, au nom de son mandataire, qu'ayant été instruit que les trois tableaux qui lui appartiennent, notamment celui de Van Oost représentant la peste de Milan conviendrait à la collection du Musée; il fait l'offre d'en recevoir la valeur, sur estimation, en objets qui ne sont pas dignes de cette collection.

Le Conservatoire reçoit avec reconnaissance cette proposition; il invite le Cn (Le) Cornu à en faire part à son mandataire en lui annonçant qu'il va en faire part au Ministre de l'intérieur et lui demander de nommer les arbitres qui pourront traiter de cet échange avec celui que nommera M. Bourbon Conty (1024).

121 — *[11 septembre 1796].*

Séance du 25 fructidor.

Second état des tableaux deman-

Le Conservatoire arrête un second état des tableaux demandés pour le Ministre des finances, le fait expédier *dés par le Ministre des finances.* [102]

en double. Arrête qu'il sera écrit demain au Ministre de l'intérieur, en lui envoyant cet état, pour lui demander son autorisation de délivrer les tableaux y désignés (1025). Le paquet sera remis au Cn Nogaret, faisant pour le Ministre des finances.

122 — *[13 septembre 1796].*

Séance du 27 fructidor.

Présidence du Cn Dewailly.

Demande des gardiens de vestes et pantalons pour le travail.

Les gardiens demandent au Conservatoire qu'il soit donné des vestes et des pantalons pour les travaux qui vont avoir lieu relativement à l'arrangement du Sallon des artistes et aussi pour ceux de la gallerie du Musée.

Le Conservatoire arrête qu'il sera pris dans le magasin des toilles du Museum de quoi satisfaire à la demande des gardiens et autorise le Cn Picault qui a ce magasin à livrer les toilles suffisantes pour cet objet.

Le Cn Picault est encore autorisé à donner au serrurier de quoi faire une potence pour l'adapter à la croisée de Bidaut, pour élever chez lui des seaux d'eau sans passer par la gallerie.

Arrêté encore que les Cns Vincent et Le Brun seront invités à venir le 29 courant au matin se réunir aux conservateurs pour conférer sur un achat ou échange de deux tableaux proposés par le Cn Tolosan (1026).

garde meuble.

Hier 26 les conservateurs n'ont porté du garde meuble que quatre objets précieux. Les Cns Picault et [102 v.] Fragonard déclarent que deux de ces objets font partie de ceux énoncés dans le dernier inventaire qu'ils ont précédemment apporté et les deux autres objets sont désignés dans l'inventaire particulier fait ce même jour [vingt] six et rapporté par eux.

123 — *[15 septembre 1796].*

Séance du 29 fructidor.

Présidence du Cn Dewailly.

Arrêté concernant la clôture des notices reçues pour le Livret.

Le secrétaire annonce qu'il a terminé l'ouvrage d'extraire, d'arranger et de rédiger toutes les notices des artistes qui ont été envoyées au Conservatoire jusqu'à ce jour; que quoique le jour de rigueur pour la clôture ait été annoncé le 2 pour le 25, il a cependant admis toutes les notices en grand nombre apportées depuis, que même ce matin il vient encore d'en intercaller trois, sous des Nos bis, du Cn Lagrenée (Lé) [l'aîné] et autres mais, qu'attendu que les Nos sont établis et qu'il est pressant de livrer l'ouvrage à l'impression, il ne peut plus insérer les notices qu'on apporterait dorénavant. Le secrétaire déclare qu'il va porter le manuscrit des notices à l'imprimeur Jay, celui qui a imprimé le dernier Livret et que le Directeur général avait indiqué au Conservatoire pour l'impression des ouvrages du Musée central des arts.

Ensuite le C^{n} Foubert fait lecture de l'avertissement destiné à être mis à la tête du Livret, dans lequel il a [103] réuni les sentimens qu'il connaît au Conservatoire en faveur des arts. Sur le tout il ne s'élève aucune réclamation et, jusque là, la rédaction du Livret dont le secrétaire a été chargé par le Ministre est approuvée; le secrétaire déclarant, qu'après demain à l'assemblée, il lira le discours préliminaire qui doit suivre l'avertissement dans le Livret.

Payé 2 l. 10 s. à Denyau.

Le C^{n} Denyau reçoit sur sa quittance cinquante sols, pour blanchissage et racommodage des draps.

Le Conservatoire arrête, au sujet des deux tableaux envoyés par le C^{n} Tolosan, qu'il sera écrit à ce citoyen pour le prévenir qu'ils ne peuvent être agréés au Museum, attendu qu'il en possède de supérieurs du même maître (1027).

124 — *[17 septembre 1796].*

Séance du 1er jour complémentaire.

Présidence du C^{n} Dewailly.

Le Conservatoire ayant désiré que la lettre du Ministre de l'intérieur, adressée aux artistes le 9 floréal dernier pour les inviter à exposer leurs ouvrages cette année, fut insérée au commencement du Livret, le secrétaire, en place d'un discours préliminaire pour l'ordinaire inutile aux lecteurs du Livret, propose et fait la lecture d'une simple annonce de la lettre du Ministre; ce qui est agréé.

Arrêté pour demander au Ministre la disposition du produit des Livrets.

Sur l'observation d'un des membres que les gardiens du Musée exigent le prix des journées des travaux qu'ils ont faits et qu'ils vont faire journellement pour vuider la gallerie d'Apollon, placer les objets de l'expo- [103 v.] sition actuelle et ensuite tous ceux du Musée lui même, soit dans la gallerie ou ailleurs; qu'il est encore beaucoup d'autres dépenses intérieures à faire dans le Musée et de différentes natures, tendant toutes à son utilité et à son embellissement; que pour subvenir à tous ces frais le trésor public ne fournit pas les fonds nécessaires, et qu'un moyen de former en partie ce fonds serait de demander au Ministre le produit du Livret qui vient d'être fait ainsi que des Livrets qui seront faits, soit pour les objets attendus d'Italie, soit pour la totalité des richesses que le Musée va réunir et exposer dans toutes ses localités;

Sur quoi, la matière mise en délibération, le Conservatoire arrête qu'il va être écrit au Ministre de l'intérieur pour lui demander, par les motifs cidessus spécifiés, de mettre à la disposition du Conservatoire les produits des Livrets, sauf la déduction des frais d'impression (1028).

125 — *[19 septembre 1796].*

Séance du 3e jour complémentaire.

Présidence du Cn Dewailly.

Lettre du Ministre pour l'ouverture du Sallon et pour lever la consigne de montrer sa carte de sûreté à l'entrée du Sallon. [104]

La mention au procès verbal du 27 fructidor d'une lettre du Ministre de l'intérieur, en datte du 26, ayant été omise, elle est reportée ici. Cette lettre (1029) annonce que le Ministre approuve la remise au 10 vendémiaire de l'ouverture du Sallon et en même tems le Ministre autorise à lever la consigne qui exigeait que chaque citoyen présentât à la porte du Sallon sa carte de sûreté.

Le Conservatoire charge particulièrement le Cn Denyau, (comme) [commis] expéditionnaire auprès du Conservatoire et logé dans le Museum, de recevoir les ouvrages qu'apportent les artistes pour l'exposition, de les marquer à l'instant en appliquant le nom de l'auteur au haut du tableau, de face et sur la toille, et de délivrer les reconnaissances imprimées qui lui ont été remises signées du secrétaire en les remplissant du nombre et de la désignation des objets apportés et de la datte du jour où ils sont remis. Cet arrêté sera expédié et remis au Cn Denyau.

Il est arrêté qu'il sera écrit au Cn Dutertre, inspecteur des charrois militaires, pour lui demander les voitures et chevaux nécessaires pour faire amener au Musée les marbres marqués à Chaillot (1030).

126 — *[21 septembre 1796].*

Séance du 5e jour complémentaire.

Présidence du Cn Dewailly.

Invitation au Cn Lenoir d'indiquer un jour pour choisir les tableaux dans son dépôt.

Le secrétaire annonce qu'il a été écrit hier au Cn Lenoir, conservateur du Musée des monumens français, pour lui demander un jour fixe où les conservateurs du Musée des arts pourront reconnaître, dans le registre de ce dépôt, les tableaux qui méritent d'être examinés pour être choisis et apportés au Museum (1031).

Pendule astronomique acquise par le gouvernt pour le Museum. [104 v.]

Une lettre du Ministre de l'intérieur, en datte du 3e jour complémentaire, adressée au Conservatoire (1032) lui demande 1° à retirer du Directoire exécutif le tableau du Cn Huë. 2° de se concerter avec le propriétaire actuel (Palais Egalité n° 51) de la pendule astronomique dont le gouvernement vient de faire l'acquisition, pour la faire transporter au Museum avec les précautions nécessaires.

Les six membres du Bureau réunis déclarent res-

Bois envoyé à chacun des 6 membres du Conservatoire.

pectivement qu'hier ils ont reçu chacun une voiture de bois, dite contenir une corde, provenant de l'approvisionnement du Museum, sur quoi l'on déclare qu'ils en recevront encore aujourd'hui chacun une voiture semblable.

Proposition d'un échange sur laquelle il faudra délibérer.

L'un des membres du Conservatoire annonce qu'il a entendu dire au C^n Barthelemi, conservateur du Musée d'antiquités, que la grande figure égyptienne convient particulièrement à la collection qui est sous sa garde; qu'il serait possible d'en faire l'échange avec une grande cuve de porphyre que possède le Musée d'antiquités.

Le Conservatoire, après avoir entendu la susdite proposition, se propose d'y réfléchir avant d'entamer cet échange; il remet à la prochaine assemblée pour en délibérer.

AN 5

127 — *[24 septembre 1796].*

Séance du 3 vendémiaire.

Présidence du C^n Picault.

[105] Les séances du Conservatoire sont fixées aux jours impairs, mais le 1er vendémiaire doit être excepté par son usage et attendu que la veille était jour d'assemblée, la séance a donc été remise à aujourd'hui.

Lettre du Ministre concernant Descavelez.

Il a été reçu cinq lettres : la 1re du Ministre, en datte du 29 fructidor, annonce qu'il a écrit au C^n Descavelez de rendre dans la décade les clefs du logement qu'il occupe et celles de la caserne; c'est à ses supérieurs militaires qu'il doit s'adresser pour en obtenir l'attestation qu'il demande.

Pour une pendule astronomique acquise par le gouvernement.

Deux nouveaux réverbères accordés au Museum.

La seconde et la troisième lettres du Ministre sont de même datte, 3e jour complémentaire; l'une invite le Conservatoire à retirer chez un md d'optique, au Palais Egalité n° 51, une pendule astronomique dont le gouvernement a fait l'acquisition, et de la faire transporter au Museum où elle sera exposée (1033); l'autre lettre annonce que le Directeur général a écrit à l'entrepreneur de l'illumination du Museum et qu'il l'a (cherché) [chargé] (1034) de placer les deux nouveaux réverbères demandés par le Conservatoire scavoir : un sous le vestibule en face de la gallerie des artistes, l'autre dans le jardin de l'Infante.

Négociation à faire avec le cidv^t prince de Conty pour des tableaux.

La quatrième lettre du Ministre, en datte du 4e jour complémentaire, autorise le Conservatoire à s'adjoindre les C^ns Vincent et Le Brun à l'effet d'entamer une négociation avec le cidevant prince de Conty pour deux tableaux qui lui appartiennent et qui sont au Museum contre les objets d'arts n'ayant que des valeurs de commerce (1035).

La cinquième lettre du Ministre autorise le Conservatoire à remettre à la disposition du Ministre des finances les tableaux contenus dans le second état double envoyé au Ministre de l'intérieur. Il en renvoye un ap-

39 l 10 s payées à la fe Bénat.

Demande au C. Mazade de l'inventaire des objets de la Haye, etc.

Tableaux livrés pour la seconde fois au Mtre (de l'intérieur) [des finances].

prouvé de lui (1036).

Payé à la fe Bénat, voiturière, pour les pourboires de ses voituriers à raison de 20s la corde, du bois qu'elle a apporté au Museum, la somme de 39 l. 10 s.

Arrêté qu'il sera écrit au Cn Mazade pour lui demander le renvoi de l'un des deux doubles des inventaires des objets venus de la Haye que le Conservatoire lui a [105 v.] remis tout préparés et qu'il devait rendre revêtu de la signature du Cn Ginguéné, Directeur général de l'instruction publique (1037).

Le Cn Nogaret fait enlever les tableaux désignés dans le 2e état pour le Ministre des finances. Le Cn Nogaret en donne une reconnaissance provisoire et promet qu'il fera mettre par le Ministre des finances l'acquit au bas de chacun des susdits états (1038).

Il sera écrit aux Cns Vincent et Le Brun pour les inviter à se réunir au Conservatoire pour reconnaître des tableaux à échanger du cidevant prince de Conty et autres (1039).

128 — *[26 septembre 1796].*

Séance du 5 vendémiaire.

Présidence du Cn Picault.

Mémoire du Cn Verrier montant à 110 l-17 s.

Le Cn Verrier, peintre, [présente] un mémoire d'ouvrages de sa profession montant à 110 l. - 17 s. Le Conservatoire certifie que lesdits ouvrages ont été faits utilement pour le Musée central des arts, renvoye le Cn Verrier devant le Ministre de l'intérieur pour le règlement et le payement, avec sollicitation, d'après le vœu du Cn Verrier, qu'il lui soit payé en acompte la moitié de la somme en demande.

Le Cn Souverain se présente pour une place de gardien.

Le Cn Souverain, père de famille, recommandé par le Cn Pacloin représentant du peuple, présente son mémoire tendant à obtenir une place de gardien au Musée [106] central des arts.

Réclamation du Cn Chèvre.

Le Cn Chèvre, portier du Museum, réclame auprès du Conservatoire pour solliciter de nouveau le traitement, dû à la place, qu'il n'a point encore reçu. Arrêté qu'il sera écrit de nouveau à ce sujet (1040).

Arrêté qu'il va être écrit au Ministre pour lui demander ce qui peut rester de linge au garde meuble, propre à nettoyer, étant élimé, les objets précieux du Museum qui auraient à souffrir du frottement d'un linge rude et neuf (1041).

Proposition de vendre au Musée un tableau dit être une répétition du Guide, l'enlèvement de Déjanire.

Le Cn Fragonard met sur le bureau une lettre signée Senez, dattée de Bordeaux le 2e jour complémentaire. Ce Cn propose d'échanger un tableau représentant l'enlèvement de Déjanire qu'il croit être du Guide et être une répétition de celui que possède le Museum (1042).

Remboursé au Cⁿ Fragonard 14 s.

Le Cⁿ Fragonard demande le remboursement qui lui est fait à l'instant, de 14 s. pour le port de cette lettre. Le Conservatoire arrête qu'il sera répondu en son nom au Cⁿ Senez que le Museum ne peut désirer l'acquisition du tableau proposé, soit qu'on le considère comme copie ou même comme répétition.

Lettre au Cⁿ Echard pour qu'il apporte le tableau qu'il propose d'échanger.

Ecrit encore au Cⁿ Echard, peintre, pour lui demander de faire apporter au Museum le tableau dit de Vandik qu'il a proposé au Gouvernement (1043).

129 —

[28 septembre 1796].

Séance du 7 vendémiaire.

Présidence du Cⁿ Picault.

Traitemens reçus pour le mois fructidor, sans [doute] y compris les jours complres 2595 f 16 cms numé. 2595-16 cms mandats.

[106 v.]

Hier six, le Cⁿ Philippeau a remis au Conservatoire les sommes qu'il venait de toucher au trésor national pour les traitements de tous les employés au Museum pendant le mois entier fructidor, dans lequel se trouvent apparemment compris les cinq jours complémentaires puisqu'on ne fait pas mention de cet espace de tems, scavoir : 2595 f 16 centimes en mandats valeur nominale y compris 640 l en assignats pour appoint;
2595 f 16 centimes en écus; dans cette somme il s'est trouvé manquer au payement fait au trésor 3 l. 4 s qui joints à 12 s pour la passe des deux sacs, ont produit en perte 3 l 16 s; cette perte a été partagée par sixiemes entre les six membres du Bureau. Le surplus en argent a été distribué à tous les employés en raison de leurs traitmens respectifs.

Quant aux mandats ils ont été distribués de même en réservant aux membres du Bureau les assignats comme objets nuls.

Cependant, les fractions de mandats ne pouvant se faire dans cette distribution, il reste dû, scavoir : à chacun des gardiens, etc, 4 f en mandats, à Evrard et au secrétaire 16 fr. chacun et à chacun des conservateurs 8 fr.

Un des membres annonce qu'il a appris qu'il existait à Versailles dans différens magasins, notamment dans celui dit des Menus, différens bois provenant de démolitions, impropres à être remployés en construction mais seulement convenables pour des ouvrages de menuiserie. Ce membre propose et le Conservatoire arrête que la demande va être faite au Ministre d'autoriser le Conservatoire à nommer un de ses membres pour se transporter à Versailles avec un charpentier, à l'effet d'y marquer les bois dont il s'agit et dont il a besoin pour les bordures (1044).

[107]

12 f payés au Cⁿ Pajou pour le Livret.

Le secrétaire rembourse au Cⁿ Pajou 12 f qu'il a payé pour des ports de lettres relatifs à l'exposition.

130 — *[30 septembre 1796].*

Séance du 9 vendémiaire.

1 l. 4 s déboursés pour le Livret.

Le secrétaire rembourse au Cn Denyau une livre quatre sols pour ports de plusieurs lettres et annonces envoyées aux journalistes relativement à l'ouverture du Sallon.

Le Conservatoire arrête qu'il sera répondu au Cn Jean Haas que le tableau en tapisserie qu'il a apporté au Museum ne peut être acquis attendu que ce monument n'admet point de copies (1045).

19 Livrets remis au Cn Le Breton.

Il arrête encore qu'il sera envoyé au Cn Le Breton 18 exemplaires du Livret que l'imprimeur vient de remettre au secrétaire, pour être par lui présentés au Ministre, au Directeur général et à lui-même. Remis les 18 au Cn Le Breton, au Sallon, plus un pour lui.

On vient d'apporter au Museum un tableau de Piazzet, venant dit-on de Francfort, annoncé par le Ministre de l'intérieur ches lequel on a été le chercher. Ce tableau représente une Assomption de la Vierge.

2 catalogues donnés.

Donné au Cn Philippeau un Livret relié pour lui faciliter, avec l'épreuve qu'il a, la pose des nos sur les tableaux et autres objets, plus un au Cn Robert.

Arrêté concernant les annonces et l'affiche de l'ouverture du Sallon

L'un des membres du Conservatoire déclare que l'intention du Ministre est que le Sallon d'exposition ne soit ouvert que trente jours de suite, à compter du jour qui va être annoncé; sur l'assurance que donne le susdit [107 v.] membre de la volonté déterminée du Ministre, arrête qu'il en sera fait mention dans l'affiche. Il arrête encore que l'ouverture n'aura lieu que le 15 du présent mois, attendu le retard des artistes dans l'apport de leurs ouvrages. Le projet d'affiche est fait et arrêté, d'après les intentions du Conservatoire; quant aux annonces dans les journaux, elles ont été faites de même d'après l'arrêté du Conservatoire et approuvées avant l'envoi aux journalistes.

131 — *[2 octobre 1796].*

Séance du 11 vendémiaire.

Présidence du Cn Picault.

Le Conservatoire arrête que la consigne arrêtée ci-devant de ne laisser entrer personne dans la gallerie du Museum sera exécutée par les gardiens sous peine de la perte de leur emploi et, de plus, les représentans du peuple seront invités à suspendre leur droit d'entrée.

Mémoire du Cn Nadrau montant à 1704 l. 18 s 7 d.

Le Cn Nadrau, menuisier, présente un mémoire d'ouvrages de sa profession montant à la somme 1704 l 18 s 17 d. Le Conservatoire certifie que lesdits ouvrages ont été faits utilement pour le Musée central des arts,

[108] renvoye le Cn Nadrau devant le Ministre de l'intérieur, pour le règlement et le payement, avec sollicitation, d'après le vœu de l'entrepreneur, qu'il lui soit payé en acompte la moitié de la somme en demande.

132 — *[4 octobre 1796].*

Séance du 13 vendémiaire.

Un membre déclare qu'il a été reçu d'envoy du Cn Villette, conservateur du garde meuble, du vieux linge détaillé dans un état signé Villette, en datte du 12 courant, lequel état sera mis au rang des minutes (1046).

Le Conservatoire délibérant encore sur le placement des poêles dans la gallerie, après avoir pesé l'inconvénient du déplacement de ceux qui sont déjà posés avec les avantages que l'on conçoit de les mettre tous dans l'embrasure des croisées, arrête qu'il va être écrit au Ministre de l'intérieur pour lui demander la dépose des poêles placés et que ceux qui sont à placer le soient dans les embrasures des croisées (1047).

La mort du Cn Alliaume, gardien au Musée, laissant une place vacante, le Conservatoire arrête qu'il va être écrit au Ministre de l'intérieur pour lui annoncer que le désir du Conservatoire est que cette place soit donnée au Cn Forney, suisse de nation, dont les services anciens au Louvre et ceux qu'il a fait depuis un an au Musée, ainsi que ses qualités physiques et morales, méritent d'obtenir la préférence (1048).

Payé à Chouteau 4 l. 4 s [108 v.] —

Payé au Cn Chouteau, balayeur, pour balai et seau ferré, 4 l 4 s.

133 — *[6 octobre 1796].*

Séance du 15 vendémiaire.

Le grand Sallon a été ouvert ce matin, mais les salles d'en-bas ne pourront l'être que demain.

2 Livrets donnés.

Il a été donné deux Livrets, l'un au commandant de la place, l'autre à son aide de camp; ces livrets, pris à la fe Bidault qui les vend, lui ont été remis par le Cn Picault, pris sur ceux ci après.

48 autres Livrets.

Il a été pris 50 Livrets hier, apportés au Bureau pour être distribués entre les membres; d'abord six ont été remis à chacun, trois ont été donnés au Cn Denyau, ce qui fait 39 et avec les deux cidessus 41.

Ecrit au commandant général militaire *(sic)* pour l'inviter à faire augmenter demain la garde du Musée en proportion du besoin (1049).

La Vve Alliaume se présente au Conservatoire, elle met un mémoire sur le bureau contenant des demandes et des réclamations sur lequelles on lui répond qu'il sera délibéré.

134 — *[8 octobre 1796].*

Séance du 17 vendémiaire.

Présidence du Cn Picault.

Le commandant du bataillon des vétérans volontaires se présente; il fait part au Conservatoire de l'ordre [109] qu'il a reçu du général de fournir un piquet de vingt hommes pour la garde du Museum pendant l'exposition. Sur la déclaration que fait le commandant que son bataillon peut difficilement fournir ce nombre d'hommes, le Conservatoire, reconnaissant avec lui qu'il faudra en outre une augmentation à la garde des portes, les vétérans étant destinés au dedans, il est arrêté qu'il sera encore écrit au général pour lui exposer ces faits (1050). Le commandant des vétérans est prévenu que le Conservatoire n'ayant aucun fonds à sa disposition, s'il était question de faire quelques frais pour la garde qu'il fournit, le Conservatoire serait hors d'état d'y pourvoir.

600 f reçus sur le 1er produit du Livret. Les mêmes 600 f payés à l'imprimeur.

Le secrétaire déclare qu'il a payé ce matin à l'imprimeur six cens francs que venait de lui remettre le citoyen Philippeau sur la recette du Livret des deux premiers jours.

Portrait de N. Poussin peint par lui-même envoyé et offert au Musée pour être acquis.

Une lettre, en datte du 13 courant, signée Le Rouge demeurant place des Victoires, offre de céder au Museum un portrait de N. Poussin, peint par lui-même. Ce Citoyen annonce que, pressé de le vendre, il demande une prompte réponse (1051).

Arrêté qu'il sera écrit au Ministre pour lui exposer les dangers où est exposé le Museum par la proximité des vieux batimens combustibles situés dans la rue des Horties (1052).

Arrêté qu'il sera écrit au Cn Le Rouge, md de tableaux, pour l'inviter à se rendre après demain au Conservatoire pour y faire connaître ses intentions relativement au portrait de Poussin (1053).

Arrêté encore qu'il sera écrit au Cn Cornu, fondé de pouvoir du Cn cidevant prince de Conty, pour l'inviter à venir rechercher les objets qui lui paraîtront propres à être acceptés pour l'échange du tableau dont il est question. [109 v.] Il est observé à ce sujet que les Cns Le Brun et Vincent, commissaires, se sont rendus au Museum; qu'ils y ont examiné le tableau à échanger et qu'ils ont été d'accord de l'avis que ce tableau valait six mille francs et que c'est sur ce pied qu'on peut livrer des objets d'échange.

135 — *[10 octobre 1796].*

Séance du 19 vendémiaire.

Présidence du Cⁿ Picault.

Le Conservatoire, sur la demande de l'un de ses membres, après avoir délibéré sur l'emploi des différens blocs de marbres venus depuis peu du dépôt national de Chaillot et mis à la disposition du Conservatoire, arrête que le plus grand de ces blocs, qui est de marbre brèche violette africaine, sera refendu dans son épaisseur en tables de trois pouces d'épaisseur. En conséquence le Conservatoire autorise le Cⁿ Scellier, marbrier, à faire le travail nécessaire, conformément au présent arrêté, en commençant par lever sur ce bloc seulement une table, après lequel ouvrage il recevra une autorisation du Conservatoire s'il juge à propos de le faire continuer. Les motifs qui ont déterminé à donner la forte épaisseur ci-dessus dite aux tables que l'on tirera de ce bloc, (est) [sont] de se réserver le moyen de pouvoir un jour refendre ces mêmes tables et en doubler ainsi le nombre, s'il y avait utilité de le faire vu la beauté du marbre.

Proposition du Cⁿ Le Rouge du prix de son tableau. [110]

Le Cⁿ Le Rouge se présente au Conservatoire; il déclare qu'il demande de son tableau, portrait de Poussin, quatre mille francs numéraire ou, en échange, des objets de commerce équivalents. Le Conservatoire répond à ce Cⁿ qu'il présentera sa demande au Ministre.

La Cⁿⁿᵉ Bosset, femme du portier, représente que l'usage de tous les tems a été de gratifier le portier d'une bûche par voye de bois à brûler, le Cⁿ Bosset n'ayant pas reçu cette gratification pour l'approvisionnement de bois que le Museum a eu depuis peu, sa femme demande, et le Conservatoire arrête, qu'il lui sera donné une bûche par voye de bois.

Mémoire de Huin, vitrier, montant à 1519ˡ 6.

Le Cⁿ Huin, vitrier, présente un mémoire d'ouvrages de sa profession, montant à la somme du 1519 l 6 s. Le Conservatoire certifie que lesdits ouvrages ont été faits utilement pour le Musée des arts; renvoye le Cⁿ Huin devant le Ministre de l'intérieur, pour le règlement et le payement, avec sollicitation, d'après le vœu du Cⁿ Huin, qu'il lui soit payé en acompte la moitié de la somme en demande.

136 — *[12 octobre 1796].*

Séance du 21 vendémiaire.

Présidence du Cⁿ Picault.

Recommandation du Dr. gl. du Cⁿ Grosjean pour une place de gardien.

Le Cⁿ Ginguené, Directeur général, écrit en datte du 19 pour recommander le Cⁿ Grosjean pour succéder à Alliaume dans la place de gardien. Il sera répondu au Cⁿ Ginguené que cette place est remplie mais qu'on aura soin de le prévenir de la 1ʳᵉ vacante. Cette réponse est expédiée (1054).

[110 v.] Ecrit au Ministre pour lui demander l'autorisation de traiter avec le C^n Le Rouge du portrait de Poussin, à un moindre prix que 4000 qu'il a demandé (1055).

Ecrire au commandant général *(sic)* pour lui demander que les piquets envoyés ici soient pourvus de chandelle et de bois de chauffage (1056).

8 livrets distribués.

Le secrétaire observe qu'il a été encore distribué trois Livrets au C^n Le Breton; que le C^n Philippeau a été autorisé à en prendre cinq.

6 francs payés.

Le même citoyen secrétaire déclare qu'il a fait l'acquisition d'un canif, gratoir et poinçon pour l'usage du bureau, pour quoi il a payé six francs.

137 — *[14 octobre 1796].*

Séance du 23 vendémiaire.

On fait lecture d'une lettre, en datte du 21 courant, adressée par la Commission des fonds de l'Institut national au Conservatoire; elle lui demande de faire ôter les tableaux qui sont dans les deux salles destinées à la bibliothèque de l'Institut.

Le Conservatoire arrête qu'il va être récrit au C^n Laurent, directeur de l'entreprise de la gravure, pour le prévenir de la demande de l'Institut et que le C^n Laurent ait à nous remettre les tableaux du Museum (1057).

Arrête qu'il sera écrit au C^n Ginguené pour lui annoncer que le tableau en tapisserie du C^n Haas n'est point propre à entrer dans la collection du Museum (1058).

138 — *[16 octobre 1796].*

[111] Séance du 25 vendémiaire.

Payé 1.10 ..
10 ..
6 ..
13. 2 ..

Payé : à Daunois 1 l 10 s pour un carreau de vitre;
à Martiguez 10 s pour blanchissage;
à Martiguez père six francs pour une mâne d'osier;
à Bidault pour balais ferrés etc. 13 -2.

Reçu 600 l sur le produit du Livret.

Reçu du C^n Philippeau six cents livres, à valoir sur le produit du Livret; donné ma reconnaissance de 1200^l, en y comprenant les six cents livres que j'avais reçues le 17 courant dont je n'avais pas donné de reconnaissance.

Payé 537^l au C^n Jay imprimeur du Livret.

Sur les 600^l cidessus touchées, j'ai payé au C^n Jay, imprimeur, suivant son mémoire quittance, 537^l pour les seconds trois mille exemplaires du Livret, dont il n'a encore fourni que 1600, avec des corrections et additions.

manque 42 Livrets dans les trois 1ers mille.

Il faut observer que, sur les trois premiers mille, l'imprimeur a fourni en moins quarante deux Livrets. Il a déclaré qu'il fallait lui passer ce déficit à cause des feuilles gâtées au tirage, cachées par les ouvriers et qui ne permettaient pas de completter chaque millier; l'ancien usage ayant même été à ce sujet de passer 25 exemplaires par mille. Il en sera de même des 3000 nouveaux exemplaires demandés; lorsqu'il en connaîtra le déficit, il offre de remettre les feuilles qui prouveront qu'il n'a pu completter les Livrets manquant à cause des feuillets mal tirés que l'on ne revoit plus lorsqu'il s'agit de brocher ou d'assembler les cinq feuilles du Livret.

Lettre des commissaires du gouv[t] français à la recherche des objets de sciences et arts, dattée de Rome le 30 fructidor an 4.

[111 v.]

On fait lecture d'une lettre, dattée de Rome le 30 fructidor, adressée au Conservatoire par les C[ns] Monge, Tinet, Bertholet, Berthelemy; elle parle des ouvrages d'art que l'on avait compté faire passer de l'Italie en France.

139 — *[18 octobre 1796].*

Séance du 27 vendémiaire.

Le secrétaire a écrit au commandant général militaire pour lui représenter que le Conservatoire ne peut continuer à fournir au piquet de garde au Museum la chandelle, le bois à brûler, etc.

Une lettre du Ministre de la police, en datte du 25 vendémiaire, répond aux observations qui lui ont été adressées par le Conservatoire « qu'il ne peut interdire à des Citoyens l'exercice de leur industrie s'ils sont surtout munis d'une patente » (1059).

Un membre annonce que le Ministre presse l'arrangement du Museum, qu'il lui a dit que pour l'accélérer il mettrait des fonds à la disposition du Conservatoire, ainsi qu'il le lui avait déjà demandé; qu'il ne s'agissait que de lui en renouveller la demande par écrit; qu'il fallait la lui présenter demain 28 au Museum où il viendrait le matin.

Arrêté que cette demande va être renouvellée.

140 — *[20 octobre 1796].*

[112]

Séance du 29 vendémiaire.

Présidence du C[n] Picault.

Mémoire du C[n] Nadrau, montant à 310 l 3 s 6 d.

Le C[n] Nadrau, menuisier, présente un mémoire de déboursés pour journées d'ouvriers, par lui avancés, montant à la somme totale de trois mille cent une livres trois sols six deniers. Le Conservatoire certifie que lesdites avances ont été faites à sa sollicitation pour travaux utiles et urgents du Museum, en exécution des ordres du Ministre de l'intérieur, scavoir pour vuider la gallerie d'Apollon afin d'y recevoir les ouvrages d'art attendus de l'Italie, et pour l'exposition des ouvrages des artistes français; renvoye le C[n] Nadrau devant le Ministre de l'intérieur pour le règlement et le payement en le sollicitant d'avoir égard à la nature et aux motifs de la créance du Cⁿ Nadrau et de lui faire payer en acompte la moitié de la somme en demande (1060).

Ecrit à la Commission des fonds de l'Institut, en réponse à sa demande du 21 courant, que le Conservatoire fera vuider le plutôt possible les deux salles de l'Institut; que l'obstacle qui l'arrête est l'exposition au Sallon qu'on ne peut traverser le matin qu'avant son ouverture (1061).

Le Cⁿ Martiguez fils demande au Conservatoire de recevoir chez lui au Museum, son beau frère malade et qu'il désire soigner. Le Conservatoire, vu les abus qui pourraient résulter d'un logement de gardien partagé par des personnes étrangères au Museum, accorde au Cⁿ

[112 v.]

Martiguez sa demande en le prévenant que ce n'est que pour le tems de la maladie de son beau frère et que le Cⁿ Martiguez sera tenu de prévenir le Conservatoire du moment de la convalescence.

Une lettre du Ministre de l'Intérieur en datte du 23 courant autorise le Conservatoire à remettre au Cⁿ Sauvage, peintre, les tableaux demandés par le Ministre de la justice, suivant l'état joint à la lettre et aux conditions qu'elle contient (1062).

141 — *[22 octobre 1796].*

Séance du 1er brumaire.

Présidence du Cⁿ Robert.

Les gardiens du Musée pressent le Conservatoire d'écrire au commandant général militaire à Paris pour lui adresser leur demande d'être exempts du service de la garde bourgeoise; ils prétendent que l'on avait obtenu cette demande (1063).

Mémoire du Cⁿ Chotard montant à 1701 l.

Le Cⁿ Chotard présente un mémoire d'avances par lui faites pour la confection des bordures de tableaux, montant au total à la somme de 1701 l. - 10 s. Le Conservatoire certifie que les ouvrages ont été faits utilement pour le Musée des arts, renvoye le Cⁿ Chotard devant le Ministre de l'intérieur pour le payement, après vérification du mémoire, avec sollicitation de payer en acompte la moitié de la somme en demande.

Le Conservatoire arrête que deux de ses membres

[113]

vont à l'instant se rendre à la Maison de Nesle où ils ont invité le Cⁿ Le Brun à se rendre, à l'effet d'y rechercher les objets d'art qui conviennent au Museum.

Hier on a livré au Cⁿ Nogaret, pour le Ministre des finances, trois tableaux, deux provenants du Stathouder, scavoir deux têtes de femme par Honthorst et l'autre une tête peinte par Rigaud représentant sa mère. Le Cⁿ Nogaret en a donné sa reconnaissance au Conservatoire provisoirement au bas de la lettre par laquelle il en faisait la demande; ces trois objets seront ajoutés (1064).

Les commissaires revenus de Nesle ont rapporté différens rouleaux de dessins du (Dominicain) [Dominiquin], de Mignard et de Le Brun à l'état desquels on va procéder.

2 livrets distribués.

Donné au Commandant des vétérans volontaires 2 Livrets.

Arrêté que le prix du Livret sera porté demain matin à l'ouverture du Sallon et des salles à 24 s. au lieu de quinze, attendu l'addition et l'augmentation du prix de l'impression; c'est particulièrement à cause de la chute des monnoies de cuivre avec lesquelles on vient acaparer ce Livret.

142 — *[24 octobre 1796].*

Séance du 3 brumaire.

Présidence du C^n Robert.

Le Conservatoire n'a point reçu de réponse à la lettre adressée au commandant militaire pour qu'il fasse [113 v.] fournir au poste la chandelle, le bois, etc, mais hier ces fournitures ont été faites et ont cessé pour le Conservatoire depuis l'installation de ce piquet; il en a coûté environ cinq paquets de cinq livres de chandelles, papier, bois etc...

22 l.-10 s payés.

Payé à la C^ne Bosset, f^e du portier, 22 l - 10 s pour six paquets de chandelle achetés pour l'usage du Conservatoire, suivant quittance.

Mémoire du C^n Scellier montant à 2600^l

Le C^n Scellier, marbrier, présente un mémoire d'ouvrages de déplacements et transports, montant au total à la somme de 2600^l. Le Conservatoire certifie que ces travaux utiles et très urgents ont été faits en exécution des ordres du Ministre, principalement pour l'exposition des ouvrages des artistes français, laquelle sans cela n'aurait pu avoir lieu. Le C^n Scellier est renvoyé devant le Ministre de l'intérieur pour le règlement et le payement, avec sollicitation d'avoir égard aux motifs des ouvrages et de faire payer en acompte la moitié de la somme en demande.

Payé 1 l. 10 s.

Payé à Brachet fils, pour deux copies d'un mémoire particulier adressé au Ministre de l'intérieur, trente sols.

Il a été apporté du dépôt des Augustins plusieurs tableaux de l'école française (1065) parmi lesquels il sera fait un choix. La reconnaissance alors sera donnée des tableaux qui seront gardés.

143 — *[26 octobre 1796].*

Séance du 5 brumaire.

Présidence du C^n Robert.

[114] Arrêté qu'il sera écrit au Ministre de l'intérieur pour lui demander l'ordre qu'il soit exploité vingt forts tilleuls, lesquels envoyés au Musée y seront débités convenablement pour des bordures de tableaux (1066).

Disposition du produit du Livret par le Ministre.

Le secrétaire fait lecture d'une lettre du Ministre, contresignée Ginguéné, en datte du 2 courant; le Ministre annonce comment il a disposé du produit du Livret qui se vend actuellement.

144 — *[28 octobre 1796].*

Séance du 7 brumaire.

Présidence du Cn Robert.

Lettre du Mtre relative à l'eau que l'on a demandée pour le Museum.

On fait lecture de deux lettres du Ministre, contresignées Chambines, en datte du même jour 4 du courant; l'une annonce, qu'afin de pourvoir à garantir le Musée des dangers du feu, l'ingénieur hydraulique est chargé de faire remplir d'eau le réservoir du Louvre. (Na.) Nous avions demandé que l'eau courante fut rendue à la fontaine située dans la cour du Museum (1067), le moyen qu'on nous annonce est nul à tous égards; il sera écrit de nouveau.

Autre relative aux poêles.

L'autre lettre annonce que les poêles seront posés dans le Museum aux nouveaux emplacemens désignés par le Conservatoire.

Payé 10 s.

Payé à Vaudé, pour blanchissage de draps, 10 s.

Le Cn Delatte, pour un emploi de gardien.

Un citoyen nommé Delatte se présente pour une place de gardien, avec un mémoire qu'il a présenté au Ministre, renvoyé au Conservatoire. Il demeure rue de la Madeleine, fauxbourg honoré n° 1404; il se dit âgé de 50 [114 v.] ans. Quatre autres citoyens se sont présentés il y a huit jours au Conservatoire, se disant envoyés à lui par le Cn Le Breton, chef du Bureau des Musées. Ils se sont proposés pour remplir des places de gardiens ou de frotteurs au Museum. Leurs noms, adresses, etc... ayant été recueillis, on a omis de les insérer au procès verbal du jour où ils se sont présentés; les voici :

4 Cns se présentent pour être gardiens ou frotteurs.

1. Jean André Meunier, âgé de 45 ans, cidevant suisse de porte chez le prince de Masserano demt. (lui) rue d'anjou, fauxbourg honoré, n° 1378.
2. Mathias Voltre, âgé de 45 ans, aussi suisse de nation, cidevant portier de M. De La Borde, fermier général; sa demeure rue Montmartre n° 40.
3. Jean Claude Dugourd (comtois), âgé de 34 ans; cidevant frotteur pour les appartemens du Louvre, demeure rue des prêtres St Germain n° 8.
4. Jean Barbier Le Tringuilier (normand) âgé de 48 ans; cidevt valet de pied de Mme de Condé, demt actuellement rue Montmartre n° 137.

Le Conservatoire arrête que deux de ses membres se

transporteront aux Gobelins à l'effet d'y reprendre les cartons dits de Jules Romain (1068) et aussi pour y choisir les tableaux qui doivent entrer dans la collection de l'école française au Museum.

Bordure prêtée au secrétaire.

Le Conservatoire a autorisé le prêt d'une bordure de 5 pieds sur 4 au Cn Foubert. Cette bordure est formée de vieilles baguettes appliquées sur un chassis de bois blanc. Le Cn Foubert s'oblige à la représenter sur la 1re demande; elle va être placée dans le logement qui va lui être donné au Louvre.

145 — *[30 octobre 1796].*

[115] Séance du 9 brumaire.

Le Cn Thomas, doreur, demande de la part du Cn Bourgeois, peintre, à dorer dans la gallerie un cadre appartenant au Cn Bourgeois, ce que le Conservatoire lui accorde.

Le Conservatoire arrête que l'ouverture du Sallon actuel sera prolongée de 10 jours, à compter du 15 du présent mois et que l'annonce en sera faite au public.

Payé 177 au Cn. Jay, imprimeur.

Payé au Cn Jay, imprimeur, 177l pour le septième mille du Livret qu'il a fini de livrer cejourd'huy.

Arrêté qu'il va être proposé au Ministre d'exposer les objets attendus d'Italie dans le grand sallon, mieux éclairé, et de former dès à présent dans la gallerie d'Apollon les dessins des grands maîtres (1069).

Reçu 600 à valoir sur le produit du Livret.

Reçu du Cn Philippeau, à valoir sur le produit du Livret, 600 f dont le secrétaire, faisant fonction de trésorier, a donné sa reconnaissance.

146 — *[1er novembre 1796].*

Séance du 11 brumaire.

Présidence du Cn Robert.

Le Cn Boucaut, charpentier, présente un mémoire d'ouvrages de transports, etc... de statues de marbre et de bronze; ce mémoire montant au total à la somme de

[115 v.] 4790 l. - 10 s. Le Conservatoire certifie que lesdits ouvrages ont été faits utilement pour le Musée des arts; renvoye le Cn Boucaut devant le Ministre de l'intérieur pour le règlement et le payement, en le sollicitant, attendu les avances faites par cet entrepreneur à cause de l'urgence des travaux, qu'il lui soit payé à valoir la moitié de la somme en demande.

Le Cn Ginguéné Dr gl annonce qu'il faut refaire les états émargés sur un nouveau mode.

Une lettre du Cn Ginguéné annonce au Conservatoire qu'il faut refaire dans un autre mode les états émargés envoyés le mois passé; cette lettre est en datte du 6 courant. Les états ont été refaits et signés hier et remis au Cn Philippeau.

Autorisation de prendre à Versailles du bois pour faire des bordures.

Une lettre du Ministre de l'intérieur, en datte du 9 courant, autorise le Conservatoire, sur sa demande, à se transporter à Versailles (l'un de ses membres) avec un charpentier, pour y choisir des bois propres aux bordures, mais le Ministre recommande de se concerter préalablement avec l'administration départementale, etc... (1070).

L'un des gardiens du Musée apporte au Conservatoire un calque qu'il a trouvé dans le tiroir d'une table de l'attelier du C^n Laurent, graveur. Ce calque présenté sur le portrait de Carle Dujardin, peint par lui même, les conservateurs reconnaissent qu'il a été appliqué sur ce tableau et tracé à la pointe que l'on a trouvée dans le même tiroir. Les inconvéniens majeurs qui peuvent résulter de cette méthode de lever le trait d'un tableau précieux, au risque d'altérer sensiblement l'original, déterminent le Conservatoire à en écrire au C^n Laurent, [116] graveur (1071), dans l'attelier duquel cet abus a eu lieu et de le constater afin qu'il soit à l'avenir pourvu au moyen de le prévenir.

Pour la sûreté des objets précieux renfermés dans les armoires de la salle d'assemblée du Conservatoire, il arrête, qu'en outre de la précaution prise d'y faire coucher toutes les nuits deux gardiens, il va être placé à la fenêtre donnant sur le quai, laquelle n'a point de volets, un chassis à coulisse où l'on placera des planches arrêtées chaque soir par une barre de fer transversale.

Il va être écrit au commandant général militaire pour le prévenir du prolongement de l'ouverture du Sallon d'exposition et l'inviter à faire continuer le service de la garde militaire extraordinaire (1072).

147 — *[3 novembre 1796].*

Séance du 13 brumaire.

Présidence du C^n Robert.

1 l. 6 s payée pour le Livret.

Le secrétaire rembourse au C^n Denyau 26 s pour ports de lettres et annonces adressées à différens journalistes relativement à la prolongation de l'exposition, etc...

Le Ministre demande un apperçu de dépenses déterminées pour le Museum.

Une lettre du Ministre de l'Intérieur, en datte du 9 courant, en réponse à l'apperçu des dépenses relatives au Museum envoyé le 27 du mois dernier. Le Ministre demande un nouvel apperçu, mais de dépenses fixes, c'est à dire qui ayent un terme, celui envoyé n'en indiquant point. Le Ministre se résume en disant : faites moi connaître qu'elle peut être la dépense totale à faire pour donner au Museum tout l'éclat dont il est susceptible.

Un membre annonce qu'il existe sur les gazons du

[116 v.] Louvre différens bois provenans du superflu de ceux qui ont été apportés pour l'Institut, que ces bois appartiennent au gouvernement et sont tous les jours dilapidés. Le membre propose qu'il soit écrit au C^{n} Hubert, inspecteur des bâtimens, pour lui demander ces bois propres à faire des chassis et autres ouvrages propres au Museum (1073).

Les deux membres du Conservatoire qui se sont transportés aux Gobelins ont reçu du C^{n} Guillaumot, directeur, l'assurance que le Conservatoire prendra à sa volonté les cartons dits de Jules Romain (1074) et tous les tableaux de l'école française qui sont aux Gobelins.

148 — *[5 novembre 1796].*

Séance du 15 brumaire.

On a rapporté des Gobelins les cartons dits de Jules Romain (1075).

Un membre observe qu'il a toujours manqué la partie du milieu de ces dessins qui n'ont point été exposés au public; en conséquence, le Conservatoire arrête qu'ils seront divisés et exposés avec les dessins des grands maîtres en différentes parties encadrées.

Forney installé comme gardien du Musée des arts.

Une lettre du Ministre, en datte du 6 courant, confirme la nomination de Forney à la place du gardien du Musée des arts et autorise le Conservatoire à l'inscrire dans l'état émargé de traitemens.

149 — *[7 novembre 1796].*

[117] Séance du 17 brumaire.

Le C^{n} Girardin, commissaire du domaine national, chargé par le Bureau, au nom des héritiers ou représentans de Fernando Nunez, ambassadeur d'Espagne, lequel, audit nom, avait réclamé cinq bordures de tableaux appartenant à cette succession, elles lui ont été représentées (1076). Comme ces cinq bordures se trouvent toutes altérées dans leurs dimensions, ledit C^{n} Girardin en a dressé procès verbal à la suite de ceux de même nature et il a déclaré que la succession Nunez ayant d'autres réclamations à faire, celle ci y serait ajoutée, les bordures ne pouvant plus être d'aucune utilité aux héritiers.

Au moyen de quoi, le président du Conservatoire et le secrétaire du Conservatoire ont signé le procès verbal du C^{n} Girardin par forme d'adhésion après lui avoir réitéré l'offre de remettre les bordures dans l'état où elles sont.

Les gardiens du Musée se présentent, par l'un d'entr'eux, et demandent qu'il leur soit distribué du bois de chauffage comme il a été fait les années précentes. Le Conservatoire arrête qu'il sera donné à chacun des gardiens une demie voye de bois, pour cette fois.

Il arrête encore qu'attendu que Bidaut, gardien, qui demeure au bout de la gallerie est obligé chaque fois d'attendre les deux gardiens qui couchent à tour de rôle dans cette gallerie, il recevra, de plus que les autres gardiens, un quart de voye de bois et en outre deux chandelles par décade.

Le C^n^ Philippeau, concierge des écoles, représente au Conservatoire assemblé qu'il existe dans les salles [117 v.] dont l'Institut réclame la prompte jouissance quelques modèles de sculpture en plâtre provenans des agréés à l'ancienne académie; que ces citoyens n'ayant point fait les marbres et n'ayant joui d'aucun des bienfaits de l'académie supprimée redemandent ces plâtres qui sont réellement leur propriété. Le C^n^ Philippeau propose d'en faire la remise à chacun des propriétaires et consulte à ce sujet le Conservatoire qui ne voit que justice dans cette remise et n'y trouve aucun inconvénient.

Le Conservatoire donne au C^n^ Hersan, garde des marbres à Chaillot, une reconnaissance des trente un blocs de marbre qui ont été reçus de lui et amenés au Musée central des arts (1077).

150 — *[9 novembre 1796].*

Séance du 19 brumaire.

Présidence du C^n^ Robert.

Le C^n^ Scellier, marbrier, présente un mémoire de transports, etc., d'objets d'art, montant au total à la somme de 2298 l. - 2 s. Le Conservatoire certifie que lesdits ouvrages ont été faits utilement pour le Musée central des arts, renvoye le C^n^ Scellier devant le Ministre de l'intérieur pour le règlement et le payement, avec sollicitation, d'après le vœu de l'entrepreneur, qu'il lui soit payé en acompte la moitié de la somme en demande.

[118] Le C^n^ Boucaut, charpentier, présente un mémoire de transports d'objets d'art, montant au total à la somme de 1428^l^. Le Conservatoire certifie que lesdits ouvrages ont été faits utilement pour le Musée central des arts; renvoye le C^n^ Boucaut devant le Ministre de l'intérieur pour le règlement et le payement, avec sollicitation, d'après le vœu de l'entrepreneur, qu'il lui soit payé en acompte la moitié de la somme en demande.

Le C^n^ Boucaut, charpentier, présente un mémoire d'ouvrages de déposes, enlèvemens, etc... d'objets d'arts, montant au total à 936^l^. Le Conservatoire certifie que lesdits ouvrages ont été faits utilement pour le Musée central des arts; renvoye le C^n^ Boucaut devant le Ministre de l'intérieur pour le règlement et le payement, avec sollicitation, d'après le vœu du Cn Boucaut, qu'il lui soit payé en acompte la moitié de la somme en demande.

Arrivée de plusieurs caisses venant d'Italie.

Hier 18 du courant, il est arrivé six voitures venant d'Italie. Elles ont apporté au Museum quarante neuf ballots entoilés et portant des étiquets dont quelques uns ont été effacés par l'eau. Ces 49 ballots contiennent, dit-on, des objets d'arts de différentes natures; ils doivent être réunis à ceux encore attendus d'Italie et exposés au Museum, après quoi ils seront répartis aux différens Musées auxquels ils ont rapport.

Une lettre du Ministre de l'intérieur, en datte du 19, prévient le Conservatoire qu'il a nommé commissaires à l'effet de faire l'inventaire du contenu dans lesdites caisses, et aussi pour les convois subséquents, les Cns Le Brun peintre, et Damalric, employé à la Direction générale. [118 v.] Cet inventaire pour les caisses arrivées sera commencé primidi prochain 21 du courant.

Le Conservatoire autorise le Cn Picault, l'un de ses membres, à retirer du dépôt de la maison de Nesle une pendule provenant de la Cnne (Qinsqui) [Kinski], marquée pour le Museum par le Cn Le Brun. Le Cn Picault en donnera reconnaissance au Cn Naigeon, au nom du Conservatoire.

Le Conservatoire autorise encore le Cn Picault à donner décharge, audit nom, des bronzes provenant d'Anet qui seront aussi retirés pour le Museum (1078).

151 — *[11 novembre 1796].*

Séance du 21 brumaire.

Présidence du Cn Robert.

2 f. payés à Mariguez père.

Payé au Cn Mariguez père 2 francs pour remboursement de racommodage d'arrosoirs servant au nettoyement du Museum.

Suspension de Daunois dans ses fonctions de gardien.

Sur la plainte présentée au Conservatoire, signée Mariguez père, portant que ce vieillard, l'un des plus anciens gardiens du Museum, a été, le 17 du présent mois, frappé sur l'estomac et renversé du coup par Daunois aussi gardien du Musée; que Mariguez n'avait donné lieu en aucune manière à cet acte de cruauté; qu'il a pour témoins plusieurs de leurs camarades :

Le Conservatoire, informations prises et le fait constaté, arrête que Daunois, à compter de cejourd'hui, est et restera suspendu de ses fonctions en qualité de gardien du Museum jusqu'à ce que le Ministre de l'intérieur ait prononcé d'après le compte qui va lui être rendu par le Conservatoire.

[119] Le Cn Huin, vitrier, présente un mémoire d'ouvrages de sa profession, montant à 3159 francs. Le Conser-

vatoire certifie que lesdits ouvrages ont été faits utilement pour le Musée central des arts; renvoye le C[n] Huin devant le Ministre de l'intérieur pour le règlement et le payement, avec sollicitation qu'il soit payé en acompte la moitié de la somme en demande.

Le C[n] Cousin, concierge du Louvre, annonce au Conservatoire qu'il a scu que le Ministre de la police s'occupe à faire surveiller le Museum menacé d'être volé. D'après cet avis, le Conservatoire va redoubler les précautions déjà prises par lui à ce sujet. Il arrête qu'un des gardiens couchera dans la salle d'assemblée du Conservatoire, en outre de celui qui couche dans la 1re pièce; que ces gardiens seront armés et que l'officier commandant le poste militaire, ainsi que les portiers, seront avertis de redoubler de surveillance.

Le C[n] Boileau, chargé par le cidev prince de Conty de mettre une estimation au grand tableau dont l'échange est proposé, déclare que le prix qu'il met à ce tableau est de 4800 f. (1079). Sur quoi, le Conservatoire répond au C[n] Boileau qu'il prendra de son côté l'estimation des commissaires et qu'ensuite il sera averti, ainsi que le fondé de pouvoir du cidev[t] Prince de Conty, de se trouver au Museum pour mettre un prix aux objets qui seront proposés et acceptés pour échange.

Copie de l'arrêté du Conservatoire a été signé de tous les membres et remis à Daunois; une autre copie a été envoyée au Ministre, en lui rendant compte des motifs du Conservatoire (1080).

[119 v.] On a procédé ce matin à l'ouverture de neuf des 49 caisses venues d'Italie et déposées dans la gallerie d'Apollon. L'inventaire des objets contenus dans ces neuf caisses a été dressé par les C[ns] Le Brun et Damalric, commissaires nommés par le Ministre. Cet inventaire sera remis au Conservatoire lorsqu'il aura été expédié. Les quarante autres caisses; étiquettées pour différens autres Musées, ne seront ouvertes que sur un ordre du Ministre.

152 — *[13 novembre 1796].*

Séance du 23 brumaire.

Payé au C[n] Dumaret sur le produit du Livret 267 l 3 s 9 d.

Une lettre du Ministre de l'intérieur, en datte du 21 courant, charge le Conservatoire de payer au C[n] Dumaret 267 l 3 s 9 d pour la moitié du prix de 50 médailles destinées aux gardiens (le surplus quand il les aura livrées). Payé cette dite somme audit C[n] sur le produit du Livret, suivant quittance de ce jour.

Reçu 400 f. à valoir sur le produit du Livret, du C[n] Philippeau.

Reçu du C[n] Philippeau, à valoir sur le produit du Livret, 400 f.

Le C[n] Nadrau présente un mémoire d'ouvrages de

Mémoire du Cn Nadrau montant à 889 l. 9 s. 9 d.

transports d'objets d'art, et journées d'ouvriers etc... montant à 889 l - 9 s - 9 d. Le Conservatoire certifie que lesdits ouvrages ont été faits pour le Musée central des arts; renvoye l'entrepreneur devant le Ministre de l'intérieur pour le règlement et le payement, avec sollicitation qu'il soit payé à valoir la moitié de la somme en demande.

Mémoire du Cn Boucaut montant à 1648. [120]

Le Cn Boucaut, charpentier, présente un mémoire de transports etc. montant à 1648l. Le Conservatoire certifie que lesdits ouvrages ont été faits pour le Musée central des arts; renvoye l'entrepreneur devant le Ministre de l'intérieur pour le règlement et le payement, avec sollicitation qu'il lui soit payé à valoir la moitié de la somme en demande.

Le Cn Valette se présente pour une place de frotteur.

Le Cn Valette se présente pour obtenir une place de frotteur. Il se dit père de famille, âgé d'environ 40 ans, demeurant rue Contrescarpe, porte St Marcel, à la grenade, au coin de la rue Etienne, section du jardin des plantes.

Demande adressée au Cn Hubert.

Le Conservatoire arrête qu'il va être écrit au Cn Hubert, architecte, pour l'engager à faire murer deux portes de caveau contiguës au Conservatoire, dépendant du logement du Cn Dejoux, lesquelles portes le Cn Hubert a jugées propres à s'introduire dans le Conservatoire dans de mauvaises intentions. Cette demande est la suite des précautions à prendre contre l'entreprise de voler au Museum dénoncée par le Cn Cousin, concierge du Louvre; déjà on a fait poser une grille de fer à la croisée de la salle d'assemblée du Conservatoire (1081).

Le Conservatoire arrête que le Cn Foubert faisant les fonctions de trésorier payera, sur la caisse du Conservatoire, au portier Bosset les comestibles qu'il a fournis aux conducteurs et à la troupe d'escorte des six chariots venus d'Italie, fourniture faite par ordre de l'un des conservateurs.

Payé 74 f. à Bosset, portier, sur la caisse du Conservatoire.

Payé en conséquence au Cn Bosset, sur son mémoire quittance, la somme de soixante quatorze francs.

Pour le portrait de Poussin. [120 v.]

Par une lettre du Ministre, contresignée Ginguéné, en datte du 19 courant, reçue hier, le Conservatoire est autorisé à entrer en négociation avec le Cn Le Rouge pour l'échange du portrait de Poussin (1082).

Une lettre du général commandant militaire, en datte du 22 brumaire an 5, en réponse à la demande du Conservatoire, demande les noms et demeures des gardiens du Museum, afin de les faire exempter du service militaire. Envoyé, hier soir, l'état des noms et demeures demandé (1083).

Par lettre, en datte du 19 brumaire reçue aujourd'hui, signée Bénezech, le Ministre annonce qu'il ne peut satisfaire à la demande des gardiens qui n'ont point reçu du drap pour habillement, les circonstances actuelles ne permettant plus une pareille distribution.

Le C^{n} Le Brun présente au Conservatoire l'inventaire qu'il a fait des objets trouvés dans neuf caisses venues d'Italie, destinées au Museum des arts. Cet inventaire a été signé de lui et ensuite du président et du secrétaire du Conservatoire; une copie en sera expédiée pour être déposée au Conservatoire (1084).

153 — *[15 novembre 1796].*

Séance du 25 brumaire.

Présidence du C^{n} Robert.

Une lettre du Ministre, en datte du 23 du courant, autorise le Conservatoire à faire dans la gallerie d'Apollon l'exposition des dessins des grands maîtres. Il engage le Conservatoire à disposer tout de manière à pouvoir exposer (ainsi) [aussi] (1085) à l'intérêt public les objets venants d'Italie.

Le C^{n} Dandrillon, peintre, représente qu'un tableau par lui mis à l'exposition a été crevé par un accident; il demande que ce tableau qui ne lui appartient pas soit promptement restauré; le (conseil) [Conservatoire] (1086) arrête que ce tableau sera restauré par le C^{n} Picault.

[121] Arrêté qu'il va être écrit au Ministre pour lui demander la cuisine du C^{n} Dejoux, pour le tems des travaux de la gallerie, pour y établir une forge (1087).

Arrêté qu'il va être envoyé des remerciements aux volontaires vétérans nationaux qui ont monté la garde au Museum pendant l'exposition et au (commandant général) [général commandant] qui l'a procurée.

Le C^{n} Sablet, peintre, se présente au Conservatoire; il lui déclare qu'il a fait un tableau représentant des joueuses d'osselets sous le costume d'Italie; que cet ouvrage étant un prix d'encouragement qui lui a été décerné par le juri des arts il appartient à la nation; c'est pourquoi le C^{n} Sablet en fait la remise au Conservatoire. Ce tableau a fait partie de l'exposition sous le n° 414 du Livret. Le Conservatoire arrête que copie de la présente déclaration sera remise au C^{n} Sablet pour lui tenir lieu de reconnaissance de la remise du susdit tableau qu'il a livré sans bordure.

Consigne pour le poste militaire.

Le Conservatoire arrête une consigne pour le service militaire dans l'intérieur du Musée. Copie en va être adressée au commandant général militaire, avec invitation d'y joindre son vu afin que cette consigne soit exécutée (1088).

Copie en va être envoyée de suite au Ministre de

l'intérieur en le prévenant, de même que le général, que le service militaire se fait la nuit avec peu d'exactitude, suivant le rapport fait au Conservatoire par les portiers. (1089).

159 — [121 v.]

[17 novembre 1796].

Séance du 27 brumaire.

Présidence du Cn Robert.

Objets provenans de (la harpe) [La Haye] (1090) retrouvés.

Le Cn Picault annonce qu'il vient de reconnaître, dans une armoire, un coffret fermant à clef, dans lequel sont renfermés différens objets venus de la Haye; que, ce coffret ayant été oublié, il paraît qu'il contient les effets que le Cn Mazade, commissaire de la Direction de l'instruction publique, n'avait [pas] retrouvés dans le récollement de ses inventaires dont les expéditions n'ont point encore été transmises au Conservatoire (1091). Le Conservatoire arrête que le Cn Mazade va être prévenu des faits cidessus.

Reconnaissance donnée au Cn Taurel d'un tableau qui était pour la nation.

Le Cn Taurel, peintre, déclare au Conservatoire qu'il a fait un tableau représentant l'incendie du port de Toulon; que cet ouvrage étant un prix d'encouragement qui lui a été décerné par le juri des arts, il appartient à la Nation; c'est pourquoi le Cn Taurel en fait la remise au Conservatoire. Ce tableau a fait partie de l'exposition sous le n° 453 du Livret. Le Conservatoire arrête que copie de la présente déclaration sera remise au Cn Taurel pour lui tenir lieu de reconnaissance de la remise du susdit tableau qu'il a livré sans bordure.

155 —

[19 novembre 1796].

Séance du 29 brumaire.

Présidence du Cn Robert.

Recette de la moitié du mois vendémiaire.

[122]

Reçu du Cn Philippeau 1375 l - 15 s 8 d qu'il a touché au trésor national, pour la moitié des traitemens des employés au Musée pendant le mois dernier vendémiaire. Cette somme a été répartie dans la séance de ce jour à tous les employés, en raison du traitement de chacun. Tous ont reçu à l'exception seulement de Daunoy qui ne s'est pas présenté et auquel il revient pour cette portion 55 l 21 cms.

Reconnaissance donnée au Cn Huë, peintre, de quatre tableaux qu'il a fait pour la nation.

Le Cn Huë, peintre, se présente au Conservatoire; il lui demande la reconnaissance de la remise qu'il lui a faite de quatre tableaux qu'il a faits comme suite aux vues des ports de France commencés par feu Vernet. Ces quatre tableaux représentent l'un une vue du port de L'Orient, deux des vues de l'intérieur du port de Brest, et le 4e [une] vue de la rade du même port.

Le Conservatoire certifie que ces quatre tableaux lui

ont été remis dans leurs bordures et arrête que copie du présent procès verbal sera délivré au Cn Huë (1092).

Reconnaissance donnée par le Cn Haas d'un tableau en tapisserie.

Le Cn Haas retire du Conservatoire le tableau à l'aiguille représentant le Vœu de Jephté, il en donne sa reconnaissance (1093).

Les trois mémoires dressés pour mettre sous les yeux du Ministre, scavoir : l'état des dépenses fixes du Musée, l'augmentation qu'elles doivent subir, les travaux et les établissemens à faire pour amener le Musée à la perfection où il doit parvenir, plus l'état par apperçu des sommes nécessaires pour remettre en place les tableaux de la gallerie etc... ces trois mémoires sont lus. Il est arrêté que les copies en seront de suite adressées au Ministre avec invitation instante d'établir pour le Musée un ordre d'administration qui pare aux abus existans, qui fixe les traitemens d'une manière équivalente au genre et à l'utilité des emplois, et qu'une police ferme ramène l'ordre qui doit exister dans le service de ce monument (1094).

Produit du Livret 5409. [122 v.]

Le Cn Foubert, secrétaire et chargé de la recette et de la comptabilité, met sur le bureau le compte qui lui a été remis par le Cn Philippeau du produit de la vente du Livret d'exposition. Il en résulte que le produit total a été de 5409. 9. En déduisant sur cette somme, par apercu et sauf erreur, les frais d'impression et autres relatifs à ce sujet, il restera net environ 3600 francs sur lesquels, suivant les intentions du Ministre exprimés en sa lettre en datte du deux du présent mois, son autre lettre du 21 Idem, il faudra distraire : 1° 600 f. au rédacteur du Livret; 2°. 200 f. au Cn Philippeau; 3°. une somme pour le payement au Cn Rambert Dumaret, graveur de 50 médailles d'argent destinées aux gardiens, laquelle somme pourra s'élèver, avec la gravure du nom des monumens (1095) auxquels ces plaques seront distribuées, à six cents livres; 3° la somme de 600 f. dont le Conservatoire disposera en différentes gratifications et le surplus du produit net serait, suivant lesdites intentions du Ministre, appliqué par le Conservatoire aux frais de l'exposition.

Distribution des gratifications sur le Livret.

Le Conservatoire délibérant sur ce sujet arrête que la distribution des 600 f. en gratifications sera faite ainsi, scavoir : 100 f. au Cn Philippeau, en augmentation de la gratification de 200 déterminée par le Ministre; 200 francs au Cn Denyau comme expéditionnaire pour le travail extraordinaire auquel l'exposition a donné lieu; 100 francs au Cn Lambert, concierge des écoles, pour [123] avoir contribué à la pose des numéros des objets exposés; 120 livres *(sic)* à chacune des femmes de gardiens qui ont débité le Livret pendant 40 jours, à raison d'un écu par journée; et 100 francs à titre de secours et soulagement à la veuve d'Alliaume, gardien mort au service du Museum; et enfin 50 au Cn Chouteau, balayeur.

Ces différentes sommes faisant ensemble celle de 800 francs, l'excédent sur les 600 francs, indiqués par le Ministre, qui est de 200 francs, sera pris sur la somme restante, destinée aux frais de l'exposition. Le compte général sera envoyé au Ministre.

(Na) L'excédent est de 200 francs.

Il est observé que dans les espèces remises au Cn Foubert par le Cn Philippeau pour le produit du Livret sont compris 267. 12 s en décimes reçus pour valeur nominale qu'il faudra échanger, il sera écrit au Ministre à ce sujet.

[Dès le 26 du courant, le Cn Foubert avait payé au Cn Philippeau, suivant la quittance, 200 f. pour la gratification du Livret allouée par le Ministre](1096).

156 — *[21 novembre 1796].*

Séance du 1er frimaire.

Etat et mémoires concernant les besoins du Museum; améliorations à faire; envoyés au Ministre.

Reconnaissance de vieux fer reçu du Cn Lenoir.

[123 v.]

Les états et mémoires mentionnés au dernier procès verbal ont été envoyés hier au Ministre en lui écrivant à ce sujet.

Le Conservatoire donne au Cn Lenoir, conservateur du Musée des Monumens français, une reconnaissance de 400 livres de vieux fer qu'il a délivré au Cn Blampignon, pour l'usage du Museum des arts(1097).

Les entrepreneurs ayant sollicité auprès du Conservatoire des recommandations auprès du Ministre des finances et du Cn Piscatori, payeur général, pour que lesdits entrepreneurs fussent payés par préférence des ordonnances qu'ils ont, relatives aux travaux extraordinaires qu'ils ont faits au Museum, d'après les ordres du Ministre de l'intérieur adressés au Conservatoire :

Ecrit au Ministre des finances en faveur des entrepreneurs du Museum.

Il a été écrit au Ministre des finances et au Cn Piscatori pour leur exposer les motifs de préférence que font valoir les entrepreneurs, etc... Ces lettres sont accompagnées des états des ordonnances dont chaque entrepreneur réclame le payement(1098).

200 f. payés à Denyau.

Payé hier à Denyau, pour gratification sur le Livret suivant quittance, ... 200 f.

3 l. 4 s. à Chouteau.

Payé à Chouteau, balayeur, pour balais, trois livres 4 s, suivant quittance.

50 f. à Chouteau, Livret.

Payé à Chouteau, pour gratification accordée sur le Livret par le Conservatoire, la somme de 50 f.

à Lambert 100, Livret.

Payé au Cn Lambert 100, pour gratification.

à Philippeau, 100, Livret.

Payé au Cn Philippeau 100, pour le même objet.

Payé aux femmes Daunois et Bidaut à chacune 120, pour la vente du Livret.

aux fes Bidaut et Daunois 240, Livret.

Etat des tableaux demandés pour le Ministre de la Justice.

Bordure du Museum donnée en remplacement.

Le Conservatoire remet au C^n Sauvage, peintre, un état descriptif de 23 tableaux demandés pour le Ministre de la justice. Cet état, approuvé du Ministre de l'intérieur et du Directeur général, sera rapporté au Conservatoire et alors, sur la reconnaissance du Ministre de la justice, les 23 tableaux seront livrés (1099).

[124] Le C^n Martin, artiste peintre, réclame auprès du Conservatoire une bordure qu'il dit avoir envoyée à l'exposition avec trois autres qu'il a retirées; la quatrième dit-il manque. Quoique ce citoyen ne soit point en règle et qu'il n'ait pas de reconnaissance légale, le Conservatoire a cru devoir lui remettre une bordure appartenant au Museum pour remplacer celle qu'il dit avoir perdue.

Remis à Biagy, pour Daunois, la portion de celui-ci, dans la distribution du traitement pour la moitié du mois vendémiaire que Daunois n'est pas venu prendre.

157 — *[23 novembre 1796].*

Séance du 3 frimaire.

Présidence du C^n Fragonard.

Mémoire du C^n Blampignon montant à 547 l. 16 s.

Le C^n Blampignon, serrurier, présente un mémoire de fournitures qu'il a faites pour l'exposition au Sallon des ouvrages d'art modernes, laquelle vient d'avoir lieu. Ce mémoire monte en total à la somme de 547 l. - 16 s. Le Conservatoire certifie que lesdites (ouvrages et) (1100) fournitures ont été faites utilement pour le Musée central des arts, qu'elles étaient urgentes et que sans elles l'exposition n'aurait pu avoir lieu; renvoye le C^n Blampignon devant le Ministre de l'intérieur pour le règlement et le payement, avec sollicitation d'un prompt remboursement vu la nature de la créance du C^n Blampignon.

Ecrit pour le C^n Foulque qui demande un logement.

Gratification de 200 f. donnée à Chèvre, portier, sur le produit du Livret.

[124 v.] Ecrit au Ministre de l'intérieur en faveur du C^n Foulque, employé aux restaurations, pour un logement dans la maison d'Angiviller qu'il réclame (1101).

Sur l'observation faite par l'un des membres du Conservatoire que le portier Chèvre n'a encore reçu aucun traitement depuis qu'il exerce ses fonctions, que ce Citoyen a cependant fait son service de gardien pendant l'exposition qui vient d'avoir lieu et qu'il le remplit d'ailleurs dans le Musée; considérant que le chef du Bureau des Musées a témoigné qu'il n'avait pu, vu les circonstances, parvenir à faire assurer audit Chèvre le traitement de sa place; le Conservatoire arrête que, sur le net produit du Livret resté à sa disposition pour être employé à ce qui concerne l'exposition, et quoique cet objet y soit étranger, il sera prélevé une somme de 200 francs, laquelle sera donnée par forme de gratification audit C^n Chèvre pour lui tenir lieu des émolumens qu'il n'a pas reçus pour son service au Musée.

Glaces livrées pour une pendule.

Le C^n Picault, conservateur, déclare qu'il a livré au C^n Huin, vitrier, deux morceaux de verre, l'un de 31 pouces sur 24, l'autre de 26 sur 21, plus une glace de 26 sur 9, provenant de Condé, et une autre de quatorze sur dix, le tout pour être employé à faire une cage à une pendule provenant du dépôt de Nesle, dite de la C^nne Kinski, que le Musée des arts à livré au Ministre des finances sur sa demande.

200 l. payées à Chèvre sur le produit du Livret.

Payé à Chèvre, d'après l'arrêté ci dessus, deux cents livres *(sic)*.

[125]

Consigne, livrée à l'impression, pour la garde militaire du Musée.

Reçu, sans réponse à aucune des nos lettres adressées au Commandant de la place, la consigne que nous lui avions envoyée, au bas de laquelle est son vu bon à exécuter. Cette consigne a été apportée par Brachet, portier, hier. Il a dit que le C^n Cousin, concierge du Louvre, l'avait chargé de l'apporter au Conservatoire. Cette consigne va être livrée à l'impression.

158 — *[25 novembre 1796].*

Séance du 5 frimaire.

Présidence du C^n Fragonard.

Payé 13 l 10 s pour l'impression de la consigne militaire.

Le C^n Jay, imprimeur, envoye cinquante exemplaires de la nouvelle consigne pour la garde militaire du Musée, payé suivant le mémoire quittancé, 13 l. - 10 s. (1102).

Remise d'un tableau par le C^n Belle.

Le C^n Belle, peintre, se présente au Conservatoire; il lui déclare qu'il lui remet son tableau représentant Anaxagore et Périclès lequel a fait partie de l'exposition au Sallon, sous le n° 20 du Livret; ce tableau est remis sans bordure. Le C^n Belle fait cette remise à la nation parce que ce tableau est un prix d'encouragement décerné par le juri.

Il demande au Conservatoire que vu la disposition qui lui en est donnée par le Ministre, suivant sa lettre en datte du 3 du présent mois (1103), ce tableau soit provisoirement placé à la Manufacture des Gobelins; à laquelle demande le Conservatoire adhère, sauf au besoin à réclamer cet ouvrage et il arrête que copie du présent procès verbal sera remise au C^n Belle pour lui servir de reconnaissance.

[125 v.]

Arrêté qu'il sera écrit au C^n Lenoir, (cour) [conservateur] (1104) du Musée aux Augustins, pour lui demander une grille de fer propre au Musée des arts (1105).

Deux des gardiens, au nom des autres, se présentent au Conservatoire; ils remontent que, du tems de la cidevant académie et même depuis, l'usage a toujours été d'accorder, sur le produit du Livret, une gratification à tous les gardiens qui avaient travaillé ou servi pour et pendant l'exposition; que le Conservatoire venait d'en accorder aux citoyens Lambert et Chouteau, qui, suivant les gardiens, n'avaient contribué en rien au service dans cette circonstance; que les profits retirés des dons volontaires des artistes en leur reportant leurs ouvrages n'avaient produit, en le partageant entr'eux, qu'environ 25 francs pour chacun et qu'ils concluaient à demander pour chacun d'eux une gratification.

Les Conservateurs, après leur avoir représenté qu'ils confondaient les secours accordés à la vieillesse estimable et indigente, secours dont ils auront besoin à leur tour, avec les prétentions intéressées qu'ils viennent d'exprimer; que lorsqu'ils recevaient des gratifications de l'académie, pour l'objet dont il s'agit, c'est qu'alors ils n'étaient point gardiens appointés et logés au Musée; que, même l'année dernière, s'ils avaient reçu cette gratification c'était à titre de secours parce que leurs traitemens se payaient dans ce tems en valeurs nominales, sans produit effectif, et que l'intention du Ministre n'est

[126]

pas que les anciens abus subsistent, scavoir de payer le travail qui est déjà acquitté par les traitemens attachés à la place de gardien etc... Les gardiens ont répliqué qu'ils se trouvent dans le besoin attendu que, par rapport à leurs traitemens, ils n'en ont reçu que deux mois en valeurs effectives et seulement la moitié du mois vendémiaire.

Sur quoi, le Conservatoire ayant renvoyé les gardiens au résultat de la délibération qui allait avoir lieu, tout considéré, le Conservatoire se trouvant pour ainsi dire contraint par les circonstances arrête :

Qu'il sera donné à chacun des gardiens, au nombre de dix y compris les deux portiers (Chèvre ayant été gratifié), la somme de 25 francs à titre de secours, mais sans qu'ils puissent en tirer pour l'avenir la conséquence que ce don est un droit consacré par l'usage.

159 — *[27 novembre 1796].*

Séance du 7 frimaire.

Arrêté qu'il sera écrit au C^n^ Hubert pour lui demander des (boutons) [boulons] de fer qui sont au château d'eau (1106).

Qu'il va encore être écrit aux C^ns^ Cousin et Hubert pour solliciter leur bienveillance en faveur du C^n^ Foulque, employé aux restaurations, qui a fait transporter ses meubles dans l'attelier faute de logement (1107).

Lettre du commandant de la place.

Reçu du commandant de la place réponse à nos dernières lettres.

Demande d'une estimation d'un moule fait par le C^n^ Daujon.

Reçu du C^n^ Ginguené, Directeur général, l'invitation, par lettre en datte du six courant, de faire estimer

[126 v.]

la valeur d'un moule fait par le C^n^ Daujon, sculpteur.

Arrêté pour des toilles pour la gallerie d'Apollon.

Sur la proposition d'un membre, le Conservatoire arrête qu'il sera pris dans le magasin aux toilles la quantité suffisante pour couvrir les chassis sur lesquels seront assujettis les portes dessins des grands maîtres dans la gallerie d'Apollon.

Le C^n Philippeau remet au Conservatoire la somme qu'il a touchée au trésor national pour un quart des traitemens du mois brumaire montant à 687 l. 17 s.

9 f. au C^n Turcat.

Payé au C^n Turcat, tapissier, suivant quittance neuf francs.

275 payés aux gardiens pour gratification.

Payé aux gardiens la gratification [arrêtée] hier, à raison de 25 francs chacun, ci 275 f.

160 — *[29 novembre 1796].*

Séance du 9 frimaire.

Présidence du C^n Fragonard.

Demande de glaces.

Ecrit au Ministre de l'intérieur, et envoyé copie de la lettre au Ministre des Finances, pour demander des glaces qui sont dans les dépôts, désignés pour les grandeurs dans l'état inclus aux lettres (1108).

Payé 20 s. aux gardiens Mariguez père et fils.

Payé à Mariguez, père et au fils, à chacun 10 s pour blanchissage de draps.

Répartition de 687 l 17 s pour le quart des traitemens du mois de vendémiaire, la moitié ayant été précédemment payée, reste un quart.

La distribution du quart des traitemens pour le mois vendémiaire reçu avant hier par le C^n Philippeau et par lui remis au secrétaire du Musée, faisant fonction de trésorier, a été achevée cejourd'hui. Chacun des gardiens a reçu pour sa portion 27 l 2 s 6 d, le commis expéditionnaire 18 l 15 s, Evrard et le secrétaire chacun [127] 43 l 8 s 9 d, et chacun des autres membres du Conservatoire 54 l 12 s, attendu la retenue d'un sol 3 d par pièce de 5 francs.

161 — *[1er décembre 1796].*

Séance du onze frimaire.

Présidence du C^n Fragonard.

Mémoire du C^n Scellier montant à 9056 l. 16 s. 4 d.

Le C^n Scellier, marbrier, présente un mémoire d'ouvrages de transports, placements ou déplacements, etc... montant à 9056 l 16 s 4 d. Le Conservatoire certifie que lesdits ouvrages ont été faits utilement pour le Musée central des arts; renvoye l'entrepreneur devant le Ministre de l'intérieur pour le règlement et le payement, avec sollicitation, sur sa demande, qu'il lui soit payé à valoir la moitié de la somme totale du mémoire.

Le C^n Foubert, secrétaire faisant fonction de trésorier, demande la vérification du compte préparé, au nom du Conservatoire, de la recette et des dépenses matérielles ou intérieures depuis le 30 germinal an 4 jusqu'au jour d'hier inclusivement (1109). Le Conservatoire nomme à cet effet les C^ns Pajou et Fragonard. Lecture faite dudit compte et vérification sur les pièces originales, il résulte que le compte est juste en recettes et dépenses, à l'exception d'une erreur dont il va être fait mention ci après :

La recette dans ce compte s'élève à 12000 en mandats.

La dépense a deux parties l'une en assignats qui, changée en valeur de mandats, prend sur la recette 200 et la réduit à 11800 de mandats.

[127 v.]

La vente de ces 11800 de mandats, faite par un agent de change (le C^n Lefevre, rue Thérèse), a produit en numéraire 413.7cm
et la dépense en même nature s'élevant à 406.70
il en résulte que le Conservatoire est débiteur de .... 7.5cm *(sic)*

L'erreur ci dessus indiquée est à l'article de dépenses de Martiguez père, en datte du 25 vendémiaire an 5, porté à 16^l tandis qu'il n'est que de 6^l.

D'après cette vérification et sauf l'erreur citée, le Conservatoire reconnaît que le compte dressé par le C^n Foubert est appuré à son égard vis à vis du Conservatoire, sauf le reliquat dudit compte. Au moyen de quoi le C^n Foubert en demeure libéré envers le Conservatoire (1110).

162 — *[3 décembre 1796].*

Séance du 13 frimaire.

Présidence du C^n Fragonard.

Répartition des 687 l. 17 s. 6. reçus pour le dernier quart du mois vendémiaire.

Le C^n Philippeau remet au trésorier les 687 l. 17 s. 6 d. qu'il a reçu hier, pour le dernier quart des traitemens pour le mois vendémiaire. Le partage et la distribution ont été faits à chacun des employés dans les mêmes fractions que celui qui a eu lieu le cinq du courant, sauf la retenue d'un sol trois deniers par pièce de cinq francs qui est la nature du payement reçu cette fois à la trésorerie.

163 — *[5 décembre 1796].*

[128] Séance du 15 frimaire.

Autorisation de prendre des vieux fers au dépôt des Petits Augustins.

Une lettre du Ministre de l'intérieur, en datte du 13 courant, autorise le Conservatoire à prendre au dépôt des Augustins les fers provenant de vieilles grilles, etc...

Le Conservatoire arrête qu'il va être écrit au Ministre de l'intérieur : 1° pour être autorisé à prendre au Musée des monumens français les vitreaux peints par différens grands maîtres qui manquent à notre collection; 2° pour être aussi autorisé à prendre au palais cidevant Bourbon, des vieux parquets de glaces (1111).

Supplément aux objets destinés à l'échange du tableau cédé par le cidevant prince de Conti.

Les C^ns^ Le Brun peintre, Vincent peintre, Boileau priseur, et Cornu, fondé de pouvoirs du cidevant prince de Conti, se sont réunis au Conservatoire (1112). Sur la représentation faite par le C^n^ Boileau que parmi les vases désignés comme objets d'échange du tableau ci devant désigné, il s'en trouve qui sont ou fêlés ou altérés dans leurs ornemens, et que, par ces défauts qui ont échappé, les objets n'équivaudraient pas en produit à la somme de quatre mille huit cents livres qui doit revenir au propriétaire du tableau, les C^ns^ susnommés et les membres du Conservatoire ayant reconnu les défectuosités annoncées ont été d'accord de suppléer au déficit par l'addition d'objets équivalents. Cet acte de justice a été rempli par le choix de quatre petits vases, deux de porcelaine fond blanc et deux de porcelaine fond brun, estimés ensemble 600^l^, lesquels vases seront ajoutés par supplément au premier état dressé, lorsque cet état envoyé au Ministre sera par lui revêtu de son autorisation et renvoyé au Conservatoire.

Une livre douze sols remboursés aux gardiens.

[128 v.]

Remboursé aux gardiens une livre douze sols pour un déficit de pareille somme qu'ils déclarent avoir trouvé dans un sac de pièces de deux sols de cuivre, qui a fait partie du payement de leur portion de traitement à eux remis avant hier.

164 — *[7 décembre- 1796].*

Séance du 17 frimaire.

Jouissance d'une salle basse pour établir une forge.

Une lettre du Ministre, en datte du 16 frimaire an 5, autorise le Conservatoire à établir provisoirement une forge dans une salle basse du logement que va quitter le C^n^ Dejoux.

Payé 27 f. au C^n^ Flay, tapissier.

Payé, d'après décision du Conservatoire, au C^n^ Flay, tapissier, pour fournitures et ouvrages faits dans l'an 3, la somme de vingt sept francs réduction de son mémoire montant à 30 francs.

Le C^n^ Parratte se présente pour une place de gardien.

Le C^n^ Joseph Parratte, cidevant l'un des cent suisses de la garde du Roi, agé de 47 ans, demeurant actuellement passage du manège butte st Roch, se présente pour être inscrit comme aspirant à une place de gardien du Museum. Il est recommandé, dit le C^n^ Foubert présent, par le C^n^ Raspielle, représentant du peuple et par le C^n^ Ginguené Directeur général qui a écrit en sa faveur audit C^n^ Robert (1113).

Tri des dessins pour l'exposition.

Plusieurs des membres du Conservatoire ont commencé à trier les dessins qui doivent être incessamment exposés dans la gallerie d'Apollon. Ce premier choix sera révisé.

Conformément à l'autorisation du Ministre de

l'intérieur, contenue en sa lettre du 9 brumaire dernier, le Conservatoire charge le Cn Picault, l'un de ses membres, de se transporter avec un charpentier à Versailles, pour y marquer dans les magasins nationaux des bois provenans de démolitions etc, le tout aux termes et en se conformant à la lettre du Ministre.

[129]

165 — *[9 décembre 1796].*

Séance du 19 frimaire.

Le Conservatoire ayant reçu hier la lettre de voiture qui annonce l'arrivée de Pontavert, par un bateau, de deux colonnes de marbre blanc, les frais de voiture à payer au bateau sont portés à 204 f.

Le Conservatoire arrête qu'il va être écrit au Cn Chalgrin, architecte, pour lui proposer de retirer les deux colonnes en faisant acquitter les frais (1114). Cette proposition est fondée sur ce que le Cn Chalgrin a déjà reconnu ici des colonnes du même marbre dont l'emploi lui est utile pour un monument public.

Sur l'observation d'un des membres du Conservatoire que le Cn Nadrau, menuisier, faisant maintenant travailler à la gallerie d'Apollon, a un pressant besoin d'argent pour faire sa paye à ses journaliers demain 20 frimaire, il propose et le Conservatoire arrête qu'il sera remis à titre de prêt audit Cn Nadrau une somme de deux cents livres, laquelle lui sera imputée à valoir sur le premier payement des ouvrages relatifs à la gallerie d'Apollon, d'après un mémoire réglé. En conséquence le Conservatoire autorise le Cn Foubert, faisant fonction de trésorier, à compter auxdites conditions la somme de 200l au Cn Nadrau; ce qui a été fait suivant sa quittance.

Payé 200l au Cn Nadrau, menuisier.

[129 v.]

Le Conservatoire arrête qu'il sera payé au Cn Pellagot, pour remboursement de ses frais du voyage qu'il a fait hier à Versailles avec le Cn Picault, pour visiter les bois dont le Musée a besoin, opération autorisée par la lettre du Ministre dattée au procès verbal de la dernière assemblée. Payé ladite somme [de 36] (1115) au Cn Pellagot [suivant son reçu] (1116).

Payé 36l au Cn Pellagot.

Les deux sommes cidessus sont payées sur ce qui reste du produit du Livret.

Payé à Bidaut, suivant la demande du Conservatoire, trois francs pour remboursement de fil, etc...

Payé 3 à Bidaut.

Le Directeur général avait chargé le Conservatoire de faire faire par les Cns Getti et Micheli, mouleurs, l'estimation d'un ouvrage de ce genre fait par le Cn Daujon, sculpteur. Le Cn Pajou remet au Conservatoire cette estimation que lesdits deux experts ont placé à la suite du mémoire du Cn Daujon; elle va être envoyée au Directeur général (1117).

Estimation du moule d'un lion, faite sur la demande du Directeur général concernant le Cn Daujon.

Etat des tableaux livrés pour la maison de justice, 22 tableaux.

Le C^n Sauvage remet au Conservatoire l'état des 22 tableaux prêtés au Ministre de la justice; cet état revêtu de l'approbation du Ministre de l'intérieur et de la reconnaissance signée de l'inspecteur de la maison de la justice, en datte du 10 du présent mois (1118).

Le C^n Picault met sur le bureau son rapport des bois qu'il a trouvés à Versailles propres aux emplois désignés dans la demande qui en a été faite pour l'usage

[130]

du Museum. Le Conservatoire arrête que deux copies de ce rapport vont être envoyées au Ministre pour lui demander de placer sur l'un des deux son autorisation d'enlever et de le renvoyer au Conservatoire.

En même tems le Ministre sera invité d'autoriser le Conservatoire à prendre des tilleuls à Trianon, lieu où, suivant l'indication de l'un des membres de la Municipalité de Versailles, on peut en obtenir sans diminuer la valeur du terrain à vendre sur lequel sont ces arbres (1119).

166 — *[11 décembre 1796].*

Séance du 21 frimaire.

On fait lecture d'une lettre du Ministre, en datte du 19 frimaire, qui annonce que le Ministre a autorisé le directeur de l'Ecole polytechnique à prendre au Museum les objets venus d'Italie qui concernent cette école (1120).

Lettre du Mtre relative à Daunois.

Une autre lettre du Ministre prononce sur le rapport fait par le Conservatoire au sujet de Daunois.

Plusieurs des membres continuent à faire le triage des dessins des grands maîtres pour l'exposition.

Payé 110^l à la Ve Alliaume.

Payé à la Ve Alliaume les 110 francs à elle accordés par le précédent arrêté du Conservatoire, à titre de secours.

167 — *[13 décembre 1796].*

Séance du 23 frimaire.

Présidence du C^n Fragonard.

Payé 6 l. 4 s. à Bosset.

Le C^n Picault déclare qu'il s'est occupé hier, par

[130 v.]

continuation, à procurer des glaces au Musée des arts; que cette opération faite avec le miroitier attaché au garde meuble l'a obligé de le faire dîner chez le portier Bosset, auquel il faut rembourser six livres quatre sols pour la dépense; ce qui a été fait par le C^n Foubert suivant la quittance de Bosset.

Le Conservatoire signe les états des glaces à prendre tant au garde meuble qu'à la maison Infantado et le C^n Picault s'en charge pour les faire approuver par le Ministre des finances.

Le C^n Philippeau remet au C^n Foubert 1375 l 6 s

Distribution de 1375 pour la moitié du mois brumaire.

qu'il vient de recevoir au trésor national, pour la moitié des traitements du mois brumaire. La distribution en est faite aussitôt en présence du Conservatoire assemblé, scavoir : à 10 gardiens, la part de Daunois montant à 54 l 5 s réservée et restante es mains du trésorier, et ensuite aux employés et (au Conservatoire) [aux conservateurs](1121).

Sur l'autorisation du Ministre de prendre au Musée des Augustins des grilles de fer, le C^n Lenoir, conservateur, a répondu qu'il n'avait à offrir que les grilles provenant de St Germain l'Auxerrois. Le Conservatoire arrête que ces grilles seront provisoirement reçues et apportées au Musée des arts; autorise le C^n Picault, l'un de ses membres, à les faire transporter et à en donner la reconnaissance au C^n Lenoir (1122).

168 — *[15 décembre 1796].*

Séance du 25 frimaire.

Lecture faite d'une lettre du C^n Naigeon, en datte du 24 frimaire; il va lui être répondu que le cabinet [131] d'ébène dont il parle doit être conservé (1123).

Une lettre, dattée de Milan le sept frimaire présent mois, signée Berthelemy et autres commissaires, annonce la marche que doivent prendre les objets d'art recueillis en Italie. Cette lettre adressée au Conservatoire est accompagnée d'un état desdits objets.

Le C^n Ginguené, Directeur général, écrit, en datte du 21 frimaire an 5, qu'il est nécessaire que les C^n conservateurs certifient les signatures des C^ns Getti et Micheli, mouleurs, mises à leur estimation d'un moule à la suite d'un mémoire du C^n Daujon et d'exprimer si quelqu'un des membres du Conservatoire (ont) [a] assisté à leur estimation. Les signatures seront certifiées et il sera répondu au Directeur général qu'il n'avait point chargé les conservateurs d'assister à l'estimation du moule (1124).

Demande des grilles du château de Maisons.

Ecrit au Ministre pour lui demander les grilles provenant du château de Maisons que l'on dit être en dépôt chez le C^n Dumier, serrurier de la ci devant liste civile (1125).

Payé à Brachet 7 l. 10 s.

Payé au C^n Brachet, pour des écritures faites par son fils suivant quittance, et sur l'arrêté du Conservatoire, la somme de sept livres dix sols.

169 — *[17 décembre 1796].*

Séance du 27 frimaire.

Payé 25 s. à Denyau.

Payé au C^n Denyau, pour blanchissage et suivant quittance, vingt cinq sols.

Sur une observation semblable à celle qui a été faite

Payé 200 f. au C^n Scellier. [131 v.] dans l'assemblée du 19 du présent mois, le Conservatoire arrête que le C^n Foubert, faisant fonction de trésorier, payera sur ce qui reste du produit du Livret : 1° au C^n Scellier, marbrier, la somme de deux cents francs; 2° au C^n Blampignon, serrurier, pareille somme de 200 f.

Payé 200. au C^n Blampignon.

Lesquelles sommes sont données en avances et à imputer seulement sur les mémoires des ouvrages que ces deux entrepreneurs font faire présentement et non sur les ouvrages ci devant faits.

Une lettre de l'administration des Monnoies, en datte du 23 du présent mois, invite les conservateurs à se présenter demain octodi à l'assemblée de cette administration depuis midi jusqu'à deux heures pour y recevoir des objets destinés à être déposés au Musée Central des arts. Le Conservatoire assemblé nomme les C^ns Pajou et Fragonard, deux de ses membres, à l'effet de remplir cette mission et les autorise à donner à l'administration des Monnoies toute reconnaissance nécessaire de la remise qui leur sera faite.

170 — *[19 décembre 1796].*

Séance du 29 frimaire.

Présidence du C^n Fragonard.

Les C^ns Pajou et Fragonard font leur rapport de la mission qu'ils ont remplie avant hier à l'administration des Monnaies. Les objets qu'ils en ont rapporté sont décrits dans un état qu'ils ont signé et dont copie certifiée des administrateurs de la Monnaie sera remise au Conservatoire (1126).

Arrêté qu'il va être écrit au Ministre pour lui demander la jouissance d'une cuisine dépendant du logement du C^n Ledreux, cour du C^n Vien (1127).

[132] Trois des membres du Conservatoire continuent à trier les dessins.

171 — *[21 décembre 1796].*

Séance du 1er nivôse.

Présidence du C^n Pajou.

Renvoyé aux conservateurs des estampes de la Bibliothèque nationale une lettre signée Guesdon par laquelle ce C^n offre au Conservatoire une gravure qu'il a découverte, représentant le temple de Salomon (1128).

Ecrit au Ministre pour lui demander des planches provenant de caisses qui existent au garde meuble et que le C^n Villette a offertes au Conservatoire (1129).

Lettre du Mtre relative au placemt de plusieurs figures dans la salle des antiques.

Lecture est faite d'une lettre du Ministre, en datte du 29 frimaire. Il invite le Conservatoire à faire placer dans la nouvelle salle des antiques plusieurs figures désignées dans la lettre. Le Conservatoire s'adjoindra pour cette opération trois professeurs de l'école de peinture et de sculpture.

Le Conservatoire arrête que copie de la lettre du Ministre sera donnée à l'entrepreneur Callier, comme autorisation de faire le placement des figures dont il s'agit mais dont il ne portera pas les dépenses dans ses mémoires concernant le Musée central des arts.

172 — *[23 décembre 1796].*

Séance du 3 nivôse.

Présidence du C^{n} Pajou.

[132 v.] Une lettre du Ministre de l'intérieur, en datte du 29 frimaire, envoye au Conservatoire un état des objets choisis à la Monnoie pour le Musée central des arts. Il demande qu'on rende compte de cette opération dès qu'elle aura eu lieu (1130). La réception en sera accusée au Ministère dès que les administrateurs de la Monnoye auront envoyé l'état de la remise qu'ils en ont faite.

Une lettre du C^{n} Naigeon, conservateur du dépôt national des objets d'arts et antiquités, rue de Beaune, prévient le Conservatoire de faire enlever le plus tôt possible les objets d'art choisis pour le Museum, attendu l'évacuation très prochaine de la maison de Nesle. Il demande qu'on lui envoie l'état fait par le C^{n} Le Brun, pour qu'on puisse transcrire sur le registre et procéder à l'enlèvement de ces objets avec ordre (1131).

Distribution de 1375 l. 16 s. pour la moitié du mois brumaire.

Le C^{n} Philippeau a remis hier 2 au C^{n} Foubert la somme de 1375 l - 16 s qu'il a touchée au trésor national, pour la 2e moitié de traitement des employés au Musée des arts pour le mois brumaire. Le secrétaire, faisant fonction de trésorier, à fait la répartition de cette somme dans les mêmes fractions exprimées au procès verbal du 23 frimaire dernier, jour où l'on a distribué la 1re moitié du même mois brumaire.

Payé à l'imprimeur Jay, pour l'impression d'un registre de bons demandé par l'un des conservateurs et dont l'établissement a été arrêté par le Conservatoire, la somme de 17 francs suivant mémoire quittance. Ce registre n'étant qu'en feuilles va être donné à la reliure.

[133] Une lettre du Ministre des finances, en datte du 2 nivôse présent mois, prévient le Conservatoire qu'il a autorisé le directeur du garde meuble à délivrer les glaces qui ont été choisies pour le Musée central des arts (1132).

Le C^{n} Picault, l'un des membres du Conservatoire, lui observe à ce sujet qu'un C^{n} nommé Fréchot, miroitier occupé au garde meuble, à employé environ trois journées de son tems à indiquer et mesurer les glaces qui ont été choisies pour le Musée des arts; que ce Citoyen a fait à cet égard une demande de payement que le C^{n} Picault croit devoir être réduite de beaucoup. Sur quoi, le Conservatoire après délibération arrête qu'il sera offert de sa part au C^{n} Fréchot, miroitier, la somme de soixante francs pour le tems qu'il a employé à mesurer les glaces choisies pour le Musée des arts (1133). En conséquence, ce C^{n} sera invité à venir recevoir cette somme au Conservatoire; laquelle le C^{n} Foubert, faisant fonction de trésorier, est autorisé à payer sur le restant du produit net du Livret.

173 — *[25 décembre 1796].*

Séance du 5 nivôse.

Présidence du C^{n} Pajou.

Le C^{n} Picault annonce au Conservatoire qu'il s'est occupé depuis deux jours à faire transporter ici les glaces marquées au garde meuble; qu'il a chargé de la direction de ce transport, qui s'est opéré sans accident, le C^{n} Huin, vitrier, l'un des entrepreneurs du Musée des arts, et que, sous la réserve de ce qu'il pourra réclamer pour [133 v.] les soins qu'il a donnés à cette opération, il est à propos de lui rembourser à l'instant les frais des porteurs que ce citoyen a employés pour ledit transport. Le C^{n} Huin se présente et demande la somme de quatre vingt dix livres pour le remboursement des susdits frais de porteurs. Le Conservatoire arrête que cette somme lui va être comptée par C^{n} Foubert secrétaire, sur le restant du produit net du Livret.

Payé 90^{f} au C^{n} Huin.

Payé au C^{n} Huin vitrier suivant sa quittance 90 francs.

Le C^{n} Rambert Dumaret se présente au Conservatoire; il remet vingt cinq des médailles destinées aux gardiens des différens Musées, nombre destiné au Musée des arts ainsi qu'il a été prescrit audit C^{n} à la Direction de l'instruction publique. Le mémoire total pour 58 médailles devant être acquitté sur le produit du dernier Livret, et le C^{n} (Desmarets) [Dumaret] ayant déjà reçu cidevant 273 l. 13 s 9 d à valoir, le C^{n} Foubert avait tenu à part une somme de 350 francs pour terminer ce payement dans lequel on avait fait entrer celui des lettres gravées sur les médailles. Mais le C^{n} (Desmarets) [Dumaret] observe qu'il y a eu 58 médailles au lieu de 50 et que d'ailleurs il a du ajouter à son mémoire, outre l'impression des lettres, les frais faits pour des modèles; c'est pourquoi la somme à payer pour solde de son mémoire est de 434 l 13 s 9 d sur quoi au surplus le Conservatoire recevra bientôt une lettre officielle du Ministre.

Payé 434 l. 13 s. 9 d. au C^{n} Dumaret, suivt mém^{re} qu^{ce}. [134]

Le Conservatoire arrête que le C^{n} Foubert, secrétaire, payera au C^{n} Dumaret la somme de 434 l 13 s 9 d, sur le restant du produit du Livret; payement qui a été à l'instant effectué suivant la quittance au bas du mémoire.

Le C^n Dumaret a remis au C^n Foubert vingt six médailles d'argent.

Le C^n Venit se présente pour obtenir une place de frotteur.

Le C^n Venit père, se présente pour obtenir une place de frotteur au Musée des arts, son âge est de 51 ans, sa demeure rue Caumartin n° 794, section de la place Vendôme.

Payé 60^f à la C^ne Frechot, miroitier.

Payé à la C^ne Fréchot, pour son mari, miroitier, la somme de soixante francs, d'après l'arrêté pris par le Conservatoire le trois du présent mois.

Ecrit au Ministre pour lui rappeller la demande d'une somme de mille francs, à valoir sur l'attribution annuelle des dépenses intérieures, et en même tems pour le prier de nous faciliter l'échange de 267 l 12 s en décimes n'ayant plus cours, contre une somme d'égale valeur en monnaie courante (1134).

174 — *[27 décembre 1796].*

Séance du 7 nivôse.

Présidence du C^n Pajou.

Le C^n Scellier, entrepreneur marbrier, demande que le Conservateur certifie, à la suite d'une pétition que ce C^n doit présenter au Ministre des Finances, qu'il est toujours en activité pour les travaux de la gallerie du Museum. Sur l'observation de l'un des membres du Conservatoire, celui ci arrête que le certificat demandé par le C^n Sellier sera mis au bas de sa pétition.

Un membre propose de distribuer à plusieurs chefs de bureaux des finances des cartes d'entrée au Museum, semblables à celles qui ont été donnés le 2 du présent mois sur la demande du Ministre, rapportée par le susdit membre. Le Conservatoire arrête qu'il sera donné des

[134 v.]

cartes d'entrée aux C^ns Piscatori, Desrets, Roland, Lacroix, Pitois.

Payé 6^f pour charrois de grilles de fer.

Payé, sur la demande de l'un des membres, à un voiturier, la somme de six francs pour le charroi qui vient d'être fait d'une partie de grilles de fer apportées du Musée des Augustins ici (1135); le voiturier ne scavait signer.

175 — *[29 décembre 1796].*

Séance du 9 nivôse.

Présidence du C^n Pajou.

Le C^n Scellier, marbrier, présente un mémoire de travaux, débardages, transports, placemens ou déplacemens d'objets d'art, montant au total à 7760 l 6 s 3 d. Le Conservatoire certifie que lesdits travaux ont été faits utilement pour le Musée central des arts, renvoye l'entrepreneur devant le Ministre de l'intérieur pour le règlement et le payement, avec sollicitation, d'après le vœu du Cn Scellier, qu'il lui soit payé en acompte la moitié de la somme en demande.

1 l. 10 s. payés à Biagi.

Remboursé à Biagi trente sols pour une brosse à coller.

176 — *[31 décembre 1796].*

Séance du 11 nivôse.

Présidence du Cn Pajou.

Payé 9f à Bidaut toujours sur le restant du produit du Livret. [135]

Payé à Bidaut, gardien, la somme de neuf francs, pour deux (sceaux) [seaux] commandés par le Cn Picault, pour l'usage du magasin des toilles. Cette somme et les précédentes mentionnées aux procès verbaux sont toujours prises sur le restant du produit du Livret, le Conservatoire n'ayant point encore reçu de réponse à sa demande de fonds destinés aux dépenses intérieures.

Payé 75 f. au Cn Huin.

Le Cn Huin, vitrier, présente un mémoire d'ouvrages montant à 75 francs pour soins qu'il a donnés au transport des glaces venues du garde meuble. Le Conservatoire arrête que cette somme sera payée par le Cn Foubert sur le restant du produit du Livret.

Réponse sur les parquets demandés au Palais Bourbon.

Une lettre, en datte du 8 nivôse an 5 signée Benezech et Chambine, répond à la demande faite par le Conservatoire de parquets de glaces existant au cidevant palais de Bourbon, qu'ils sont employés à une palissade extérieure et qu'ils sont à la disposition des inspecteurs du palais du Conseil des Cinq Cents (1136).

Payé 10 s à Biagi.

Payé à Biagi pour blanchissage dix sols.

177 — *[2 janvier 1797].*

Séance du 13 nivôse.

Présidence du Cn Pajou.

Payé 3f à Anglade pour sciage de bois.

Payé au nommé Anglade, pour bois que l'un des conservateurs lui a fait scier pour le Musée des arts, trois francs.

Le Cn Picault demande au Conservatoire qu'il soit payé au Cn Blampignon, serrurier, la somme de treize livres dix sols pour différens déboursés qu'il a faits pour le transport des grilles de fer venues des Petits Augustins. Le Conservatoire arrête que cette somme sera payée par le Cn Foubert (par ledit) [audit] (1137) Cn Blampignon.

Etats des tableaux prêtés au Mtre des finances, munis de sa reconnaissance; ces états seront placés avec les inventaires. [135 v.]

Le Cn Nogaret rapporte au Conservatoire les états des tableaux qui ont été livrés au Ministre des finances, au bas desquels le Ministre a mis sa reconnaissance. Les reconnaissances provisoires du Cn Nogaret lui sont rendues (1138).

178 — [4 janvier 1797].

Séance du 15 nivôse.

Présidence du Cn Pajou.

Envoi par le Mtre des plaques des gardiens.

Une lettre du Ministre de l'intérieur, en datte du 9 du présent mois, annonce qu'il fait remettre au Conservatoire vingt six plaques d'argent pour les portiers et gardiens du Musée Central des arts (ces plaques ont été reçues le 5 du courant, voir le procès verbal de ce jour). Le Ministre annonce que ce signe caractéristique doit contribuer à la police et servir à faire connaître et considérer les agens qui le porteront; qu'il faut exiger qu'ils le portent dans toute espèce de service intérieur et extérieur et qu'ils en payent la valeur s'ils le perdent; cette valeur est fixée à la somme de douze francs.

Le Conservatoire remet à faire la distribution de ces plaques lorsqu'il aura délibéré si elles doivent être portées par les gardiens avant qu'ils ayent obtenu un habillement uniforme.

Le Cn Scellier, marbrier, demande qu'il soit reconnu par le Conservatoire qu'il a été autorisé à transporter, d'un bout de la gallerie du Museum à l'autre, les deux statues de Michel Ange (1139), et aussi à transporter, des salles d'en bas dans la même gallerie, huit colonnes de marbre précieux provenant cidevant de la salle des antiques.

179 — [6 janvier 1797].

[136] Séance du 17 nivôse.

Deux lettres du Ministre de l'intérieur, en datte du 16 courant, sont lues.

L'une autorise le Conservatoire à terminer, d'après les propositions qui lui ont été soumises, les échanges du tableau du cidevant prince de Conti, La Peste de Milan, et du portrait de Poussin appartenant au Cen Le Rouge (1140).

L'autre lettre autorise à retirer chez le Cn Dumier, serrurier, les grilles provenant du Château de Maisons (1141).

Relativement à l'échange du tableau de la peste de Milan, il va être écrit au Cn Boileau pour le prévenir que le Conservatoire est prêt à terminer cette opération (1142).

Le Cn Picault rapporte au Conservatoire qu'il vient de voir les grilles de Maisons chez le Cn Dumier; que ce Citoyen désire voir le Ministre avant de livrer les grilles pour lui demander à les restaurer. Le Conservatoire arrête que le Ministre va en être prévenu et qu'il sera invité à ne point adhérer à cette proposition, attendu que le poli entraînerait un entretien annuel, tandis qu'il suffira ici de mettre une couleur sur cette grille (1143).

Le Cn (Darlay) [Darlet] se présente au Conservatoire. Il propose d'échanger un portrait de Mme de Pompadour, peinte en pied au pastel par Latour, contre des objets d'art que possède le Museum, lesquels ne doivent point y rester (1144). Le Conservatoire arrête que deux de ses membres se rendront chez le Cn (Darlay) [Darlet], demain, pour y voir le tableau offert et, sur leur rapport, il sera pris une délibération.

[136 v.] Une autre, dattée du 15 du courant, signée du Ministre et contresignée Chambine, annonce que l'on peut se présenter au cidevant Palais Bourbon et que l'économe y délivrera les fonds d'armoires demandés (1145).

Le Cn Picault demande qu'il soit payé 3 l 12 s à un voiturier qui vient de transporter des parquets du cidevant Palais Bourbon ici.

Payé 3 l 12 s à Larüe, voiturier.

Payé 3 l. 12 s. à Larue voiturier.

180 — *[8 janvier 1797].*

Séance du 19 nivôse.

Conclusion de l'échange du tableau représentant la peste de Milan par Van Oost.

Le Conservatoire assemblé, le Cn Jean Cornu, demeurant à Paris rue de Touraine n° 3 au nom et comme fondé de pouvoir spécial de Louis François [Joseph Bourbon Conti] (1146), se présente à l'effet de recevoir les objets d'échange du tableau représentant la peste de Milan, le tout conformément aux états cidevant faits et convenus entre les commissaires et les conservateurs, et le citoyen Boileau à présent commissaire aux ventes, agissant pour le Cn Cornu.

La remise des objets d'échange, mentionnés aux dits états, consistant en 18 vases de différentes matières, a été faite audit Cn Cornu qui en a donné sa reconnaissance au bas d'une copie certifiée desdits états, dont les originaux ont été envoyés au Ministre. Cette remise a été faite en vertu de l'autorisation du Ministre contenue en sa lettre du 16 courant, adressée au Conservatoire.

[137] Par un second procès verbal, il a été reconnu que des vases mentionnés en premier état avaient des défectuosités et les commissaires ainsi que les conservateurs ont déterminé qu'il serait ajouté quatre vases nouveaux pour completter la valeur d'échange, le tableau ayant été estimé quatre mille huit cent livres (1147).

Le Conservatoire arrête qu'il va être écrit à l'agent national du département de Paris pour lui demander si la Nation étant créancière de la succession Boutin, le conservateur du dépôt de Nesle a droit de retenir les objets d'art dépendants de cette succession marquée pour le Musée, sous prétexte qu'ils peuvent être réclamés par les héritiers Boutin (1148).

Hier 18, le C^n Philippeau a remis au Conservatoire une lettre au nom du C^n Foubert, intitulée instruction publique, portant que le mandataire peut se présenter à la trésorerie pour y recevoir la somme de mille francs numéraire. Ce mandat a été remis au C^n Philippeau à l'instruction publique. La somme est, suivant toute apparence, destinée aux dépenses intérieures du Conservatoire, d'après les demandes qu'il a adressées au Ministre.

Le C^n Le Rouge, demeurant à Paris place des Victoires n° 19, se présente au Conservatoire pour terminer l'échange arrêté de son tableau, portrait de Poussin, contre un tableau peint par (Wanderveffe) [Van der Werff], représentant le Christ qui apparaît à la Madeleine en jardinier. L'échange étant autorisé par la lettre du Ministre en datte du 16 courant a été consommé par la remise présentement faite au C^n Le Rouge du tableau de (Wanderveffe) [Van der Werff] dont il a donné sa reconnaissance au Conservatoire (1149).

181 — *[10 janvier 1797].*

Séance du 21 nivôse.

[137 v.] Présidence du C^n Pajou.

Sur le rapport des C^ns Robert et Fragonard qu'ils ont vu chez le C^n L'Espinasse Darlet un tableau que ce C^n voudrait échanger avec des objets d'art disponibles du Musée des arts, le Conservatoire arrête que ce citoyen va être invité à en adresser la proposition au Ministre de l'intérieur (1150).

182 — *[12 janvier 1797].*

Séance du 23 nivôse.

Présidence du C^n Pajou.

Recette de 566 l 19 s au trésor national.

Le C^n Foubert, secrétaire, rend compte au Conservatoire qu'il a reçu hier, à la trésorerie nationale, la somme de 566 l 19 s, à valoir sur celle de 4560 contenue dans un mandat au nom du C^n Foubert, donné par le Ministre de l'intérieur en datte du [19 frimaire dernier] (1151).

Le C^n Foubert observe que, ce mandat ayant été remis à l'un des membres du Conservatoire dans les bureaux du Ministre, ce membre a fait, depuis cette remise, des démarches multipliées pour parvenir à obtenir, en faveur du Conservatoire, le payement à la trésorerie d'un acompte sur le montant de ce mandat; qu'hier il annonca que le C^n Pitois, payeur, était disposé à payer à valoir cinq cents et tant de livres *(sic)* et qu'il fallait que le

[138] C^n Foubert se transportat au trésor pour y donner sa signature. Le C^n Foubert s'y étant rendu, après avoir été conduit à divers bureaux, le C^n Pitois, entre les mains duquel était le mandat, a demandé au C^n Foubert sa signature au bas d'une quittance en blanc mais dont la somme qui allait être déterminée serait remplie. Mais, le C^n Pitois, appellé pour affaires, a demandé au C^n Foubert de laisser le mandat et la quittance en blanc, en lui annonçant de revenir sous quelques jours recevoir un nouvel acompte et, s'étant retiré, il a décompté au C^n Foubert 566 l 19 s comme il l'a déclaré.

Le C^n Foubert, à cette occasion, remet sous les yeux du Conservatoire assemblé une lettre ou datte du 15 frimaire dernier signée du C^n Ginguéné, Directeur général de l'instruction publique. Cette lettre, adressée en nom au C^n Foubert, secrétaire, lui annonce que les ordonnances pour le Musée ont été faites en son nom; qu'elles ne pourront être acquittées à la trésorerie que sur sa signature, et la lettre se termine ainsi « attendu que vous aurez vous même à en justifier l'emploi ».

Pourquoi et surtout dans les circonstances présentes, le C^n Foubert se voit nécessité d'observer au Conservatoire qu'il y a eu sans doute erreur de bureau lorsqu'on a fait ainsi écrire le Directeur général; que l'on y a ignoré que le secrétaire n'a fait ici que volontairement l'office de trésorier pour lequel il n'a aucun titre légal; qu'il ne peut par conséquent avoir à justifier de l'emploi des sommes reçues par le Conservatoire mais seulement

[138 v.] vis à vis de lui des sommes qu'il paye sur ses arrêtés; et qu'il n'entend pas non plus répondre de la recette des ordonnances au trésor national attendu la manière dont on y paye. Le secrétaire déclare donc au Conservatoire assemblé qu'il continuera ses rapports sur les acomptes qu'il touchera à la trésorerie et qu'il payera de même, sans un examen de l'emploi qui n'est pas de son ressort, les sommes que le Conservatoire l'autorisera à payer.

Le Conservatoire arrête qu'il va être écrit aux C^ns conservateurs du Musée des plantes pour les inviter à donner au C^n (Le Nau) [Hersan] (1152), garde des marbres du dépôt de Chaillot, décharge de ceux qui ont été livrés pour ce Musée en même tems que les nôtres.

Le C^n Picault propose à ses collègues et le Conservatoire arrête qu'il sera payé en acompte et à valoir, savoir : 100 francs au C^n Blampignon, serrurier; 100 f. au C^n Scellier, marbrier; 100 f. au C^n Nadrau, menuisier, et 200 aux sculpteurs borduristes, sur la quittance de Chérin, l'un d'eux; le tout faisant ensemble 500 f. à prendre sur les 566 que le C^n Foubert, secrétaire, a reçues hier à la trésorerie.

Le Conservatoire charge le Cn Foubert d'acquitter lesdites sommes cejourd'hui.

Le Cn Robert observe au Conservatoire qu'ayant dit au Ministre et au Directeur général de l'instruction publique qui était ches le Ministre, décadi dernier, que l'on devait commencer le lendemain primidi à placer des [139] tableaux dans la gallerie du Museum, il lui a été répondu par le Ministre et le Directeur qu'il fallait suspendre le placement des tableaux de cette gallerie et porter tous les soins et l'activité du Conservatoire à l'arrangement des dessins dans la gallerie d'Apollon dont l'ouverture devait être accélérée autant que possible.

100 f. payés au Cn Blampignon. 200 f. payés au Cn Chérin, sculpteur.

Payé au Cn Blampignon sur sa quittance cent francs.

Payé au Cn Chérin la somme de 200 francs.

Le Cn Picault déclare qu'il a remis au Cn Chérin, sculpteur, deux cents quatre pieds de bois de tilleul, de 4 pouces de large, pour établir les avant corps de la bordure du tableau de Le Brun représentant le passage du Granique; il remet la quittance du Cn Chérin, à déposer dans les pièces de renseignements (1153).

183 — *[14 janvier 1797].*

Séance du 25 nivôse.

Présidence du Cn Pajou.

Distribution de 1375 l. 4 s. reçus pour la 1re moitié du mois frimaire.

Le Cn Philippeau a remis hier au Cn Foubert la somme de 1375 l 4 s qu'il avait reçue à la trésorerie pour la 1re moitié des traitemens pendant le mois dernier frimaire. Le bordereau porte la somme cidessus au lieu de 1375 l 16 s qui est la somme juste; ainsi la trésorerie a payé de moins 12 s. Le secrétaire fait la répartition de cette somme entre tous les employés sans retenue, atten- [139 v.] du qu'elle est composée d'écus et de sols et non de pièces de 5 f. qui exigent 1 s 3 d de perte par pièce; scavoir : à chacun des onze gardiens ou portiers 55 l 4 s; à l'expéditionnaire 39 l 15 s; à Evrard et au secrétaire chacun 86 l 17 s 6 d; à chaque conservateur 110 l 8 s, sauf la répartition entre les six membres du Conservatoire du moins reçu et des passes des sacs.

On fait lecture d'une lettre du commissaire du Directoire exécutif, en datte du 21 courant, en réponse à celle du Conservatoire du 19; c'est à l'administration du domaine national, maison d'Uzes, qu'il faut, dit cette lettre, nous adresser pour l'objet dont il est question, il va être écrit à cette administration (1154).

Le Cn Cousin, concierge du Louvre, remet au Conservatoire une lettre que l'Administration municipale a adressée au commandant de la place. Elle le prévient que des femmes prostituées, attirées par les soldats, font du jardin du Museum un lieu de débauche et elle ajoute qu'il n'en était pas ainsi quand le Museum était gardé par des vétérans. Le Conservatoire déclare au Cn Cousin que l'Administration municipale a été induite en erreur relativement au service que faisaient les vétérans, sous le commandement du Cn Descavelez capitaine. Quant à la conduite des troupes soldées actuelles, le Conservatoire reconnaît que le service est exact mais, s'il existe dans le corps de garde quelques actions indécentes, c'est à l'officier à les réprimer. La recommandation en sera faite à l'officier ainsi que de faire exécuter ponctuellement la consigne affichée.

Payé 100 f. au Cn Scellier.

Payé au Cn Scellier, marbrier, 100 francs, d'après l'arrêté d'avant hier, à valoir.

Payé 100 f. au Cn Nadrau. [140]

Payé au Cn Nadrau, menuisier, en vertu du même arrêté, 100 francs, à valoir.

184 — *[16 janvier 1797].*

Séance du 27 nivôse.

Présidence du Cn Pajou.

Distribution de 1375 l. 16 s. pour la 2e moitié de (vendémiaire) [frimaire] (1155).

Hier le Cn Philippeau a remis au secrétaire la somme de 1375 l 16 s qu'il venait de recevoir à la trésorerie pour la seconde moitié des traitemens du mois frimaire. Le Cn Foubert en fait la répartition à chacun des employés en se faisant rembourser 1 s 3 d par pièce de 5 f, le payement à la trésorerie ayant été fait en cette monnoye, sauf deux sacs de sols de chacun 50 francs.

10 f. au secrétaire.

Le Cn Denyau a reçu au delà de sa part deux pièces de 5 f qu'il redoit au Cn Foubert.

Le secrétaire rend compte au Conservatoire de la démarche inutile qu'il vient de faire à la trésorerie nationale pour y recevoir un nouvel acompte sur le mandat de 4564 et un 1er acompte sur celui de 1000 francs. Le Cn Pitois, payeur, a dit au secrétaire qu'il s'était mis en avance en payant le 1er acompte de 566 l, attendu que depuis il a été instruit que l'ordonnance sur laquelle il a payé n'est point autorisée du Ministre des finances; que la seconde ne l'étant pas d'avantage, il faut les faire employer toutes deux par le Ministre avant de pouvoir espérer de recevoir des acomptes à la trésorerie. D'après cette déclaration, le secrétaire s'est transporté ches le Ministre des finances pour réclamer son autorisation par le Cn Meunier Dupré, chef de bureau, qui dans ce moment n'était pas visible.

[140 v.]

Le Cn Picault déclare qu'il a chargé Vaudé, gardien, d'acquitter un mémoire des fournitures de gances et d'agraffes faites par le Cn Maufra; il demande que cette avance soit remboursée au gardien. Le Conservatoire arrête que le Cn Foubert remboursera trente deux francs, montant de ce mémoire de Vaudé, laquelle somme il prendra sur les 66 l qui restent des 566 l reçues à la trésorerie, à valoir sur l'ordonnance de 4564.

Payé 32 francs.

Le gardien remet pour quittance le mémoire acquitté de Maufra et deux mandats du C^n^ Picault.

185 — *[18 janvier 1797].*

Séance du 29 nivôse.

Présidence du C^n^ Pajou.

Recette de 499. 17 s.

Le secrétaire, faisant fonction de trésorier, déclare que le C^n^ Picault lui a remis hier la somme de 499. 17 s. qu'il a reçu à la trésorerie nationale du C^n^ Pitois, payeur. Cette somme est le second acompte sur l'ordonnance du Ministre de l'intérieur de la somme de 4566 dont le trésorier a reçu personnellement le 1er, mentionné au procès verbal du 23 courant. Le C^n^ Picault qui a sollicité ce second acompte a déclaré que le C^n^ Pitois en a fait note en marge de la quittance en blanc, signée lors du 1er par le C^n^ Foubert.

Le secrétaire, toujours comme faisant fonction de trésorier, avait remis sous les yeux du Conservatoire assemblé le compte définitif des dépenses faites, suivant les arrêtés portés aux procès verbaux, sur le net produit du Livret. Les C^ns^ Pajou et Fragonard, nommés à cet effet, [141] ont vérifié sur les quittances et les procès verbaux le susdit compte; il en résulte :

1° que le C^n^ Foubert a reçu, suivant le compte à lui rendre par le C^n^ Philippeau chargé de la surveillance de la vente du Livret, la somme de 5409 l 9 s produit total de cette vente.

La dépense sur cette somme a été, appert les quittances numérotées depuis un jusqu'à trente deux, de 5170 scavoir :
1° pour l'imprimeur 1314;
2° pour emploi fixé par le Ministre de l'intérieur, suivant ses lettres des 2 et 21 brumaire; 600 au rédacteur; 200 gratification au C^n^ Philippeau; au C^n^ Dumaret pour 58 plaques destinées aux gardiens des différens Musées, 701 l 17 s.

Le trésorier a observé que le Ministre, par sa lettre du 2 brumaire, avait mis sur le produit net du Livret encore 600 francs pour être distribués en gratifications au gré du Conservatoire et que le surplus serait par lui appliqué aux frais de l'exposition qui avait donné lieu à ce Livret.

Mais les gratifications distribuées par le Conservatoire ayant dépassé de beaucoup les 600 francs indiqués par le Ministre et le défaut de fonds, pour les dépenses intérieures ainsi que pour celles des travaux du Museum, ayant déterminé le Conservatoire à y employer cette ressource, le produit net du Livret a été employé ainsi qu'il suit et qu'il est constaté, tant par les procés verbaux que par les 32 quittances justificatives.

Le Conservatoire a donné en gratifications à Denyau expéditionnaire 200, à Lambert 100, à Chouteau 50, à Philippeau 100, aux femmes qui ont débité le Livret 240, à Chèvre faisant fonction de portier non appointé 200, aux gardiens ensemble 275, à la Ve Alliaume 110, à Nadrau, Scellier et Blampignon entrepreneurs, en [141 v.] avances sur les travaux qu'ils font pour le Musée, à chacun 200, ensemble 600, le surplus des dépenses consistant en frais de transports de glaces et autres objets apportés ou relatifs au Museum et en menues dépenses détaillées dans la feuille jointe aux quittances.

En sorte que cejourd'hui, vérification faite des pièces par les commissaires du Conservatoire et les membres réunis, le compte du trésorier est et demeure arrêté ainsi qu'il suit :

La recette a été de	5409l 9s
La dépense totale est de	5170l 15s
Reste entre les mains du trésorier la somme de	238l 14s

Mais le trésorier observe que dans les espèces à lui remises par le Cn Philippeau était comprise la somme de 267 l 12 s en décimes, données pour la valeur qu'elles avaient eu précédemment, de 4 s la pièce, mais que lors de la remise elles n'avaient plus cours. Le Conservatoire a écrit au Ministre pour qu'il facilite l'échange de ces pièces et n'a point encore eu de réponse. Ainsi, le trésorier est au contraire en avance de 28 francs et 18 s, jusqu'à ce que ces décimes échangés en monnoie ayant cours lui remboursent lesdits 28 l 18 s et que les 238 l 14 s de solde puissent être employées aux dépenses qui seront déterminées par le Conservatoire.

Lesdits comptes et déclarations approuvés et arrêtés par lesdits commissaires en Conservatoire assemblé et ont signé.

On fait lecture d'une lettre, dattée de Milan le 18 nivôse présent mois, signée Tinet, Monge, Berthelemy, Moitte. Ces commissaires annoncent l'arrivée d'un convoi de tableaux d'Italie à Toulon et en fait espérer un [142] autre envoy qui sera d'un plus grand mérite. Cette lettre parle de précautions à prendre pour déployer les tableaux arrivés en France lorsqu'ils seront parvenus au Museum.

186 — *[19 janvier 1797].*

Séance extraordinaire le 30 nivôse.

Présidence du C^n Pajou.

Sur la demande du C^n Picault, le Conservatoire assemblé extraordinairement, le C^n Picault rapporte qu'il s'est transporté hier à Versailles avec le C^n Chalgrin, architecte, relativement aux bois marqués dans les magasins nationaux, ainsi qu'il est mentionné aux procès verbaux du Conservatoire des 17 et 18 frimaire dernier. Ce même membre annonce qu'il a été prévenu que les bois, parmi lesquels sont ceux qu'il a cidevant marqués pour le Musée des arts, doivent être incessamment vendus par la municipalité de Versailles; il demande que le Conservatoire l'autorise à se rendre encore demain dans cette ville à l'effet d'y faire opposition à la vente des bois dont il s'agit. Sur quoi, après délibération, le Conservatoire adoptant la proposition susdite de l'un de ses membres arrête :

Le Conservatoire autorise le C^n Picault, l'un de ses membres, à se rendre à Versailles à l'effet de former opposition, devant telle autorité qu'il sera nécessaire, à la vente des bois marqués cidevant pour l'usage du Musée de Paris.

L'extrait du présent procès verbal sera remis au C^n Picault, à la suite de l'extrait de celui du 17 frimaire dernier, et ce conservateur sera porteur de la lettre du Ministre de l'intérieur, en datte du 9 brumaire, contenant l'autorisation relative à cet objet.

187 — *[20 janvier 1797].*

[142 v.] Séance du 1er pluviôse.

Présidence du C^n Dewailly.

Payé à Chouteau 3 l. 4 s.

Payé à Chouteau, suivant quittance, 3 l 4 s.

Cette somme, ainsi que celles qui suivront en dépenses, seront prises, suivant l'intention et par continuation d'arrêté du Conservatoire qui le réitére en la présente assemblée, sur la dernière somme reçue au trésor national à valoir, attendu que le Conservatoire n'a aucune autre somme destinée à ses dépenses intérieures qu'un reliquat de 7 francs du dernier compte de cette nature.

Payé à Deschamps 31 l. 10 s.

Sur la demande de l'un des membres et le consentement des autres, payé au C^n Deschamps, pour l'enlèvement de gravats, trente une livres dix sols.

Remboursé 2 f.

Remboursé idem, aux C^ns Pajou et Fragonard, deux francs pour voiture prise pour le service du Musée.

188 — *[22 janvier 1797].*

Séance du 3 pluviôse.

Présidence du C^n Dewailly.

Sur la proposition d'un membre, le Conservatoire [arrête] qu'il va être payé à titre d'avances et à valoir sur les travaux de la gallerie d'Apollon, scavoir : cent francs au C^{n} Blampignon, serrurier, et cent francs au C^{n} Nadrau, menuisier.

[143] Le Conservatoire autorise le C^{n} Foubert à acquitter ces deux sommes sur ce qui reste des acomptes reçues sur l'ordonnance dont il a été fait mention dans les derniers procès verbaux.

Payé 100 f. à Nadrau.
Payé 100 f. à Blampignon.

Payé au C^{n} Nadrau 100 francs
Payé au C^{n} Blampignon 100 francs suivant quittance.

Le C^{n} Picault, l'un des membres, met sur le bureau son rapport écrit contenant le détail et le résultat de son voyage à Versailles relativement aux bois demandés pour bordures; il en résulte que les membres du département assemblés en cette ville ont demandé des formalités nouvelles pour exposer l'utilité de ces bois en faveur du Musée de Paris; que cette pétition doit être adressée audit département qui la mettra en délibération. Le Conservatoire approuve les réponses et la pétition que le C^{n} Picault, muni de ses pouvoirs, a faites dans cette circonstance, sur quoi il en sera déféré au Ministre.

Le C^{n} Picault présente sa quittance des frais de voitures et autres qu'il a avancés dans les deux voyages qu'il a faits à Versailles; le Conservatiore arrête qu'ils vont lui être remboursés et autorise le C^{n} Foubert à lui compter à cet effet la somme de cinquante et un francs.

Payé 51 f. au C^{n} Picault.

Payé 51 francs au C^{n} Picault, suivant quittance.

Une lettre du Ministre, en datte du 29 nivôse, répond au Conservatoire sur sa demande d'échanger les pièces de deux décimes. Elle annonce que le Ministre ne peut faciliter cet échange maintenant et qu'à l'égard du payement au trésor national des ordonnances du Ministre, le retard qu'il éprouve tient à la pénurie des finances; qu'il faut prendre patience.

189 — *[24 janvier 1797].*

Séance du 5 (nivôse) [pluviôse] (1156).

Présidence du C^{n} Dewailly.

[143 v.] Le C^{n} Scellier, marbrier, présente un mémoire d'ouvrages de transports et placemens d'objets d'art montant au total à la somme de 6492 l. 19 s. Le Conservatoire certifie que lesdits ouvrages ont été faits pour le Musée des arts; renvoye le C^{n} Scellier devant le Ministre de l'intérieur pour le règlement du mémoire et le payement et sollicite, d'après la demande de l'entrepreneur, qu'il soit payé à valoir la moitié de la somme en demande.

Le C^{n} Nadrau, menuisier, présente un mémoire d'ouvrages de sa profession, montant au total à la somme de 1630 l. 13 s. 11 d. Le Conservatoire certifie que lesdits ouvrages ont été faits pour le Musée des arts, renvoye le Cn Nadrau devant le Ministre de l'intérieur pour le règlement et le payement, et sollicite, sur la demande de l'entrepreneur, qu'il lui soit payé à valoir la moitié de la somme en demande.

L'un des membres propose qu'il soit encore donné un acompte aux sculpteurs borduristes sur les ouvrages de ce genre qu'ils ont faits jusqu'à ce jour, le Conservatoire arrête que le Cn Foubert va leur payer la somme de cent quarante quatre livres.

Payé 144l à Chérin.

Payé au Cn Chérin, l'un des trois ouvriers, en présence des deux autres, ladite somme de cent quarante quatres livres.

Recette de 432.

Le secrétaire annonce qu'il a reçu hier au trésor national, du Cn Pitois, la somme de 432 l. faisant avec les deux sommes cidevant reçues la 1re par le Cn Foubert, la 2de par le Cn Picault, 1500 à valoir sur l'ordonnance de 4566.

Inventaire des objets d'art remis par l'adminiso de la Monnoie aux conservateurs. [144]

Le Conservatoire reçoit des administrateurs de la Monnoie l'inventaire des objets qu'ils ont cidevant remis aux commissaires nommés à cet effet (1157). Cette pièce va être remise au rang des inventaires du Museum.

(Na). Il y aurait environ 200l à rembourser au Cn Chotard si le Ministre exigeait qu'il reprit l'entreprise, attendu que cet entrepreneur aura soldé par cette somme les ouvriers qui ont été employés jusqu'à ce jour (1158).

190 — *[26 janvier 1797].*

Séance du 7 pluviôse.

Présidence du Cn Dewailly.

Autorisation du Ministre de prendre les bois demandés pour bordures.

On fait lecture d'une lettre du Ministre, en datte du 4 pluviôse. Il annonce qu'il a autorisé le Cn Leroi, architecte du palais national de Versailles, à délivrer les bois qui ont été cidevant demandés pour employer à des bordures.

Payé 18 s. à Vaudé.

Payé à Vaudé, pour blanchissage de draps, dix huit sols.

Le Conservatoire autorise le Cn Picault, l'un de ses membres, à se transporter demain 8 à Versailles; de présenter au département et à toute autorité constituée qui doit en connaître la lettre du Ministre de l'intérieur contenant l'autorisation au Cn Leroi, architecte du palais national de Versailles, de délivrer les bois de charpente marqués pour être employés au Musée central des arts. Le Cn Picault donnera, au nom du Conservatoire, toute reconnaissance et décharge convenables.

191 — *[27 janvier 1797].*

Séance extraordinaire du 8 pluviôse.

Présidence du Cn Dewailly.

Les membres du Conservatoire instruits qu'il avait été apporté hier dans l'après midi, et mis sur leur bureau, un paquet contresigné du Ministre, se sont réunis dans la salle d'assemblée à neuf heures du matin.

[144 v.] L'ouverture du paquet a présenté deux pièces dont le secrétaire a fait lecture; la 1re est une lettre du Ministre de l'intérieur, dattée du présent mois, mais sans indication du jour, adressée aux conservateurs du Musée (1159).

Cette lettre expose les motifs qui ont déterminé le Ministre à donner une nouvelle organisation au Musée central des arts.

Le seconde pièce contient, en douze articles, cette nouvelle organisation (1160). Il résulte de cet acte ministériel que le Musée central des arts sera dirigé et administré par un conseil d'artistes, un administrateur et un adjoint. Trois des membres du Conservatoire feront partie de ce Conseil et deux autres artistes y sont appelés, scavoir les Cns Suvée et Jollain, peintres et le Cn Léon Dufourny comme administrateur et membre du Conseil. Le Cn Foubert, secrétaire du Conservatoire, est nommé membre du Conseil et adjoint à l'administrateur. La décision du Ministre pour l'exécution de cet acte est dattée du trois pluviôse présent mois.

Chacun des membres du Conservatoire déclare qu'il a reçu du Ministre une lettre conforme à ce qui vient d'être cité de l'organisation du nouveau Conseil.

Le Conservatoire, après une courte délibération, arrête que pour accélérer l'exécution des vœux du Ministre, il va être écrit à l'instant aux Cns Suvée, Jollain et Dufourny et aussi au Cn Lavallée fils, désigné comme secrétaire dans l'acte d'organisation, pour les inviter à se rendre au Musée des arts, où les conservateurs se proposent de rester assemblés jusqu'à 3 heures après midi, à l'effet de prendre séance tenante chacun l'exercice de ses fonctions; que, dans le cas où ces citoyens ne seraient pas rencontrés chez eux, ils seront prévenus que les conservateurs se rassembleront demain à dix heures du matin.

La lettre circulaire est faite et envoyée (1161).

[145] Le Cn Picault annonce qu'ayant obtenu des voitures nationales pour le transport des bois demandés à Versailles et ces voitures étant parties ce matin, il est obligé lui même de se rendre à Versailles avec le Cn Pellagot, charpentier, pour y recevoir les bois, en vertu des pouvoirs que lui en a donné le Conservatoire.

Le Conservatoire devant rendre compte au nouveau Conseil de tout ce qui existe au Museum et par conséquent de la somme numéraire qui est en caisse, arrête que le C[n] Foubert qui a fait volontairement l'office de caissier et la comptabilité, présentera, au nom des conservateurs, un état certifié d'eux de ce qui reste en numéraire, des ordonnances délivrées par le Ministre et non encore acquittées par le trésor national, et ce qui est dû par l'administration pour les dépenses intérieures jusqu'à ce jour.

Le Conservatoire arrête encore qu'il invitera les C[ns] Picault et Fragonard à se réunir à leurs collègues en assemblée particulière relativement aux comptes de toute nature à rendre au nouveau Conseil et aux renseignemens dont auront besoin, pour ces comptes, les membres du Conservatoire qui entrent dans le nouveau Conseil d'administration.

A onze heures du matin, les C[ns] Suvée, Jollain et Dufourny s'étant rendus à la salle du Conservatoire y ont été reçus et accueillis par les conservateurs.

Le secrétaire a fait lecture de l'acte ministériel contenant la nouvelle organisation, adressé au Conservatoire et reçu au Bureau hier après midi.

Les C[ns] Suvée, Jollain et Dufourny ont exhibé les lettres que chacun d'eux a reçues du Ministre et dans lesquelles sont exprimés les titres de membre du Conseil qu'ont ces citoyens. Alors les membres du Conservatoire s'étant levés, un d'eux a proposé de se former en conseil, tous les membres qui doivent le composer se trouvant réunis, ce qui a été effectué.

[145 v.] Ici a été terminée la dernière séance du Conservatoire sauf la réunion des membres pour obtenir les renseignemens dont il a été cidevant parlé, dont ils se préviendront réciproquement. Cette réunion aura aussi pour objet de certifier l'existence des ouvrages faits par les entrepreneurs pour le Museum jusqu'à ce jour, lesquels mémoires seront ensuite remis au Conseil.

Arrêté les présens procès verbaux à onze heures du matin, le huit pluviôse an 5 de la République (1162).

192 — *[28 janvier 1797].*

Le neuf pluviôse à midi, les cidevant conservateurs se sont réunis, sur la demande du C[n] Foubert, pour examiner, vérifier et arrêter le compte de recette et dépense qui reste à déterminer pour fixer les sommes de deniers qu'il a entre les mains, afin d'en mettre le résultat sous les yeux du nouveau Conseil.

Le C[n] Foubert a d'abord représenté le compte arrêté le 9 frimaire an 5, envoyé alors au Ministre, duquel il résulte qu'il restait pour solde entre les mains du tré-

sorier 7 francs 5cms 7f 5cms
a représenté encore le compte arrêté par les conservateurs le 29 nivôse dernier duquel il résulte qu'il restait (au caissier) [en caisse](1163) la somme de 238f 70cms, sauf à échanger les décimes qui représentent cette somme, ci 238f 70cms
et qu'il faut ajouter à ces 2 sommes le résultat du compte qui va être établi 245 75cms
Depuis le dernier compte arrêté le 29 nivôse, le C^n trésorier a fait recette de 1499f 25cms faisant avec 75cms retenus

[146]

pour des [passes de sacs](1164) 1500 francs reçus à la trésorerie, à valoir sur l'ordonnance du Ministre de l'intérieur de la somme de 4566, ci en recette 1499f 25cms

La dépense faite sur cette dernière somme consiste en ce qui suit :

23 nivôse payé à Chérin, sculpteur, borduriste 200f
id. à Blampignon, serrurier, à valoir .. 100f
25 nivôse, à Nadrau, menuisier, à valoir 100f
Id., à Scellier marbrier, à valoir 100f
27 nivôse à Vaudé, gardien [par lui payé à Maufrat pour gances](1165) 32
1er pluviôse à Chouteau 3.4s
Id. au C^n Deschamps 31-10
Id. au C^n Pajou 2
3 pluviôse à Nadrau [à valoir](1166) 100
Id. à Blampignon [à valoir] 100
Id. à Picault 51
5 pluviôse à Chérin 144
7 id. à Vaudé .... (18)[10.18]
994-12
laquelle somme déduite sur les 1499. 25. 994-60
Il reste entre les mains du trésorier(1167) 505f 65cms

Le dernier compte de l'autre part vérifié par les C^ns Pajou et Dewailly, nommés commissaires, sur les quittances et les procès verbaux qui le constatent, libère le C^n Foubert envers le Conservatoire sauf le reliquat.

Les reliquats des trois comptes réunis, scavoir :

le premier 7f 5cms
le second sauf l'échange des décimes .. 238 70
Le 3e .... 505 -65cms
forment ensemble la somme totale qui (doit) [reste](1168) entre les mains du C^n Foubert, ci 751f 40cms

[146 v.]

Le C^n Foubert reste encore porteur de l'ordonnance du Ministre de l'inté-

rieur, en datte du 19 frimaire, montant à 4566 francs, destinés aux dépenses à faire pour le Museum. Sur cette ordonnance il a été reçu 1500 francs; reste donc à recevoir 3066 francs
plus le C^n Foubert est encore porteur d'une autre ordonnance du Ministre de l'intérieur, en datte du 9 nivôse an 5, de la somme de 1000 francs, sur laquelle on n'a pu parvenir encore à toucher un acompte. Cette ordonnance a été délivrée au Conservatoire pour subvenir aux dépenses dites intérieures 1000

Nous soussignés Pajou et Dewailly, comme commissaires nommés, arrêtons définitivement le compte présentement rendu, signé Pajou et Dewailly.

Et nous cidevant conservateurs soussignés autorisons le C^n Foubert à mettre sous les yeux du nouveau Conseil d'administration le résultat de l'exposé ci-dessus avec les sommes et les ordonnances qui y sont mentionnées pour être sur le tout statué par le Conseil ce qu'il appartiendra et tenir lieu au Conservatoire du compte qu'il rend au Conseil en cette partie, et de donner l'apperçu de ce qui est dû.

Signé : Picault, Foubert, Robert, Pajou, Dewailly, Fragonard.

193 — *[16 mars 1797].*

Séance du 26 ventôse.

Reçu du C^n Philippeau la somme de 1513 l 19 s 6 qu'il a touché à la trésorerie nationale pour la 1re quinzaine du mois nivôse du traitement des anciens conservateurs et des employés du Musée, laquelle somme a été répartie entr'eux ce jourd'hui, dans les proportions de leurs divers traitemens.

[147]

194 — *[18 mars 1797].*

Séance du 28 ventôse.

Reçu du C^n Philippeau la somme de 756 l 10 s qu'il a touchée à la trésorerie pour la moitié de la 2de quinzaine du mois nivôse, laquelle a été cejourd'hui répartie comme l'a été celle reçue le 26 du courant.

195 — *[25 mars 1797].*

Séance du 5 germinal.

Sur l'invitation par écrit, en datte d'hier, des cidevant membres du Conservatoire faisant partie de la nouvelle administration, adressée à leurs collègues, les conservateurs se sont réunis à midi dans la salle d'assemblée.

Le C[n] Foubert a mis sous (les) [leurs](1169) yeux l'inventaire préparé de tous les titres, registres et papiers, tant du 1er que du 2e Conservatoire, qui doivent être transmis à l'administration actuelle.

L'examen fait de l'inventaire et des liasses, cartons et registres qui y sont mentionnés par numéro; le tout s'étant trouvé conforme au 1er inventaire des papiers remis par le 1er Conservatoire au second, ainsi qu'à tout ce qui a rapport à l'exercice de ce dernier, les anciens conservateurs arrêtent que la remise de tous ces titres, registres et papiers sera faite aujourd'hui à l'administration actuelle du Musée; que les cidevant conservateurs restés dans cette administration sont autorisés à faire cette remise, tant en l'absence que présence de leurs deux cidevant collègues, attendu que la décharge qui sera opérée par le verbal de l'administration du Musée sera commune à tous.

[147 v.] Sur l'observation d'un membre, qu'à la suite de la remise des papiers, l'intention est de commencer et de suivre le récollement des objets précieux d'art, dessins et autres objets renfermés dans le cabinet à trois clefs, dont l'une est toujours demeurée entre les mains de l'un des anciens conservateurs et à ce titre, plus de récoller, de même et sur les états et inventaires qui les désignent, les objets précieux venus du garde meuble et autres lieux, lesquels sont renfermés dans les armoires de la salle d'assemblée, pour le tout, au fur et à mesure de la reconnaissance, être transmis à la nouvelle administration. Les anciens conservateurs arrêtent de même que lesdits récollements et remises seront faits et pourront s'opérer également par ceux d'entr'eux qui seront présens et qui suivront ces opérations, s'autorisant réciproquement à cet effet dans l'intention de ne point en entraver la marche.

Il en sera de même relativement aux récollemens des autres objets, attendu que leur existence est constatée par des états et inventaires; seulement les anciens conservateurs s'appelleront respectivement lorsqu'ils seront présumés avoir une connaissance plus particulière de la situation des objets ou dans le cas où, quelque objet appellé sur les inventaires ne se retrouvant pas au Musée, il faudrait rechercher le dépôt où cet objet aurait été transporté.

Les anciens conservateurs, après avoir approuvé et signé la minute de l'inventaire des papiers dont la transmission va s'opérer cette après midi, ont clos le présent procès verbal qu'ils ont de même signé pour autorisation (1170).

[148] Le même jour cinq germinal après l'assemblée ci-dessus indiquée, le C^n Philippeau a remis au C^n Foubert la somme de 757. 10 s, reçue à la trésorerie pour le dernier quart des traitemens au mois de nivôse, des conservateurs et des employés au Musée des arts. La distribution ou répartition de cette somme a été faite dans les proportions des traitemens à chacun des preneurs.

FIN DES PROCES-VERBAUX
DU CONSERVATOIRE

NOTES

(1) Comprend deux volumes : *Arch. Louvre,* 1 BB 1, procès-verbaux des séances tenues entre le 12 pluviôse an 2 (31 janv. 1794) et le 25 nivôse an 4 (15 janv. 1796); *Arch. Louvre,* 1 BB 2, procès-verbaux des séances tenues entre le 27 nivôse an 4 (17 janv. 1796) et le 5 germinal an 5 (25 mars 1797).

Les minutes des procès-verbaux sont réunies en deux volumes : *Arch. Louvre,* 2 BB 1, minutes des procès-verbaux du premier Conservatoire du 12 pluviôse an 2 (31 janv. 1794) au 4 messidor an 3 (22 juin 1795); *Arch. Louvre,* 2 BB 2, minutes des procès-verbaux du deuxième Conservatoire du 1er floréal an 3 (20 avril 1795) au 5 germinal an 5 (25 mars 1797).

(2) Sans indication de date; la décision d'ouvrir un registre des p. v. des séances a été prise par le Conservatoire au cours de sa séance du 26 pluviôse soir (14 fév. 1794, voir *infra,* p. v. n° 16) mais le registre ne fut certainement pas commencé avant germinal (voir *infra,* note 3); ce n'est qu'à partir du 3 thermidor (21 juil. 1794) que commencèrent le collationnement et la signature des p. v. sur le registre (voir *infra,* p. v. n° 80). Il s'agit seulement du premier volume, *Arch. Louvre,* 1 BB 1. Les feuillets étant écrits recto et verso et la pagination n'étant faite qu'au recto, chaque numéro de feuillet recouvre deux pages de texte. Seuls les 52 premiers feuillets sont paraphés « D. L. » par David Le Roy qui assura la présidence du Conservatoire jusqu'à l'élection d'un Bureau, au cours de la séance du 19 pluviôse soir (7 fév. 1794, voir *infra,* p. v. n° 7).

(3) Ce p. v. de la première séance du Conservatoire n'était pas encore rédigé le 3 germinal (23 mars 1794) puisque, ce jour là, le Conservatoire donna au copiste l'ordre de réserver une page blanche pour ce procès-verbal, en tête du registre (voir *infra,* p. v. n° 44).

(4) Il faut lire 1794.

(5) PARE (Jules-François), mort à Paris en 1819; fut maître clerc chez Danton, ministre de l'intérieur en 1793-1794, commissaire près le département de la Seine sous le Directoire.

(6) *Commission du Museum,* supprimée par le décret du 27 nivôse an 2, art. 1er, voir *infra,* note 12. Cette commission réunissait Jollain, Cossard, Pasquier, Bossut, Vincent, Regnault, d'après le rapport fait à la Convention par David le 27 frimaire an 2 (17 déc. 1793) : *Arch. nat.* AD XVIII[A] 22, *Pièce annexée 1.* Voir aussi *Le Moniteur universel* n° 90, 30 frimaire an 2 (20 déc. 1793), séance du 27 frimaire, p. 703. Au lieu de « Renaud », il faut lire Regnault comme il apparaît sur tous documents signés par lui; c'est certainement une erreur d'impression qui l'avait déjà fait appeler « Renard » dans le texte du rapport de David.

(7) Le peintre VINCENT succéda en 1790 à C.-N. Cochin, fils, dans les fonctions de « garde des desseins du Cabinet du Roy »; leur nombre était d'environ 10.000 d'après les estimations de *Frédéric Reiset (Notice des Dessins exposés au Musée impérial du Louvre,* première partie, Paris, 1866).

(8) PASQUIER (Pierre), miniaturiste et peintre en émail, membre de la Commission du Muséum; à ne pas confondre avec DUPASQUIER (Antoine-Léonard), sculpteur, membre du Conservatoire.

(9) Une délégation du Conservatoire admise à la séance du 15 pluviôse (3 fév. 1794) du Comité d'instruction publique obtint la désignation de trois commissaires : David, Mathieu et Prunelle; voir *1897 Guillaume,* pp. 393, 394.

(10) Aucune signature, ni sur le registre, ni sur la minute, voir *supra,* note 2.

(11) La minute précise : « séance du Conservatoire du Museum des arts, présents la commission ancienne du Museum et les commissaires du Comité d'instruction publique (...) ».

(12) Décret du 27 nivôse an 2 (16 janv. 1794) : *Arch. nat.,* AD XVIII[A] 22; *Ibid.,* F[21] 569, reg. 1, *Pièces annexées 2 et 3;* voir aussi *Le Moniteur universel,* n° 110, 28 nivôse an 2 (17 janv. 1794), séance du 27 nivôse, pp. 226-228.

(13) La minute correspond mieux au contexte; au lieu de : « autre séance (...) » elle indique : « Extrait du procès verbal d'inventaire du Museum fait par le Conservatoire assemblé le 17 pluviôse (...) ».

(14) Sur la minute, note dans la marge paraphée par Bossut, Jollain, Le Sueur, David Le Roy, Varon : « Les Citoyens Bossut et Jollain tous deux membres de l'ancienne commission ont signé les quatre pièces ci énoncées ce jourd'huy 18 pluviôse ».

(15) La minute précise : « Procès verbal de la séance du Museum assemblé conjointement avec l'ancienne commission, 18 pluviôse (...) ».

(16) Nom que prit la commune de Saint-Denis, en l'an 2.

(17) Le membre de la Commission du Muséum était COSSARD *(Jean)*, peintre, Troyes, 1764-Paris, 1838, fils de Pierre-Guillaume Cossard, élève de Vincent. Ce ne pouvait pas être COSSARD *(Pierre)*, peintre, fils de Guillaume II Cossard, né à Troyes en 1720, mort en 1784.

(18) *Arch. Louvre,* Z 2, 1794, fév.

(19) Minute signée par Regnault, Jollain, Bossut qui, d'après la minute, assistaient à la séance, *supra,* note 15.

(20) Il s'agit de la *Liste des membres qui doivent composer le Conservatoire du Museum des arts,* annexée au décret du 27 nivôse an 2, présenté par David; *Pièce annexée 3.*

(21) La minute mentionne deux autres propositions qui n'ont pas été reproduites dans le registre : « Bonvoisin fait la proposition de décider de quelle manière se fera la vente des catalogues de la gallerie; Le Sueur réitère la proposition d'avoir deux grands registres; l'un pour la transcription des procès verbaux d'inventaire, l'autre pour l'inscription des procès verbaux ordinaires et autres pièces ».

(22) BERGHEM (Nicolas) ou BERCHEM, Harlem, 1620-*id.*, 1683, peintre de paysages et d'animaux; fils de Peter Van Haerlem, peintre médiocre de natures mortes.

(23) Décret du 27 nivôse an 2, article 11, *Pièce annexée 3.*

(24) *Arch. Louvre,* *AA 1, p. 3, 24 pluviôse, demandes faites par le Conservatoire au Ministre de l'intérieur.

(25) Hôtel de Nesle situé rue de Beaune, actuellement n°s 2-4 rue de Beaune et 29 quai Voltaire, dépôt des objets saisis chez les émigrés.

(26) CHOISEUL-GOUFFIER (comte de), 1752-1817, ancien ambassadeur de France à Constantinople, possédait des sculptures grecques, notamment un fragment de la procession des Panathénées du Parthénon.

Un *inventaire descriptif des marbres et inscriptions de l'émigré Choiseul-Gouffier* fut établi par J.-B. Grosson, membre de l'académie de Marseille et A. Rainaud statuaire. Il fut présenté le 10 pluviôse an 2 (29 janv. 1794) à la Commission temporaire des arts avec un rapport concluant que cette collection « des plus précieuses, doit être ramenée à Paris ».

Cf. *1902 Tuetey,* pp. 132-134; *1912 Tuetey,* pp. 56 et 64, 65.

Ville affranchie ou *Commune affranchie,* noms pris par la ville de Lyon, cf. *Le Moniteur universel,* 2 nivôse an 2, p. 13.

(27) *Arch. Louvre,* *AA 1, p. 3, 22 pluviôse, 2e lettre; *Ibid.,* Z 2, 1794, 10 fév.

(28) *Arch. Louvre,* *AA 1, p. 3, 22 pluviôse, 3e lettre. Les membres de la Commission du Muséum répondront dans le 1er alinéa de leur lettre du 23 pluviôse, *infra,* note 40 : « Il n'y a point eu de décrets rendus expressément concernant cette commission ».

(29) Les explications données dans la minute sont un peu différentes : « les susdits C.C. gardiens du Museum déclare pareillement que la table de porfire n° 137 est arrivé cassé en deux morceau et maintenant cassée et racomodé en trois morceau. Les mêmes C.C. déclare que la table de porphyre n° 137 bis est arrivé cassé en deux morceau mes actuellement elle se trouve cassé en trois morceau. Les même C.C. gardiens déclare que les ouvryés auxquel ils prêtait la main replaçant la ditte table lui ont fait une troisième fracture. Lesdit C.C. que le marbrÿé qui a procédé à la restoration de ces tables est le C. Arsant marbrÿé des invalides ».

(30) *Arch. Louvre,* *AA 1, p. 3, 18 pluviôse, lettre sans n° du Ministre de l'intérieur au Conservatoire; *Ibid.,* M 6, 1794, 6 mars, même document, 2 lettres jointes.

(31) *Arch. Louvre,* Z 1, 1794, 11 fév., brouillon de la lettre du 23 pluviôse du Conservatoire au C. Janvier; *Ibid.,* *AA 1, p. 42, lettre 56, classée par erreur au 22 germinal.

(32) Le jury des arts fut nommé le 25 brumaire an 2 (15 nov. 1793) par la Convention. L'exposition s'ouvrit le 9 pluviôse (28 janv. 1794) dans les salles attenant la galerie d'Apollon. Le jury tint quatre séances du 17 au 20 pluviôse (5 au 8 fév. 1794). *1897 Guillaume, Introduction,* p. LXXXIX. Voir *Arch. nat.,* F[17] 1057, n° 12.

(33) *Arch. Louvre,* *AA 1, p. 3, 21 pluviôse, première lettre, du Conservatoire au C. Vincent.

(34) *Arch. Louvre,* 5 BB 1, registre de présence aux séances du Conservatoire du Museum, va du 21 pluviôse an 2 (9 fév. 1794) au quintidi 25 messidor an 4 (13 juil. 1796).

(35) Ces documents sont actuellement répartis, selon la nature des questions traitées, dans les divers dossiers conservés aux *Archives du Louvre.*

(36) Au cours de sa séance du 25 pluviôse, la Commission temporaire des arts arrête : « les Citoyens Varon, Le Blond, accompagnés du Citoyen Cazas, se concerteront (...) avec le Ministre de l'intérieur » pour l'emballage et le transport de Marseille à Paris des objets d'art provenant du mobilier de l'émigré Choiseul-Gouffier (*1912 Tuetey,* p. 71).

Plus tard, dans sa séance du 15 germinal an 2, (4 avril 1794), la même Commission vit des inconvénients à confier le transport à Cazas seul et proposa de lui adjoindre un expert (*1912 Tuetey,* pp. 132-133).

(37) Décret du 18 pluviôse an 2 (6 fév. 1794) dont l'article 5 prévoit : « les membres du Conservatoire du Museum national font partie de la Commission temporaire des arts »; *Arch. nat.,* F[17] 1258, dos. 2, décret (n° 2164) de la Convention nationale du 18e jour de pluviôse an 2 (6 fév. 1794); *Ibid.,* F[17] 1238, dos. 1, texte imprimé, cf *Pièce annexée 4.* Voir aussi *Le Moniteur universel,* n° 143, 23 pluviôse, l'an 2e (11 fév. 1794), p. 440, séance du 22 pluviôse, alors que le décret est du 18 pluviôse ce qui causera des erreurs, voir *infra,* note 41.

(38) *Arch. Louvre,* *AA 1, p. 4, 24 pluviôse, lettre 4; *Ibid.,* Z 2, 1794, 11 fév., brouillon de la lettre du Conservatoire à la Commission temporaire des arts, *Pièce annexée 6.*

(39) *Arch. Louvre*, *AA 1, p. 4, 25 pluviôse, lettre 7; *Ibid.*, pp. 6-7, 25 pluviôse, deuxième lettre, du C. Cazin, peintre de marine.

(40) *Arch. Louvre*, *AA 1, p. 5, 28 *(sic)* pluviôse, lettre 8; *Ibid.*, P 16, 1794, 11 fév., lettre du 23 pluviôse, *Pièce annexée 5*, par laquelle les membres de la Commission du Muséum répondent à la lettre du 22 pluviôse du Conservatoire, *supra*, notes 27 et 28.

(41) *Arch. Louvre*, Z 2, 1794, 11 fév., *Pièce annexée 7*. Cette lettre du 23 pluviôse est du « Président de la Commission des arts adjointe au Comité d'instruction publique »; elle répond à la lettre du 24 pluviôse du Conservatoire, *supra*, note 38. Dans cette lettre, Mathieu, président de la Commission, après avoir rapporté le décret en portant création, date ce décret du 18 pluviôse. La date du 22 pluviôse, parfois retenue, en particulier par le Conservatoire dans sa lettre du 24 pluviôse, a pour origine *Le Moniteur Universel* qui a placé à tort ce décret à la fin de la séance du 22 pluviôse du Comité d'instruction publique. Voir *supra*, note 37.

(42) *Arch. Louvre*, *AA 1, pp. 7-10, 25 pluviôse, lettre 10; *Ibid.*, Z 2, 1794, 13 fév., *Pièce annexée 8*.
Voir aussi *Arch. nat.*, F17 1238, dos. 1.
Voir *supra*, p. v. n°s 11 et 12 des séances des 23 et 24 pluviôse.

(43) *1912 Tuetey*, pp. 77 et 224. La Commission temporaire des arts s'est intéressée à l'horloge du Citoyen Robin au cours de ses séances des 30 pluviôse et 15 thermidor an 2.

(44) Lenoir mentionne dans son journal que, le 8 ventôse an 2 (26 fév. 1794), il a reçu une grille provenant de l'église de Saint-Germain l'Auxerrois. Elle est composée de douze panneaux en fer, avec des ornements en cuivre; les fleurs de lis, en cuivre, ont été arrachées par les membres du comité révolutionnaire de la section.

(45) C'est la lettre du 23 pluviôse, *Pièce annexée 5*, reçue le 24 par le Conservatoire qui en ajourna la discussion (p. v. n° 12 de la séance du 24 pluviôse, dernier alinéa). Cette lettre n'indique, comme tableaux en cours de restauration, que *L'Antiope* du TITIEN et *saint Jean dans le désert* de LEONARD DE VINCI.
Les dimensions, données dans la lettre, pour l'Antiope sont : H. 6 pieds = 1,94 m; L. 12 pieds 8 pouces = 4,06 m. Il ne peut s'agir que de la toile actuellement dénommée *Jupiter et Antiope* ou *La Vénus du Pardo*, H. 1,96 m; L. 3,85 m. par Vecellio (Tiziano) dit LE TITIEN, *Musée national du Louvre*, INV. 752, *Catalogue Hautecœur 1926*, p. 134, n° 1587. Il ne peut pas s'agir de la toile *Le sommeil d'Antiope* par LE CORREGE, dont David mentionnait la très mauvaise restauration dans son rapport du 27 nivôse, *Pièce annexée 1*, et dont les dimensions sont très différentes : H. 1,90 m.; L. 1,24 m, *Musée national du Louvre*, INV. 42, *Catalogue Hautecœur 1926*, p. 23, n° 1118.
Quant au tableau de LEONARD DE VINCI il ne peut s'agir que du tableau sur bois *saint Jean-Baptiste*, H. 0,69 m.; L. 0,57 m., *Musée national du Louvre*, INV. 775, *Catalogue Hautecœur 1926*, p. 137, n° 1597.

(46) *Arch. Louvre*, *AA 1, p. 10, 26 pluviôse, lettre 11, adressée à l'ancienne Commission du Muséum d'après le p. v. de la séance et non à la Commission des arts, comme l'a écrit le copiste sur le registre *AA 1.

(47) *Catalogue des objets contenus dans la gallerie du Museum français. Décreté par la Convention nationale, le 27 juillet 1793 l'an second de la République française, Bibliothèque du Musée national du Louvre*, ex. 1977 Paris, *Catalogue*, n° 79.

(48) Lettre relative aux grilles de l'église de Saint-Germain-l'Auxerrois, d'après la minute; renvoyée à la Commission temporaire des arts par une lettre du 26 pluviôse, *Arch. Louvre*, *AA 1, p. 10, 26 pluviôse, lettres 12 et 13.

(49) *Arch. Louvre*, *AA 1, p. 11, 26 pluviôse, lettre 13; *Ibid.*, P 30, David, 1794, 14 fév.

(50) Décret du 18 pluviôse an 2, *supra*, note 37.

(51) *Arch. Louvre*, *AA 1, p. 11, 27 pluviôse, lettre 15; *Ibid.*, D 2, 1794, 15 fév., lettre du Conservatoire au Ministre de l'intérieur, *Pièce annexée 9*. Voir aussi *Arch. nat.*, F17 1059, dos. 12.

(52) Minute signée par : Fragonard, président, Le Sueur Sre par intérim.

(53) Les membres du Conservatoire exposèrent au Comité d'instruction publique qu'ils ne pouvaient, en plus de leurs fonctions au Muséum, assurer celles de membres de la Commission temporaire des arts, prévues par l'article 5 du décret du 18 pluviôse. Le Comité d'instruction publique décida qu'il étudierait s'il y avait lieu d'augmenter l'effectif des membres de certaines sections de la Commission temporaire des arts (*1897 Guillaume*, p. 466, p. v. de la séance du 27 pluviôse an 2).

(54) Balzac sur la minute; il s'agit probablement de BALTARD (Louis-Pierre), 1764-1846.

(55) Minute signée : « Varon, pt » alors qu'en tête de la minute il est précisé; « Présidence de Fragonard ».

(56) Suite à l'arrêté pris par le Conservatoire au cours de la séance du 24 pluviôse, p. v. n° 12.

(57) *Arch. Louvre*, *AA 1, p. 12, 28 pluviôse, 16e lettre; *Ibid.*, T 6, 1794, 17 fév.

(58) « concernant les salles de la cidevant académie », p. v. n° 19 de la séance du 28 pluviôse.

(59) *Arch. Louvre*, *AA 1, p. 12, 29 pluviôse, 17e lettre; *Ibid.*, p. 13, 30 pluviôse, 19e lettre; *Ibid.*, T 6, 1794, 17 fév., lettres des 29 et 30 pluviôse.

(60) *Arch. Louvre*, *AA 1, pp. 12-13, 29 pluviôse, 18e lettre.

(61) *Arch. Louvre*, 4 BB 1, f. 1, 1er ventôse, 1er arrêté; *Ibid.*, S 12, 1794, 19 fév.

(62) *Arch. Louvre*, *AA 1, p. 13, 6 ventôse, 20e lettre *(sic)*, arrêté du Conservatoire; *Ibid.*, p. 14, 6 ventôse, 22e lettre, arrêté. AUGUSTE CHEVAL DE SAINT-HUBERT dit HUBERT, architecte, inspecteur général des bâtiments de la République.

(63) *Arch. Louvre*, *AA 1, p. 97, lettre 137 et p. 105 lettre 147, la même lettre reproduite deux fois à la date du 4 ventôse (an 3), au lieu de an 2; *Ibid.*, S 30, Lorta, 1794, 22 fév., *Pièce annexée 11*.

(64) *Arch. Louvre*, *AA 1, pp. 14-15, 7 ventôse, autre arrêté du Conservatoire.

(65) *Arch. Louvre*, *AA 1, pp. 13-14, 6 ventôse, lettre 21, de l'ancienne commission au Conservatoire; *Ibid.*, p. 21, 7 ventôse, lettre 27, du Conservatoire, la convocation est pour neuf heures au lieu de dix heures sur le p. v.

(66) *Arch. Louvre*, *AA 1, p. 14, 7 ventôse, arrêté du Conservatoire.

(67) *Arch. Louvre*, *AA 1, pp. 18-19, 7 ventôse, lettre 25; *Ibid.*, D 2, 1794, 25 fév.
Voir aussi *Arch. nat.* F^{17} 1059, dos. 12, *Pièce annexée 10.*
Voir *supra*, p. v. n° 17 de la séance du 27 pluviôse, note 51.

(68) *Arch. Louvre*, *AA 1, p. 20, 7 ventôse, lettre 26, lettre du Ministre au Conservatoire.

(69) Voir p. v. n° 7 de la séance du 19 pluviôse et p. v. n° 8 de la séance du 20 pluviôse.

(70) *Arch. Louvre*, *AA 1, p. 21, 8 ventôse, lettre 28; *Ibid.*, P 16, 1794, 26 fév., lettre de Hacquin, *Pièce annexée 12.*
Voir aussi *supra*, note 45 et *Pièce annexée 5.*

(71) Minute signée par Fragonard, prés[t] par intérim, Lannoy.

(72) *Arch. Louvre*, *AA 1, pp. 23-24, 10 ventôse, lettre 30; *Ibid.*, P 2, 1794, 28 fév., lettre de Robert au Conservatoire, *Pièce annexée 13.*

(73) *Arch. Louvre*, *AA 1, pp. 24-25, 14 ventôse, lettre 31, du Conservatoire à l'ancienne Commission; voir *supra*, note 70.

(74) Voir *supra*, note 45.

(75) *Arch. Louvre*, *AA 1, p. 25, 14 ventôse, lettre 32.
Voir aussi : *Arch. nat.* F^{21} 570, reg. 6, p. 54, 14 ventôse an 2, « retour des tableaux déposés dans l'atelier du C[n] Hacquin : le couronnement de la Reine de la galerie de Rubens au Luxembourg; l'apothéose d'Henri IV, *idem*; J. Ch. guérissant les malades par Jouvenet; la peste de Restout.
de l'atelier du C[n] Martin : la résurrection de Lazare; le repas du pharisien; la pêche miraculeuse; les vendeurs chassés du Temple, les quatre tableaux peints par Jouvenet provenant de st Martin; plus l'Antiope du Titien ».

(76) *Arch. Louvre*, T 16, 1794, 27 fév., rapport de Lannoy et David Le Roy, daté du 9 ventôse.

(77) *Arch. Louvre*, *AA 1, pp. 21-22, 8 ventôse, lettre 29, du C. Guibert, sculpteur, au Conservatoire.

(78) DUJARDIN (Karel), *Les charlatans italiens, Musée national du Louvre*, INV. 1394, *Catalogue des peintures, Ecoles flamande et hollandaise, 1979*, p. 50.

(79) *Supra*, note 43.

(80) *Supra*, note 69.

(81) Suite à la demande formulée par Hacquin, le 8 ventôse, *supra*, note 70.

(82) Minute signée par R. G. Dardel, président, Varon S[re] par i.

(83) *Arch. Louvre*, *AA 1, p. 26, 17 ventôse, lettre 34.

(84) Minute signée par Fragonard, président par intérim, Lannoy.

(85) D'après *Tuetey* (*1912*, p. 31, note 1) l'inventaire de Saint-Gervais, du 17 frimaire, mentionne saint Gervais et saint Protais par Le Sueur; actuellement *saint Gervais et saint Protais, amenés devant Astasias, refusent de sacrifier à Jupiter, Musée national du Louvre*, INV. 8019, *Catalogue des Peintures, 1972*, p. 242; *Catalogue des Peintures, Ecole française, 1974*, n° 538, t. I, pp. 246 et 285.

(86) JOUVENET (Jean), *La descente de croix, Musée national du Louvre*, INV. 5493, *Catalogue des Peintures, 1972*, p. 218; *Catalogue des Peintures, Ecole française, 1974*, n° 364, t. I, pp. 169 et 276; voir aussi : *ex. 1966 Rouen, Catalogue*, n° 14 et *1974 Schnapper*, peintures, n° 72.

(87) *Arch. Louvre*, *AA 1, p. 28, 24 ventôse, lettre 37, adressée au Ministre de l'intérieur; voir *supra*, p.v. n° 25 de la séance du 6 ventôse.

(88) *Arch. Louvre*, *AA 1, pp. 32-34, 25 ventôse, lettre 40, du C. Martin Laporte au Conservatoire.

(89) Minute signée : « Dardel, président ».

(90) *Arch. Louvre*, *AA 1, p. 34, 25 ventôse, lettre 41, de la Société populaire et républicaine des arts au Conservatoire; *Ibid.*, Z 2, 17_4, 14 mars, arrêté du Conservatoire; au sujet de la Société populaire et républicaine des arts, voir : *1878 Courajod, Introduction*, pp. LXI-LXVIII; *1897 Guillaume, Introduction*, p. LXXXIX.

(91) LHUILLIER (Nicolas-François-Daniel), sculpteur français, 1736-1793; cf. *Bulletin de la société de l'histoire de l'Art français*, 1907, pp. 66-71.
Heures Borghèse ou *Danseuses Borghèse*, bas-relief antique, *Musée national du Louvre*, MR 747, MA 1612; pour le bas-relief coulé en bronze, voir *Arch. Louvre*, 1 DD 21, p. 347, sans n°.

(92) *Arch. Louvre*, *AA 1, pp. 29-32, 25 ventôse, lettre 39; *Ibid.*, P 2, 1794, 15 mars, *Pièce annexée 14.*

(93) Sur le registre « facultés », sur la minute « facilités » que nous retenons.

(94) *Arch. Louvre*, fonds Brière, n° 39, fascicule de 6 pages, édité par H. J. Jansen.
Le document ne porte pas de date mais la période 6 ventôse an 2 (24 fév. 1794) au 28 ventôse (18 mars 1794) est la seule pendant laquelle le Conservatoire a eu pour président R. G. Dardel et pour secrétaire Lannoy, signataires du document.

(95) *Arch. Louvre*, *AA 1, p. 35, 29 ventôse, lettre 42, le Conservatoire au C[n] Hubert.

(96) *Arch. Louvre*, 4 BB 1, f. 1, 26 ventôse, arrêté n° 20 du Comité de salut public, au Conservatoire.

(97) *Arch. Louvre*, P 4, 1794, 19 mars, arrêté du Conservatoire, *Pièce annexée 15.* La décision du Conservatoire se heurta au refus de Lenoir, garde du dépôt des Petits-Augustins, de laisser sortir des objets sans ordre du Comité d'instruction publique; ce dernier donna satisfaction au Conservatoire par arrêté du 1er germinal : *Arch Louvre*, 4 BB 1, p. 1, 1er germinal n° 3; *Ibid.*, Z 2, 1794, 31 mars, arrêté du 1er ger-

minal, *Pièce annexée 19*.

La Commission temporaire des arts, adjointe au Comité d'instruction publique, ne put que confirmer la décision : *Arch. Louvre*, 4 BB 1, p. 2, 5 germinal, arrêté n° 4; *Ibid.*, Z 2, 1794, 25 mars, *Pièce annexée 17*. Voir aussi : *1901 Guillaume*, p. 1, le procès-verbal de la séance du 1er germinal de la Commission de l'instruction publique, *extrait*, *Pièce annexée 16*.

(98) Minute signée par Le Sueur, vice président, Wicar, Secrét.

(99) *Arch. Louvre*, *AA 1, pp. 35-36, 1er germinal, lettre 43; *Ibid.*, Z 2, 1794, 21 mars, lettre au Conservatoire.

(100) *Arch. nat.* F^{21} 570, reg. 6, p. 55.

(101) *Arch. Louvre*, *AA 1, p. 38, 2 germinal, lettre 45.

(102) Demande formulée par David Le Roy; *Arch. Louvre*, Z 2, 1794, 23 mars.

Voir aussi : *Arch. Louvre*, *AA 1, pp. 36-37, 2 germinal, lettre 44, du Ministre de l'intérieur au Conservatoire donnant ordre de payer 400 livres à David Le Roy.

(103) Voir *supra*, note 3.

(104) Minute signée : « Varon pt, Wicar secrétaire ».

(105) Voir l'opinion de *L. Courajod* sur les décisions du Conservatoire (*1878*, *Introduction*, p. LXX).

(106) Voir p. v. n° 43 de la séance du 2 germinal.

(107) Actuellement Place Blanche et Boulevard de Clichy.

(108) Minute signée : « Varon P. Wicar secrétaire ».

(109) *Arch. Louvre*, *AA 1, p. 38, 4 germinal, lettre 46; *Ibid.*, Z 2, 1794, 24 mars, lettre de Lenoir au Conservatoire, *Pièce annexée 18*.

(110) Minute signée : « Varon P ».

(111) *Idem*.

(112) *Arch. Louvre*, *AA 1, p. 39, 6 germinal, lettre 49, du directeur du Lycée des arts; *Ibid.*, pp. 39-40, 9 germinal, lettre 50, réponse du Conservatoire.

(113) *Saint Jérôme dans le désert*, voir *infra*, note 117.

(114) *Arch. Louvre*, Z 2, 1794, 31 mars, extrait du Registre des Délibérations du Comité d'instruction publique, *Pièce annexée 19*. Ce comité arrêta de délivrer au Conservatoire le texte demandé par Varon et Wicar, au cours de sa séance du 11 germinal (31 mars), cf. *1901 Guillaume*, p. 55.

(115) Minute signée : « Le Sueur, vice-président, Wicar, secrétaire ».

(116) D'après le *Journal de Lenoir (1878 Courajod)*, p. 44, n° 296 et p. 46, n° 309, cinq tableaux de PHILIPPE DE CHAMPAIGNE ont été remis au Conservatoire : le 14 germinal, remis à Wicar et Le Sueur : « La Cène (...) venant de Port-Royal. — Trois grands paysages (...) venant du Val-de-Grâce »; le 22 germinal, remis à Le Sueur : « grand paysage représentant La communion de sainte Marie égyptienne, venant du Val-de-Grâce ».

La Cène, Musée national du Louvre, INV. 1124, *Catalogue des Peintures*, 1972, p. 64; *Catalogue des Peintures, Ecole française, 1974*, n° 103, t. I, pp. 59 et 261, voir aussi : *ex. 1957 Port-Royal, Catalogue*, n° 50 et *1976 Dorival*, t. II, n° 61, pp. 41-42.

Paphnuce libérant Thaïs, Musée national du Louvre, INV. 1150, *Catalogue des Peintures, 1972*, p. 65; *Catalogue des Peintures, Ecole française 1974*, n° 107, t. I, pp. 62 et 261; voir aussi : *ex. 1952 Paris, Catalogue*, n° 30 et *1976 Dorival*, t. II, n° 232, p. 129.

Les miracles de sainte Marie pénitente, Musée national du Louvre, INV. 1151, *Catalogue des Peintures, 1972*, p. 65; *Catalogue des Peintures, Ecole française, 1974*, n° 108, t. I, pp. 62 et 261; voir aussi : *ex. 1952 Paris, Catalogue*, p. 61 et *1976 Dorival*, t. II, n° 231, pp. 128-129.

Sainte Pélagie se retirant dans la solitude, Städtische Gemäldegalerie, Mayence; voir : *ex. 1952 Paris, Catalogue*, n° 31 et *1976 Dorival*, t. II, n° 233, pp. 129-130.

Sainte Marie l'Egyptienne communiée par saint Zozyme, Musée des Beaux-Arts, Tours; voir *1976 Dorival*, t. II, n° 234, p. 130.

(117) *Saint Jérôme dans le désert*, par CRAYER, venant de l'église Saint-Sulpice, remis le 14 germinal à Wicar et Le Sueur, d'après le *Journal de Lenoir (1878 Courajod)*, p. 36 n° 260 et p. 44, n° 296.

(118) Quatre cartons attribués à Giulio Romano dit JULES ROMAIN, offerts en 1786 à Louis XVI par le peintre anglais Richard Cosway, déposés aux Gobelins sur ordre d'Angiviller; *Musée national du Louvre, Cabinet des Dessins*, INV. 3531 à 3534 : *Triomphe, Les prisonniers, L'incendie de la ville, Scène de triomphe;* cf. ex. 1978 Paris, pp. 124-125.

(119) *Arch. Louvre*, *AA 1, p. 40, 15 germinal, lettre 51; *Ibid.*, P 5, 1794, 4 avril, *Pièce annexée 20*, la lettre de Lenoir répond à la demande formulée par le Conservatoire le 11 germinal, p. v. n° 49.

(120) D'après le *Journal de Lenoir (1878 Courajod)*, p. 45, n° 303, le 19 germinal « remis aux C.C. Picault et Bonvoisin (...), *la Descente de Croix* de BOURDON, venant de Saint-Benoit. — un VALENTIN, venant des Clunistes. — et un DANIEL DE VOLTERRE, représentent une *Descente de Croix*, venant de la Pitié ». *La descente de croix* de BOURDON Sébastien est au *Musée national du Louvre*, INV. 2807, *Catalogue des Peintures, 1972*, p. 46; *Catalogue des Peintures, Ecole française, 1974*, n° 72, t. I, pp. 44 et 259.

(121) *Arch. Louvre*, *AA 1, pp. 40-41, 18 germinal, lettre 52.

(122) Voir *Arch. Louvre*, P 3, 1795, 12 août, procès-verbal du 23 germinal an 2 (1794, 12 avril) des objets trouvés dans l'atelier du C. Fouques, copie collationnée par Robert et Foubert le 25 thermidor an 3 (1795, 12 août); voir aussi *Arch. Louvre*, *AA 1, pp. 42-43, 8 floréal, lettre 57 du citoyen Martin Laporte au Conservatoire.

(123) *Arch. Louvre*, *AA 1, pp. 41-42, 20 germinal, lettre 54.

(124) 15 tableaux par JOSEPH VERNET, voir inventaire fait par Fragonard et Bonvoisin, *Arch. Louvre,* P 3, 1794, *Pièce annexée 21.*

Série de 15 tableaux commandés par Louis XV; deux tableaux : *Le Port de Marseille* et *La Ville et la rade de Toulon* au *Musée national du Louvre,* INV. 8293 et 8297, le reste de la série en dépôt au Musée de la Marine, Paris; *Catalogue des Peintures, 1972,* p. 389; *Catalogue des Peintures, Ecole Française, 1974,* n°s 868 et 869, t. II, pp. 145 et 224.

(125) Ordre alphabétique.

(126) *Vie de saint Bruno,* série de 22 tableaux peints par LE SUEUR (Eustache) pour le cloître des Chartreux de Paris, *Musée national du Louvre,* INV. 8024 à 8031 et 8033 à 8046, *Catalogue des Peintures, 1972,* pp. 242-243; *Catalogue des Peintures, Ecole française, 1974,* n°s 499 à 520, t. I, pp. 233-238 et 280.

(127) Cinq esquisses des tableaux du Cabinet de l'Amour et de la Chambre des Muses dans l'hôtel du président Nicolas Lambert de Thorigny, à Paris. Tableaux au *Musée national du Louvre, Catalogue des Peintures, 1972,* p. 244; *Catalogue des Peintures, Ecole française, 1974,* n°s 524 à 536, t. I, pp. 240-245 et 284-285.

Voir *Arch. Louvre,* P 3, 1794, lettre de Desmaret au Conservatoire, *Pièce annexée 22;* cf. *ex 1792 Paris, Catalogue.*

(128) Un membre du Conservatoire fut admis à la séance du 29 germinal du Comité d'instruction publique qui demanda que le Conservatoire précise l'emplacement des locaux qui lui étaient nécessaires et fasse un rapport sur l'aménagement général du Muséum, *1901 Guillaume,* p. 191.

(129) Espace resté en blanc sur le registre et la minute.

(130) *Arch. Louvre,* *AA 1, pp. 26-27, 16 et 17 ventôse, lettre 34 (erreur de numéro) et 35; *Ibid.,* M 6, 1794, 6 mars, lettre du 16 ventôse et additif du 17 ventôse; voir aussi *supra,* note 31.

(131) *Supra,* note 127.

(132) Les p. v. du registre numérotés 65 (séance du 12 floréal) à 68 inclus (séance du 16 floréal) sont tous signés : « R. G. Dardel, président ad. David Le Roy »; les minutes correspondantes sont toutes signées « R. G. Dardel, vice président, Bonvoisin secrétaire ». L'écriture des minutes est celle de Bonvoisin. A partir du p. v. 69 (séance du 17 floréal) les minutes sont très rarement signées.

(133) BOUILLARD (Marie-Geneviève), Paris, 1772-*id.,* 1819, exposa quatre tableaux au Salon de 1793.

(134) *Arch. nat.,* AFII* 48, p. 112, arrêté du 13 floréal an 2 (2 mai 1794), chargeant « Le C^{n} Lannoy architecte de faire construire incessamment le Museum (...) sous la surveillance de David et de Granet (...). Il commencera par le côté adossé aux Tuileries, pavillon de l'égalité. Il le fera éclairer par le haut... ».

(135) Espace resté en blanc.

(136) *Arch. Louvre,* *AA 1, p. 44, 17 floréal, lettre 39; *Ibid.,* T 2H, 1794, 6 mai, lettre de Lenoir au Conservatoire.

(137) *Arch. Louvre,* Z 3, 1794, 8 mai, laissez-passer établi par la commune de Chartres et reçu du Conservatoire.

(138) PETIT-COUPRAY, peintre de genre et de portraits, miniaturiste, exposa quatre tableaux au Salon de 1793 *(Livret du Salon).*

(139) Il s'agit des tableaux peints pour La Vrillière, passés avec son hôtel au comte de Toulouse, puis à son descendant le duc de Penthièvre, chez qui ils furent saisis; voir *Arch. Louvre,* 1 DD 7, f. 44.

(140) Lire « Bouquier », membre du Comité de l'instruction publique.

(141) Voir *Pièces annexées* 23 et 24, documents établis par le Conservatoire pour permettre à son trésorier Bonvoisin, de toucher les indemnités dues à ses membres.

(142) *Arch. Louvre,* Z 2, 1794, 16 avril, projet d'arrêté, *Pièce annexée 25.* La délibération du Conservatoire sur le projet Bouquier est du 27 floréal (16 mai), on s'explique mal comment Bouquier a pu présenter ce projet au Comité de l'instruction publique dès le 9 floréal (28 avril) en déclarant que son texte avait été approuvé par le Conservatoire qui demandait qu'on envisage d'en faire un décret. Il faut remarquer que l'un des membres du Conservatoire, le Citoyen Picault qui va être chargé de mettre au point le texte de Bouquier, était un spécialiste de la restauration des tableaux. Le 13 frimaire an 2 (3 déc. 1793), il avait dénoncé « les abus qui existaient dans la restauration des tableaux des grands maîtres » au Conseil général de la Commune de Paris qui, le 17 frimaire, le présentait à la Convention, onze jours donc avant le premier rapport de David contre la Commission du Muséum.

La Convention ajourna les deux interventions relatives à la restauration des tableaux : celle de Picault le 17 frimaire et celle de Bouquier le 9 floréal. Il ne restait donc plus à Bouquier qu'à présenter son projet au Conservatoire - cf. *1897 Guillaume,* pp. 190 et 290.

(143) RAPHAEL Sanzio (Santi Raffaello, dit), *saint Michel, saint Georges, Musée national du Louvre,* INV. 608 et INV. 609, *Catalogue Hautecœur, 1926,* p. 114, n° 1502 et 1503.

(144) Ou bien REMBRANDT, *Philosophe en méditation, Musée national du Louvre,* INV. 1740, *Catalogue des peintures, Ecoles flamande et hollandaise, 1979,* p. 110;

ou bien KONINCK, Salomon (jadis attribué à Rembrandt), *Philosophe au livre ouvert, Musée national du Louvre,* INV. 1741, *Catalogue des peintures, Ecoles flamande et hollandaise, 1979,* p. 81.

(145) Il s'agit certainement de Dupasquier.

(146) Minute signée : « Bonvoisin Président ».

(147) *Arch. Louvre,* Z 2, 1794, 26 mai, Rapport (...) fait par Varon au Comité d'instruction publique le 7 prairial l'an 2, *Pièce annexée 26.* Ce rapport avait été demandé au Conservatoire, le 29 germinal, par le Comité d'instruction publique, voir *supra,* p. v. n° 58 de la séance du 27 germinal, note 128.

Voir aussi *Arch. nat.*, F17 1057, dos. 3.

(148) Voir *supra*, p. v. n° 77 de la séance du tridi prairial (22 mai 1794). Le rapport et le projet de décret joint furent présentés à la Convention par G. Bouquier, au nom du Comité d'instruction publique. La Convention décida leur impression et adopta le décret le 6 messidor an 2 (24 juin 1794), cf. *Arch. Louvre,* fonds Brière, n° 33, fascicule édité par l'imprimerie nationale.

Voir aussi : *Arch. Louvre,* 4 BB 1, ff. 2-4, 7 messidor an 2; *Arch. nat.*, AF *1148, pp. 16-18; *Pièce annexée 31.*

(149) *Arch. Louvre,* *AA 1, pp. 44-45, 10 prairial, lettre 60.

(150) *Arch. Louvre,* 4 BB 2, f. 1, pièces 1 et 2 et *Arch. Louvre,* X Salon, 1794, 4 juin, lettre du 16 prairial de la Commission exécutive de l'instruction publique, transmettant une lettre du 15 prairial de la Commission des travaux publics;

voir aussi *Arch. Louvre,* 4 BB 1, f. 2 et *Arch. Louvre,* X Salon, 1794, 5 juin, arrêté n° 6 du 17 prairial du Comité des Inspecteurs de la Convention nationale.

(151) *Arch. Louvre,* X Salon, 1794, 6 juin, état de tableaux déplacés du Salon d'exposition (...), *Pièce annexée 27.*

(152) *Arch. Louvre,* 4 BB 2, f. 1, pièce 3, lettre du 19 prairial de la Commission exécutive de l'instruction publique.

(153) *Arch. Louvre,* *AA 1; pp. 45-46, 23 prairial, lettre 61.

(154) *Arch. Louvre,* *AA 1, pp. 46-48, 25 prairial, lettre 62; *Ibid.*, X, Salon, 1794, 13 juin, brouillon du rapport du 25 prairial, *Pièce annexée 28;* voir aussi : *Arch. nat.*, F21 1281, dos. 7, rapport du 27 prairial an 2.

(155) Sans indication de nom.

(156) Cloison au bas de l'escalier; voir p. v. n°s 59 et 71 des séances des 1er et 22 floréal.

(157) Il est surprenant de trouver la signature de Varon alors que le p. v. déclare : « Varon est en campagne ».

(158) *Arch. Louvre,* *AA 1, p. 48, 27 prairial, lettre 63; *Ibid.*, Z 2, 1794, 15 juin. L'importance de l'affaire paraît être dans le fait que le portrait « du second fils de Capet » a bien été inscrit sur l'inventaire de Saint-Cloud fait par Picault et Varon mais qu'ils en avaient prévu le transfert au dépôt de Versailles, alors que les commissaires du Comité de sûreté générale, chargés de la vente du mobilier, l'ont fait brûler en leur présence, cf. *1912 Tuetey,* p. 225.

(159) *Arch. Louvre,* 4 BB 2, f. 2, pièce 4, 29 prairial.

(160) *Arch. Louvre,* Z 2, 21 juin, lettre de Le Brun, du 3 messidor (21 juin) et liste du 2 messidor jointe, *Pièce annexée 29;* voir aussi *Arch. nat.*, F17 1245, dos. 2, 3 messidor an 2; *Ibid.*, 18 vendémiaire an 3 (9 oct. 1794); *Ibid.*, 22 vendémiaire an 3 (13 oct. 1794).

(161) *Arch. Louvre,* P 5, 1794, 21 juin, copie de l'arrêté du 3 messidor du Conservatoire, *Pièce annexée 30.*

(162) Il n'y a pas eu de deuxième séance le 3 messidor. Le p. v. 91 bis n'est que « la rédaction proposée par Varon » que le Conservatoire a décidé devoir être « annexée au présent » dans le p. v. n° 91. On peut remarquer que le groupe signature du p. v. 91 a été ajouté entre les lignes et que le texte du dernier alinéa du p. v. 91 bis n'a rien à voir avec le contexte et qu'il figure déjà à la fin du p. v. 91.

(163) Voir p. v. n°s 17 et 18 des séances du 27 pluviôse (15 fév. 1794).

(164) On ne trouve, dans les p. v., aucune mention d'une lettre, du 5 messidor an 2, des membres de la Commission du Muséum qui demandent au Conservatoire de fixer un jour pour effectuer la remise des objets enfermés dans les armoires de la galerie d'Apollon; *Arch. Louvre,* *AA 1, pp. 51-52, s. d., lettre 66; *Ibid.*, Z 2, 1794, 23 juin.

(165) *Arch. Louvre,* *AA 1, pp. 49-51, 5 messidor, lettre 65, le C. Martin Laporte au Conservatoire; *Ibid.*, p. 55, 24 messidor, lettre 71, réponse du Conservatoire.

(166) *Arch. Louvre,* 4 BB 2, ff. 3-4, 8 messidor, pièce 7; *Ibid.*, P 6, 1794, 26 juin, lettre de la Commission exécutive de l'instruction publique au Conservatoire. Le tableau de SUVEE est : *Cornélie, mère des Gracques, Musée national du Louvre,* INV. 8075, *Catalogue des Peintures. Ecole française, 1974,* n° 792, t. II, pp. 113 et 219.

(167) *Arch. Louvre,* 4 BB 2, ff. 3-4, 9 messidor, pièce 8, lettre de la Commission exécutive de l'instruction publique au Conservatoire.

(168) Il apparaît que le Conservatoire s'est contenté d'envoyer à la Commission exécutive de l'instruction publique un extrait de son Registre des Délibérations, voir *infra,* note 171.

(169) *Arch. Louvre,* 4 BB 1, ff. 2-4, 7 messidor, arrêté des Comités de salut public et d'instruction publique réunis, pris en application du décret du 6 messidor.

Voir aussi *Arch. nat.*, AFII* 48, pp. 216-218, arrêté du 7 messidor, *Pièce annexée 31.*

Voir *supra,* p. v. n° 74 de la séance du 27 floréal, note 142, *Pièce annexée 25,* le texte du projet présenté par le Conservatoire. Le 9 messidor, la Convention désigna comme membres du jury, conjointement avec ceux du Conservatoire, « Prud'hon, Marcenay, Gérard, Mouricault, Vanderbruck, Van Spendoncale jeune, Langlier et Touzé », *Le Moniteur universel,* n° 281, primidi 11 messidor an 2 (dimanche 29 juin 1794), séance du 9 messidor, p. 81.

(170) *Arch. Louvre,* P 4, 1794, 29 juin, copie de l'arrêté du Conservatoire; voir *supra,* note 166.

(171) *Arch. Louvre,* 4 BB 2, f. 4, pièce 9, 12 messidor, lettre de la Commission exécutive de l'instruction publique au Conservatoire; *Ibid.*, *AA 1, pp. 52-53, (12) [15] messidor, réponse du Conservatoire.

(172) *Arch. Louvre,* *AA 1, p. 52, 5 messidor, lettre 67, du citoyen Lapille au Conservatoire.

(173) *Arch. Louvre,* M 15, 1794, 7 juil. autorisation et décharge données au C. Mauvage.

(174) *Arch. Louvre,* *AA 1, p. 53, 19 messidor, lettre 69, du Conservatoire demandant « un certain nombre d'exemplaires du rapport (...) ». Il en obtint cinquante, *1901 Guillaume,* p. 758.

(175) *Arch. Louvre* 4 BB 2, f. 4, 16 messidor, pièce 10, lettre de la Commission exécutive de l'instruction publique au Conservatoire.

(176) Sur le registre « jamais », sur la minute « jainais » qui pourrait être accepté pour « gênaient ».

(177) Pour embrasure.

(178) LE BRUN (Charles), *Le Christ au désert servi par les anges, Musée national du Louvre,* INV. 2882, *Catalogue des Peintures, 1972,* p. 231; *Catalogue des Peintures, Ecole française, 1974,* n° 437, t. I, pp. 204 et 280.

(179) *Arch. Louvre,* 4 BB 1, f. 5, s. d., 9e arrêté, *Pièce annexée 32; Ibid.,* 19 messidor, *Pièce annexée 33.*

L'inventaire des œuvres exposées dans les salles des académies de peinture et de sculpture a été signé par Le Brun le 19 frimaire an 2 (9 déc. 1794), *Arch. nat.,* F 17A 1267, dos. 4.

(180) *Arch. Louvre,* 4 BB 1, registre de 12 folios, manuscrits, écrits recto et verso, numérotés et paraphés au recto, reproduisant, en principe, les arrêtés du Comité de Salut public et du Comité d'instruction publique, du 1er ventôse an 2 (19 fév. 1794) au 8 floréal an 3 (27 avril 1795); *Arch. Louvre,* 4 BB 2, registre de 23 folios, manuscrits, numérotés et paraphés au recto, écrits recto et verso et reproduisant les arrêtés de la Commission de l'instruction publique et de la Commission exécutive, du 15 prairial an 2 (3 juin 1794) au 15 thermidor an 3 (2 août 1795).

(181) Minutes des procès-verbaux, copie de la lettre adressée à la Commission exécutive de l'instruction publique par le Conservatoire le 23 messidor, *Pièce annexée 34.*

(182) *Arch. Louvre,* U 3, Fontainebleau, 1794, 18 juin, rapport du 30 prairial de Bonvoisin.

(183) *Arch. Louvre,* 4 BB 1, f. 1, 15 prairial, arrêté n° 5; *Ibid.,* T 1, 1794, 3 juin, arrêté du Comité d'instruction publique accordant au Conservatoire la bibliothèque demandée par lui.

(184) *Arch. Louvre,* *AA 1, pp. 53-55, (29) [23] messidor, lettre 70, rapport au Comité d'instruction publique. Le rapport a été présenté au Comité d'instruction publique le 23 messidor, la date du 29 donnée par *AA 1 est donc une erreur du copiste.

(185) *Supra,* note 182; voir aussi *1912 Tuetey,* pp. 247-249.

(186) Figure colossale du peuple, projetée par David.

(187) D'après le rapport de Bonvoisin, Vénus accroupie, en marbre, d'après l'antique.

(188) CALONNE (Jacques-Ladislas-Joseph), abbé de, Douai, 1732-au Canada 1822; frère du contrôleur général, suppléant du baillage de Melun aux Etats généraux; rejoignit son frère à Londres où il rédigea le *Courrier de Londres.*

(189) BAILLY (Jean-Sylvain), ancien maire de Paris, arrêté à Melun le 4 juillet 1793, condamné à mort le 11 nov.

(190) *Arch. Louvre,* O 24, 1794, 17 juil., brouillon d'un arrêté du Conservatoire au sujet du logement de ses membres; *Arch. Louvre,* *AA 1, p. 58, 7 thermidor, lettre 78, du Conservatoire à la Commission exécutive de l'instruction publique.

(191) *Arch. Louvre,* *AA 1, pp. 56-57, 1er thermidor, lettre 74, de la Commission des travaux publics au Conservatoire; voir aussi *Arch. Louvre,* X Salon, 1794, 3 juin, copie d'une lettre de la Commission des travaux publics à celle de l'instruction publique.

(192) 2,93 m. de haut sur 2,27 m. de large; niveau ou équerre.

(193) Arrêté du 19 messidor an 2, *supra,* note 179.

(194) *Arch. Louvre,* *AA 1, p. 57, 7 thermidor, lettre 77; voir *supra,* note 172.

(195) *Arch. Louvre,* *AA 1, p. 57, 4 thermidor, lettre 75, du Comité révolutionnaire de la section du Finistère; *Ibid.,* p. 60, lettre 84, de l'agent national de la Commune de Paris au Conservatoire; *Ibid.,* pp. 57-58, lettre 77, réponse du Conservatoire.

(196) *Arch. Louvre,* 4 BB 2, f. 5, 7 thermidor, pièce 11, lettre de la Commission exécutive de l'instruction publique au Conservatoire; *Arch. Louvre,* 4 BB 1, ff. 5-6, 30 messidor, arrêté n° 10, arrêté du Comité de Salut public.

(197) *Arch. Louvre,* *AA 1, p. 58, 7 thermidor, lettre 79, du Conservatoire à la Commission exécutive de l'instruction publique.

(198) Arrêté du 7 thermidor du Comité d'instruction publique; voir *1901 Guillaume,* pp. 866, 869-871, le projet présenté par le Conservatoire et les modifications apportées par la Commission de l'instruction publique.

(199) Allusion discrète aux troubles à craindre à la suite de la mise en accusation de Robespierre.

(200) *Supra,* notes 196 et 197.

(201) F. P., paraphes de Fragonard, secrétaire, et Picault, président de séance.

(202) *Arch. Louvre,* A 5, 1794, 1er août, s. d., reçue le 14 *(sic)* thermidor; *Ibid.,* *AA 1, p. 60, 14 thermidor, lettre 83.

MAILLY (Charles-Jacques de), peintre sur émail, exposa au Salon de 1793 un dessin *L'amour de la Patrie;* possédait une collection, réalisée en Russie, qu'il offrit au Muséum d'histoire naturelle.

(203) Laissé en blanc; il s'agit du C. Roux, bijoutier, voir *infra,* p. v. n° 114 de la séance du 14 thermidor.

(204) *Arch. Louvre,* *AA 1, p. 59, 14 thermidor, lettre 82, le Conservatoire à la Commission de l'instruction publique.

(205) *Arch. Louvre,* *AA 1, pp. 58-59, 13 thermidor, lettre 80.

(206) *Arch. Louvre,* *AA 1, p. 59, 14 thermidor, lettre 81.

(207) *Arch. Louvre,* 1 DD 7, ff. 5-7, Brissac, an 2 du 4 thermidor; *Ibid.,* Z 3E, 1794, 15 mars, copie du procès-verbal d'inventaire fait par les commissaires artistes chez le nommé Brissac au Palais national, 25 ventôse an 2.

(208) Laissé en blanc, probablement 19 thermidor.

(209) « Commission temporaire des arts », ainsi qu'il est précisé dans le texte de la motion en faveur de Dardel, arrêté par le Conservatoire dans sa séance du 29 thermidor, p. v., n° 123, dernier alinéa.

La Convention décréta que David serait provisoirement mis en état d'arrestation, le 15 thermidor matin (2 août 1794) *Le Moniteur universel,* n° 316, sextidi 16 thermidor, p. 377.

Le Conservatoire est très discret sur « ce qui s'est passé à la séance du 15 »; séance du Comité d'instruction publique au cours de laquelle a été arrêtée la transformation du Conservatoire : suppression des sections, effectif des membres ramené à sept au lieu de dix; sont désignés trois anciens : Picault, Dupasquier, Varon et quatre nouveaux : Renaud *(sic),* Langlier, Dewailly, Moitte.

Arch. Louvre, 4 BB 1, f. 6, 15 thermidor, arrêté sans n° d'enregistrement; *Ibid.,* O 28, 1794, 7 sept., arrêté du Comité d'instruction publique, *Pièce annexée 35.*

Cet arrêté ne fut notifié au Conservatoire que le 21 fructidor (7 sept. 1794) et nous constaterons qu'il ne fut pas appliqué; les nouveaux membres ne paraissent pas aux délibérations du Conservatoire alors que les anciens continuent d'y prendre part. Seuls Le Sueur et Wicar présentèrent, dès le 17 thermidor, leurs démissions qui furent acceptées par le Comité d'instruction publique, *Arch. Louvre,* 4 BB 1, f. 6, 17 thermidor, arrêté n° 11; *Ibid.,* O 28, 1794, 6 sept., extrait du Registre des Délibérations du Comité d'instruction publique, *Pièce annexée 36.*

Voir aussi *Arch. nat.,* F^{17} 1281, dos. 4.

(210) *Arch. Louvre,* *AA 1, p. 61, 23 thermidor, lettre 26, du Citoyen Moreau; *Ibid.,* p. 61, 29 (?) thermidor, lettre 87, réponse du Conservatoire.

(211) *Arch. Louvre,* 1 DD 7, « Registre des objets d'arts et sciences provenant des émigrés et condamnés, enlevés des dépôts nationaux et transportés au Museum national des arts. Par ordre alphabétique »; 54 feuillets, foliotés et paraphés, écrits recto et verso.

(212) Voir *supra,* notes 160 et 161.

(213) *Arch. Louvre,* SF 4, 1794, 17 déc., état des transports d'objets d'arts au Museum, du 21 thermidor au 29 fructidor an 2 (8 août au 15 sept. 1794).

(214) Séances du 15 ventôse (5 mars 1794), p. v. n° 31 et du 23 floréal (12 mai 1794), p. v. n° 72.

(215) *Arch. Louvre,* O 28, 1794, 7 août, extrait du Registre des Délibérations du Conservatoire, du 20 thermidor; c'est le texte de la motion du 20 thermidor (p. v. n° 118), raturé et corrigé par Varon, pour arriver au texte retenu dans le p. v. n° 123 de la séance du 29 thermidor.

(216) RUBENS, *L'Entrevue du roi et de Marie de Médicis à Lyon,* le 9 novembre 1600, *Musée national du Louvre,* INV. 1775, *Catalogue des peintures, Ecoles flamande et hollandaise, 1979,* p. 116.

(217) RUBENS, *La Conclusion de la paix,* à Angers, le 10 août 1620 et *Le Traité d'Angoulême,* le 30 avril 1619, *Musée national du Louvre,* INV. 1787 et 1786, *Catalogue des peintures, Ecoles flamande et hollandaise, 1979,* p. 118.

(218) RUBENS, *La Galerie Médicis, Musée national du Louvre,* INV. 1769 à 1792, *Catalogue des peintures, Ecoles flamande et hollandaise, 1979,* p. 115. Cf. *1967 Thuillier-Foucart.*

(219) *Arch. Louvre,* 1 DD 7, f. 47, Richelieu; MICHEL-ANGE, *Deux captifs destinés au tombeau du pape Jules II (Les esclaves), Musée national du Louvre,* MR 1589 et 1590.

(220) *Arch. Louvre,* 4 BB 2, f. 6, fructidor (sans indication du jour), pièce 14, lettre de la Commission exécutive de l'instruction publique au Conservatoire; voir *supra,* notes 167 et 168.

(221) *Arch. Louvre,* 1 DD 7, f. 49, Talma.

(222) *Arch. Louvre,* *AA 1, pp. 62-63, 7 fructidor, lettre 88, le C. Neveu au Conservatoire; *Ibid.,* p. 63, 9 fructidor, lettre 89, le Conservatoire au Comité de Salut public.

(223) D'après la minute.

(224) A l'Abbaye de Saint-Denis depuis 1954; « cuve qui à franciade servait de piscine aux cidevant Bénédictins », p. v. de la séance du 10 fructidor de la Commission temporaire des arts, *1912 Tuetey,* p. 367.

(225) Sur la minute : « ce tableau est faubourg Honoré chez le C. Déperey maison de la Cit^{enne} Veuve Gearin au coins de celle Duras ».

(226) *Arch. Louvre,* 4 BB 2, f. 7, 15 *(sic)* thermidor, pièce 17, lettre de la Commission exécutive de l'instruction publique au Conservatoire.

(227) Voir *supra,* note 209.

(228) *Arch. Louvre,* 4 BB 2, f. 7, fructidor (précisé : *sans datte de jour),* pièce 18, lettre de la Commission de l'instruction publique au Conservatoire.

(229) *Arch. Louvre,* 4 BB 2, f. 8, fructidor, pièce 22, lettre de la Commission exécutive de l'instruction publique au Conservatoire.

(230) *Arch. Louvre,* 4 BB 2, f. 8, 26 fructidor, pièce 20; *Ibid.,* P 6, 1794, 13 sept.

(231) *Arch. Louvre,* 4 BB 2, f. 8, 26 fructidor, pièce 21; *Ibid.,* X Salon, 1794, 12 sept.

(232) *Arch. Louvre,* 4 BB 2, f. 8, 26 fructidor, pièce 19; *Ibid.,* X Salon, 1794, 12 sept., lettre de la Commission exécutive de l'instruction publique au Conservatoire et décharge signée par Boilly.

Voir *Arch. Louvre,* Z 14, 1794, 12 sept., certificat de dépôt délivré à Boilly.

(233) *Arch. Louvre,* *AA 1, p. 64, 27 fructidor, lettre 92; *Ibid.,* Z 15, 1794, 15 sept., lettre du Conservatoire.

(234) *Arch. Louvre,* *AA 1, p. 65, 27 fructidor, lettre 94.

(235) Voir *supra,* note 213.

(236) *Arch. Louvre,* *AA 1, p. 63, 27 fructidor, lettre 90, du président du Conservatoire à la Commission exécutive de l'instruction publique.

(237) *Arch. Louvre,* *AA 1, pp. 66-67, 28 fructidor, lettre 95.

(238) *Arch. Louvre,* *AA 1, p. 64, 27 fructidor, lettre 91 par laquelle le Conservatoire désigne Vincent et Le Brun pour expertiser le tableau de Barbier. Voir *supra,* note 230.

Arch. Louvre, 4 BB 2, f. 9, 29 fructidor, pièce 23; *Ibid.,* P 6, 1794, 13 sept., lettre de la Commission exécutive de l'instruction publique accusant réception de la précédente.

Le tableau de J.-J. F. LE BARBIER montre *Le courage du jeune Desilles,* acquis par la nation il sera exposé au Muséum en décembre 1794, voir *infra,* p. v. n°s 178 et 179 des 17 et 19 frimaire, an 3.

Cf. *François Pupil, « Le dévouement du Chevalier Desilles et l'affaire de Nancy en 1790 : essai de catalogue iconographique »,* Le Pays Lorrain, 1976, n° 1, pp. 73-110.

(239) *Arch. Louvre,* *AA 1, p. 68, 1re sans culotide, lettre 98, le Comité de la section de Mutius Saevola au Conservatoire; *Ibid.,* Z 4, 1794, 17 sept., copie d'un extrait du Registre des Délibérations du Conservatoire.

(240) CHAMPAIGNE (Philippe de), *L'Apôtre saint Philippe, Musée national du Louvre,* INV. 1132, *Catalogue des Peintures,* 1972, p. 65; *Catalogue des Peintures, Ecole française, 1974,* n° 101, t. I, pp. 57 et 261.

(241) La transcription des lettres écrites par le Conservatoire a été faite sur le registre *Arch. Louvre,* *AA 1, 18 pluviôse an 2, (6 fév. 1794) au 5 pluviôse an 4 (25 janv. 1796); 274 pages manuscrites, pagination récente au composteur.

Quant à la seconde proposition, relative aux lettres reçues par le Conservatoire, il n'a pas été ouvert de nouveau registre. Les correspondances reçues ont été recopiées sur l'un des trois registres existant :

Arch. Louvre, 4 BB 1 et 4 BB 2 (voir *supra,* note 180) pour celles venant du Comité de Salut public et de celui d'instruction publique et *Arch. Louvre,* *AA 1, objet de la première proposition.

(242) Le p. v. ne fait pas mention d'une lettre reçue par le Conservatoire, par laquelle le C. Guibert, sculpteur, signale la nécessité de mettre à l'abri « les objets réservés dans la maison, cydevant Eglise St Sulpice », *Arch. Louvre,* Z 4, 1794, 17 sept.

(243) *Arch. Louvre,* *AA 1, pp. 67-68, 29 fructidor (?), lettre 97.

(244) Voir *supra,* note 209; *Pièce annexée 36.*

(245) Voir p. v. 131 de la séance du 15 fructidor.

(246) On constate que le Conservatoire ne tient pas compte de l'arrêté du 15 thermidor qui lui a été notifié le 21 fructidor et qui ramenait à sept le nombre de ses membres, *supra,* note 209.

AN III

(247) *Arch. Louvre,* 4 BB 2, f. 9, 4e sans culotide an 2, pièce 25, arrêté du Comité d'instruction publique,

Voir aussi : *Arch. nat.,* F[21] 1281, dos. 3; *Le Moniteur universel,* n° 3, 3 vendémiaire an 3 (24 sept. 1794), pp. 26-27, interventions de Guyton-Moreau et du Lieutenant Luc Barbier.

(248) *Arch. Louvre,* 4 BB 2, f. 10, 1 vendémiaire an 3, pièce 26.

(249) *Arch. Louvre,* 4 BB 2, f. 9, 4e sans culotide an 2, pièce 24; *Ibid.,* M 6, 1794, 14 mars, lettre de la Commission exécutive de l'instruction publique; *Ibid.,* lettre du 24 ventôse an 2, de Gaspard Fabre, marchand.

(250) Tous les deux éliminés du Conservatoire par l'arrêté du 15 thermidor qui n'est donc pas appliqué, voir *supra,* note 209.

(251) Les fonctions exactes du Citoyen Barbier sont indiquées dans le « Procès verbal [n° 4752] des tableaux provenant de la ville d'Anvers », *Arch. Louvre,* P 4, 1794, 25 sept., établi par « Nous Barbier, Lieut. au 5e Régt d'hussards et Léger adjoint aux adjudants généraux chargés par l'arrêté des Représentants du peuple du 30 messidor dernier de faire la recherche des peintures et sculptures qui se trouvent dans les pays conquis, avons fait descendre et emballer les tableaux provenant de la ville d'Anvers ».

A ce sujet, voir aussi : *Gaston Brière, « Le peintre J.-L. Barbier et les conquêtes artistiques en Belgique (1794) »,* Bulletin de la Société de l'histoire de l'Art français, 1920, pp. 204-210.

Le procès-verbal, signé le 4 vendémiaire an 3 par Léger, énumère 55 tableaux dont 29 sont attribués à Rubens.

Cependant le chariot conduit à Paris par le Lieutenant Barbier ne porte que quatre caisses contenant chacune un tableau, sur bois, de RUBENS : *Descente de croix,* esquisse, Musée des Beaux-Arts, Anvers; *Descente de croix,* panneau central, cathédrale d'Anvers; *Le Christ entre les larrons* dit *Le Coup de lance,* Musée des Beaux-Arts, Anvers; *L'érection de la croix,* cathédrale d'Anvers, d'après *Arch. Louvre,* P 4, 1794, 9 août, ordre de transport à Lille, du 22 thermidor an 2; *Ibid.,* 1794, 25 sept., rapport ou inventaire du 4 vendémiaire an 3 dressé par Le Brun, signé par Le Brun, Lavallée et contresigné par David Le Roy, Fragonard, Picault, R. G. Dardel.

Voir aussi *1964 G. Emile-Mâle,* pp. 156-159.

(252) *Arch. Louvre,* 4 BB 1, ff. 7-8, 2 vendémiaire, arrêté n° 8; *Ibid.,* P 5, 1794, 23 sept., lettre de Legrand, peintre, au président du Comité d'instruction publique, avec décision de ce Comité; *Arch. Louvre,* P 14, 1794, 28 sept., arrêté du Conservatoire.

(253) Voir rapport ou inventaire, du 4 vendémiaire, rédigé par Le Brun, *supra,* note 251.

(254) *Arch. Louvre,* *AA 1, pp. 68-69, 4 vendémiaire, lettre 99, du Conservatoire au Comité d'instruction publique, 2e section, *Pièce annexée 37;* voir aussi *1964 G. Emile-Mâle,* pour l'état des tableaux de

Rubens et leur restauration.

(255) *Arch. Louvre,* 4 BB 1, ff. 6-7, 28 fructidor, arrêté n° 12, ordre de transporter, dans la maison occupée par la Commission de la marine et des colonies, les grands tableaux et leurs cadres, actuellement au dépôt de la rue de Beaune, représentant des actions de la marine française, trouvés chez l'émigré Castries, ancien ministre de la marine; *Ibid.,* 1 DD 7, f. 13, Castries, an 2, 20 pluviôse.

(256) *Arch. Louvre,* Z 2, 1794, 25 sept.; *Ibid.,* *AA 1, p. 69, 4 vendémiaire, lettre 100; pour la suite voir *Arch. Louvre,* Z 2, 1794, 28 nov., extrait du Registre des Délibérations du Conservatoire; *Ibid.,* 1794, 20 déc., lettre des commissaires de Franciade au Conservatoire; *Ibid.,* 1795, 23 avril, lettre des commissaires de Franciade au Conservatoire; *Ibid.,* 1795, 31 août, lettre du 14 fructidor an 3 par laquelle Franciade renouvelle sa demande, la première datant du 4 vendémiaire an 2.

(257) *Arch. Louvre,* 4 BB 1, f. 8, 2 vendémiaire, arrêté n° 14, *Pièce annexée 39.*

(258) LE CARAVAGE, *La mort de la Vierge, Musée national du Louvre,* INV. 54, *Catalogue Hautecœur,* 1926, p. 24, n° 1121.

(259) *Arch. Louvre,* 1 DD 7, f. 44, Penthièvre; *supra, Liste des tableaux choisis par le Conservatoire le 4 floréal l'an 2 (...),* p. v. n° 62 de la séance du 6 floréal, tableau n° 7 : POUSSIN (Nicolas), *Camille livre le maître d'école de Galéries à ses écoliers, Musée national du Louvre,* INV. 7291, *Catalogue des Peintures, 1972,* p. 302; *Catalogue des Peintures, Ecole française, 1974,* n° 660, t. II, pp. 55 et 211.

(260) *Ibid.,* tableau n° 4; Turchi dit Alessandro VERONESE, *Mort de Cléopâtre, Musée national du Louvre,* INV. 703, *Catalogue Hautecœur, 1926,* p. 129, n° 1560; saisi chez le duc de Penthièvre.

(261) *Arch. Louvre,* *AA 1, p. 69, 9 vendémiaire, lettre 101; *Ibid.,* X Salon, 1794, 30 sept., lettre du 9 vendémiaire du C. Sauvage au Conservatoire.

(262) Le texte annoncé n'est pas reproduit dans le p. v., on le trouve à : *Arch. Louvre,* 4 BB 1, f. 8, 6 vendémiaire, arrêté n° 15; *Ibid.,* P 16, 1794, 27 sept., extrait du Registre des Délibérations du Comité d'instruction publique, le 6 vendémiaire an 3.

Voir : *supra,* p. v. n° 144 de la séance extraordinaire du 4 vendémiaire, note 254.

Voir aussi *Arch. nat.,* F21 1281, dos. 3, 6 vendémiaire an 3; *Ibid.,* 15 brumaire an 3; *Ibid.,* 16 brumaire an 3.

(263) *Arch. Louvre,* 4 BB 2, f. 11, 12 vendémiaire, pièce 31; *Ibid.,* X Salon, 1794, 30 oct., lettre de la Commission exécutive de l'instruction publique au Conservatoire; *Arch. Louvre,* 4 BB 2, f. 11, 12 vendémiaire, pièce 30, lettre de la même Commission au C. Sauvage.

(264) *Arch. Louvre,* 4 BB 2, f. 10, 12 vendémiaire, pièce 29; voir *supra,* note 251.

(265) *Les esclaves,* remis au Conservatoire le 11 fructidor an 2, *1878 Coutajod, Journal de Lenoir,* p. 65, n° 428; voir *supra,* note 219.

(266) *Arch. Louvre,* 1 DD 7, f. 44, Penthièvre, tableau n° 6; *supra, Liste des tableaux choisis par le Conservatoire le 4 floréal l'an 2e (...);* p. v. n° 62 de la séance du 6 floréal, tableau n° 5; Reni dit LE GUIDE, *L'enlèvement d'Hélène, Musée national du Louvre,* INV. 539, *Catalogue Hautecœur,* 1926, p. 103, n° 1456; saisi chez le duc de Penthièvre.

(267) Les mots « guerrire soit » figurent sur la minute; ils ont été écrits puis raturés sur le p. v. par le copiste; sans eux la phrase n'a aucun sens.

(268) *Arch. Louvre,* 1 DD 7, f. 44, Penthièvre, tableau n° 5, *supra, Liste des tableaux choisis par le Conservatoire le 4 floréal l'an 2 (...),* p. v. n° 62 de la séance du 6 floréal, tableau n° 6; Berettini dit PIETRO DE CORTONE, *Romulus et Rémus recueillis par Faustine, Musée national du Louvre,* INV. 111, *Catalogue Hautecœur,* 1926, p. 34, n° 1165; saisi chez le duc de Penthièvre.

(269) Voir *Arch. Louvre,* Z 4, 1794, 27 sept., le brouillon d'un rapport qui indique les conditions de conservation des tableaux non exposés; ce rapport a peut être incité la Commission de l'instruction publique à autoriser le déplacement des tableaux présentés au Concours; *Pièce annexée 40.*

(270) *Arch. Louvre,* *AA 1, p. 70, s. d., lettre 103.

Voir aussi *Arch. nat.,* F21 570, reg. 6, p. 56.

(271) « Son tableau » oublié par le copiste, figure sur la minute. *Arch. Louvre,* 4 BB 2, f. 10, 3 vendémiaire, pièce 28; *Ibid.,* X Salon, 1794, 24 sept., lettre de la Commission exécutive de l'instruction publique au C. Sablet.

Arch. Louvre, 4 BB 2, f. 11, 12 vendémiaire, pièce 32; *Ibid.,* X Salon, 1794, 3 oct., lettre de la même Commission au Comité des inspecteurs de la salle.

(272) *Arch. Louvre,* *AA 1, p. 67, 28 fructidor, lettre 96, du Cn Margue; *Ibid.,* p. 70, 29 vendémiaire, lettre 104, du Cn Margue; *Ibid.,* pp. 70-71, 1 brumaire, lettre 105, le Conservatoire au Comité d'instruction publique.

(273) *Arch. Louvre,* 4 BB 2, f. 10, 24 vendémiaire, pièce 27, lettre de la Commission de l'instruction publique au Conservatoire, *Pièce annexée 41; Ibid.,* pp. 11-12, 15 vendémiaire, pièce 33, copie du rapport de Le Brun à la Commission temporaire des arts, *Pièce annexée 42.* Voir aussi *Arch. Louvre,* 1 DD 7, f. 36, Monuments des places de Paris.

(274) Voir *supra,* note 272.

(275) *Arch. Louvre,* 4 BB 2, ff. 12-13, 28 vendémiaire, pièce 34, lettre de la Commission de l'instruction publique au Conservatoire, *Pièce annexée 43; Arch. Louvre,* *AA 1, p. 81, 27 vendémiaire, lettre 122, « billet » de Bonvoisin à un membre du Conservatoire, *Pièce annexée 44;* voir *supra,* note 273.

(276) *Arch. Louvre,* SF 4, 1794, 17 déc., Etat des objets d'art, appartenant aux émigrés, transportés directement au Muséum par Scellier, arrêté à la date du 29 fructidor an 2, certifié exact le 27 frimaire an 3 par Picault, Fragonard, Dardel; voir aussi, *Arch. Louvre,* 1 DD 7, f. 8, Laborde.

(277) *Arch. Louvre,* Z 4, 1794, 18 oct., copie du pouvoir donné, le 27 vendémiaire, au C. Madaye par la Commission de l'instruction publique, *Pièce annexée 45.*

Le texte de la réponse faite par Picault et Dupasquier n'est pas joint au p. v., nous ne l'avons pas trouvé ni dans le registre *Arch. Louvre,* *AA 1, ni dans les dossiers. *L. Courajod (1878, Introduction,* p. CIX) présente un texte, sans en indiquer l'origine, nous le reproduisons, pour information, *Pièce annexée 46.*

(278) Sur la minute.

(279) *Supra,* note 272.

(280) *Arch. Louvre,* Z 4, 1794, 25 oct., copie du texte de la décharge qui ne figure pas au p. v., *Pièce annexée 47.*

(281) Les phrases et mots [] figurent tous sur la minute; ils ont été omis ou déformés par le copiste.

(282) *Supra,* note 241.

(283) D'après la minute « cotation ».

(284) Voir *supra,* note 124.

(285) *Arch. Louvre,* 4 BB 2, f. 13, 13 brumaire, pièce 35.

(286) *Arch. Louvre,* 4 BB 2, ff. 13-14, 14 brumaire, pièce 37, lettre de la Commission exécutive de l'instruction publique au Conservatoire.

(287) *1878 Courajod, Journal de Lenoir,* p. 77, n° 530 : « Le 25 [pluviôse an 3] remis à l'administration du Conservatoire du Musée du Louvre deux tableaux provenant de Saint-Germain-des-Prés représentant *saint Pierre délivré de prison,* par Jean-Baptiste Vanloo, et *L'aveuglement de Barjezie,* par Le Moine ».

(288) D'après la minute; laissé en blanc sur le registre.

(289) Voir p. v. n° 15 de la séance du 26 pluviôse an 2; voir aussi *Arch. Louvre,* *AA 1, p. 61, 16 thermidor, lettre 85.

(290) *Arch. Louvre,* P 4, 1794, 5 nov., copie de « l'inventaire et état détaillé des objets de peinture trouvés dans la caisse venant de Liège, en datte du 27 vendémiaire dernier », établi et signé par Lavallée et Le Brun, le 15 brumaire, date de remise des 24 tableaux « entre les mains des membres du Conservatoire ». Cependant, le reçu n'a été signé pour le Conservatoire que le 23 frimaire an 3, par Picault, président, Dupasquier secrétaire, David Le Roy, Lannoy, Bonvoisin, R. G. Dardel.

Voir aussi *Arch. Louvre,* P 4, 1794, 5 nov., deux inventaires des tableaux recensés, à Liège et dans ses environs, par les commissaires des sciences et arts dans les pays occupés. Un des états a été signé à Liège le 27 vendémiaire an 3 par Deweillé, Thouin, Michel Le Blond, Farija.

(291) *Arch. Louvre,* X Salon, 1794, 19 juin, lettre du 1er messidor an 2, de Vien, demandant l'autorisation d'exposer son dessin « le triomphe de la République »; *Ibid.,* 4 BB 2, ff. 13-14, 14 brumaire, pièce 36 et 16 brumaire, pièce 38, lettre et arrêté de la Commission exécutive de l'instruction publique et reçu signé par Vien; *Ibid.,* X Salon, 1794, 4 nov., même lettre et même arrêté. *Musée national du Louvre, Cabinet des dessins,* don reçu en 1981.

(292) *Arch. Louvre,* *AA 1, p. 72, 14 brumaire, lettre 107, de l'ancienne Commission au Conservatoire; *Ibid.,* 19 brumaire, lettre 108, réponse du Conservatoire.

(293) Voir *1964 G. Emile-Mâle,* pp. 162-166.

(294) Ecole Napolitaine, XVIIe siècle (jadis attribué à Amerighi dit Le Caravage), *Un concert, Musée national du Louvre,* INV. 56, *Catalogue Hautecœur,* 1926, p. 24, n° 1123; appartenait à la famille de Vintimille.

(295) *Supra,* note 292.

(296) Sur la minute.

(297) *Arch. Louvre,* *AA 1, pp. 84-85, 22 brumaire, lettre 126, du C. Galland au Conservatoire; *Ibid.,* pp. 72-73, lettre 109, réponse du Conservatoire.

(298) *Arch. Louvre,* P 4, 1794, « Tableaux enlevés de chez le C. Durvey et déposés au Museum »; *Ibid.,* 1 DD 7, f. 20, Durvet *(sic).*

(299) *Arch. Louvre,* 4 BB 2, ff. 14-15, 26 brumaire, pièce 40, lettre de la Commission exécutive de l'instruction publique au Conservatoire; *Ibid.,* f. 14 verso, 22 brumaire, pièce 39, lettre de la Commission de Commerce et d'approvisionnemens.

(300) *Arch. Louvre,* Z 3 E, 1795, 12 août, « Copie (...) envoyée au Conservatoire par la Commission exécutive le 25 thermidor an 3 », du rapport du 30 brumaire an 3, des Citoyens Bonvoisin et Picault à la Commission temporaire des arts; *Ibid.,* 1 DD 7, f. 35, Marbeuf.

(301) En blanc sur le registre et la minute.

(302) Le copiste n'a pas transcrit sur le registre deux mentions ajoutées en marge sur la minute :

« 1° - nota - le 29 brumaire et le 1e frimaire, il n'y a pas de séance.

2° - La Commission exécutive de l'instruction publique fait part au Conservatoire qu'elle vient de nommer les C.C. Madaye, Lavallée fils et Le Brun pour faire procéder au débalement des caisses de tableaux arrivés aujourd'huy de la Belgique ».

Il faut aussi noter que le p. v. ne mentionne pas la lettre du 2 frimaire du Comité d'instruction publique, signée Thibeaudeau, autorisant « les membres du Conservatoire du Museum (...), attendu l'urgence, à faire décharger et mettre à couvert les caisses de tableaux arrivés aujourd'hui de la Belgique, sauf à instruire la Commission d'instruction publique pour l'ouverture des caisses, *Arch. Louvre,* 4 BB 1, f. 8, 2 frimaire, arrêté n° 17.

(303) *Arch. Louvre,* *AA 1, pp. 73-75, 2 frimaire, lettre 112, du C. Moreau au Conservatoire, qui traite non seulement des deux capotes mais encore des deux mois de traitement dûs aux vétérans; *Ibid.,* p. 78, 15 frimaire, lettre 118, réponse du Conservatoire.

(304) *Arch. Louvre,* *AA 1, p. 73, 1 frimaire, lettre 111.

(305) *Arch. Louvre,* *AA 1, pp. 78-79, s. d., lettre 119, le Conservatoire à l'agent national près le département.

(306) *Arch. Louvre,* 4 BB 2, f. 15, 5 frimaire, pièce 42, lettre de la Commission exécutive de l'instruction publique au Conservatoire; *Ibid.,* f. 15, 4 frimaire, pièce 41, extrait du Registre des Délibérations du Comité d'instruction publique, du 19 vendémiaire; *Ibid.,* 4 BB 1, f. 8, 10 vendémiaire, arrêté n° 16, extrait de l'arrêté du Comité d'instruction publique.

(307) *Arch. Louvre,* *AA 1, pp. 77-78, 15 frimaire, lettre 117; *Ibid.,* T 2 H, 1794, 5 déc., lettre du C. Aubert au C. Bonvoisin. La date 15 frimaire portée sur cette lettre est sans doute erronée, Bonvoisin en fait état le 7 frimaire, elle est probablement du 5 frimaire.

(308) *Arch. Louvre,* *AA 1, p. 75, 7 frimaire, lettre 113; *Ibid.,* P 5, 1794, 27 nov., lettre de la C^{ne} Ve Lefournier.

(309) Sur la minute.

(310) *Arch. Louvre,* *AA 1, p. 77, 9 frimaire, lettre 115; *Ibid.,* S 4, 1794, 29 nov., *Pièce annexée 48.*

(311) Voir *supra,* p. v. n° 125 de la séance du 3 fructidor an 2, note 218.

(312) *Arch. Louvre,* P 4, 1794, 28 nov., « Copie des inventaires des tableaux venus de la Belgique, 8 frimaire an 3 », extrait, *Pièce annexée 49; Ibid.,* 1794, 4 déc., inventaire et état des tableaux envoyés de la Belgique, 14 frimaire an 3, extrait, *Pièce annexée 50;* voir aussi *Arch. nat.,* F^{17A} 1267, n°s 203 et 212.

(313) *Arch. Louvre,* *AA 1, p. 77, 13 frimaire, lettre 116.

(314) *Arch. Louvre,* 4 BB 2, f. 15, 12 frimaire, pièce 43; voir *1904 Guillaume,* p. 112, l'organisation de la Commission exécutive de l'instruction publique.

(315) *Arch. Louvre,* *AA 1, p. 80, 21 frimaire, lettre 120, le Conservatoire au Comité d'instruction publique.

(316) *Arch. Louvre,* 4 BB 2, f. 16, 16 frimaire, pièce 44; *Ibid.,* P 6, 1794, 6 déc., lettre de la Commission exécutive de l'instruction publique, 2e section, Bureau des Musées, au Conservatoire, signée Garat; voir *supra,* p. v. n° 137 de la séance du 27 fructidor an 2.

(317) *Arch. Louvre,* *AA 1, pp. 81-82, 27 frimaire, lettre 123, le Conservatoire au Comité d'instruction publique.

Voir *supra,* note 305, la lettre du Conservatoire à l'agent national près le département.

(318) *Arch. Louvre,* *AA 1, p. 98, s. d., lettre 143, demande faite par sept gardiens.

(319) *Arch. Louvre,* 4 BB 1, f. 9, 15 frimaire, arrêté n° 18; tous les documents du Conservatoire datent l'arrêté du 16 frimaire.

(320) *Arch. Louvre,* *AA 1, pp. 75-76, 12 frimaire, lettre 114, du C. Lebrun au Conservatoire; *Ibid.,* pp. 80-81, 24 frimaire, lettre 121, réponse du Conservatoire.

(321) *Arch. Louvre,* 4 BB 2, f. 16, 23 frimaire, pièce 45; *Ibid.,* P 16, 1794, 13 déc.; extrait du Registre des Délibérations de la Commission exécutive de l'instruction publique, *Pièce annexée 51.* Voir aussi *Arch. nat.,* F^{21} 570, reg. 4, p. 54.

(322) *Arch. Louvre,* *AA 1, pp. 88-89, 28 frimaire, lettre 125, le C. Moreau au Conservatoire.

(323) *Arch. Louvre,* 4 BB 2, f. 17, 26 frimaire, pièce 47, lettre de la Commission exécutive de l'instruction publique; *Ibid.,* 25 frimaire, pièce 46, arrêté de la même Commission; *Ibid.,* *AA 1, p. 85, 28 frimaire, lettre 127, du Conservatoire à la Commission exécutive.

(324) *Arch. Louvre,* *AA 1, pp. 82-83, 27 frimaire, lettre 124.

(325) *Arch. Louvre,* *AA 1, p. 86, 30 frimaire, lettre 129; voir *supra,* p. v. n° 145 de la séance du 5 vendémiaire.

(326) Voir *Arch. nat.,* F^{21} 570, reg., p. 44.

Les salles de la cidevant Académie française demandées par le Conservatoire sont les trois pièces aménagées dans l'ancienne salle du Conseil, occupées par l'Académie française jusqu'à sa suppression, le 8 août 1793; Palais du Louvre, Pavillon de l'horloge, aile Lemercier, Ouest; cf. *Ch. Aulanier, Le Pavillon de l'Horloge,* Paris, 1963.

(327) *Arch. Louvre,* *AA 1, pp. 99-100, 3 nivôse, lettre 144, le Conservatoire au C^{n} Moreau, rapport de Bonvoisin joint.

(328) LAURENT (Pierre-François), Marseille, 1739-Paris, 1809, exposa au Salon de 1791.

(329) *Arch. Louvre,* 4 BB 2, f. 17, 2 nivôse, pièce 48, lettre de la Commission exécutive de l'instruction publique au Conservatoire. Voir *supra,* p. v. n° 93 de la séance du 9 messidor an 2 (27 juin 1794), note 166.

(330) *Arch. Louvre,* *AA 1, pp. 88-89, 6 nivôse, lettre 131.

(331) *Arch. Louvre,* P 16, 1795, 2 janv., lettre signée Regnault, Jollain, Pasquier; voir *supra,* p. v. n° 15 du 26 pluviôse an 2, note 45; p. v. n° 29 du 11 ventôse an 2, note 70; p. v. n° 33 du 17 ventôse, note 81.

(332) *Arch. Louvre,* 4 BB 2, f. 18, 14 nivôse, pièce 50, lettre de la Commission exécutive de l'instruction publique; *Ibid.,* pp. 17-18, 14 nivôse, pièce 49, extrait du Registre des Délibérations du Comité d'instruction publique du 12 nivôse an 3.

(333) *Arch. Louvre,* *AA 1, p. 89, 16 nivôse, lettre 132; *Ibid.,* D 15, 1795, 5 janv., lettre de Sergent, repr^{t} du Peuple et membre du Comité d'insp^{on} de la Salle.

C'est certainement par erreur que le copiste, sur le registre *AA 1, a attribué la lettre à Anquir (?) alors que la lettre originale, conservée dans le dossier D 15, ne laisse aucun doute.

(334) *Arch. Louvre,* 4 BB 2, ff. 18-19, 18 nivôse, pièce 51, lettre de la Commission exécutive de l'ins-

truction publique au Conservatoire; *Ibid.*, *AA 1, pp. 101-102, 21 nivôse, lettre 145, réponse du Conservatoire.

(335) En blanc sur le p. v. et sur la minute.

(336) *Arch. Louvre*, *AA 1, p. 90, 18 nivôse, lettre 133.

(337) Voir *supra*, note 312.

(338) *Supra*, note 334.

(339) *Arch. Louvre*, Z 4, 1795, 5 fév., Commission temporaire des arts, section architecture. Inventaire des modèles de monumens antiques tant de la Grèce que d'Italie qui sont dans une maison de Choiseul Gouffier, émigré, sise rue Pagevin n° 16, lesquels ont été transportés au Museum national des arts; ils sont exécutés en toile dans la plus grande perfection. Inventaire dressé, le 17 pluviôse an 3, par Lannoy et David Le Roy; *Ibid.*, suite de l'inventaire dressé par les mêmes, le 23 pluviôse an 3; *Ibid.*, 1 DD 7, f. 18, Choiseul Gouffier.

(340) *Arch. Louvre*, *AA 1, pp. 90-92, 20 nivôse, lettre 134, le citoyen Dupasquier à ses collègues; voir, p. v. n° 192 de la séance du 17 nivôse et p. v. n° 193 de la séance du 19 nivôse, dernier alinéa.

(341) *Arch. Louvre*, 4 BB 2, ff. 19-20, 26 nivôse, pièce 52; *Ibid.*, P 30, Savignac, 1795, 15 janv., lettre de la Commission exécutive de l'instruction publique, 1re section, bureau de l'organisation des Ecoles, au Conservatoire; *Ibid.*, *AA 1, pp. 102-104, 28 nivôse, lettre 146, réponse du Conservatoire.

(342) *Arch. Louvre*, *AA 1, p. 102, 27 nivôse, lettre sans n°, le Conservatoire à la Commission de Commerce et d'approvisionnemens.

(343) Voir *supra*, p. v. n° 190 de la séance du 13 nivôse.

(344) *Arch. Louvre*, P 16, 1795, 24 janv., tableaux retendus sur châssis par Hacquin et par Foulques. Voir aussi *Arch. nat.*, F21 570, reg. 4, p. 59, 16 pluviôse an 3; *Ibid.*, p. 61, 11 ventôse an 3.

(345) *Arch. nat.*, F17 1281, 7 pluviôse an 3 (26 janv. 1795); voir aussi *Arch. Louvre*, fonds Brière, n° 33, fascicule édité par H. J. Jansen.

(346) *Arch. Louvre*, P 4, 1795, 3 fév., état et inventaire des [29] tableaux arrivés de la Belgique le 28 nivôse l'an 3e (...), établis par Le Brun, Lavallée, Madaye dont la reconnaissance de remise au Conservatoire a été signée le 15 pluviôse par Fragonard, Bonvoisin, Picault, David Le Roy, R. G. David, Dupasquier.

Voir aussi *Arch. nat.*, F17A 1267, n° 221.

(347) Voir p. v. n° 170 de la séance du 3 frimaire, *supra*, note 300.

(348) *Arch. Louvre*, *AA 1, p. 94, 20 pluviôse, lettre 136 et p. 104, 20 pluviôse, lettre 147, la lettre du C. D'autriche, père, au Conservatoire est reproduite deux fois, en revanche la réponse du Conservatoire a été omise.

(349) *Arch. Louvre*, 4 BB 1, f. 9, 18 pluviôse, arrêté n° 19.

(350) *Arch. Louvre*, 4 BB 2, f. 21, 25 pluviôse, pièce 55.

(351) La séance n'étant pas terminée, la signature du p. v. à cet emplacement est peut être due au changement de Bureau.

(352) *Arch. Louvre*, *AA 1, p. 96, 10 ventôse, lettre 139; *Ibid.*, p. 106, 10 ventôse, lettre 150, même document reproduit deux fois.

(353) *Arch. Louvre*, 4 BB 2, f. 20 verso, 3 ventôse, pièce 53, lettre de la Commission des secours publics au Conservatoire; *Ibid.*, p. 21, s. d., pièce 54, réponse du Conservatoire; *Ibid.*, *AA 1, p. 105, 5 ventôse, lettre 148, même réponse du Conservatoire au C. Martigues de la Commission des secours publics.

(354) *Supra*, note 353.

(355) *Arch. Louvre*, P 4, 1795, 23 fév., état des tableaux arrivés de la Belgique le 20 pluviôse, établi et signé le 23 pluviôse an 3 par Lavallée, Le Brun, Madaye; signé à titre de récépissé le 5 ventôse par le Conservatoire, *Pièce annexée 52*.

(356) *Arch. Louvre*, 1 DD 7, f. 7 bis, Boutin.

(357) Voir *supra*, p. v. n° 196 de la séance du 25 nivôse.

(358) *Arch. Louvre*, *AA 1, pp. 95-96, lettre 138; *Ibid.*, p. 106, lettre 149, même lettre du 9 ventôse du C. Lenoir au Conservatoire.

(359) Voir *supra*, p. v. n° 172 de la séance du 7 frimaire, note 307.

(360) *Arch. Louvre*, P 16, 1795, 1er mars, état des tableaux retendus sur châssis par Hacquin et par Foulques.

(361) *Arch. Louvre*, *AA 1, p. 110, 25 ventôse, lettre 158, le Conservatoire à la Commission exécutive de l'instruction publique; la date de la lettre pourrait être 15 ventôse au lieu du 25 ventôse; *Ibid.*, 4 BB 2, f. 22, 5 germinal, arrêté n° 58, de la Commission d'instruction publique donnant satisfaction à la demande du Conservatoire.

(362) *Arch. Louvre*, *AA 1, pp. 106-107, 12 ventôse, lettre 151, la Commission exécutive de l'instruction publique au Conservatoire; *Ibid.*, pp. 114-115, s. d., lettre 165, décharge donné au C. Philippeau par le Conservatoire.

Arch. Louvre, 4 BB 2, f. 21, 12 ventôse, arrêté n° 56, de la Commission exécutive de l'instruction publique; *Ibid.*, p. 22, 18 ventôse, arrêté n° 57, du Conservatoire.

(363) *Arch. Louvre*, *AA 1, pp. 108-109, 23 ventôse, lettre 155.

(364) Voir *supra*, p. v. n° 193 de la séance du 19 nivôse (8 janv. 1795).

(365) *Arch. Louvre*, *AA 1, pp. 92-93, s. d., lettre 135.

(366) Voir *Arch. nat.*, F21 570, reg. 6, pp. 24-25, 11 thermidor an 3 (29 juil. 1795), les six tableaux

ne sont pas parvenus au Conservatoire.

(367) *Arch. Louvre,* *AA 1, p. 107, 17 ventôse, lettre 152; *Ibid.,* P 6, 1795, 15 mars, lettre du 17 ventôse de la Commission exécutive de l'instruction publique au Conservatoire.

Arch. Louvre, *AA 1, p. 108, lettre 154; *Ibid.,* P 6, 1795, 15 mars, lettre du 23 ventôse du Conservatoire.

(368) *Arch. Louvre,* *AA 1, p. 109, lettre 156; *Ibid.,* P 6, 1795, 15 mars, rapport de Bonvoisin et Fragonard, du 24 ventôse; *Ibid.,* extrait du Registre des Délibérations du Conservatoire, du 25 ventôse an 3.

(369) Le Directoire de la Commission temporaire a été créé par arrêté du 14 brumaire an 3 (4 nov. 1794) du Comité d'instruction, voir *1904 Guillaume,* pp. 198-200.

(370) *Arch. Louvre,* *AA 1, pp. 107-108, 18 ventôse, lettre 153, le Directeur de la Commission temporaire des arts au Conservatoire; *Ibid.,* p. 97, lettre 141 et p. 111 lettre 159, même réponse du Conservatoire, datée du 29 nivôse.

(371) *Arch. Louvre,* *AA 1, pp. 96-97, lettre 140 et pp. 110-111, lettre 158; *Ibid.,* Z 5, 1795, 18 mars, lettre du 28 nivôse de l'an 3 du C. Lafond au Conservatoire, portant l'annotation : « répondu le 9 germinal ».

(372) *Arch. Louvre,* *AA 1, pp. 97-98, lettre 148 et pp. 111-112, lettre 160; *Ibid.,* P 5, 1795, 20 mars, lettre du C. Coppée au Conservatoire.

(373) Voir *supra,* note 366 : *Arch. Louvre,* *AA 1, pp. 92-93, lettre 135, document dont le Conservatoire avait ajourné la discussion lors de sa séance du 19 ventôse.

(374) *Arch. Louvre,* *AA 1, pp. 112-113, 3 germinal, lettre 161, le Conservatoire à la Commission exécutive de l'instruction publique.

(375) *Arch. Louvre,* *AA 1, p. 113, 7 germinal, lettre 162, les gardiens du Muséum au Conservatoire; *Ibid.,* p. 114, 7 germinal, lettre 163, transmission du Conservatoire à la Commission exécutive de l'instruction publique.

(376) *Supra,* note 362.

(377) *Arch. Louvre,* Z 4, 1795, 4 avril, extrait du Registre des Délibérations du Conservatoire (...), Ce 15 germinal an 3 (...), *Pièce annexée 54.* On notera que ce document mentionne 11 tableaux alors que le p. v. n'en mentionne que 8.

(378) Resté en blanc : le p. v. est signé par Lannoy, vice-président.

(379) *Arch. Louvre,* *AA 1, p. 114, 12 germinal, lettre 164.

Voir aussi *Arch. nat.,* F^{21} 570, reg. 3, p. 15, lettre du 8 germinal, signée Picault, adressée à la Commission exécutive de l'instruction publique.

(380) *Arch. Louvre,* *AA 1, p. 115, 15 germinal, lettre 166.

(381) Voir *supra,* note 341, cas Savignac.

(382) *Arch. Louvre,* 4 BB 1, f. 9, lettre de la Commission exécutive de l'instruction publique au Conservatoire; *Ibid.,* ff. 9-10, arrêté n° 20 et ff. 11-12, arrêté n° 23 (même document), arrêté du 10 germinal du Comité d'instruction publique, *Pièce annexée 53; Arch. Louvre,* *AA 1, pp. 122-123, s. d., lettre 173, lettre du Conservatoire à la Commission exécutive de l'instruction publique.

(383) *Arch. Louvre,* *AA 1, pp. 115-116, 26 germinal, lettre 167.

(384) *Arch. Louvre,* C 30, Bervic, 1796, 20 avril, lettre du C. Bervic. Voir aussi *Arch. nat.,* F^{21} 1281, dos. 3.

BERVIC (Charles-Clément Balvay dit), 1756-1822.

(385) *Arch. Louvre,* 4 BB 1, f. 10, 18 germinal, arrêté n° 21; *Ibid.,* Z 4, 1795, 23 avril (4 floréal an 3), extrait du Registre des Délibérations du Comité d'instruction publique.

(386) L'arrêté du 10 germinal an 3, art. 2, a prévu que le nouveau Conservatoire nommerait un secrétaire, c'est probablement pour cette raison que l'ancien Conservatoire ne mentionne plus la fonction de secrétaire des séances.

(387) Dans les minutes, cette séance a été placée à la date du 19 floréal, le 1 du nombre 19 paraissant (?) raturé.

(388) Voir *Arch. nat.,* F^{17} 570, reg. 4.

TOPINO-LEBRUN (François, Jean-Baptiste), Marseille 1764-Paris 1801, peintre d'histoire, guillotiné pour avoir conspiré contre la vie du Premier Consul. En juillet 1794, le Conservatoire l'avait proposé pour faire partie du jury chargé de choisir les œuvres à envoyer à la manufacture des Gobelins, voir *supra,* p. v. n° 112 de la séance du 11 thermidor, an 2.

En 1795 (voir *supra,* p. v. n° 221 de la séance du 15 ventôse), l'atelier de Topino-Lebrun est devenu libre, par suite de l'arrestation du peintre, ancien juré au Tribunal révolutionnaire. Cf. *Philippe Bordes, « Les arts après la Terreur : Topino-Lebrun, Hennequin et la peinture politique sous le Directoire »,* la revue du Louvre et des Musées de France, n° 3-1979, pp. 199-212.

(389) *Arch. Louvre,* *AA 1, pp. 121-122, 8 floréal, lettre 171, la Commission exécutive de l'instruction publique au Conservatoire; *Ibid.,* p. 122, 9 floréal, lettre 172, réponse du Conservatoire.

(390) *Arch. Louvre,* Z 3, 1795, 14 avril; voir *supra,* note 339.

(391) *Arch. Louvre,* *AA 1, pp. 115-121, 2 (?) floréal, lettre 168. Lettre du Cn Varon au Conservatoire et rapport du compte moral. (Le copiste a introduit, p. 117, entre la lettre de Varon et son rapport, une lettre des Commissaires de Franciade, s. d.).

(392) *Arch. Louvre,* *AA 1, p. 123, 22 floréal, lettre 174.

(393) Voir *supra,* note 213.

(394) *Arch. Louvre,* *AA 1, p. 124, 16 prairial, lettre 176; *Ibid.,* 4 BB 2, ff. 27-28, 19 prairial, arrêté n° 63, la Commission exécutive de l'instruction publique désigne les C.C. Mazade et Madaye.

NOUVEAU CONSERVATOIRE

(395) Nous l'appelons « deuxième Conservatoire ». Il a fait l'objet d'un arrêté du 10 germinal an 3 (30 mars 1795) du Comité d'instruction publique, *Arch. Louvre,* 4 BB 1, ff. 9-10, 10 germinal, lettre de la Commission exécutive de l'instruction publique au Conservatoire, *Pièce annexée 53.*

Voir aussi *Arch. nat.,* F21 569, reg. 1.

Vincent, désigné par cet arrêté comme membre du Conservatoire, a été remplacé par Dewailly, voir *supra,* p. v. n° 243 de la séance du 29 germinal (18 avril 1795); voir aussi *Arch. nat.,* F 569, 28 germinal an 3 (17 avril 1795); *Ibid.,* F17 1281, 24 et 28 germinal an 3. Le deuxième Conservatoire a tenu sa première séance le 1er floréal an 3 (20 avril 1795) alors que le premier Conservatoire se réunissait pour la dernière fois le 4 messidor an 3 (22 juin 1795).

(396) *Arch. Louvre,* *AA 1, p. 127, 1er floréal, lettre 1re.

(397) Les p. v. des séances du nouveau Conservatoire ne sont pas signés sur le registre; en revanche les minutes sont toutes signées : la première du 1er floréal « Pajou, président », les suivantes par le président de la séance et par « Foubert, Sre ».

(398) Voir *supra,* note 385.

(399) *Arch. Louvre,* *AA 1, pp. 127-128, 8 floréal, lettre 2.

Voir aussi *Arch. nat.,* F21 569, 9 floréal an 3 (28 avril 1795).

(400) *Arch. Louvre,* 4 BB 1, ff. 10-11, 8 floréal, arrêté n° 22; *Ibid.,* S 11, 1795, 27 avril, extrait du Registre des Délibérations du Comité d'instruction publique; *Arch. Louvre,* *AA 1, pp. 128-129, 11 floréal, lettre 3, le Conservatoire au Comité d'instruction publique.

Voir aussi *Arch. nat.,* F21 1281, dos. 3.

(401) *Arch. Louvre,* 4 BB 2, ff. 22-23, 12 floréal, arrêté 59, la Commission des secours publics au Conservatoire.

(402) *Arch. Louvre,* *AA 1, pp. 129-130, 13 floréal, lettre 4.

Voir aussi *Arch. nat.,* F1A 82-84, décision du 8 ventôse (26 fév. 1795) attribuant l'atelier au Conservatoire; *Ibid.,* F21 570, pp. 45-46; *Ibid.,* p. 48, 13 floréal an 3.

(403) *Arch. Louvre,* *AA 1, p. 130, 17 floréal, lettre 5.

(404) *Ibid.,* pp. 130-131, 17 floréal, lettre 6, le Conservatoire au Comité de Salut public; *Ibid.,* pp. 131-132, 17 floréal, lettre 7, le Conservatoire à la Commission des secours.

Les mots (...) ne figurent pas sur la minute; ils ont été ajoutés par le copiste.

(405) *Ibid.,* p. 133, 19 floréal, lettre 8.

(406) *Arch. Louvre,* *AA 1, p. 133, 21 floréal, lettre 9.

(407) *Ibid.,* p. 134, 23 floréal, lettre 10.

(408) *Arch. Louvre,* P 2, 1795, 25 avril, lettre du ministre plénipotentiaire de Toscane au Comité de salut public; *Ibid.,* 1795, 12 mai, lettre du Comité d'instruction publique au Conservatoire.

Voir aussi *Arch. nat.,* F21 1281, dos. 3.

Pour tout ce qui concerne ce projet d'échange, cf. *1979 P. Rosenberg.*

(409) *Arch. Louvre,* *AA 1, pp. 134-135, 25 floréal, lettre 11, réponse du Conservatoire au Comité d'instruction publique; on notera que le copiste n'a écrit qu'incomplétement le nom de Le Brun; *Ibid.,* pp. 135-137, 27 floréal, lettre 12, le Conservatoire à la Commission exécutive de l'instruction publique.

(410) *Arch. Louvre,* *AA 1, pp. 138-139, 29 floréal, lettre 14, mémoire du C. Cormière.

(411) *Arch. Louvre,* T 1, 1795, 17 mai, arrêté du 28 floréal, *Pièce annexée 55.* Voir aussi *Arch. nat.,* F17 1281, 30 floréal an 3 (19 mai 1794), mémoire adressé au Comité d'instruction publique par le Conservatoire, *infra,* p. v. n° 273 de la séance du 30 floréal.

(412) Voir *supra,* p. v. n° 52 de la séance du 16 germinal an 2 (5 avril 1794).

(413) *Arch. Louvre,* *AA 1, p. 137, 28 floréal, lettre 13.

(414) Allusion aux émeutes des « journées de prairial »; on en trouvera plusieurs autres dans les p. v. des séances suivantes.

(415) *Arch. Louvre,* *AA 1, pp. 139-140, 3 prairial, lettre 15.

(416) *Ibid.,* p. 140, 3 prairial, lettre 16. *note en marge : cette lettre n'a pas été envoyée;* voir à ce sujet le p. v. n° 276 de la séance du 4 prairial.

(417) D'après la minute.

(418) *Idem.*

(419) *Idem.*

(420) LIPSE (Juste) ou Joost Lipst, humaniste flamand, Overijse (Brabant), 1547-Louvain, 1606.

(421) D'après la minute.

(422) *Idem.*

(423) Sur la minute, n'a pas été reproduit par le copiste.

(424) D'après la minute.

(425) *Arch. Louvre,* *AA 1, p. 141, 17 prairial, lettre 17.

(426) D'après la minute.

(427) *Idem.*

(428) Voir *supra,* note 409.

(429) *Arch. Louvre,* Z 4, 1795, 4 juin, déclaration en date du 16 prairial.

(430) *Arch. Louvre,* 4 BB 2, ff. 27-28, 19 prairial, arrêté n° 63. Voir *supra,* note 394, cette décision répond à une demande formulée le 16 prairial par les membres de l'ancien Conservatoire.

(431) BERNARD DE SAINTES (André-Antoine), député de la Charente à la Convention nationale;

il visita en octobre 1793 le château d'Etupes, aux princes régnants de Montbéliard; il projeta d'y établir un hôpital pour les soldats de l'armée du Rhin et en envoya les tableaux au Comité de salut public, voir *supra*, note 96.

(432) Erreur du copiste.

(433) *Arch. Louvre*, *AA 1, pp. 141-142, 26 prairial, lettre 18.

(434) *Ibid.*, pp. 142-143, 28 prairial, lettre 19, le Conservatoire à la Commission des secours publics; *Ibid.*, p. 143, 28 prairial, lettre 20, le Conservatoire à la Commission d'instruction publique.

(435) *Arch. Louvre*, 4 BB 2, ff. 25-26, 25 prairial, arrêté n° 60, la Commission exécutive d'instruction publique au Conservatoire; *Ibid.*, f. 26, 27 prairial, arrêté n° 61, lettre relative au précédent arrêté. Voir *supra*, p. v. n° 272 de la séance du 29 floréal.

(436) D'après la minute.

(437) DEJOUX (Claude), Vadans (Jura), 1732-Paris, 1816, Académie en 1779 avec une statue en marbre de saint Sébastien, Institut en 1795.

(438) *Arch. Louvre*, *AA 1, p. 144, 28 prairial, lettre 21.

(439) *Ibid.*, pp. 144-146, 29 prairial, lettre 22.

(440) Erreur du copiste.

(441) D'après la minute.

(442) *Idem.*

(443) *Arch. Louvre*, *AA 1, pp. 146-147, 2 messidor, lettre 23, le Conservatoire à la Commission temporaire des arts; *Ibid.*, p. 147, 2 messidor, lettre 24, le Conservatoire au conservateur du garde-meuble.

(444) D'après la minute.

(445) *Arch. Louvre*, *AA 1, pp. 147-148, 5 messidor, lettre 25.

(446) D'après la minute.

La « maison Infantado » est l'Hôtel Saint-Florentin acheté en 1784 par la princesse de Salm-Salm, duchesse de l'Infantado; actuellement rue Saint-Florentin, n° 2.

(447) *Arch. Louvre*, 4 BB 2, f. 26, 11 messidor, arrêté n° 64.

(448) D'après la minute, omis par le copiste.

(449) *Idem.*

(450) *Arch. Louvre*, 4 BB 2, ff. 26-27, 7 messidor, arrêté n° 62, lettre de la Commission exécutive de l'instruction publique au Conservatoire transmettant l'arrêté du 7 messidor.

(451) *Arch. Louvre*, *AA 1, pp. 148-149, 12 messidor, lettre 26.

(452) *Ibid.*, p. 149, 12 messidor, lettre 27.

(453) Voir *Arch. nat.*, F17 1281, dos. 3.

(454) D'après la minute, omis par le copiste; de même pour les mots [des progrès] *supra.*

(455) *Idem.*

(456) Voir *supra*, p. v. n° 70 de la séance du 19 floréal an 2, note 137.

(457) D'après la minute, omis par le copiste.

(458) D'après la minute.

(459) *Idem.*

(460) *Idem.*

(461) *Idem.*

(462) *Arch. Louvre*, *AA 1, pp. 149-150, 17 messidor, lettre 28.

(463) *Ibid.*, pp. 150-151, 17 messidor, lettre 29.

(464) *Arch. Louvre*, A 2, 1795, 5 juil., lettre de la Commission exécutive de l'instruction publique, signée Ginguené.

(465) *Arch. Louvre*, P 2, 1795, 28 juin, extrait du Registre des Délibérations du Comité d'instruction publique, du 10 messidor, qui autorise la Commission temporaire des arts à nommer un commissaire parmi les membres du Conservatoire; *Ibid.*, 1795, 5 juil., lettre du Directoire de la Commission temporaire des arts au Conservatoire; *Ibid.*, 1795, 2 juil., extrait du Registre des Délibérations du Comité d'instruction publique, du 14 messidor, autorisant la Commission temporaire des arts à désigner un commissaire pris parmi ses membres.

Voir aussi : *Arch. nat.*, F1A 82.84; suite à p. v. n°s 270 et 271 des 25 et 27 floréal, notes 408 et 409.

(466) *Arch. Louvre*, *AA 1, p. 151, 18 nivôse, lettre 30, du Conservatoire à la Commission temporaire des arts; *Ibid.*, 40 DD 2, 1794, 31 oct., « Inventaire des objets trouvés au garde-meuble propres à être conservés », dressé le 29 vendémiaire an 3 par Le Brun, remis le 10 brumaire an 3 à la Commission temporaire des arts, 31 pages manuscrites.

(467) *Arch. Louvre*, *AA 1, pp. 152-153, 18 messidor, lettre 31.

(468) Voir *supra*, note 276.

(469) D'après la minute.

(470) Ne figure pas sur la minute.

(471) *Arch. Louvre*, *AA 1, p. 153, 22 messidor, lettre 32.

(472) *Ibid.*, p. 154, 22 messidor, lettre 33; voir aussi *supra*, note 331.

(473) D'après la minute.

(474) *Idem.*

(475) *Arch. Louvre*, *AA 1, p. 154, 22 messidor, lettre 34.

(476) *Ibid.*, p. 154, 22 messidor, lettre 35.

(477) Voir *supra*, notes 276 et 468.

(478) *Arch. Louvre,* *AA 1, p. 155, 22 messidor, lettre 36.
(479) D'après la minute.
(480) *Arch. Louvre,* * AA 1, p. 156, 1er thermidor, lettre 39, *Pièce annexée 56; Ibid.,* P 4, 1795, 20 juil. *Pièce annexée 57;* voir aussi *Arch. nat.,* F^4 2570; *Ibid.,* F^{21} 570, reg. 6, pp. 64-73.
(481) *Arch. Louvre,* *AA 1, p. 159, 3 thermidor, lettre 45, le Conservatoire à la Commission exécutive de l'instruction publique.
(482) *Ibid.,* p. 155, 1er thermidor, lettre 37.
(483) *Ibid.,* p. 155, 1er thermidor, lettre 38.
Voir aussi *Arch. nat.,* F^{21} 570, reg. 6, pp. 22-23.
(484) *Arch. Louvre,* *AA 1, p. 159, 3 thermidor, lettre 44; *Ibid.,* 4 BB 2, f. 28, 15 thermidor, arrêté 65, autorisation de la Commission de l'instruction publique.
(485) *Ibid.,* pp. 156-157, 2 thermidor, lettre 40.
(486) *Ibid.,* pp. 157-158, 3 thermidor, lettre 41.
(487) *Ibid.,* p. 158, 3 thermidor, lettre 42.
(488) *Ibid.,* p. 158, 3 thermidor, lettre 42. Le 16 germinal an 2 (5 avril 1794), le premier Conservatoire avait décidé de retirer des Gobelins les cartons de Jules Romain pour les exposer au Muséum (p. v. n° 52 de la séance du 16 germinal, note 118). La décision prise ce jour 3 thermidor (21 juil. 1795) par le nouveau Conservatoire est motivée par le manque de place disponible par suite de l'installation de la Bourse; ce n'est cependant que la mise en application d'une décision prise, il y a plus de deux mois, par le Conservatoire, voir p. v. n° 272 de la séance du 29 floréal an 3 (18 mai 1795).
(489) *Ibid.,* p. 160, 3 thermidor, lettre 46; on notera que, dans sa lettre, le Conservatoire limite sa demande à 1 fond sanglé, 2 matelas, 2 paires de draps, 1 traversin, 2 couvertures.
(490) Le décret est du 27 juillet 1793, 9 thermidor an 1, et non du 28 juillet an 3 comme sur le registre, ou an 2 comme sur la minute, *Pièce annexée 59.* Les conditions d'utilisation du crédit annuel de 100.000 livres ont été précisées par le décret du 21 vendémiaire an 2, 12 octobre 1793, *Pièce annexée 60.*
(491) *Arch. Louvre,* *AA 1, pp. 160-161, 5 thermidor, lettre 47. Le Conservatoire au C. Le Breton, chef du Bureau des Musées, *Pièce annexée 61.* Le texte de Paré, cité dans la lettre ci-dessus, est celui de la lettre du 7 ventôse an 2 (25 fév. 1794), *supra, Pièce annexée 10.*
(492) *Ibid.,* pp. 161-162, 5 thermidor, lettre 48.
(493) *Ibid.,* p. 162, 5 thermidor, lettre 50.
(494) *Ibid.,* p. 163, 5 thermidor, lettre 51.
(495) *Ibid.,* lettre 52.
(496) *Ibid.,* p. 162, 5 thermidor, lettre 49.
Les deux coquilles « servant cidevant de bénitiers à l'église de saint-Sulpice » ne seront prises par le Muséum d'histoire naturelle que le 13 vendémiaire an 4 (5 oct. 1795), *Arch. Louvre,* Z 2, 1795, 5 oct., reçu signé Jussieu.
(497) Le copiste a fait une erreur, signalée par lui : à la date du 9 thermidor, il a recopié le texte du p. v. de la séance du 11 thermidor et inversement; nous avons rétabli la rédaction respectant l'ordre chronologique des p. v.
(498) *Arch. Louvre,* *AA 1, pp. 164-165, 9 thermidor, lettre 54.
(499) *Arch. Louvre,* O 24, 1795, 29 juil., lettre du 11 thermidor an 3, signée Marigues père et Marigues fils, rendant compte de l'exécution, le 10 thermidor, du tirage au sort qui les a favorisés.
(500) Aucun p. v. ne fait mention de la lettre adressée, le 9 thermidor, à la Commission de l'instruction par le Conservatoire (*Arch. Louvre,* *AA 1, pp. 163-164, 9 thermidor, lettre 53). Le Conservatoire demande que des instructions soient données au jury des arts, pour faire enlever les œuvres qui sont encore dans la galerie d'Apollon, depuis le dernier Concours. Le Conservatoire a besoin de cette galerie pour y placer « les grands tableaux » qui sont dans le grand salon où va être présentée une exposition.

(501) *Arch. Louvre,* P 4, 1795, 29 juil., *Pièce annexée 58.* Voir aussi *Arch. nat.,* F^{21} 570, reg. 6, p. 63. Voir *supra,* p. v. n° 302 de la séance du 29 messidor, note 480. Les deux tableaux sont :
GLAUBER (les frères), *Paysage avec bergers et joueur de flûte, Musée national du Louvre,* INV. 1301, *Catalogue des peintures, Ecoles flamande et hollandaise, 1979,* p. 63; STOMER (Mathias), *Pilate se lavant les mains, Musée national du Louvre,* INV. 1363, *Catalogue des peintures, Ecoles flamande et hollandaise, 1979,* p. 133, attribué par Le Brun à Honthorst (Gerrit van) dit Gérard della Notte.
(502) *Arch. Louvre,* O 30^2, Pasquier, 1795, 25 juil., lettre du 27 messidor an 3, de Pasquier aux Représentants du Peuple, transmise le 7 thermidor au Conservatoire par le Comité d'instruction publique; *pièce jointe,* aperçu de la gestion économique de la première Commission du Museum, *Pièce annexée 62.*
(503) D'après la minute, omis par le copiste.
(504) *Arch. Louvre,* *AA 1, p. 166, 11 thermidor, lettre 55.
(505) Erreur du copiste.
(506) **DROUAIS** (Germain-Jean), *Marius prisonnier à Minturnes, Musée national du Louvre,* INV. 4143, *Catalogue des Peintures, 1972,* p. 147; *Catalogue des Peintures, Ecole française, 1974,* n° 238, t. I, pp. 113 et 268 qui précise « Acquis de Mlle Doré, parente de l'artiste, 1816 »; cf. *Villot III 189* qui indique que la mère de Drouais avait proposé le tableau au Muséum en 1795.
(507) Erreur du copiste.
(508) *Arch. Louvre,* *AA 1, p. 166, 15 thermidor, lettre 56, le Conservatoire y précise le sujet du tableau : *Marius à Minturnes.*
(509) *Arch. Louvre,* 4 BB 2, f. 28, 15 thermidor, arrêté n° 65, voir *supra* note 481.

(510) *Arch. Louvre,* *AA 1, pp. 166-167, 17 thermidor, lettre 57.
(511) *Ibid.,* p. 167, 17 thermidor, lettre 58.
(512) *Arch. Louvre,* 4 BB 2, f. 29, s. d., arrêté n° 66, signé Ginguené.
(513) *Arch. Louvre,* *AA 1, pp. 169-170, 21 thermidor, lettre 63.
(514) *Ibid.,* p. 168, 19 thermidor, lettre 59.
(515) *Ibid.,* p. 168, 19 thermidor, lettre 60. Le Conservatoire demande à la Commission exécutive de l'instruction publique l'autorisation de prendre cet arrêté.
(516) *Ibid.,* p. 170, 24 thermidor, lettre 64; *Arch. Louvre,* P 12, Gobelins 1795, 2 août, extrait du Registre des Délibérations du Conservatoire du 15 thermidor an 3; voir aussi : *Arch. Louvre,* P 12, Gobelins, 1795, 23 juil., lettre de Guillaumot du 5 thermidor au Conservatoire, en réponse à sa lettre du 3 thermidor, se déclarant prêt à recevoir les cartons de Jules Romain; *Ibid.,* 1795, 2 août, reçu des quatre cartons rédigé et signé par Guillaumot le 15 thermidor.
Voir *supra,* p. v. n° 304 de la séance du 3 thermidor, note 488.
(517) *Arch. Louvre,* *AA 1, p. 169, 21 thermidor, lettre 62.
(518) Le tableau avait été proposé par Le Brun le 2 thermidor an 3 (20 juil. 1795), voir *supra,* note 480, *Pièce annexée 57.*
Le tableau attribué par Le Brun à Koninck est *Isaac bénissant Jacob* par VICTORS (Jan). *Musée national du Louvre,* INV. 1285, *Catalogue des peintures, Ecoles flamande et hollandaise, 1979,* p. 146.
(519) *Arch. Louvre,* *AA 1, p. 169, 19 thermidor, lettre 61.
(520) Erreur du copiste.
(521) D'après la minute, omis par le copiste.
(522) *Arch. Louvre,* P 5, 1795, 13 août.
(523) *Supra,* note 485; p. v. n° 304 de la séance du 3 thermidor.
(524) *Arch. Louvre,* *AA 1, pp. 171-172, 26 thermidor, lettre 66.
(525) *Ibid.,* p. 171, 24 thermidor, lettre 65.
(526) *Ibid.,* p. 172, 27 thermidor, lettre 67.
(527) *Ibid.,* pp. 173-174, 27 thermidor, lettre 69.
(528) D'après la minute, omis par le copiste.
Dans sa réponse (*Arch. Louvre,* *AA 1, pp. 174-175, 27 thermidor, lettre 70) le Conservatoire estime que le marbre proposé par le C^n Carlin « paraît plutôt devoir convenir au Muséum d'histoire naturelle qu'à celui des Arts ».
(529) *Arch. Louvre,* *AA 1, p. 173, 27 thermidor, lettre 68.
Cf. p. v. n° 100 de la séance du 23 messidor an 2, note 182, l'inventaire des objets d'art à Fontainebleau par Bonvoisin.
(530) Voir *Arch. Louvre,* P 16, 1795, 5 sept., lettre du directeur de la Savonnerie, *infra,* note 572.
(531) GREUZE (Jean-Baptiste), *Un jeune enfant qui joue avec un chien,* ovale, 0,60 m x 0,50 m (?), Salon 1769, 1777 au duc de Choiseul, 1795 Duclos Dufresnoy, 1928 Collection Wallace, n° 149, *Boy with a dog.*
(532) D'après la minute, laissé en blanc par le copiste.
(533) *Arch. Louvre,* *AA 1, p. 175, 29 thermidor, lettre 71.
(534) Voir *supra,* p. v. n° 297 de la séance du 18 messidor an 3; le C. Robert a été désigné par le Conservatoire comme expert pour négocier l'échange de tableaux proposé par le grand duc de Toscane, note 465.
(535) D'après la minute; l'erreur du copiste qui, après avoir supprimé la virgule, a écrit *ou* au lieu de *au,* change le sens de la phrase.
(536) *Arch. Louvre,* X Salon, 1795, 16 août, lettre de la Commission exécutive de l'instruction publique, 2e section, bureau des Musées, au Conservatoire, du 29 thermidor an 3.
Voir aussi *Arch. nat.,* F^17 1058, dos. 6.
(537) *Arch. Louvre,* Z 15, 1795, 16 août, lettre du 29 thermidor an 3 de la Commission exécutive de l'instruction publique, 2e section, bureau des Musées, autorisant la C^ne Richard, fille de Ménage Pressigny, a retirer les objets de la succession de son père. Reconnaissance de remise par le Conservatoire signée par B. Duchesne le 1er fructidor an 3; *Ibid.,* 1 DD 7, f. 34, Ménage Pressigny, décharge datée du 1er fructidor an 3, signée Duchesne.
(538) D'après la minute.
(539) *Arch. Louvre,* *AA 1, p. 176, 3 fructidor, lettre 72, le Conservatoire à la Commission de l'instruction publique au sujet du C. Evrard. Voir aussi *Arch. nat.,* F^21 569, reg. 2.
(540) Voir *supra,* p. v. n° 312 de la séance du 19 thermidor, note 515.
(541) *Arch. Louvre,* P 4, 1795, 18 août, pouvoir signé Ginguené donné au C. Joly, daté du 1er fructidor an 3; reconnaissance de remise des 143 volumes d'estampes, signé Joly, le 5 fructidor an 3, au bas du pouvoir; voir aussi : *Arch. Louvre,* P 18, 1795, 19 août et *supra,* p. v. n° 282 de la séance du 19 prairial an 3, note 429.
(542) D'après la minute.
(543) *Arch. Louvre,* *AA 1, p. 177, 3 fructidor, lettre 73.
(544) D'après la minute.
(545) *Idem.*
(546) Voir *supra,* p. v. n° 318 de la séance du 1er fructidor; il n'était demandé que 24 médailles.
(547) *Arch. Louvre,* *AA 1, pp. 177-178, 5 fructidor, lettre 74.
(548) *Ibid.,* pp. 178-179, 6 fructidor, lettre 75.

(549) D'après la minute.
(550) *Arch. Louvre,* *AA 1, pp. 179-180, 7 fructidor, lettre 76.
(551) Voir *Arch. Louvre,* Z 4, 1795, 6 juil., inventaire des marbres arrivés de Belgique et des caisses venues de Brest, *Pièce annexée 63.*
(552) D'après la minute.
(553) *Arch. Louvre,* *AA 1, pp. 181-182, 8 fructidor, lettre 78; voir aussi : *Arch. Louvre,* X Salon, 1795, août, document dont la date est incomplète, non signé, qui paraît être une première rédaction de la lettre.
(554) *Arch. Louvre,* *AA 1, p. 180, 8 fructidor, lettre 77.
(555) Voir *supra,* note 546.
(556) *Arch. Louvre,* *AA 1, p. 182, 9 fructidor, lettre 79, adressée à l'agence des charrois; *Ibid.,* p. 182, 9 fructidor, lettre 80, adressée à la Commission de l'instruction publique.
(557) *Ibid.,* p. 183, 11 fructidor, lettre 81; voir aussi : *supra,* note 450.
(558) *Ibid.,* p. 183, 11 fructidor, lettre 82.
(559) D'après la minute.
(560) *Idem.*
(561) *Arch. Louvre,* *AA 1, p. 83, 11 fructidor, lettre 83.
(562) *Arch. Louvre,* P 4, 1795, 30 août, lettre de la Commission exécutive de l'instruction publique; voir *supra,* p. v. n° 303 du 1er thermidor an 3 (19 juil. 1795), note 483.
(563) *Arch. Louvre,* *AA 1, pp. 184-185, 14 fructidor, lettre 84.
Voir aussi *Arch. nat.,* F^{1A} 82-84, 3 brumaire an 4.
(564) *Arch. Louvre,* *AA 1, p. 185, 14 fructidor, lettre 85.
Voir aussi *Arch. nat.,* F^{21} 570, reg. 6, p. 90.
(565) *Arch. Louvre,* *AA 1, pp. 185-186, 16 fructidor, lettres 86 et 87 (erreur du copiste) au directeur du garde-meuble; *Ibid.,* p. 186, 16 fructidor, lettre 88, à la Commission des revenus nationaux, 12e division.
Le mot « décharge », ajouté par nous sur le p. v., a été omis par le copiste; il figure sur la minute.
(566) *Arch. Louvre,* Z 2, 1795, 31 août, lettre du 14 fructidor an 3; voir *supra,* note 256.
(567) *Arch. Louvre,* *AA 1, pp. 190-191, 18 fructidor, lettre 91; voir *supra,* note 489.
(568) *Ibid.,* pp. 187-190, 18 fructidor, lettre 90.
(569) *Ibid.,* pp. 186-187, 17 fructidor, lettre 89.
(570) *Supra,* note 565.
(571) *Arch. Louvre,* M 4, 1795, 7 sept., lettre du 21 fructidor du Conservatoire à la Commission des revenus nationaux, 12e Division, *Pièce annexée 64.* Pour l'inventaire fait par Le Brun, voir *supra,* note 466.
(572) *Arch. Louvre,* P 16, 1795, 5 sept., lettre du 19 fructidor du Cn Duvivier demandant à faire réparer *La chasse de l'ours et la chasse du Lion (sic)* de Bachelier.
(573) *Arch. Louvre,* *AA 1, p. 193, 19 fructidor, lettre 93, aux inspecteurs de la salle. L'absence signalée du secrétaire est peut-être cause que le p. v. ne mentionne pas la lettre adressée par le Conservatoire à la Commission des travaux publics pour demander la restauration du mur dans lequel est percée l'entrée du Muséum : *Arch. Louvre,* *AA 1, p. 192, 18 fructidor, lettre 92.
Une erreur du copiste au début de la phrase.
(574) D'après la minute, omis par le copiste.
(575) *Idem.*
(576) *Arch. Louvre,* *AA 1, p. 194, 21 fructidor, lettre 95.
(577) D'après la minute, omis par le copiste.
(578) *Arch. Louvre,* *AA 1, p. 195, 21 fructidor, lettre 96.
(579) *Ibid.,* p. 193, 21 fructidor, lettre 94.
(580) Nous ne les avons pas trouvées.
(581) *Arch. Louvre,* Z 15, 1795, 15 sept., lettre du 25 fructidor de la Commission exécutive de l'instruction publique; *Ibid.,* 1 DD 7, f. 14 (?), Chabert, émigré.
(582) D'après la minute, erreur du copiste.
(583) *Arch. Louvre,* *AA 1, pp. 195-196, 29 fructidor, lettre 98.
(584) *Ibid.,* p. 195, 29 fructidor, lettre 97; *Arch. Louvre,* P 4, 1795, 14 sept., lettre de la Commission exécutive au Conservatoire annonçant l'arrivée des tableaux du Stathouder.
(585) D'après la minute, erreur du copiste.
(586) D'après la minute, omis par le copiste.
(587) *Arch. Louvre,* *AA 1, p. 196, 29 fructidor, lettre 99.
(588) *Ibid.,* pp. 196-197, 29 fructidor, lettre 100; voir *supra,* p. v. n° 315 de la séance du 26 thermidor an 3 (13 août 1795).
(589) *Arch. Louvre,* *AA 1, p. 198, 3e jour complémentaire, lettre 102.
(590) *Arch. Louvre,* *AA 1, pp. 197-198, 3e jour complémentaire, lettre 101.
(591) *Ibid.,* p. 199, 6e jour complémentaire, lettre 103.

AN IV

(592) Répétition qui ne figure pas sur la minute.
(593) Il y a une erreur, Lébé est le sixième candidat; dans sa séance du 25 fructidor an 3, p. v. n° 329, le Conservatoire a donné les numéros 4 et 5 aux candidats Balloy et Desroches.
(594) D'après la minute.

(595) Erreur du copiste.
(596) Septième et non sixième, voir *supra*, note 593.
(597) D'après la minute.
(598) *Arch. Louvre*, P 5, 1795, 25 sept., extrait du Registre des Délibérations du Conservatoire, du 3 vendémiaire an 4.
Voir aussi *Arch. nat.*, F^{21} 570, reg. 6, p. 27.
(599) Voir *supra*, p. v. n° 307 de la séance du 9 thermidor an 3.
(600) Voir *supra*, p. v. n° 239 de la séance du 21 germinal an 3.
(601) Au cours de sa séance du 25 fructidor an 3, p. v. n° 329, le Conservatoire avait chargé Robert de surveiller le transport confié à Nadrau, « du tableau du Poussin représentant La Cène ». Il s'est heurté à un refus du procureur syndic du district, et c'est certainement lui l'auteur de la lettre dont le brouillon est conservé, *Arch. Louvre*, P 4, 1795, sans indication de jour et sans signature. Cette lettre illustre bien la rivalité entre les conservateurs du Muséum et ceux de Versailles. Elle signale que le tableau a besoin d'être restauré; il avait fait l'objet d'une expertise par Le Brun qui en rendit compte à la Commission temporaire des arts le 20 fructidor an 2 : cf. *Arch. Louvre*, P 4, 1795, 9 oct., inventaire et remise au Museum d'un tableau, *Pièces annexées 65 et 66*.
L'affaire reprise le 5 vendémiaire par le Conservatoire, avec l'appui du Comité d'instruction publique, aboutira enfin le 9 vendémiaire; *Arch. Louvre*, *AA 1, p. 200, 3 vendémiaire, lettre 105 au syndic du district de St-Germain; *Ibid.*, lettre 106, au C^n Ruel; *Ibid.*, pp. 200-201, 6 vendémiaire, lettre 107, au C^n Ginguené; *Ibid.*, p. 202, 7 vendémiaire, lettre 109, du C^n Ruel, reportant au 9 vendémiaire, au lieu du 8, la visite de Robert et Picault à St-Germain-en-Laye.
Voir aussi *Arch. nat.*, F^{17} 1059.
(602) *Arch. Louvre*, *AA 1, pp. 201-202, 7 vendémiaire, lettre 108 au C^n Ginguené; voir *supra*, p. v. n° 193 de la séance du 19 nivôse an 3, note 334.
(603) *Arch. Louvre*, Z 4, 1795, 1er oct., état signé Thouin, des natures des objets renfermés dans les caisses (...) expédiées ou à expédier de La Haye; 226 caisses dont 147 pour l'histoire naturelle, 72 pour les arts; 7 environ de tableaux.
Ibid., inventaire et état descriptif des tableaux (...) dressé par Mazade et Le Brun, les 5-6-7 et 8 vendémiaire an 4; recollement signé le 11 pluviôse an 4 par le Conservatoire; copie certifiée conforme par Ginguené.
Ibid., extrait des inventaires de divers objets venant de La Haye, faits par Madaye, Mazade et Le Brun, à partir du 9 vendémiaire an 4; accepté et signé par le Conservatoire le 30 nivôse an 5; extrait certifié conforme par Ginguené.
(604) Voir *supra*, p. v. n° 327 de la séance du 19 fructidor an 3 et p. v. n° 186 de la séance du 5 nivôse an 3.
(605) *Arch. Louvre*, Z 4, 1795, 26 sept., arrêté du 4 vendémiaire an 4 du Comité de Salut public; *Ibid.*, 1795, 1er oct., lettre du 9 vendémiaire de l'agence des achats au Directeur du Muséum; *Ibid.*, 1795, 13 oct., lettre du 21 vendémiaire du Commissaire des guerres au Directeur du Muséum.
(606) *Arch. Louvre*, * AA 1, p. 203, 7 vendémiaire, lettre 111; voir *supra*, note 601.
(607) D'après la minute.
(608) *Arch. Louvre*, *AA 1, pp. 203-204, 9 vendémiaire, lettre 112.
(609) Voir *supra*, note 605.
(610) D'après la minute.
(611) *Idem.*
(612) *Idem*, omis par le copiste.
(613) D'après la minute.
(614) *Arch. Louvre*, P 16, 1795, 29 sept., lettre du directeur de la Savonnerie dont le texte ne correspond pas exactement à l'analyse faite par le secrétaire, *Pièce annexée 68;* voir *supra*, p. v. n° 327 de la séance du 19 fructidor an 3.
(615) Allusion à la « journée du 13 vendémiaire », soulèvement royaliste réprimé par Bonaparte.
(616) *Arch. Louvre*, *AA 1, p. 205, 15 vendémiaire, lettre 115; voir *supra*, p. v. n° 341 de la séance du 10 vendémiaire an 4.
(617) D'après la minute.
(618) Voir *supra*, p. v. n° 130 de la séance du 13 fructidor an 2 (30 août 1794), et note 224.
(619) *Arch. Louvre*, *AA 1, p. 206, 17 vendémiaire, lettre 116; *Ibid.*, pp. 207-208, 17 vendémiaire, lettre 120.
(620) *Ibid.*, lettre 117.
(621) *Ibid.*, lettre 118.
(622) En blanc sur le registre des p. v. et sur la minute.
(623) *Arch. Louvre*, *AA 1, p. 207, 17 vendémiaire, lettre 119.
(624) D'après la minute.
(625) *Idem.*
(626) *Arch. Louvre*, *AA 1, p. 208, 19 vendémiaire, lettre 121 du Conservatoire à la Commission exécutive; *Ibid.*, P 6, 1795, 15 oct., renvoi au Conservatoire de l'acte de remise du tableau; voir *supra*, p. v. n° 337 de la séance du 3 vendémiaire an 4.
Voir aussi *Arch. nat.*, F^{17} 1056.
(627) *Arch. Louvre*, *AA 1, p. 209, 21 vendémiaire, lettre 122.

(628) *Arch. Louvre,* Z 15, 1795, 27 sept., lettre du 5 vendémiaire an 4 de la Commission exécutive de l'instruction publique au Conservatoire; *pièce jointe,* acte passé, le 15 messidor an 3, devant Robin, notaire à Paris; *Ibid.*, 1 DD 7, f. 20, Durvet, condamné.

Voir aussi : *supra*, p. v. n° 167, de la séance du 23 brumaire an 3.

(629) *Supra*, p. v. n° 343 de la séance du 12 vendémiaire an 4, note 614.

(630) *Arch. Louvre,* *AA 1, pp. 212-213, 29 vendémiaire, lettre 129.

(631) D'après la minute.

(632) *Arch. Louvre,* *AA 1, pp. 209-210, 24 vendémiaire, lettre 123; voir aussi : *supra*, p. v. n° 312 de la séance du 19 thermidor an 3, note 514.

(633) *Arch. Louvre,* 1 DD 7, f. 13, émigré Croÿ, 16 fructidor an 3.

(634) *Arch. Louvre,* P 6, 1795, 15 oct., extrait du Registre des Délibérations du Conservatoire, du 23 vendémiaire an 4; il s'agit de travaux de restauration des bordures, confiés à Chotard, concernant un tableau de David Teniers et le tableau de Rubens, *Vénus et Adonis.*

(635) *Arch. Louvre,* *AA 1, pp. 210, 211, 24 vendémiaire, lettres 124, 125 et 126.

(636) *Arch. Louvre,* Z 4, 1795, 13 oct., lettre du Cn Lemonnier, commissaire des guerres; voir *supra*, note 605.

(637) *Arch. Louvre,* *AA 1, pp. 211-212, 27 vendémiaire, lettre 127.

(638) D'après la minute, omis par le copiste.

(639) *Idem.*

(640) *Idem.*

(641) *Arch. Louvre,* *AA 1, p. 213, 1er brumaire, lettre 130.

(642) *Ibid.*, pp. 213-214, 1er brumaire, lettres 131 et 132.

(643) *Ibid.*, pp. 214-215, 1er brumaire, lettre 133.

(644) Voir *supra*, p. v. n° 350 du 23 vendémiaire, note 629; voir aussi : p. v. n° 343 du 12 vendémiaire, note 614; p. v. n° 327 du 19 fructidor an 3, note 572.

Il y a lieu de noter que le Conservatoire appelle les tableaux de Bachelier : la chasse à l'ours et la chasse au loup, alors que Duvivier, directeur de la Savonnerie écrit : la chasse du loup et la chasse du lion.

(645) *Arch. Louvre,* P 6, 1795, 25 oct., extrait des Délibérations du Conservatoire, du 3 brumaire an *troisième (sic)*; erreur du secrétaire, il faut lire *quatrième;* ordre signé Picault donné à Chotard de faire ses travaux dans des salles basses du Muséum.

(646) *Arch. Louvre,* P 4, 1795, 9 oct., *Pièce annexée 66,* expertise du tableau faite par Le Brun le 17 vendémiaire an 4.

(647) *Arch. Louvre,* P 4, 1795, 25 oct., *Pièce annexée 67,* lettre de Barrois l'aîné, Conservateur du dépôt national littéraire situé aux cydevant Cordeliers.

(648) *Arch. Louvre,* *AA 1, pp. 215-216, 1er brumaire, lettre 134, texte pour les Citoyens représentants.

(649) D'après la minute.

(650) *Idem.*

(651) *Arch. Louvre,* *AA 1, pp. 217-219, 5 brumaire, lettre 136, dans laquelle le Conservatoire rappelle que « il est autorisé par divers arrêtés à prendre dans les dépôts ce qui est utile à ce monument ». C'est en effet à ce moment que Lenoir prépare la transformation de son dépôt des Petits Augustins en Musée des monuments français, cf. *1878 Courajod, Introduction,* p. CLX.

Les p. v. ne mentionnent d'ailleurs pas la lettre écrite le 6 brumaire à Ginguené à propos d'une lettre de Lenoir relative aux prélèvements faits sur son dépôt, *Arch. Louvre,* *AA 1, p. 221, 6 brumaire, lettre 140, *Pièce annexée 69.*

(652) *Arch. Louvre,* *AA 1, p. 217, 5 brumaire, lettre 135.

(653) Erreur du copiste; pour la lettre à la Commission exécutive : *Arch. Louvre,* *AA 1, p. 219, 5 brumaire, lettre 137.

(654) *Arch. Louvre,* *AA 1, p. 220, 6 brumaire, lettre 139.

Voir aussi *Arch. nat.*, F1A 82-84, extrait du registre des Délibérations du Comité d'instruction publique du 18 vendémiaire an 4 (10 octobre 1795), portant décision de proposer pour l'échange le tableau de LE SUEUR représentant *Une descente de croix,* cf. *1979 Rosenberg,* p. 140. Il n'est pas fait mention de ce document dans les p. v. du Conservatoire.

(655) D'après la minute, erreur du copiste.

(655) *Arch. Louvre,* *AA 1, pp. 219-220, 5 brumaire, lettre 138; voir *supra*, note 605.

(657) Voir *supra*, note 651.

(658) D'après la minute, texte omis par le copiste.

(659) *Arch. Louvre,* *AA 1, pp. 221-222, 8 brumaire, lettre 141.

L'inscription proposée par le Conservatoire est :

Museum national.
Monument consacré à l'étude
et à l'amour des Arts
L'an 1er de la République.

(660) *Arch. Louvre,* *AA 1, p. 222, 8 brumaire, lettre 142.

(661) D'après la minute, omis par le copiste.

(662) *Idem.*

(663) *Idem.*

(664) *Arch. Louvre,* *AA 1, p. 223, 9 brumaire, lettre 143.
Voir aussi *Arch. nat.,* F^{21} 569, reg. 4, 9 brumaire an 4 (31 oct. 1795).
(665) *Arch. Louvre,* *AA 1, p. 224, 12 brumaire, lettre 144.
(666) Voir *supra,* note 644; *Arch. Louvre,* P 16, 1795, 2 nov., lettre du C^n Duvivier, directeur de la manufacture nationale dite de la Savonnerie.
(667) *Arch. Louvre,* *AA 1, p. 226, 15 brumaire, lettre 147.
(668) En blanc, sur le registre et sur la minute.
(669) *Arch. Louvre,* *AA 1, p. 225, 13 brumaire, lettre 146.
(670) D'après la minute. Pour l'arrêté du Comité de salut public, voir *Arch. nat.,* F^{1A} 70, extraits du registre des arrêtés du Comité de salut public des 4 et 9 brumaire an 4. Les arrêtés en cause accordent un crédit de trois cent quatre vingt six mille livres pour prolonger la Galerie du Muséum sur une longueur de quatre vingt huit toises (171,60 m). Voir aussi *Arch. nat.,* AF* 50, p. 74.
(671) D'après la minute.
(672) En blanc, sur le registre et sur la minute; 9 brumaire an 4, d'après le p. v. n° 359 de la séance du 13 brumaire an 4.
(673) Les p. v. ne mentionnent pas la lettre adressée au Comité de salut public, le 12 brumaire, à la suite de la décision prise d'exécuter les travaux de la galerie, *Arch. Louvre,* *AA 1, p. 224, lettre 145.
(674) *Arch. Louvre,* P 2, 1795, 15 oct., lettre de la Commission exécutive de l'instruction publique au Conservatoire; *Ibid.,* 1795, 10 oct., extrait du Registre des Délibérations du Comité d'instruction publique, du 18 vendémiaire.
Le tableau proposé, en premier, pour l'échange, est une *Descente de Croix* de LE SUEUR.
Voir aussi : *supra,* notes 408, 409 et p. v. n° 355 de la séance du 5 brumaire.
(675) *Arch. Louvre,* P 6, 1795, 15 oct., lettre du 23 vendémiaire de la Commission exécutive; voir *supra,* note 626.
(676) En blanc, sur le registre et sur la minute; voir *supra,* note 670.
(677) *Idem;* voir *supra,* notes 673 et 670.
(678) Voir *supra,* note 644.
(679) *Arch. Louvre,* *AA 1, p. 227, 18 brumaire, lettre 149.
Voir aussi : *Ibid.,* lettre 150, du Conservatoire à la Commission des revenus nationaux.
(680) Voir *supra,* p. v. n° 332 de la séance du 1er jour complémentaire an 3.
(681) *Arch. Louvre,* *AA 1, p. 228, 19 brumaire, lettre 151.
(682) *Ibid.,* pp. 228-233, 21 brumaire, lettre 152.
(683) Voir *supra,* note 659.
(684) D'après la minute.
(685) *Idem.*
(686) *Arch. Louvre,* *AA 1, p. 234, 25 brumaire, lettre 155.
(687) *Ibid.,* lettre 156.
(688) D'après la minute.
(689) *Arch. Louvre,* *AA 1, p. 234, 25 brumaire, lettre 157; voir *supra,* p. v. n° 358 de la séance du 11 brumaire.
(690) Le Comité de l'instruction publique et sa Commission ont suivi le sort de la Convention dissoute le 26 octobre 1795 (4 brumaire an 4).
La Direction générale de l'instruction publique, dont Ginguené est le premier Directeur général, a été créée dans le cadre général de l'entrée en vigueur de la constitution de l'an III.
(691) *Arch. Louvre,* *AA 1, pp. 235-236, 1er frimaire, lettre 158. Voir aussi *Arch. nat.,* F^{21} 570, reg. 6, pp. 4-12.
(692) D'après la minute.
(693) *Arch. Louvre,* *AA 1, p. 237, 5 frimaire, lettre 161; voir *supra,* p. v. n° 363 de la séance du 19 brumaire.
(694) *Ibid.,* pp. 236-237, 5 frimaire, lettre 160.
(695) D'après la minute, omis par le copiste.
(696) *Arch. Louvre,* *AA 1, p. 236, 3 frimaire, lettre 159.
(697) D'après la minute.
(698) *Idem;* pour la lettre voir *Arch. Louvre,* *AA 1, p. 238, 13 frimaire, lettre 162.
(699) D'après la minute.
(700) *Idem.* Voir aussi *Arch. nat.,* F^{21} 570, reg. 6, p. 31.
(701) *Arch. Louvre,* *AA 1, pp. 239-240, 13 frimaire, lettre 163.
Voir aussi *Arch. nat.,* F^{21} 570, reg. 6, p. 31.
(702) Erreur évidente du secrétaire dans la rédaction de la minute.
(703) *Idem.*
(704) *Arch. Louvre,* comptabilité, 1795, 8 déc., « Compte du livret et distribution proposée par le Conservatoire du bénéfice net »; *Ibid.,* *AA 1, pp. 240-241, 16 *(sic)* frimaire, lettre 165, envoyant le document ci-dessus au Directeur général de l'instruction publique.
(705) D'après la minute.
(706) *Idem,* erreur du copiste; voir *supra,* p. v. n° 370 de la séance du 3 frimaire.
(707) *Idem,* omis par le copiste.
(708) *Arch. Louvre,* Z 4, 1795, 12 déc., lettre du Directeur général de l'instruction publique au Con-

servatoire, datée du 21 frimaire l'an 4, contrairement à l'affirmation du p. v.

(709) *Arch. Louvre*, Z 4, 1795, 12 déc., rapport de l'inventaire effectué le 21 frimaire par Le Brun et Mazade. Voir aussi *Arch. nat.*, F21 570, reg. 6, pp. 33-35.

(710) *Ibid.*, lettre n° 4875 du 21 frimaire de l'agence des achats au Conservatoire; *Arch. Louvre*, *AA 1, pp. 244-245, 23 frimaire, lettre 170, réponse du Conservatoire.

(711) *Arch. Louvre*, *AA 1, pp. 251-252, 30 frimaire, lettre 175; pour l'état remis par Scellier voir *Arch. Louvre*, SF 4, 1795, 14 déc.

(712) *Arch. Louvre*, *AA 1, pp. 245-250, 26 frimaire, lettre 171, réponse du Conservatoire au Ministre de l'intérieur à propos de l'affaire Pellagot; on trouve le brouillon, corrigé, de cette lettre dans le registre des minutes des p. v. des séances; *Ibid.*, p. 250, lettre 172, au C. Ginguené, la date du 13 frimaire indiquée est une erreur; voir *supra*, p.-v. : n° 371 de la séance du 5 frimaire, n° 374 de la séance du 11 frimaire et n° 375 de la séance du 13 frimaire.

(713) D'après la minute, omis par le copiste.

(714) *Idem.*

(715) *Arch. Louvre*, Z 4, 1795, 18 déc., lettre n° 4983 du 27 frimaire de l'agence des achats; *Ibid.*, *AA 1, p. 252, 30 frimaire, lettre 176, du Conservatoire au C. Ginguené.

Voir aussi : *supra*, note 710.

(716) *Arch. Louvre*, *AA 1, pp. 250-251, 30 frimaire, lettre 173.

(717) *Ibid.*, p. 251, 30 frimaire, lettre 174, du Conservatoire au Cn Bayard, inspecteur du garde-meuble, voir *supra*, note 571.

(718) *Ibid.*, pp. 252-253, 2 nivôse, lettre 177.

(719) D'après la minute.

(720) *Arch. Louvre*, *AA 1, pp. 255-256, 5 nivôse, lettre 179; l'arrêté pris le 27 frimaire par le Conservatoire concerne la pose de tringles pour accrocher les tableaux.

(721) *Arch. Louvre*, Z 4, 1795, 27 déc., reçu, en date du 6 nivôse, signé Lenoir, garde général du dépôt national de la maison dite l'Infantado; *Ibid.*, 1795, 7 janv., autorisation donnée par le Ministre de l'intérieur Benezech, au Directeur général de l'instruction publique de « faire transporter au dépôt d'Infantado les objets venus de Metz »; lettre datée du 17 *(sic)* nivôse. Voir aussi *Arch. nat.*, F21 570, reg. 6, pp. 33-35.

(722) *Arch. Louvre*, P 2, 1795, 25 déc., lettre de Faulcon; mention, en tête de la lettre : *reçu le 6. répondu le même jour; Ibid.*, *AA 1, pp. 253-255, lettre 178, réponse du Conservatoire; le copiste date la lettre du 2 nivôse, ce qui est une erreur d'après le p. v. de la séance du 7 nivôse et la note sur la lettre de Faulcon.

(723) *Arch. Louvre*, *AA 1, pp. 256-257, 5 nivôse, lettre 180.

(724) D'après la minute; voir *supra*, p. v. n° 371 de la séance du 5 frimaire.

(725) *Idem*, omis par le copiste; pour la lettre au Cn Hubert : *Arch. Louvre*, *AA 1, pp. 258-259, 9 nivôse, lettre 182.

(726) *Arch. Louvre*, Z 4, 1795, 26 déc., état des objets délivrés au Conservatoire (...) le 5 nivôse an 4, signé Lenoir, Robert, Foubert.

(727) Voir *supra*, note 721.

(728) *Arch. Louvre*, *AA 1, pp. 257-258, 7 nivôse, lettre 181.

(729) *Ibid.*, pp. 262-263, 15 nivôse, lettre 186.

(730) *Ibid.*, pp. 259-260, 11 nivôse, lettre 183.

(731) *Ibid.*, pp. 260-261, 11 nivôse, lettre 184.

(732) *Ibid.*, pp. 242-243, 16 frimaire, lettre 168.

(733) *Arch. Louvre*, Z 15, 1795, 26 déc., lettre du Ministre de l'intérieur au Conservatoire, en date du 5 nivôse an 4, ordonnant de remettre à ses héritiers les tableaux provenant de la succession de Marc-Antoine Levi; *Ibid.*, 1 DD 7, f. 31, Lévi.

(734) Sur le registre des p. v., le copiste a interverti cet alinéa et le suivant, ce qui rend difficile la lecture du texte; nous les avons replacés selon la rédaction du secrétaire sur la minute.

(735) *Arch. Louvre*, *AA 1, pp. 261-262, 13 nivôse, lettre 185.

(736) D'après la minute.

(737) Phrase incomplète qui a été rayée par le secrétaire sur la minute.

(738) *Arch. Louvre*, *AA 1, p. 264, 18 nivôse, lettre 187.

(739) *Ibid.*, p. 265, lettre 188, la date indiquée, 18 *(sic)* nivôse est erronée puisque, d'après le p. v., elle répond à une lettre datée du 23 nivôse; voir *supra*, p. v. n° 388 de la séance du 11 nivôse.

(740) *Ibid.*, pp. 265-266, 25 nivôse, lettre 189.

(741) *Ibid.*, pp. 266-267, 25 nivôse, lettre 190.

2e VOLUME

(742) Les procès-verbaux formant le deuxième volume (*Arch. Louvre*, 1 BB 2) font l'objet d'une nouvelle numérotation. Cependant, ont été continuées les numérotations précédentes d'une part des minutes (celle du présent p. v. n° 1 porte le numéro 394) et d'autre part des lettres reproduites dans le registre des correspondances. Toutefois, à partir de la lettre 200, ces documents sont réunis dans un deuxième volume (*Arch. Louvre*, *AA 2), 136 pages manuscrites numérotées récemment au composteur.

(743) *Arch. Louvre*, *AA 1, pp. 269-270, 27 nivôse, lettre 194.

(744) *Ibid.*, p. 267, 25 nivôse, lettre 191. La date semble erronée puisque le p. v. de la séance du 27 nivôse mentionne : « il va être écrit au Cn Le Breton ».

(745) *Ibid.*, pp. 268-269, 27 nivôse, lettre 193; voir *supra*, p. v. n° 371 de la séance des 5 frimaire an 4 et n° 386 de la séance du 7 nivôse an 4.
(746) *Ibid.*, 268, 27 nivôse, lettre 192, voir *supra*, p. v. n° 389 de la séance du 13 nivôse an 4.
(747) D'après la minute.
(748) *Idem.*
(749) *Idem.*
(750) *Idem.*
(751) *Idem.*
(752) *Idem.*
(753) Il s'agit du serment d'attachement à la République, exigé de tous les personnels des « administrations civiles, militaires et autres », voir *infra*, p. v. n° 4 de la séance du 3 pluviôse.
(754) D'après la minute.
(755) *Idem.*
(756) *Idem.*
(757) *Idem.*
(758) Voir *Arch. Louvre*, DE 4, 1792, 6 nov., « Etat de la collection des portraits peints en émail par le célèbre Petitot, appartenans à la succession de Mr D'ennery, établi le six novembre 1792 par les commissaires de la Convention et ceux de la Commission des monumens et de la section du Louvre et pièce annexée », avec

1° l'ordre de transport de la Collection à la bibliothèque nationale, signée par Roland, Ministre de l'intérieur;

2° la remise de « l'état et pièce annexée » aux membres du Conservatoire « ainsi qu'il est indiqué dans le procès verbal d'assemblée du 1er pluviôse an 4 », signée Foubert, secrétaire.

Voir *supra*, p. v. n° 230 de la séance du 13 ventôse an 3 (3 mars 1795) qui mentionne la première demande de la Collection faite par le Conservatoire. Selon *Frédéric Reiset (1869, deuxième partie, Appendice*, p. 443) « à la mort de M. d'Ennery, les émaux de Petitot furent acquis, en 1786, et avant toute vente publique, par M. Dangevillier *(sic)* pour le roi Louis XVI, et payés 72.000 livres ».
(759) D'après la minute.
(760) Le rédacteur de la minute, Foubert secrétaire, écrit toujours « Louis XIV », le copiste transcrit toujours « Louis 14 ».
(761) D'après la minute, omis par le copiste.
(762) *Arch. Louvre*, 1 DD 7, f. 43, D'Orléans condamné, an 3, 8 ventôse.
(763) *Arch. Louvre*, *AA 1, p. 271, 2 pluviôse, lettre 195.
(764) Inventaire dressé les 5, 6, 7 et 8 vendémiaire, an 4, *Arch. Louvre*, Z 4, 1795, 1er oct., voir *supra*, note 603.
(765) Erreur du secrétaire sur la minute.
(766) *Arch. Louvre*, P 4, 1796, 25 janv., lettre signée Ginguené.
(767) *Arch. Louvre*, *AA 2, p. 2, 6 pluviôse, lettre 201 au Cn Le Brun.
(768) *Arch. Louvre*, *AA 1, p. 274, 5 pluviôse, lettre 199; voir aussi *Ibid.*, p. 272, 4 pluviôse, lettre 196, du Conservatoire aux membres du Comité civil de la section du Muséum.
(769) *Ibid.*, pp. 272-273, 4 pluviôse, lettre 197.
(770) *Arch. Louvre*, *AA 2, pp. 1-2, 5 pluviôse, lettre 200.
(771) *Arch. Louvre*, *AA 1, p. 273, 5 pluviôse, lettre 198.
(772) D'après la minute.
(773) *Idem.*
(774) Voir p. v. n° 366 de la séance du 25 brumaire an 4.
(775) *Arch. Louvre*, *AA 2, pp. 2-4, 7 pluviôse, lettre 202. La proposition du Muséum de conserver la propriété des girandoles prêtées à l'Institut fait apparaître, au point de vue administration, la notion de « dépôt du Museum ».
(776) *Ibid.*, pp. 4-5, 7 pluviôse, lettre 204.
(777) *Ibid.*, p. 4, 7 pluviôse, lettre 203; voir *supra*, p. v. n° 3 de la séance du 1er pluviôse.
(778) D'après la minute.
(779) *Arch. Louvre*, *AA 2, p. 5, 9 pluviôse, lettre 205; voir *supra*, note 767.
(780) D'après la minute.
(781) *Arch. Louvre*, *AA 2, p. 6, 9 pluviôse, lettre 206.
(782) D'après la minute; *Arch. Louvre*, *AA 2, pp. 6-8, 9 pluviôse, lettre 207, adressée au Ministre.
(783) *Arch. Louvre*, Z 4, 1795, 1er oct., copie de l'inventaire dressé les 5, 6, 7 et 8 vendémiaire an 4 par Mazade et Le Brun, sur laquelle on lit in fine : « Nous membres du Conservatoire du Museum des arts soussignés, après avoir assisté au recollement des tableaux du stathouder dont description est faite dans l'inventaire de l'autre part, ce recollement fait ce jourd'huy par les Cens Mazade et Le Brun commissaires, reconnaissons avoir reçu lesdits tableaux en notre garde pour ce qu'ils sont désignés au dit inventaire. Fait au Conservatoire du Museum des arts le 11 pluviôse an 4 de la République ».

Signé, Fragonard, Pajou, Picault, Foubert secrétre.

Pour copie conforme : Ginguené.
(784) Pour les armoires, voir *supra*, p. v. nos 371 et 386 des séances des 5 frimaire et 7 nivôse an 4; pour les réverbères, voir *supra*, p. v. n° 1 de la séance du 27 nivôse an 4.
(785) Voir p. v. n° 391 de la séance du 17 nivôse an 4.

(786) Erreur du secrétaire dans la rédaction de la minute.
(787) *Arch. Louvre,* *AA 2, pp. 8-9, 15 pluviôse, lettre 208.
(788) En blanc sur la minute et sur le registre des p. v.
(789) *Arch. Louvre,* *AA 2, p. 9, 17 pluviôse, lettre 209; voir *supra,* note 784.
(790) *Arch. Louvre,* P 6, 1796, 6 fév., lettre du 17 pluviôse an 4, signée par le Ministre Benezech, sous le timbre 5e Division, Bureau des Musées et Bibliothèques.
(791) Voir *Arch. Louvre,* P 30, David, 1798, nov., un dossier d'observations concernant les travaux à effectuer pour le Musée des Arts. L'article 2 précise que l'atelier prêté le 17 pluviôse an 4 par le Ministre de l'intérieur devait permettre à David d'y peindre « son tableau des Sabines ».
(792) *Arch. Louvre,* P 15, 1796, 2 fév., lettre no 850 du Directeur général de l'instruction publique, Bureau des Musées.
(793) Représentant du peuple à Liège.
(794) *Arch. Louvre,* *AA 2, pp. 9-10, 19 pluviôse, lettre 210.
(795) *Ibid.,* p. 10, 19 pluviôse, lettre 211; voir *supra,* p. v. nos 388 et 394 des séances des 11 et 25 nivôse an 4.
(796) D'après la minute, erreur du copiste.
(797) D'après la minute.
(798) *Idem,* erreur du copiste.
(799) *Idem.*
(800) *Idem.*
(801) *Arch. Louvre,* *AA 2, pp. 11-13, 21 pluviôse, lettre 212.
(802) Répétition, ces deux lettres ont déjà été mentionnées dans le p. v. no 12 de la séance du 19 pluviôse.
(803) Ajouté par le copiste.
(804) *Arch. Louvre,* Z 4, 1796, 10 fév., lettre no 1066 du Ministre de l'intérieur, 5e Division, Bureau des Musées et des Bibliothèques; voir *supra,* note 777.
(805) Soit dix-huit fois le traitement fixe et primitif, d'après *infra,* p. v. no 32 de la séance du 23 ventôse, calcul du traitement du commis aux écritures.
(806) D'après la minute.
(807) *Arch. Louvre,* *AA 2, pp. 13-14, 25 pluviôse, lettre 213.
(808) D'après la minute, erreur du copiste.
(809) *Arch. Louvre,* *AA 2, pp. 16-18, 26 pluviôse, lettre 217.
(810) *Ibid.,* p. 15, 25 pluviôse, lettre 214.
(811) *Ibid.,* p. 15, 26 pluviôse, lettre 215.
(812) D'après la minute.
(813) *Idem.*
(814) *Idem.*
(815) Erreur du copiste.
(816) D'après la minute.
(817) *Idem.*
(818) *Idem.*
(819) D'après la minute, omis par le copiste.
(820) *Arch. Louvre,* *AA 2, pp. 18-19, 29 pluviôse, lettre 218.
(821) *Ibid.,* pp. 19-21, 29 pluviôse, lettre 219.
(822) *Ibid.,* p. 16, 26 pluviôse, lettre 216; voir *supra,* p. v. no 15 de la séance du 23 pluviôse.
(823) D'après la minute, omis par le copiste.
(824) *Idem.*
(825) *Arch. Louvre,* *AA 2, pp. 21-26, 3 ventôse, lettre 221, comportant un projet d'affiche annexé.
(826) *Ibid.,* p. 21, 3 ventôse, lettre 220.
(827) D'après la minute.
(828) *Arch. Louvre,* P 15, 1796, 20 fév., lettre no 1366 du Ministre de l'intérieur, Bureau des Musées et Bibliothèques, avec reconnaissance de remise du tableau signée par Gantois, capitaine, fondé de pouvoirs du Cn Diffuy; voir *supra,* note 792.
(829) Voir *supra,* note 825.
(830) *Supra,* note 828.
(831) Le bas-relief en cause n'est pas une œuvre de Jean Goujon, il s'agit de *La Nymphe de Fontainebleau* par CELLINI (Benvenuto), *Musée national du Louvre,* M. R. 1706, *Catalogue des Sculptures du Moyen Age, de la Renaissance et des Temps modernes, 1re partie, 1922,* no 699, p. 85.
(832) D'après la minute, erreur du copiste.
(833) *Idem.*
(834) *Arch. Louvre,* *AA 2, pp. 28-29, 7 ventôse, lettre 224.
(835) D'après la minute, omis par le copiste.
(836) *Arch. Louvre,* *AA 2, p. 27, 7 ventôse, lettre 222.
(837) *Arch. Louvre,* Z 3E, 1793, 1er avril, copie du procès-verbal fait par les commissaires artistes chez la nommée Brionne à Limours.
(838) *Arch. Louvre,* Z 4, 1796, 26 fév., état des objets destinés au Museum national qui existent à la Maison de Nel *(sic).*

Mention marginale : mentionnée au proces verbal du 7 ventôse an 4.
(839) *Arch. Louvre,* *AA 2, pp. 27-28, 7 ventôse, lettre 223.
(840) *Ibid.,* p. 30, 9 ventôse, lettre 226.
(841) *Ibid.,* p. 29, 9 ventôse, lettre 225.
(842) D'après la minute.
(843) *Idem.*
(844) *Arch. Louvre,* *AA 2, p. 30, 11 ventôse, lettre 227.
(845) D'après la minute, omis par le copiste.
(846) *Idem.*
(847) *Idem.*
(848) Erreur du copiste.
(849) *Arch. Louvre,* *AA 2, pp. 32-33, 17 ventôse, lettre 229.
(850) D'après la minute.
(851) *Idem,* omis par le copiste.
(852) *Arch. Louvre,* *AA 2, p. 33, 21 ventôse, lettre 230.
(853) D'après la minute; omis par le copiste.
(854) *Arch. Louvre,* *AA 2, p. 34, 21 ventôse, lettre 231.
Les « quatre colonnes » figurent sur la liste des objets saisis chez « Montmorenci, rue st Marc, émigré », *Arch. Louvre,* 1 DD 7.
(855) *Arch. Louvre,* *AA 2, p. 34, 21 ventôse, lettre 232.
(856) Voir à ce sujet *Arch. Louvre,* *AA 2, pp. 31-32, 17 ventôse, lettre 228.
(857) D'après la minute.
(858) *Arch. Louvre,* *AA 2, pp. 35-36, 24 ventôse, lettre 233.
(859) *Ibid.,* pp. 37-38, 27 ventôse, lettre 235 adressée au Directeur général, par laquelle le Conservatoire rend compte, qu'à l'avenir, il établira ses états de comptabilité en francs, décimes et centimes; P. S. faisant état de la lettre du Ministre, du 11 pluviôse.
(860) *Ibid.,* pp. 36-37, 27 ventôse, lettre 234.
(861) *Arch. Louvre,* Z 15, 1796, 17 mars, lettre du 27 ventôse an 4, n° 956, du Ministre de l'intérieur, Bureau des Musées et Bibliothèques; voir aussi : *Ibid.,* 1796, 1er janv., lettre n° 8 du même bureau; *Ibid.,* 1 DD 7, f. 35, Marbeuf, inventaire intéressant la succession Payen.
(862) D'après la minute, omis par le copiste.
(863) *Idem.*
(864) *Idem.*
(865) D'après la minute.
(866) *Idem,* il y a une erreur évidente, une voye partagée entre deux gardiens donne une demie voye à chacun et non un quart de voye comme le précise le texte.
(867) *Idem.*
(868) *Arch. Louvre,* *AA 2, p. 38, 5 germinal, lettre 236.
(869) D'après la minute.
(870) *Arch. Louvre,* P 4, 1796, 28 mars, lettre n° 98 du Directeur général de l'Instruction publique, Bureau des Musées.
Mention en marge : Ce tableau a été livré au Conservre sur son reçu, le 13 germinal an 4, pour être renvoyé à l'un des dépôts nationaux; paraphée par le secrétaire Foubert.
(871) Voir *supra,* note 861; *Arch. Louvre,* 1 DD 7, f. 35, Marbeuf.
(872) *Arch. Louvre,* *AA 2, pp. 38-39, 11 germinal, lettre 237.
(873) D'après la minute, erreur du copiste.
(874) *Arch. Louvre,* *AA 2, pp. 39-40, 13 germinal, lettre 238; il s'agit de « l'espace de huit croisées attenant le Pavillon de Flore » où sont déposés des meubles appartenant au Corps législatif.
(875) Voir *supra,* note 870.
(876) D'après la minute, omis par le copiste.
(877) *Idem;* pour la décision du Conservatoire : voir *Arch. Louvre,* S 45, 1796, 7 avril.
(878) POUSSIN (Nicolas), *Jésus-Christ instituant l'Eucharistie, Musée national du Louvre,* INV. 7283, *Catalogue des Peintures, 1972,* p. 301; *Catalogue des Peintures, Ecole française, 1974,* n° 664, t. II, pp. 57 et 211.
(879) *Arch. Louvre,* *AA 2, p. 40, 21 germinal, lettre 239.
(880) *Ibid.,* p. 41, 21 germinal, lettre 240.
(881) *Ibid.,* pp. 41-43, 25 germinal, lettre 241; en ce qui concerne « le fauteuil de Rubens », le Ministre répondra le 12 floréal qu'il ne possède aucun renseignement : *Arch. Louvre,* M 21, 1796, 1er mai, lettre n° 763 du Bureau des Musées.
(882) *Arch. Louvre,* P 12, Chambre des députés, 1796, 14 avril, lettre n° 639 du 29 germinal an 4 du Ministre de l'intérieur, 5e Division, Bureau des Musées et Bibliothèques.
(883) D'après la minute, omis par le copiste.
(884) *Idem.*
(885) *Idem.*
(886) *Idem.*
(887) *Arch. Louvre,* *AA 2, p. 43, 4 floréal, lettre 242.
(888) D'après la minute.
(889) Communiquée pour accord au Ministre : *Arch. Louvre,* *AA 2, pp. 43-44, 4 floréal, lettre 243.

(890) Voir *1956 G. Emile-Mâle*, p. 389.
(891) D'après la minute.
(892) *Idem.*
(893) *Arch. Louvre*, *AA 2, pp. 44-46, 5 floréal, lettre 244.
(894) *Arch. Louvre*, M 2, 1796, 29 avril, lettre du 10 floréal an 4 du C. Janvier au Conservatoire; *Ibid.*, *AA 2, p. 46, 11 floréal, lettre 245, réponse du Conservatoire.
(895) *Arch. Louvre*, *AA 2, p. 46, 11 floréal, lettre 246.
(896) *Ibid.*, pp. 46-47, 12 floréal, lettre 247; *Arch. Louvre*, A 15, 1796, 1er mai, lettre du C. Millin au Conservatoire accusant réception.
(897) D'après la minute.
(898) *Idem.*
(899) *Arch. Louvre*, M 21, 1796, 1er mai; voir *supra*, note 881.
(900) D'après la minute, erreur du copiste.
(901) *Arch. Louvre*, *AA 2, pp. 47-48, 13 floréal, lettre 248. Voir aussi : *Ibid.*, p. 51, 17 floréal, lettre 252 adressée au Ministre de l'intérieur.
(902) *Ibid.*, p. 50, 15 floréal, lettre 251.
(903) *Ibid.*, p. 49, 15 floréal, lettre 250.
(904) *Ibid.*, pp. 48-49, 15 floréal, lettre 249.
(905) D'après la minute, omis par le copiste.
(906) *Idem.*
(907) *Idem.*
(908) *Idem.*
(909) Peut-être Le Brun.
(910) D'après la minute.
(911) *Idem.*
(912) *Arch. Louvre*, P 2, 1796, Notice des tableaux des trois écoles, choisis dans la collection du Museum des arts, rassemblés au sallon d'exposition, pendant les travaux de la Gallerie au mois de prairial an 4.
Se vend au sallon, au profit de l'indigence.
(913) D'après la minute.
(914) *Arch. Louvre*, *AA 2, pp. 51-52, 28 floréal, lettre 253; pour le projet d'annonce voir : *Pièce annexée 70*, projet figurant, sur page séparée, dans les minutes des p. v. des délibérations du Conservatoire, p. 192, n° 453.
(915) D'après la minute.
(916) *Arch. Louvre*, O 31-45, Fattori, 1796, 15 mai, lettre du Directeur général de l'instruction publique, Bureau des dépenses.
(917) Voir *supra*, p. v. n° 42 de la séance du 13 germinal an 4, note 874.
(918) Voir : *Arch. Louvre*, 1 DD 6, 1795, 10 nov., f. 87, Prédican, rue du petit Lion Sauveur. Condamné; *Ibid.*, 1 DD 7, f. 45, Prédican, condamné.
(919) *Arch. Louvre*, *AA 2, pp. 52-53, 1er prairial, lettre 254; voir : *supra*, note 916.
(920) D'après la minute; pour l'affichage du réglement de police, voir *Arch. Louvre*, *AA 2, p. 53, 3 prairial, lettre 255, adressée au Ministre.
(921) D'après la minute.
(922) *Idem.*
(923) *Idem.*
(924) Voir *supra*, p. v. n° 324 (1er volume), de la séance du 14 fructidor an 3, note 564.
(925) D'après la minute.
(926) *Idem.*
(927) Le copiste a mal placé la parenthèse, que nous avons rétablie d'après la minute.
(928) D'après la minute, omis par le copiste.
(929) *Idem.*
(930) Une rature sur la minute pouvait laisser une indécision mais le nombre de 522 dessins de l'école flamande est confirmé par le décompte du total des dessins dans le p. v. n° 74, *infra*, de la séance du 19 prairial.
(931) D'après la minute, omis par le copiste.
(932) *Arch. Louvre*, *AA 2, pp. 53-54, 16 prairial, lettre 256; la demande sera renouvelée le 25 messidor, *AA 2, p. 71, lettre 274.
(933) *Arch. Louvre*, Z 4, 1795, 1er oct., copie de l'inventaire fait par Mazade et Le Brun, voir *supra*, note 783. Sur ce document ont lit, p. 6 : corps de garde, copie de Teniers, K; et dans la marge la mention : « envoyé au dépôt de Nêle le 17 prairial an 4 ». Il s'agit de : TENIERS, David le Jeune (atelier de), *Singes au corps de garde*, *Musée national du Louvre*, INV. 2187, *Catalogue des peintures, Ecoles flamande et hollandaise, 1979*, p. 140.
(934) *Arch. Louvre*, *AA 2, pp. 54-55, 19 prairial, lettre 257.
(935) *Ibid.*, p. 55, 19 prairial, lettre 258.
(936) D'après la minute, omis par le copiste.
(937) *Idem.*
(938) *Arch. Louvre*, *AA 2, pp. 55-56, 21 prairial, lettre 259.

(939) Voir : *Arch. Louvre,* Z 3E, 1794, 30 juin, objets désignés par la Commission des arts en son domicile à Pont-la-Montagne; *Ibid.*, 1 DD 7, f. 19, Deville, condamné.
(940) D'après la minute.
(941) *Idem.*
(942) *Arch. Louvre,* *AA 2, pp. 57-58, 27 prairial, lettre 260 adressée au Cn Tinet; *Ibid.*, lettre 261, adressée au Cn Ginguené.
(943) Il faut lire 665.
(944) *Arch. Louvre,* *AA 2, pp. 58-59, 27 prairial, lettre 262.
(945) D'après la minute.
(946) *Idem.*
(947) Voir *infra,* note 953.
(948) *Arch. Louvre,* *AA 2, pp. 59-62, 1er messidor, lettre 263.
(949) *Ibid.*, pp. 62-63, 1er messidor, lettre 264.
(950) *Arch. Louvre,* P 6, 1796, 6 fév., lettre du 17 pluviôse an 4 du Ministre de l'intérieur, 5e Division, Bureau des Musées et Bibliothèques; *Ibid.*, P 5, 1796, 12 fév., lettre du Cn Vincent au Conservatoire; voir *supra,* note 790.
(951) D'après la minute.
(952) *Arch. Louvre,* *AA 2, pp. 63-64, 6 messidor, lettre 265.
(953) *Arch. Louvre,* P 2, 1796, 20 juin, lettre du 2 messidor an 4, du Directeur général de l'instruction publique, Bureau des Musées; voir *supra,* note 947.
(954) *Arch. Louvre,* *AA 2, p. 65, 8 messidor, lettre 266 B.
(955) *Ibid.*, pp. 65-67, 9 messidor, lettre 267. Voir aussi *Arch. nat.*, F21 570, reg. 6, pp. 50-53.
(956) *Arch. Louvre,* *AA 2, pp. 64-65, 8 messidor, lettre 266.
(957) Voir *Arch. Louvre,* P 12, Ministères, 1796, 25 juin, lettre n° 792, du Ministre de l'intérieur, 5e Division, Bureau des Musées et Bibliothèques; voir *supra,* p. v. n° 79 de la séance du 29 prairial.
(958) Sur la minute et sur le p. v.; il faut lire 2 messidor.
(959) D'après la minute.
(960) *Arch. Louvre,* *AA 2, pp. 67-68, 11 messidor, lettre 268.
(961) *Ibid.*, p. 68, 12 messidor, lettre 269.
(962) *Ibid.*, pp. 68-69, 12 messidor, lettre 270.
(963) Maupetit sur le p. v. et sur la minute; il faut lire : Dumontpetit, ainsi qu'il apparaît très nettement sur le mémoire adressé le 12 messidor an 4 au Conservatoire : *Arch. Louvre,* P 18, 1796, 30 juin.
(964) Voir *supra,* p. v. n° 73 de la séance du 17 prairial an 4.
(965) D'après la minute.
(966) *Idem;* pour la lettre du Conservatoire à l'Institut : *Arch. Louvre,* *AA 2, p. 69, 19 messidor, lettre 271.
(967) *Arch. Louvre,* P 6, 1796, 20 juin, lettre n° 117 du 19 messidor an 4 du Ministre de l'intérieur, 5e Division, Bureau des Musées et Bibliothèques.
(968) Voir *supra,* p. v. n° 57 de la séance du 11 floréal.
(969) *Arch. Louvre,* *AA 2, p. 70, 21 messidor, lettre 272.
(970) *Ibid.*, pp. 70-71, 24 messidor, lettre 273.
(971) *Ibid.*, pp. 71-72, 25 messidor, lettre 275.
(972) *Ibid.*, pp. 72-73, 27 messidor, lettre 276.
(973) Voir *supra,* p. v. nos 83 et 84 des séances des 7 et 9 messidor.
(974) *Arch. Louvre,* *AA 2, p. 73, 29 messidor, lettre 277.
(975) D'après la minute.
(976) *Arch. Louvre,* *AA 2, p. 73, 1er thermidor, lettre 278.
(977) *Ibid.*, p. 74, 2 thermidor, lettre 279.
(978) *Ibid.*, pp. 74-75, 2 thermidor, lettre 280; voir *supra,* p. v. n° 32 de la séance du 23 ventôse.
(979) *Arch. Louvre,* P 19, 1796, 17 juil., lettre n° 579 du Ministre de l'intérieur, 5e Division, Bureau des Musées et Bibliothèques. Pour le procédé de restauration du Cn Le Roy voir : *Arch. Louvre,* P 19, 1796, 26 déc., rappel fait au Ministre de l'intérieur par le Cn Mérimée.
(980) *Arch. Louvre,* *AA 2, pp. 75-76, 5 messidor, lettre 281.
(981) *Ibid.*, pp. 76-77, 7 thermidor, lettres 284 et 285.
(982) *Arch. Louvre,* Z 5, 1796, 26 juil.
(983) *Arch. Louvre,* *AA 2, p. 77, 11 (messidor) [thermidor], lettre 286.
(984) D'après la minute.
(985) *Idem.*
(986) *Arch. Louvre,* *AA 2, p. 78, 15 thermidor, lettre 288; il s'agit de l'échange du tableau de Vernet proposé par Desmarais.
(987) *Arch. Louvre,* P 12, Ministères, 1796, 25 juin, lettre n° 792 du Ministère de l'intérieur, 5e division, Bureau des Musées et Bibliothèques; voir *supra,* p. v. n° 84 de la séance du 9 messidor, note 957.
(988) D'après la minute.
(989) *Arch. Louvre,* *AA 2, pp. 78-79, 17 thermidor, lettre 289; la lettre annonce un état, joint à la lettre, des marbres demandés; il n'a pas été recopié mais on le trouve dans le dossier *Arch. Louvre,* SF 4, 1796, 23 août, état des marbres à demander pour le Museum central des Arts, lesquels sont dans les dépôts de Chaillot; *mention en marge :* envoyé copie au Ministre le 17 thermidor.

(990) *Ibid.*, *AA 2, pp. 79-80, 19 thermidor, lettre 290; *Arch. Louvre,* P 12, Ministères, 1796, 6 août, état des tableaux demandés par le Ministre des finances signé Pajou et Foubert; copie conforme signée Ginguené.

Au bas de l'état :

Autorisation, signée Benezech, donnée le 28 brumaire an 5; reçu des tableaux, signé De Ramel, le 29 brumaire an 5.

(991) D'après la minute, omis par le copiste. Pour la lettre du Ministre, voir *Arch. Louvre,* Z 4, 1796, 5 août, lettre du Ministre de l'intérieur, 5e Division, Bureau des Musées et Bibliothèques. On sent que l'on commence à vider le dépôt de Nesle, voir *infra,* note 1131; déjà, le 4 thermidor, le Conservatoire a retiré 41 tableaux du dépôt, *Arch. Louvre,* P 4, 1796, 22 juil.; ce document mentionne les noms des propriétaires des tableaux et indique les œuvres utilisées pour des échanges.

(992) *Arch. Louvre,* *AA 2, p. 80, 19 thermidor, lettre 291.

(993) *Supra,* note 990.

(994) D'après la minute.

(995) *Arch. Louvre,* Z 15, 1796, 6 août, lettre du Ministre de l'intérieur, 5e Division, Bureau des Musées et Bibliothèques; état joint signé Naigeon; *Ibid.*, 1 DD 7, f. 41, Nicolay, condamné.

(996) C'est certainement l'exemplaire conservé *Arch. Louvre,* Z 4.

(997) D'après la minute.

(998) *Arch. Louvre,* *AA 2, pp. 80-81, 1er fructidor, lettre 292.

(999) Renvoi fait par le copiste, au début d'une page.

(1000) *Arch. Louvre,* *AA 2, pp. 82-83, 3 fructidor, lettre 294.

(1001) *Ibid.*, pp. 81-82, 3 fructidor, lettre 293.

(1002) *Ibid.*, pp. 84-85, 3 fructidor, lettre 295.

(1003) *Arch. Louvre,* Z 15, 1796, 6 août, lettre no 1812 du 4 fructidor an 4 du Ministre de l'intérieur, 5e Division, Bureau des Musées; *Ibid.*, *AA 2, pp. 87-88, 5 fructidor, lettre 299, adressée au Ministre de l'intérieur; voir *supra,* note 995.

(1004) *Arch. Louvre,* *AA 2, pp. 85-86, 5 fructidor, lettre 296; voir *supra,* p. v. no 101 de la séance du 13 thermidor.

(1005) *Ibid.*, p. 86, 5 fructidor, lettre 298.

(1006) *Ibid.*, p. 88, 7 fructidor, lettre 300.

(1007) D'après la minute, omis par le copiste.

(1008) *Idem.*

(1009) *Arch. Louvre,* SF 4, 1796, 23 août, lettre du 6 fructidor an 4, signée Benezech et contresignée Ginguené; voir aussi *supra,* p. v. no 103 de la séance du 17 thermidor, note 989.

(1010) *Arch. Louvre,* SF 4, 1796, 30 août, extrait du Registre des Délibérations du Conservatoire du 13 fructidor an 4; voir *supra,* note 1009.

(1011) D'après la minute, erreur du copiste.

(1012) En blanc sur la minute et le p. v.

(1013) Voir *supra,* p. v. no 111 de la séance du 3 fructidor, note 1001.

(1014) *Arch. Louvre,* *AA 2, pp. 88-89, 14 fructidor, lettre 301.

(1015) *Ibid.*, p. 90, 14 fructidor, lettre 302, voir *supra,* notes 1009 et 1010. La lettre rend compte du refus opposé par le dépôt de Chaillot de livrer trois blocs de marbre qui seraient déjà « destinés à faire des carreaux ».

(1016) *Ibid.*, pp. 90-91, 14 fructidor, lettre 303.

(1017) D'après la minute, omis par le copiste.

(1018) *Arch. Louvre,* *AA 2, 15 fructidor, lettre 304.

(1019) *Arch. Louvre,* P 4, 1796, 3 sept., « Reconnaissance provisoire du Cn Desmarets *(sic)*, signée Démaré *(sic)* le 17 fructidor an 4 »; *Ibid.*, « Etat des dix sept tableaux choisis parmi ceux qui ne doivent pas entrer dans la Collection du Museum, donnés en échange d'un tableau de Vernet représentant Une tempête, h. 3 pieds L. 4 p. 1 pouce 1/2 », signé au Conservatoire le 17 fructidor an 4 par : Vincent, Le Brun Démaré, Dewailly (président), Foubert (secrétaire), Robert, Fragonard (conservateur), Picault, Pajou.

L'état précise : « Ce tableau (une tempête) peint sur toile en 1753 est provenu 1o de la vente du Cabinet de Bergeret 2o de celle de Joubert et en dernier lieu de celle de Gamble faite par Le Brun ». L'échange a fait l'objet de mentions dans les p. v. nos 79, 90, 92, 95, 97, 98, 100, 101, 116.

Le tableau en cause est par JOSEPH VERNET, *Marine-Le Naufrage, Musée national du Louvre,* INV. 8310, en dépôt au *Musée Calvet, Avignon,* depuis 1933, *Catalogue Brière,* 1924, p. 255, no 912.

(1020) *Arch. Louvre,* *AA 2, pp. 92-93, 17 fructidor, lettre 306.

(1021) *Arch. Louvre,* Z 15, 1796, 1er sept., lettre de Naigeon au Conservatoire; *Ibid.*, 1 DD 7, f. 13, Capet Conti.

Pour le vol du couronnement de la pipe, voir *supra,* p. v. no 391 (vol. 1) de la séance du 17 nivôse an 4.

(1022) D'après la minute, omis par le copiste.

(1023) *Arch. Louvre,* *AA 2, pp. 93-94, 23 fructidor, lettre 307, par laquelle le Conservatoire demande au Ministre de laisser à sa disposition tous les locaux libérés par le départ de la compagnie de vétérans et de son chef.

Ibid., pp. 94-95, 25 fructidor, lettre 309, relative aux demandes du Capitaine Descavelez.

Les mots « de bonne conduite » ne figurent pas sur la minute.

(1024) *Ibid.*, p. 94, 24 fructidor, lettre 308.
Le tableau dit « la peste de Milan » est celui de VAN OOST, Jacob II, le Jeune, *saint Macaire de Gand secourant les pestiférés, Musée national du Louvre,* INV. 1672, *Catalogue des peintures, Ecoles flamande et hollandaise, 1979,* p. 99. Saisi chez le prince de Conti, transporté du dépôt national de la rue de Beaune au Muséum national des arts le 22 floréal an 2 (11 mai 1794), remis le 19 fructidor an 4 (5 sept. 1796) à Cornu, fondé de pouvoir du Citoyen Bourbon Conty : *Arch. Louvre,* 1 DD 7, f. 13, an 2, Capet Conti.
(1025) *Arch. Louvre,* *AA 2, p. 95, 26 fructidor, lettre 310, l'état annoncé n'a pas été recopié sur le registre; on le trouve à *Arch. Louvre,* P 12, Ministères, 1796, 19 nov., second état des tableaux demandés par le Ministre des finances; additif daté du 30 vendémiaire an 5; autorisation de délivrer les tableaux datée du 28 brumaire et signée par le Ministre de l'intérieur; reçu des tableaux, signé Ramel, Ministre des finances, daté du 29 brumaire an 5.
Voir aussi *supra,* p. v. n°s 84 et 104 des séances des 9 messidor et 19 thermidor.
(1026) *Arch. Louvre,* P 5, 1796, 12 sept., lettre de Tolosan à Fragonard annonçant l'envoi de « deux beaux tableaux de Vanius et de Santerre »; voir *supra,* p. v. n° 100 de la séance du 11 thermidor.
(1027) *Arch. Louvre,* *AA 2, pp. 95-96, 1er jour complémentaire, lettre 311; voir *supra,* note 1026.
(1028) *Ibid.*, pp. 96-97, 3e jour complémentaire, lettre 312.
(1029) *Arch. Louvre,* X Salon, 1796, 12 sept., lettre n° 2541 du Ministre de l'intérieur, 2e Division, Bureau des Musées, Bibliothèques et Conservatoire, voir *supra,* note 1016.
(1030) *Ibid.*, p. 98, 1er vendémiaire, lettre 314.
(1031) *Ibid.*, pp. 97-98, 4e jour complémentaire, lettre 313.
(1032) *Arch. Louvre,* Z 6, 1796, 19 sept., lettre n° 2817 du Ministre de l'intérieur, 5e Division, Bureau des Musées et Bibliothèques. Voir aussi *Arch. nat.*, F^{21} 570, reg. 6, p. 39.

AN V

(1033) Voir *supra,* note 1032.
(1034) D'après la minute, erreur du copiste; pour les réverbères voir *supra,* p. v. n° 113 de la séance du 7 fructidor an 4.
(1035) Voir *supra,* p. v. n° 120 de la séance du 23 fructidor, note 1025.
(1036) *Arch. Louvre,* P 12, Ministères, 1796, 21 sept., lettre n° 3026 du Ministre de l'intérieur; voir *supra,* note 1026.
(1037) *Arch. Louvre,* *AA 2, pp. 98-99, lettre 315.
(1038) Voir *supra,* notes 1026 et 1036.
(1039) *Arch. Louvre,* *AA 2, p. 99, 3 vendémiaire, lettre 316.
(1040) *Ibid.*, pp. 99-100, 5 vendémiaire, lettre 317.
(1041) *Ibid.*, pp. 100-101, 5 vendémiaire, lettre 318.
(1042) *Arch. Louvre,* P 2, 1796, 18 sept., lettre de Senez aîné; *Ibid.*, *AA 2, p. 101, 7 vendémiaire, lettre 319, réponse du Conservatoire à Senez.
(1043) *Arch. Louvre,* P 5, 1796, 24 sept., lettre n° 2817 du Ministre de l'intérieur; *Ibid.*, *AA 2, p. 102, 7 vendémiaire, lettre 319 bis, réponse du Conservatoire à Echard.
(1044) *Arch. Louvre,* *AA 2, pp. 102-103, 7 vendémiaire, lettre 320.
(1045) *Arch. Louvre,* P 5, 1796, 24 sept., lettre n° 2817 du Ministre de l'intérieur.
(1046) Voir *supra,* p. v. n° 128 de la séance du 5 vendémiaire.
(1047) *Arch. Louvre,* *AA 2, p. 103, 13 vendémiaire, lettre 321.
(1048) *Ibid.*, p. 107, s. d., lettre 327.
(1049) *Ibid.*, p. 104, 14 vendémiaire, lettre 322.
(1050) *Ibid.*, pp. 104-105, 17 vendémiaire, lettre 323.
(1051) *Arch. Louvre,* P 4, 1796, 5 oct., lettre de Le Rouge au Conservatoire; POUSSIN (Nicolas), *Portrait de l'artiste, Musée national du Louvre,* INV. 7302, *Catalogue des Peintures, 1972,* p. 303; *Catalogue des Peintures, Ecole française, 1974,* n° 673, pp. 61 et 212.
(1052) *Arch. Louvre,* *AA 2, p. 105, 17 vendémiaire, lettre 324.
(1053) *Ibid.*, p. 106, 18 vendémiaire, lettre 325.
(1054) *Ibid.*, p. 108, 21 vendémiaire, lettre 328.
(1055) *Ibid.*, pp. 108-109, 21 vendémiaire, lettre 329.
(1056) *Ibid.*, pp. 109-110, 27 vendémiaire, lettre 332.
(1057) *Ibid.*, p. 109, 25 vendémiaire, lettre 331.
(1058) *Ibid.*, p. 109, 25 vendémiaire, lettre 330; voir *supra,* note 1045.
(1059) *Ibid.*, pp. 106-107, 19 vendémiaire, lettre 326 à laquelle répond le Ministre de la police.
(1060) *Ibid.*, pp. 110-111, 27 vendémiaire, lettre 333, adressée au Ministre de l'intérieur.
(1061) *Ibid.*, pp. 111-112, 29 vendémiaire, lettre 335.
(1062) *Arch. Louvre,* P 12, Ministères, 1796, 14 oct., lettre n° 208 du 23 vendémiaire an 5 du Ministre de l'intérieur, 5e Division, Bureau des Musées et Bibliothèques; *pièce jointe :* état numérique des tableaux demandés avec indication de leurs dimensions.
(1063) *Arch. Louvre,* *AA 2, p. 112-113, 1er brumaire, lettre 336.
(1064) *Arch. Louvre,* P 12, Ministères, 1796, 21 oct., lettre de Nogaret et reçu in fine.
(1065) Voir *1878 Courajod, Journal de Lenoir,* pp. 109-110, n°s 771, 772, 776, 778, 779, 782, 786.

13 tableaux parmi lesquels : PHILIPPE DE CHAMPAIGNE, *Le songe de saint Joseph, Musée national du Louvre*, INV. 20450, *Catalogue des Peintures, Ecole française, 1974*, n° 94, t. I, p. 260; RESTOUT, Jean, *Ananie imposant les mains à saint Paul, Musée national du Louvre*, INV. 7444, *Catalogue des Peintures, Ecole française, 1974*, n° 706, t. II, pp. 76 et 214; POURBUS, Frans II, le Jeune, *La Cène, Musée national du Louvre*, INV. 1704, *Catalogue des Peintures, Ecoles flamande et hollandaise, 1979*, p. 107.

(1066) *Arch. Louvre*, *AA 2, p. 113, 5 brumaire, lettre 337.

(1067) *Ibid.*, p. 92, 17 fructidor, lettre 305.

(1068) Les cartons de Jules Romains ont été rapportés aux Gobelins le 15 thermidor an 3 (2 août 1795), voir *supra*, p. v. n° 312 (vol. 1) de la séance du 19 thermidor an 3, note 516.

(1069) *Arch. Louvre*, *AA 2, pp. 113-114, 10 brumaire, lettre 338.

(1070) Voir *supra*, p. v. n° 129 de la séance du 7 vendémiaire an 5.

(1071) *Arch. Louvre*, *AA 2, p. 114, 11 brumaire, lettre 339; voir *supra*, p. v. n° 339 (vol. 1) de la séance du 7 vendémiaire an 4.

(1072) *Ibid.*, p. 114, 12 brumaire, lettre 340.

(1073) *Ibid.*, pp. 114-115, 13 brumaire, lettre 341.

(1074) Voir *supra*, p. v. n° 144 de la séance du 7 brumaire, note 1068.

(1075) *Idem.*

(1076) *Arch. Louvre*, 1 DD 7, f. 23, Fernando Nunés.

(1077) Voir *supra*, p. v. n° 116 de la séance du 15 fructidor, note 1015; le Ministre de l'intérieur a donné satisfaction à la demande du Conservatoire, voir *Arch. Louvre*, SF 4, 1796, 21 sept., lettre n° 2518 du Directeur général de l'instruction publique, 5e Division, Bureau des Musées et Bibliothèques.

(1078) Voir *supra*, p. v. n° 23, de la séance du 5 ventôse an 4.

(1079) Voir *supra*, p. v. n° 120 de la séance du 23 fructidor, note 1026.

(1080) *Arch. Louvre*, *AA 2, p. 115, 21 brumaire, lettre 343.

(1081) *Ibid.*, pp. 115-116, 23 brumaire, lettre 344.
Voir aussi *Arch. nat.*, F^{21} 570, reg. 1, p. 103.

(1082) *Arch. Louvre*, P 4, 1796, 9 nov., lettre du 19 brumaire an 5 du Ministre de l'intérieur, 5e Division, Bureau des Musées et Bibliothèques : voir *supra*, p. v. n° 134 de la séance du 17 vendémiaire.

(1083) *Arch. Louvre*, *AA 2, p. 115, 21 brumaire, lettre 342.

(1084) *Arch. Louvre*, Z 4, 1796, 13 nov., inventaire et rapport fait par J. B. P. Le Brun (...) en présence du C[n] Amalbric *(sic)*, signé Foubert, Robert, Amlric *(sic)*, Le Brun, le 23 brumaire. « Le total de cet envoi pour le Musée central des arts est de neuf caisses dont cinq en beaux vases étrusques, trois contenans des tableaux, dessins et autres objets et une de vases d'agathe, cristal de roche (...) ».

(1085) D'après la minute, erreur du copiste.

(1086) *Idem.*

(1087) *Arch. Louvre*, *AA 2, pp. 116-117, 25 brumaire, lettre 346.

(1088) *Ibid.*, p. 116, 25 brumaire, lettre 345.

(1089) *Ibid.*, p. 117, 25 brumaire, lettre 347.
Voir aussi *Arch. nat.*, F^{21} 570, reg. 1, pp. 104-105.

(1090) D'après la minute, erreur du copiste.

(1091) Voir *supra*, p. v. n° 127 de la séance du 3 vendémiaire.

(1092) Hue demande la reconnaissance de la remise de quatre tableaux : un du port de Lorient, trois du port de Brest. Un extrait du Registre des Délibérations du Conservatoire du 17 frimaire an 4, *Arch. Louvre*, P 11, 1795, 8 déc., reconnaît la remise de trois tableaux : un du port de Lorient, deux du port de Brest. Le quatrième tableau, « vue de Brest » a été transporté au Directoire exécutif, *Arch. Louvre*, P 11, 1795, 30 août, lettre du 13 fructidor an 4, du Ministre de l'intérieur. Le Ministre a donné l'ordre au Conservatoire de reprendre ce tableau le 3e jour complémentaire de l'an 4, *supra*, p. v. n° 126 du 5e jour complémentaire an 4 (21 sept. 1796).

(1093) Voir *supra*, p. v. n° 137 de la séance du 23 vendémiaire.

(1094) *Arch. Louvre*, T 1, 1796, 19 nov., trois mémoires : 1- Dépense à faire pour exposer les dessins dans la galerie d'Apollon et remettre la galerie en état dans un délai de quatre mois; 2- Etat des dépenses annuelles fixes du Musée central des arts; 3- Etablissements et travaux à faire pour donner au Musée central des arts tout l'éclat dont il est susceptible, *Pièces annéxées*, 71, 72, 73.
Arch. Louvre, *AA 2, pp. 118-119, 30 brumaire, lettre 348 envoyant au Ministre de l'intérieur les trois mémoires; voir aussi *Ibid.*, lettre 349 au Commandant de la place.

(1095) Il s'agit des Musées, tel celui de Versailles, qui ont demandé des médailles pour leurs gardiens.

(1096) D'après la minute, omis par le copiste.

(1097) *1878 Courajod, Journal de Lenoir*, p. 112, n°s 795 et 797.

(1098) *Arch. Louvre*, *AA 2, pp. 119-120, 1er frimaire, lettre 351 au C[n] Piscatori.

(1099) Voir *supra*, p. v. n° 140 de la séance du 29 vendémiaire, note 1062.

(1100) Ne figure pas sur la minute, ajouté par le copiste.

(1101) *Arch. Louvre*, *AA 2, p. 121, 3 frimaire, lettre 352.

(1102) *Ibid.*, pp. 121-122, 5 frimaire, lettre 353 envoyant des exemplaires de la consigne au commandant de la place.

(1103) *Arch. Louvre*, P 6, 1796, 23 nov., lettre n° 1328 du 3 frimaire an 5 du Ministre de l'intérieur, 5e Division, Bureau des Musées et Bibliothèques.

(1104) Erreur du copiste, sur la minute on lit « cons ».

(1105) *Arch. Louvre*, *AA 2, p. 122, 7 frimaire, lettre 354.

(1106) *Ibid.*, p. 123, 7 frimaire, lettre 356; erreur du copiste qui a écrit « boutons » au lieu de « boulons » sur la minute.

(1107) *Ibid.*, pp. 122-123, 7 frimaire, lettre 355.

(1108) *Ibid.*, pp. 123-124, 9 frimaire, lettre 357.

(1109) Le p. v. concerne la séance du onze frimaire; c'est donc « jusqu'au jour d'avant hier » qu'il faut lire, au lieu du « jour d'hier », d'après la note en marge.

(1110) *Arch. Louvre*, *AA 2, p. 124, 9 frimaire, lettre 358 envoyant au Ministre de l'intérieur le compte des dépenses.

(1111) *Ibid.*, p. 126, 15 frimaire, lettre 364 relative aux vitraux; *Ibid.*, pp. 126-127, 15 frimaire, lettre 365 relative aux parquets; voir aussi : *1878 Courajod, Journal de Lenoir*, p. 112, n° 799.

(1112) Il s'agit de l'échange concernant le tableau de Van Oost, dit « la peste de Milan », voir *supra*, p. v. n° 120 de la séance du 23 fructidor an 4 et n° 151 du 21 brumaire an 5.

Le Conservatoire a convoqué Boileau et Cornu par lettre du 9 frimaire, *Arch. Louvre*, *AA 2, pp. 125-126, 9 frimaire, lettre 361.

Le même jour, le Conservatoire a demandé au Ministre l'autorisation de poursuivre les deux échanges proposés d'une part par le prince de Conti et d'autre part par Le Rouge, *Arch. Louvre*, *AA 2, p. 125, 9 frimaire, lettre 360.

(1113) Il y a une erreur : il faut lire ici « Foubert » ou remplacer Foubert par *« Robert »*, trois lignes *supra*.

(1114) *Arch. Louvre*, *AA 2, p. 127, 19 frimaire, lettre 364.

(1115) D'après la minute, omis par le copiste.

(1116) *Idem.*

(1117) *Arch. Louvre*, *AA 2, p. 127, 19 frimaire, lettre 364.

(1118) *Arch. Louvre*, P 12, Ministères, 1796, 30 nov., la reconnaissance est signée pour 23 tableaux ainsi qu'il était indiqué dans le p. v. n° 156 de la séance du 1er frimaire, *supra*, note 1099, et non pour 22 tableaux comme le mentionne le présent p. v.

(1119) *Arch. Louvre*, *AA 2, pp. 127-128, 21 frimaire, lettre 366.

(1120) *Arch. Louvre*, P 4, 1796, 9 déc., lettre du Ministre de l'intérieur du 19 frimaire an 5, sur laquelle est signé le reçu par l'Ecole polytechnique, le 1er nivôse an 5.

(1121) D'après la minute.

(1122) *1878 Courajod, Journal de Lenoir*, p. 113, n° 805, 9 nivôse; voir *supra*, p. v. n° 15 (vol. 1) de la séance du 26 pluviôse an 2, note 44.

(1123) *Arch. Louvre*, *AA 2, p. 128, 25 frimaire, lettre 367.

(1124) *Ibid.*, pp. 128-129, 25 frimaire, lettre 368.

(1125) *Ibid.*, p. 129, 25 frimaire, lettre 369.

(1126) *Arch. Louvre*, M 4, 1796, 19 déc., lettre n° 2347 du Ministre de l'intérieur, 5e Division, Bureau des Musées et Bibliothèques; *Ibid.*, 1796, 21 déc., état des objets choisis, daté du 1er nivôse an 5, mis au rang des inventaires du Musée des arts le 25 pluviôse an 5.

(1127) *Arch. Louvre*, *AA 2, p. 129, 29 frimaire, lettre 370.

(1128) *Ibid.*, p. 130, 1er nivôse, lettre 372.

(1129) *Ibid.*, p. 129, 1er nivôse, lettre 371.

(1130) Voir *supra*, p. v. n°s 169 de la séance du 27 frimaire et 170 de la séance du 29 frimaire, note 1126.

(1131) *Arch. Louvre*, Z 4, 1796, 23 déc., lettre de Naigeon; voir *supra*, p. v. n° 104 de la séance du 19 thermidor an 4, note 991; Naigeon devra renouveler sa demande le 24 floréal an 5, *Arch. Louvre*, Z 4, 1797, 13 mai.

(1132) Voir *supra*, p. v. n° 160, de la séance du 9 frimaire, note 1108.

(1133) *Arch. Louvre*, *AA 2, p. 130, 3 nivôse, lettre 373, au C^n^ Fréchot.

(1134) *Ibid.*, p. 130, 5 nivôse, lettre 374.

(1135) Voir *supra*, p. v. n° 167 de la séance du 23 frimaire.

(1136) Voir *supra*, p. v. n° 163 de la séance du 15 frimaire, note 1111.

(1137) Erreur du copiste; pour les grilles voir *supra* note 1135.

(1138) Voir *supra*, p. v. n° 141 de la séance du 1er brumaire an 5, note 1064.

(1139) *Les esclaves*, voir *supra*, p. v. n° 149 (vol. 1) de la séance du 13 vendémiaire an 3.

(1140) *Arch. Louvre*, P 4, 1797, 5 janv., lettres n°s 2256 et 2877 du Ministre de l'intérieur, 5e Division, Bureau des Musées, Bibliothèques et Conservatoires.

(1141) *Arch. Louvre*, T 4, 1797, 5 janv., lettre n° 2599, 5e Division, Bureau des Musées, Bibliothèques et Conservatoires; *note en marge : ces deux grilles ont été livrées à l'administration du Musée le 17 pluviôse an 5; Arch. Louvre*, T 4, 1797, 5 janv., lettre de Dumier au Conservatoire; *Ibid.*, *AA 2, p. 133, 17 janv., lettre 380, au Ministre de l'intérieur; voir aussi, *supra*, p. v. n° 168 de la séance du 25 frimaire, note 1125.

Le Ministre de l'intérieur donnera satisfaction à la demande du Conservatoire le 2 germinal an 5, *Arch. Louvre*, T 4, 1797, 22 mars, lettre n° 453, 5e Division, Bureau des Musées, Bibliothèques et Conservatoires.

(1142) *Arch. Louvre*, *AA 2, p. 133, 19 nivôse, lettre 381.

(1143) Voir *supra*, note 1141.

(1144) Voir *infra*, p. v. n° 181 de la séance du 21 nivôse, note 1150. Le nom de l'auteur de la proposition est « Lespinasse Darlet » ainsi qu'il apparaît par sa signature.

(1145) *Arch. Louvre,* *AA 2, p. 132, 9 nivôse, lettre 378.

(1146) D'après la minute, omis par le copiste; voir *supra,* p. v. n° 179 de la séance du 17 nivôse.

(1147) Voir *supra,* p. v. n° 163 de la séance du 15 frimaire.

(1148) *Arch. Louvre,* *AA 2, p. 134, 19 nivôse, lettre 382; *Ibid.,* 1 DD 7, f. 7 bis, Boutin, condamné. Le Conservatoire a déjà utilisé, pour des tableaux du Muséum, des bordures provenant de chez le Cn Boutin, voir *supra,* p. v. n° 216 du 5 ventôse an 3.

(1149) Voir *supra,* p. v. n° 179 de la séance du 17 nivôse, note 1140.

(1150) Voir *supra,* p. v., n° 179 de la séance du 17 nivôse, note 1144.

Arch. Louvre, D 2, 1797, 12 janv., lettre du 23 nivôse an 5 de Lespinasse Darlet au Ministre de l'intérieur, 5e Division; *Ibid.,* 1797, 24 fév., lettre du 6 ventôse du Directeur général de l'instruction publique à l'Administration du Musée central; *Ibid.,* 1797, 2 mars, lettre du 12 ventôse de Lespinasse Darlet à l'Administration du Musée central, en réponse à sa lettre du 11 ventôse; *Ibid.,* 1797, 5 mars, lettre du 15 ventôse de Lespinasse Darlet à l'Administration du Musée; en haut de la lettre on lit : *Le Conseil passe à l'ordre du jour.*

(1151) D'après la minute, laissé en blanc par le copiste.

(1152) Sur la minute, erreur du copiste.

(1153) *Arch. Louvre,* P 6, 1796, 10 déc., reconnaissance signée Chérin.

(1154) Il s'agit de la succession Boutin, voir *supra,* p. v. n° 180 de la séance du 19 nivôse, note 1148.

(1155) Erreur évidente sur la minute, reproduite par le copiste.

(1156) Erreur du copiste.

(1157) Voir *supra,* note 1126.

(1158) Le Cn Chotard, doreur, est chargé de mentionner sur les tableaux les noms des auteurs.

(1159) *Arch. Louvre,* T 1, 1797 (?), janv., lettre du Ministre de l'intérieur, 5e Division, Bureau des Musées, Bibliothèques et Conservatoires, *Pièce annexée 74.*

(1160) *Arch. Louvre,* 1 BB 3, pp. 1-3, organisation de l'Administration du Musée central des Arts; décision datée du 3 pluviôse an 5 (22 janvier 1797).

(1161) *Arch. Louvre,* *AA 2, p. 135-136, s. d., lettres 385 et 386.

(1162) La minute est signée par Fragonard, Dewailly, Robert, Foubert.

(1163) D'après la minute.

(1164) *Idem.*

(1165) *Idem.*

(1166) *Idem.*

(1167) Suite d'erreurs : 1° le résultat de l'addition est 974,12 et non 994,12, en admettant que 20 s = 20 sols = 1 franc, puisque les sommes sont en francs et non en livres; 2° le report 994,60 est inexact; 3° le résultat de la soustraction est faux.

(1168) D'après la minute.

(1169) *Idem.*

(1170) Minute signée par Robert, Fragonard, Pajou, Picault, Foubert.

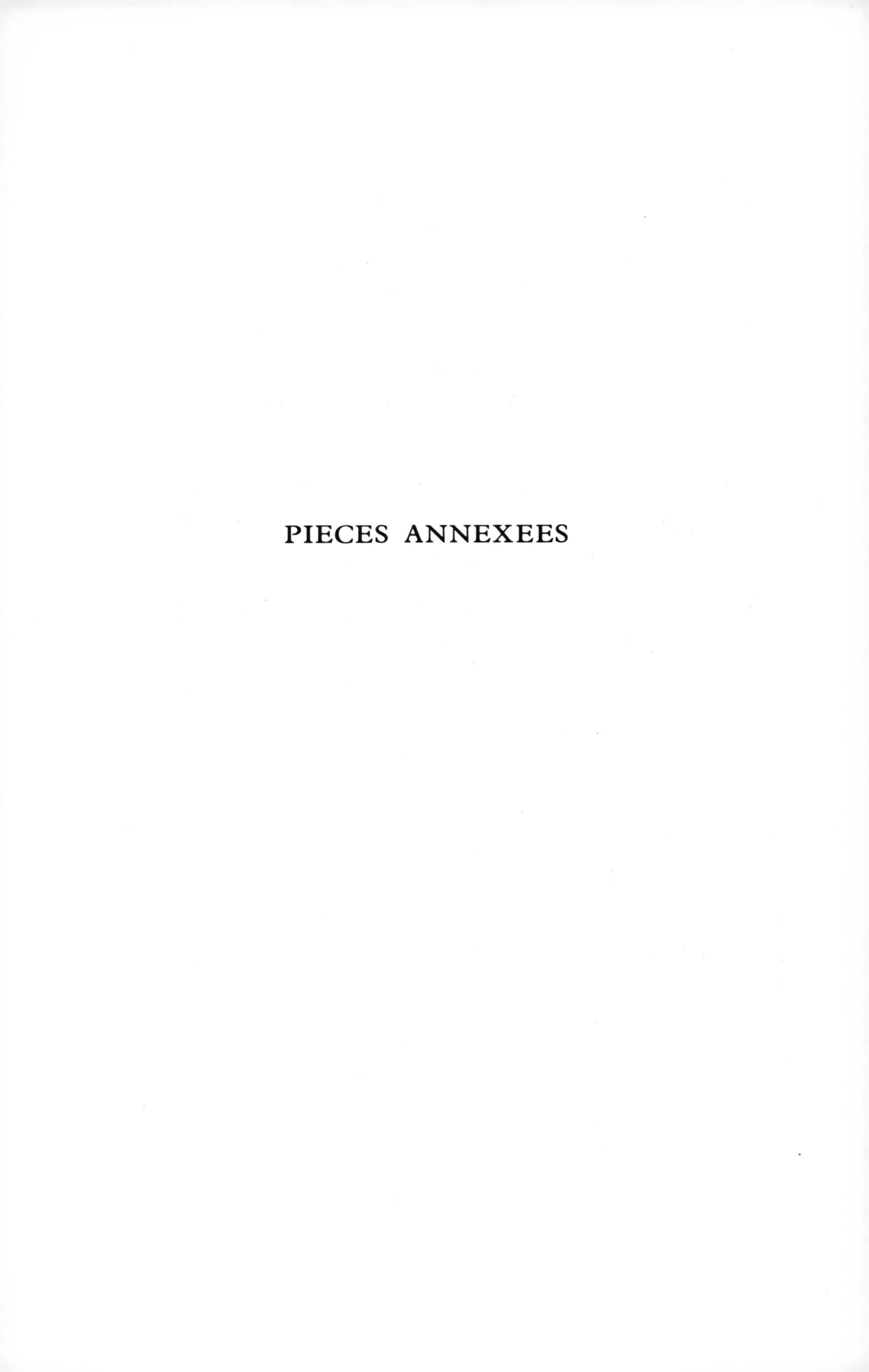

PIECES ANNEXEES

1\. — *Arch. nat.*, ADXVIII^A 22, « Rapport sur la suppression de la Commission du Museum par le Citoyen David ».
[fait à la Convention le 27 frimaire an 2 (17 déc. 1793) d'après le *Moniteur universel,* 30 frimaire an 2, séance du 27 frimaire, p. 703].

« C'est dans le moment où tout se régénère qu'il faut aussi que le vrai talent succède à l'impéritie et au charlatanisme, le patriotisme pur au lâche égoïsme, à la faiblesse et à l'inertie.

C'est trop permettre aux ennemis de la chose publique de calomnier les Français en leur reprochant leur insouciance pour les arts, pour les sciences, pour les lettres, pour tout ce qui doit étendre leur gloire en les faisant admirer des nations, en même temps qu'ils s'en font respecter par leurs armes.

Les ministres déchus et leur maître avaient senti l'une de ces vérités, et ne laissaient pas que d'écraser l'autre par l'oubli coupable de tout ce qui pouvait lui donner de la force.

La Convention nationale, toujours juste et puissante, a saisi toutes les occasions de ranimer les arts appauvris, en leur donnant une direction nouvelle et des forces proportionnées au colosse immortel qu'ils auront à soutenir.

En confiant le soin de cette direction précieuse au ministre de l'intérieur, son intention n'a jamais été de perpétuer les abus qui la déshonoraient, mais bien au contraire de les saper jusque dans leurs fondements.

Son intention n'a jamais été de confier la garde du Museum à des hommes qui ne sauraient rien moins que le garder, le soin de restaurer les monuments à des hommes qui à peine se doutent de la peinture : à de froids mathématiciens celui d'en décrire les beautés.

Son intention n'a pas été que ces hommes, quand ils réuniraient assez de talens pour remplir chaque partie de leur mission, fussent dispensés de cet amour brulant de la liberté sans lequel il est impossible de servir utilement ni les arts, ni la patrie.

Elle a voulu que le ministre de l'intérieur secondat ses vues en protégeant, en aidant tous les arts, et que ministre lui-même se pénétrat de cette utile et grande vérité, que ce n'est pas assez d'avoir bâti le temple de la liberté, qu'il convient encore à un grand peuple de l'embellir et de l'orner d'une manière digne de lui.

Si ce principe est démontré, consacré dans toutes les pages des annales de la Convention, il est instant d'arracher la Commission du Museum à l'insouciance coupable où elle est plongée, et de chercher par de grandes vues, le moyen de rendre tous ses ressorts à ce précieux établissement.

Il y va de la gloire de Paris; il y va de la gloire de la France entière, de toutes parts accusée de laisser périr les immortels chefs-d'œuvre des arts. L'expérience n'a que trop prouvé que l'ignorance, mère de tous les vices et de tous les maux, est le plus grand obstacle au bonheur de l'espèce humaine que la Convention se propose de fonder.

Examinons donc quelle fut l'organisation ancienne de la Commission du Museum, et de qui elle était composée; et si nous parvenons à prouver tout le mal qu'elle a déjà fait aux productions du génie, on en sentira mieux la nécessité de l'organiser d'une manière nouvelle, et de substituer à des hommes inhabiles et intrigans des artistes éclairés et patriotes.

1° Cette Commission est à la nomination du ministre de l'intérieur.

2° Elle est composée de six membres. Chaque membre est salarié à trois mille livres par année, et est logé au Louvre comme gardien du Museum.

3° Les membres sont :

Jollain, ancien garde des tableaux du roi;
Cossard, peintre; mais qui n'en a que le nom;
Pasquier, ami intime de Roland;
Renard
Vincent ceux-ci ont du talent; mais leur patriotisme est sans couleur;
L'abbé *Bossut,* géomètre.

En confiant au ministre le choix de ceux qui doivent composer la Commission du Museum, on laisse un vaste champ à l'intrigue. L'artiste éclairé et philosophe n'est guère propre à courir dans les bureaux des ministres pour obtenir le poste auquel son talent l'appelle.

L'homme médiocre, au contraire, accoutumé à ramper, sait prendre toutes les formes qui plaisent à ceux qui sont en place. Pendant que l'artiste amoureux de son art consacre tout son temps à l'étude, l'intrigant s'agite pour se faire remarquer; il ne néglige aucun des petits moyens capables de séduire, et finit presque toujours par écarter celui qui n'a que son mérite et sa franchise.

En laissant à la Convention le soin de cette nomination, d'après la présentation du Comité d'instruction publique, chargé de révolutionner les arts, les inconvénients n'existent plus; l'artiste franc et loyal, la basse et présomptueuse ignorance, trouveront des juges capables de les apprécier l'un et l'autre, et le génie des arts n'aura plus à gémir des coups funestes qui lui ont été portés jusqu'à ce jour.

Ceux qui composent la Commission actuelle ont perdu plusieurs chefs-d'œuvre en employant des hommes inhabiles pour les réparer. Pour se convaincre de cette vérité, il faut lire les observations sur le Museum, publiées par les citoyens les plus éclairés de l'Europe dans cette partie.

Qu'on examine l'état des restaurateurs des tableaux et des personnes qu'ils ont employées à détruire les tableaux de la République, on y verra les prix arbitraires distribués sans ordre, sans principes et sans base déterminée; dans de telles mains, plus il en coûte pour la réparation des tableaux, et plus ils sont gâtés.

D'un autre côté, n'est-il pas honteux que les logements du Louvre, qui ne devraient être accordés qu'à des hommes d'un talent et d'un patriotisme prononcés, n'aient été accordés par Roland et ses dignes amis qu'à leurs viles créatures et leurs valets ?

Que la Convention se hâte de réparer les torts de la malveillance et de l'ignarerie; quelle confie promptement à des artistes aussi éclairés que patriotes le soin de conserver et de transmettre à la postérité les sublimes travaux des grands artistes de tous les pays.

C'est ainsi qu'elle rendra l'Europe entière tributaire de son génie; et n'offrant aux jeunes élèves des arts que de beaux modèles, l'on verra bientôt disparaître ce goût factice et maniéré qui a caractérisé jusqu'à présent tous les maîtres de l'école française.

La Commission du Museum des arts était répréhensible sous le rapport du patriotisme, je vous en propose la réforme; son organisation était vicieuse, je vous présente un mode nouveau propre à diriger et à garantir son action. Le mot de Commission était devenu insignifiant, parce qu'il signifiait tout; je vous présente l'idée et la dénomination d'un *Conservatoire* du Museum des arts, qui sera sans cesse, par son nom même, rappelé à ses devoirs; son objet, qui a un centre commun, se ramifie en plusieurs branches assez distinctes pour exiger des hommes particulièrement éclairés dans chacune des parties principales.

Ainsi plusieurs des membres du Conservatoire seront attachés à la peinture, plusieurs à la sculpture, quelques-uns à l'architecture, et d'autres aux antiquités, ce qui formera quatre sections résultantes naturellement de la différence des objets. On conçoit que ces sections travailleront séparément et en commun, selon les divers objets qui seront renvoyés au Conservatoire par le ministre de l'intérieur.

Le ministre, de son côté, trouvera par ce moyen des artistes disponibles et prêts à fournir les matériaux des rapports que le Corps législatif pourra lui demander. Il me reste, citoyens, à vous dire un mot sur les motifs qui ont dirigé le choix fait par votre Comité d'instruction publique pour composer le nouveau Conservatoire du Museum des arts. Fragonard a pour lui de nombreux ouvrages; chaleur et originalité, c'est ce qui les caractérise; à la fois connaisseur et grand artiste, il consacra ses vieux ans à la garde des chefs-d'œuvre dont il a concouru dans sa jeunesse à augmenter le nombre. Bonvoisin : il a pour lui son talent, ses vertus, et un refus de la ci-devant Académie. Le Sueur, jeune et intéressant paysagiste, entendant très bien la tenue administrative que l'on peut établir dans un Conservatoire. Picault, restaurateur de tableaux, le plus entendu dans cette partie. Voilà, citoyens, pour la section de peinture.

Pour la sculpture nous proposons Dardel, tête active et républicaine, rempli de talent et doué d'une heureuse imagination. Julien : je n'en dirai qu'un mot : il a sculpté Jean La Fontaine, et Jean La Fontaine est tout entier dans son image.

En architecture, nous vous indiquerons Delannoy, artiste à la fois correct et grand autant que ces deux qualités peuvent se réunir, faisant sortir le beau de l'utile, l'ornement du sein de la simplicité même.

David Le Roy, artiste et homme de lettres, connu par ses recherches et par ses écrits sur l'architecture civile et navale des anciens.

Pour les antiquités, nous vous proposons Wicar, dessinateur justement célèbre, connaisseur exercé par le long séjour qu'il a fait en Italie, et notamment à Florence. On a gravé, d'après ses desseins, toutes les pierres antiques du Museum de Florence.

Varon, avantageusement connu comme artiste et homme de lettres : c'est lui qui a composé les hymnes chantés à la fête de la Réunion, le 10 août; il a fait deux voyages en Italie, afin de perfectionner son goût pour les arts; sans toutes les persécutions qu'ont éprouvées les artistes français à Rome, il eût achevé un ouvrage pour servir de suite aux *Monumonti inediti* de Winckelmann, ouvrage presque fini et dont la nation saura bien faire assurer la continuation.

Tels seraient les citoyens qui composeraient le Conservatoire du Museum des arts; nous avons jugé convenable de donner à cet établissement un secrétaire, homme de lettre à la fois et instruit dans les arts; le citoyen Serieys est celui que nous proposons, également recommandable par ses lumières et par son goût dans cette partie.

Citoyens, d'après cet exposé, voici le projet de décret que votre Comité d'instruction publique m'a chargé de vous soumettre :

Projet de Décret

Article premier.

La Commission du Museum est supprimée.

II

La garde du Museum sera confiée à un Conservatoire.

III

Il sera composé des citoyens dont la liste est annexée au présent décret.

IV

En cas de vacance d'une des places, il sera pourvu au remplacement par le Corps législatif, sur la présentation du Comité d'instruction publique.

V

Le Conservatoire du Museum des arts sera divisé en quatre sections; savoir : peinture, sculpture, architecture, antiquités.

VI

Le Conservatoire du Museum sera pour l'administration soumis au ministre de l'intérieur, et, pour la direction, sous la surveillance du Comité d'instruction publique.

VII

Il sera tenu d'exécuter tous les décrets relatifs au Museum auxquels il n'est pas dérogé par la présente loi.

VIII

La Commission supprimée par le présent décret rendra son compte d'administration au ministre de l'intérieur.

IX

Elle remettra aux membres du Conservatoire tous les états, inventaires, catalogues, descriptions, mémoires, notes et registres des délibérations concernant les travaux qui lui étaient confiés.

X

Il sera affecté pour les dépenses du Conservatoire du Museum des arts un fonds annuel, égal à celui déterminé par les décrets pour l'ancienne Commission du Museum.

XI

Chacun des conservateurs recevra un traitement égal à celui qui était attribué à chacun des membres de la Commission du Museum ».

[Le projet de décret présenté par David n'ayant pas été soumis au Comité des finances, il fut ajourné à la demande de Cambon : voir *Le Moniteur universel,* 30 frimaire an 2 (20 déc. 1793), séance du 27 frimaire, p. 703.

David présenta le 27 nivôse un nouveau projet de décret qui fut adopté, *infra, Pièces annexées* 2 et 3. Il diffère du premier projet essentiellement par le remplacement des anciens articles 10 et 11 par trois nouveaux articles 10, 11 et 12 qui, avec l'accord du Comité des finances, fixent avec précision le montant des crédits alloués au Muséum et les indemnités accordées aux membres du Conservatoire].

2\. — *Arch. nat.*, ADXVIII^{A}22 :
« Second rapport sur la nécessité de la suppression de la Commission du *Museum,* fait au nom des Comités d'instruction publique et des finances, par David, *député du département de Paris,* dans la séance du 27 nivôse, l'an II de la République française [16 janv. 1794], imprimé par ordre de la Convention nationale ».
« Dans mon rapport pour la suppression de la Commission du Museum et sur l'établissement d'un Conservatoire actif de ce précieux dépôt, je vous ai exposé avec quelques détails les motifs qui appuyaient cette double proposition.

Je vous ai indiqué les vices des choix qui avaient été faits, et pour en préparer de meilleurs, je vous ai présenté, au nom de votre Comité d'instruction publique, des artistes, la plupart victimes de l'orgueil académique. La liste a été imprimée et chacun de vous a pu peser le mérite des candidats. A mesure que le jugement des arts sera plus souvent et plus immédiatement exercé par le peuple, le peuple saura mieux apprécier les artistes.

Il fixera ses idées sur le mérite de chacun d'eux, et il assignera lui-même les rangs avec cette impartiale et sévère équité qui le caractérise, le peuple n'oubliera jamais les artistes qui travailleront pour la liberté; sa reconnaissance garantit sa justice.

Au moment où la Révolution commence à s'établir dans les arts, et promet à la République des chefs-d'œuvre dignes d'elle, il importe que tous les emplois que peut offrir cette carrière, plus honorable que lucrative, soient de préférence donnés et à des talents distingués qui ont subjugué l'opinion et à ceux que la médiocrité académique honorait encore de ses dédains et repoussait loin de ses fauteuils. Il a fallu, dans le choix qui vous a été soumis, avoir égard à l'objet des travaux du Conservatoire qui vous a été proposé : ce sont ces diverses considérations réunies qui ont déterminé votre Comité d'instruction publique dans la formation de la liste des artistes *citoyens* à proposer à la garde de nos chefs-d'œuvre; aussi a-t-on cru devoir motiver chacun des choix, afin que l'ensemble pût devenir l'ouvrage de la Convention nationale et l'expression de sa volonté.

S'il est un artiste, s'il est un homme à talent qui pense avoir à se plaindre de ne pas voir son nom inscrit sur cette liste, nous lui dirons : « Tu es artiste, nous n'avons pas eu la pensée de te fermer la carrière. Si tu n'es point admis à l'emploi honorable de garder les plus belles productions des arts, tu n'es point exclu de l'honneur d'en augmenter le nombre ». S'il est parmi les membres de l'ancienne Commission du Museum un homme qui voie une injustice dans son exclusion, nous lui dirons : « Tu es homme à talens, venge-toi par tes ouvrages; embellis le Museum; rentres-y par des chefs-d'œuvre ».

Lorsque je vous ai fait mon rapport sur cette ancienne Commission, j'avais omis un préliminaire indispensable, par vous sagement arrêté, afin de ne prononcer légèrement aucune dépense. L'économie honore les représentants du peuple : le trésor public est le fruit de ses sueurs et de ses victoires; pourrait-il être administré avec une circonspection trop sévère ? Aussi sur l'observation de Cambon et d'après votre décret, de concert avec le Comité d'instruction publique, je me suis retiré au Comité des finances, et de là, par la discussion de quelques articles relatifs tant à la dépense qu'à l'objet de l'établissement, ce projet s'est affermi sur ses bases, et a reçu quelques modifications dont je dois vous rendre compte.

Douze membres, dans ce projet, formaient le Conservatoire, en y comprenant un secrétaire homme de lettres. Le désir d'empêcher la prédominance d'un seul dans chacune des sections qui doivent le composer avait déterminé à augmenter un peu le nombre des membres; condition toujours nécessaire pour donner à tout établissement des formes libres et faire résulter la liberté du balancement même des opinions. Le Comité des finances, sans trop s'écarter de ce principe, ayant désiré une réduction dans le nombre, nous avons fait le sacrifice du secrétaire, et d'un des membres pour une des branches communément moins chargée. Le Conservatoire sera donc réduit à dix membres, pour ce qui concerne la peinture, la sculpture, l'architecture, et tous les monumens déposés au Museum, commission toujours prête à fournir des renseignements au Corps législatif, au Comité d'instruction publique et au ministre de l'intérieur, toujours active pour mettre en ordre et ranger dans un bel ensemble tous les chefs-d'œuvre que les émigrés ne méritaient pas de conserver, et qu'ils ont laissés à la nation, aussi digne de les posséder que capable des les apprécier.

Au lieu de trois mille livres que votre Comité d'instruction publique vous avait d'abord proposées, une indemnité de deux mille quatre cents livres a paru à votre Comité des finances suffisante pour chacun des artistes conservateurs; il a cru par cette mesure se tenir également éloigné d'une parcimonie mal entendue et d'une prodigalité préjudiciable aux finances. Une somme de vingt-quatre mille livres serait en conséquence affectée aux membres du Conservatoire, et une somme de douze mille livres aux dépenses matérielles du Museum, à la charge par le Conservatoire de rendre compte au ministre de l'intérieur de l'emploi de ces douze mille livres, ce qui formera un fonds de trente-six-mille livres, fonds modique, vu l'importance de son objet.

Ne vous y trompez pas, citoyens, le Museum n'est point un vain rassemblement d'objets de luxe ou de frivolité, qui ne doivent servir qu'à satisfaire la curiosité. Il faut qu'il devienne une école importante. Les instituteurs y conduiront leurs jeunes élèves; le père y mènera son fils. Le jeune homme, à la vue des productions du génie, sentira naître en lui le genre d'art ou de science auquel l'appela la nature. Il en est temps, législateurs, arrêtez l'ignorance au milieu de sa course; enchaînez ses mains, sauvez le Museum, sauvez des productions qu'un souffle peut anéantir, et que la nature avare ne reproduirait peut être jamais.

Une négligence coupable a porté des coups funestes aux monumens de l'art; je ne prétends pas vous offrir ici l'énumération complète des désastres qu'ils ont essuyés. Vous détourneriez vos regards de ce fameux tableau de Raphael, que n'a pas craint de profaner une main lourde et barbare. Entièrement retouché, il a perdu tout ce qui le distinguait non seulement des autres maîtres de son école, mais Raphael même : j'entends son coloris sublime.

Vous ne reconnaitrez plus l'Antiope. Les glacis, les demi-teintes, en un mot, tout ce qui caractérise particulièrement le Corrège et le met si fort au-dessus des grands peintres, tout à disparu.

La Vierge du Guide (vulgairement appelée la Couseuse) n'a point été nettoyée, mais usée.

Vous chercherez le Moïse foulant aux pieds la couronne de Pharaon, très beau tableau du peintre philosophe, du Poussin, et vous ne trouverez plus qu'une toile abymée de rouge et de noir, perdue de restauration.

Le port de Messine, ce chef-d'œuvre d'harmonie, où le soleil de Claude Lorrain éblouissait les regards, n'offre plus qu'une couleur terne de brique, et perd par conséquent tout ce charme, cette magie, qui appartiennent exclusivement à Claude Lorrain : son brillant ouvrage est dégradé à tel point, qu'il ne reste que la gravure pour nous consoler de sa perte.

Je vous parlerai de Vernet : les barbares ! Ils l'ont déjà cru assez ancien pour le gater. Tous ses ports (tableaux de fraîche date) sont déjà rentoilés, brûlés, couverts par la crasse d'un vernis qui dérobe aux yeux le mérite que les amateurs recherchent en lui.

Je rougirais de vous citer une foule de tableaux étalés sans choix et comme pour insulter au public; tableaux attribués aux plus grands maîtres, et qui n'en sont que des copies.

C'est ainsi qu'on accable les Poussin, les Dominiquin, Raphael même, de quantité de productions qui ne méritent pas de voir le jour et ne servent qu'à propager le mauvais goût et l'erreur.

Je ne dis rien d'un petit nombre de vases étrusques et de quelques bustes d'une grande beauté qu'on a cachés sous des tables et dans des lieux obscurs. Il semble qu'on leur ait reproché un misérable asile au sein du Museum, où ils sont plus cachés qu'exposés.

Mais ce n'est rien encore. Vous ignorez, citoyens, vous et moi-même tout le premier, qui ne les ai jamais pu voir, que la République possède une immense collection de desseins des plus grands maîtres. Eh bien ! à peine si l'on sait où ils sont. Cachés dans les portefeuilles des vils satrapes à qui nos tyrans en avaient autrefois confié la garde, c'est en Italie qu'il fallait aller apprendre des étrangers mêmes qu'ils existent en France : on les dérobait avec inquiétude aux regards des artistes et du peuple, comme si l'on eût craint que les sublimes conceptions des grands hommes, n'eussent rivalisé de puissance avec le génie si jaloux des despotes.

Pour prévenir ces funestes abus, pour placer tout sous l'œil vivifiant du peuple, et éclairer chaque objet de la publicité et de la portion de gloire qu'il peut réclamer, pour établir enfin dans le Museum un ordre digne des choses qu'il renferme, ne négligeons rien, citoyens collègues, et n'oublions pas que la culture des arts est un moyen de plus d'imposer à nos ennemis. Lorsque au milieu des inquiétudes inséparables de la liberté dans une république naissante, on vient porter dans vos âmes et sur vos fronts la joie que doivent inspirer les victoires de nos armées sur toutes les frontières, et les triomphes de nos légions contre tous les despotes coalisés, vos regards alors semblent se porter avec complaisance sur les beaux-arts, également faits pour embellir la paix et décorer les pompes triomphales. Dans les mouvements expansifs et les civiques affections qui vous pénètrent, vous sentez que de grands événements doivent laisser naturellement d'immortels souvenirs, et par conséquent des monuments qui attestent à l'univers et à la prospérité la grandeur du peuple français; vous voudriez dans ces instans heureux répandre sur tout l'éclat de nos victoires et tout embellir des rayons de la gloire et du bonheur : eh bien ! c'est toujours de cette hauteur que vous devez considérer le domaine des arts, pour imprimer à toutes vos lois, dans cette partie, un grand caractère qui aille à son tour inspirer des victoires. C'est dans ce sublime mouvement que vous avez voulu décerner à quatorze armées à la fois, et en un même jour, les honneurs d'un triomphe mérité, dont le peuple était en même temps l'ornement et l'objet. C'est alors que la liberté sourit à vos efforts et au zèle ardent de tous les républicains qui défendent le territoire de la France.

Restons, citoyens, à la hauteur de ces brillans succès : remplissons nos destinées, marchons à de nouveaux triomphes, nos guerriers le veulent ainsi.

Un heureux mouvement semble de lui-même faire avancer le char de la victoire et de la Révolution : continuons de le diriger; que nos ennemis tombent et que le peuple nous bénisse. Pleins de ces idées, et abandonnant les procès verbaux et les détails à ceux qui croient que les compilations sont des annales, écrivons à la manière des anciens, notre histoire dans les monuments; qu'ils soient grands et immortels comme la République que nous avons fondée; et que le génie des arts, conservateur des ouvrages sublimes que nous possédons, soit en même temps un génie créateur et enfante de nouveaux chefs-d'œuvre ».

[projet de décret non reproduit ici; pour le texte adopté voir *infra,* pièce 3].

3. — *Arch. nat.,* F^{21} 569, reg. I, décret du 27 nivôse an II [16 janv. 1794].

« La Convention nationale après avoir entendu le rapport du Comité d'instruction publique et des finances réunis, décrète :

Article premier.

La Commission du Museum est supprimée.

II

La garde du Museum sera confiée à un Conservatoire.

III

Il sera composé des citoyens dont la liste est annexée au présent décret.

IV

En cas de vacance d'une des places, il sera pourvu au remplacement par le Corps législatif.

V

Le Conservatoire du Museum des arts sera divisé en quatre sections, savoir : peinture, sculpture, architecture, antiquités.

VI

Le Conservatoire du Museum des arts sera, pour l'administration, soumis au ministre de l'intérieur; et pour la direction, sous la surveillance du Corps législatif.

VII

Il sera tenu d'exécuter tous les décrets relatifs au Museum, auxquels il n'est pas dérogé par la présente loi.

VIII

La Commission supprimée par le présent décret rendra son compte d'administration au ministre de l'intérieur.

IX

Elle remettra aux membres du Conservatoire tous états, inventaires, catalogues, descriptions, mémoires, notes et registres des délibérations, concernant les travaux qui lui étaient confiés.

X

Il est attribué à chacun des membres du Conservatoire une indemnité annuelle de 2.400 livres et le logement.

XI

12.000 livres seront consacrées aux dépenses annuelles et matérielles du Museum, à la charge d'en rendre compte au ministre de l'intérieur.

XII

En exécution des deux articles précédents, la trésorerie tiendra à la disposition du ministre de l'intérieur la somme annuelle de 36.000 livres.

Liste des membres qui doivent composer le Conservatoire du Museum des arts.
en Peinture, Fragonard, Bonvoisin, Le Sueur, Picault.
Sculpture, Dardel, Dupasquier.
Architecture, David Le Roy, Lannoy.
Antiquités, Wicar, Varon ».

4. — *Arch. nat.*, F[17] 1238, dos. 1; *Ibid.*, F[17] 1258, dos. 2, décret (n° 2164) de la Convention nationale du 18e jour de pluviôse an second de la République [6 fév. 1794] qui nomme les membres de la Commission temporaire des Arts, et désigne les inventaires dont ils seront respectivement chargés.

« La Convention nationale, après avoir entendu le rapport des Comités réunis d'instruction publique et des finances décrète :
Article premier. Les membres de la Commission temporaire des arts, adjointe au Comité d'instruction publique, et chargée d'inventorier et de réunir dans des dépôts convenables les livres, instruments, machines et autres objets de sciences et arts, propres à l'instruction publique, sont les citoyens dont la liste suit :

Pour inventorier les collections d'histoire naturelle, de botanique, de zoologie et de minéralogie, les citoyens Lamarck, Thouin, Desfontaines, Gillet-Laumont, Besson, Lelièvre, Nitot, Richard.

Pour inventorier les instrumens de physique, d'astronomie et autres, les citoyens Fontin, Charles, Lenoir, Dufourny, Janvier horloger,

Pour inventorier les dépôts et laboratoires de chimie, les citoyens Pelletier, Vauquelin, Leblanc Berthollet,

Pour inventorier les cabinets d'anatomie, les citoyens Thilhaye, Fragonard, anatomiste, Vic d'Azir, Corvisart, Portal,

Pour inventorier toutes les machines d'arts et métiers appartenantes à la République, les citoyens Mollard, Hassemfratz, Vandermonde,

Pour inventorier les objets qui concernent la marine et les cartes imprimées ou manuscrites de géographie, les citoyens Adet, Monge, Buache,

Pour inventorier les plans, machines de guerre et tout ce qui concerne les fortifications, les citoyens Beuvelot, Dupuy-Torcy,

Pour inventorier les antiquités et médailles, le citoyen Leblond,

Pour inventorier les bibliothèques, diriger et surveiller la confection des catalogues, les citoyens Langlès, Ameilhon, Barrois l'aîné, Poirier,

Pour inventorier tout ce qui tient à la peinture et à la sculpture, le citoyen Naigeon; pour l'architecture, le citoyen Hubert,

Pour inventorier les plans, machines, modèles, et tout ce qui est relatif aux ponts et chaussées, les citoyens Prosny, Bauche, Plessis, Chamberg,

Pour inventorier les instrumens de musique, anciens, étrangers, ou les plus rares par leur perfection entre les instrumens connus et modernes, les citoyens Sarrette et Bruni.

II

Les citoyens chargés de ces divers inventaires seront tenus de se munir de certificats de civisme.

III

Chacun des membres composant la Commission temporaire des arts sera indemnisé à raison de deux mille livres par an.

IV

Ceux de ses membres qui reçoivent un salaire pour d'autres travaux publics ou emplois seront tenus d'opter pour l'une des deux indemnités.

V

Les membres du Conservatoire du Museum national font partie de la Commission temporaire des arts ».

5. — *Arch. Louvre,* P 16, 1794, 11 fév., lettre du 23 pluviôse adressée au Conservatoire :

« Citoyens. Par une première lettre en date du 22 du présent, vous nous demandez les décrets concernant la Commission du Museum. Il n'y a point eu de décrets rendus expréssement concernant cette Commission.

Par la seconde du même jour vous demandez l'état de tous les tableaux qui se trouvent actuellement en restauration, l'indication des ateliers et les noms des restaurateurs. Voici cet état.

1° Au Louvre, pavillon neuf sur la rivière, atelier occupé par le Citoyen *Martin Laporte,* L'antiope du Titien. Largeur douze pieds huit pouces, hauteur six pieds. La restauration de ce tableau avait été ordonnée au C^en^ *Martin* très antérieurement à l'établissement de la Commission.

2° au dessus dans le même pavillon, on avait accordé provisoirement au Citoy^e^ *Fouquer* rentoilleur, un local pour travailler. Ce Citoyen n'est présentement chargé d'aucun ouvrage pour la nation, tout ayant été suspendu.

3° Au plan occupé par le Citoy^e^ *Martin,* même pavillon, exposition du nord, atelier occupé par le Citoyen Hacquin, un tableau de *Léonard de Vinci* représentant un st Jean dans le désert, remis par nous en mars 1793 pour être enlevé de dessus bois, et mis sur un autre fond. Cette opération était prête d'être terminée, n'était pas de nature à être suspendue.

4° Atelier occupé par le Citoy^n^ *Roser,* logement occupé cydevant par Belanger peintre, façade du midi, quatre tableaux non commencés à restaurer et que nous allons faire remettre dans les magasins.

Vincent cyd. Commis.^e^, Jollain, Regnault, Bossut ».

[en haut, à droite :] Tirée de la boite le 24 à 1 heure et lecture faite.

6. — *Arch. Louvre,* Z 2, 1794, 11 fév., brouillon d'une lettre du Conservatoire du Museum aux membres de la Commission temporaire des arts du 24 pluviôse an 2 (12 fév. 1794) :

« L'article 5 du décret de la Convention nationale du 22 pluviôse *(sic)* portant création d'une Commission temporaire des arts, est conçu en ces termes : « les membres du Conservatoire du museum national font partie de la Commission temporaire des Arts ». C'est en vertu de cet article que le Conservatoire vous demande de lui rendre connues vos opérations et l'annonce du lieu jour et hēure où vous tiendrez vos séances.

lettre envoyée. Le Sueur ».

7. — *Arch. Louvre,* Z 2, 1794, 11 fév., lettre du 23 pluviôse :

« Le Président de la Commission des arts adjointe au Comité d'instruction publique

Aux Citoyens composant le Conservatoire du Museum national des arts.

Je vous informe, Citoyens, que la Convention nationale dans sa séance du 18 pluviôse a décrété que tous les Citoyens composant le Conservatoire du Museum des arts font partie de la Commission temporaire des arts chargée d'inventorier et de réunir dans des dépôts convenables tous les objets de sciences et arts propres à l'instruction publique.

En considérant tout ce que la Nature et l'Art ont fait et peuvent faire en France, la République entière sera un immense et superbe Museum.

Vous êtes invités, Citoyens, à vous rendre quintidi prochain 25 pluviôse, au Comité d'instruction publique, à neuf heures précises du matin.

Mathieu ».

[en haut, à gauche,] Lue, L. S. [paraphe Le Sueur].

8. — *Arch. Louvre,* Z 2, 1794, 13 fév., rapport présenté par Varon au Comité d'instruction publique au cours de la séance du 25 pluviôse an 2 :

« Citoyens.

Le Conservatoire du Museum des arts est organisé conformément au vœu de la Convention nationale, il s'est mis sans retard en possession de la gallerie. Cet objet était pressant puisque le Conservatoire doit en quelque sorte sa création au désastre qu'a éprouvé la chose publique dans cette partie des Richesses Nationales exposée aux regards du peuple. Le Conservatoire s'est pareillement emparé de beaucoup d'autres richesses en matières précieuses et qui proviennent du dépôt de franciade; en un mot, il est dépositaire de tout ce qui a été en son pouvoir de réclamer sur le champ de la Commission supprimée du Museum.

Le court intervalle qui s'est écoulé entre le moment de son organisation et le rapport qui vous est fait aujourd'hui vous indique assez de quelle manière il a reçu tous ces objets. Il l'est *(sic)* a reçus physiquement c'est à dire (c'est) qu'il n'a donné décharge que d'objets matériels, sans être entré aucunement dans l'examen réfléchi du mérite de ces objets, de leur état de conservation, des dommages qu'ils ont essuiés, ce qui l'eut entrainé à des longueurs nuisibles à l'intérêt public, des débats interminables qui ne peuvent avoir lieu entre la commission et le Conservatoire qui se présente, le désordre du Museum et l'impossibilité ou se trouve l'ancienne commission de produire des inventaires exacts; les procès verbaux de décharges que nous joignons au présent rapport expliquent en termes très précis pourquoi il était convenable d'en agir ainsi. Si cette disposition des choses était capable de jeter dans l'esprit du Comité quelques inquiétudes sur cette partie des richesses publiques depuis longtemps abandonnée à l'insouciance, à la maladresse, à la confusion, nous nous empresserions de consoler le comité en l'assurant que le Conservatoire s'est en quelque sorte déclaré en permanence, qu'il ne quitte plus des yeux le trésor confié à sa garde, qu'il est encore tenu de réparer les dommages, qu'il sera réparé, en un mot que le Conservatoire fera jouir incessamment la Nation d'un Catalogue raisonné de tous les objets appartenant au Museum, catalogue qu'elle doit regarder comme un compte rendu, un résultat précis et clair qui mettra pour la 1re fois enfin la République a portée d'en apprécier la valeur.

Le Conservatoire désirait apprendre au Comité qu'il a procédé de la même manière à la découverte et au recouvrement de tous les autres objets dépendants du Museum et dont la remise est strictement ordonnée par l'article 9 du décret de la Convention, tel que dessins *(sic)*, descriptions, mémoires, notes et registres, etc...

Des obstacles nombreux s'opposent à cette remise, un grand nombre de ces objets est actuellement sous le scellé du département, beaucoup d'autres sous le scellé d'administration particulière, est confondu parmi ces effets d'un des membres de la commission supprimée en état d'arrestation. Les précautions à prendre pour la transmission des dessins en a pareillement retardé la remise. Le Conservatoire vient de faire auprès du Ministre de l'Intérieur, auquel il est soumis quant à l'administration, les démarches nécessaires pour faire disparaître quelques uns de ces obstacles, il attend sa réponse; les autres se dissiperont successivement; mais il a besoin pour cela de l'appui des autorités supérieures.

Le jour où la commission supprimée aura effectué la remise du dernier objet dont elle est comptable au Conservatoire, et qu'il n'existera plus de relation entre elle et lui, ce jour, le Conservatoire ne craint pas de l'avancer, sera très heureux pour le comité d'instruction et pour lui, puisque c'est de ce moment seul que doit dâter le salût de la République dans cette intéressante position de sa fortune et de sa gloire. C'est alors que nous nous représenterons devant vous pour vous proposer une mesure salutaire indispensable : celle d'apporter à tout le Museum un sceau indélèbile et sacré qui ne permette plus d'en soustraire les objets ni d'en altérer la nature.

Le Conservatoire connait ses devoirs et saura les remplir; un des plus précieux et qu'il a mis à l'ordre du jour est de tenir le Museum ouvert sans interruption. S'il n'était pas instant de procéder d'abord à une nouvelle disposition des objets qu'il renferme, au besoin indispensable d'éclairer ces objets autrement qu'ils ne le sont, déjà le Museum serait ouvert. Il espère que son intention conforme au vœu de tous les citoyens qui depuis longtemps réclamaient contre l'abus de n'ouvrir le Museum que trois jours par décade, n'éprouvera point de contrariété dans un Comité spécialement chargé de l'instruction du peuple et du soin de lui ménager des jouissances. Cependant le Conservatoire serait flatté de recueillir à cet égard les vues du Comité ou même d'avoir à répondre à ses doutes s'il en avait de contraires à cette disposition particulière. Quoi qu'il en soit il est dès à présent décidé que les conservateurs inspecteront tour à tour les salles du Museum et qu'ils y feront une garde assidue tous les jours ou l'ouverture en sera publique.

Pour originalle conforme, Le Sueur ».

9. — *Arch. Louvre,* D2, 1794, 15 fév., lettre du Conservatoire au ministre de l'intérieur : « Paris ce 27 pluviôse l'an 2 de la république française une et indivisible.

Les membres du Conservatoire du Museum des arts au Citoyen ministre de l'intérieur.

Citoyen ministre,

Nous t'informons que d'ici à peu de jours, il se fera une vente publique de desseins que nous présumons assez capitaux pour devoir être placés au Museum. Ils sont pour la plupart de Raphaël, Michelange, Poussin, Jules Romain, Léonard de Vinci, etc... Mais il est nécessaire avant que nous puissions statuer quelque chose sur ces desseins que tu nous fasse savoir si tu as des fonds disponibles pour ces sortes d'acquisition sur les 10.000 *(sic)* livres destiné à l'embellissement du Museum.

Nous t'observons que ladite vente étant très prochaine il est urgent que tu veuille bien nous faire porter ta réponse.

Salut et fraternité. Le Sueur ».

10. — *Ibid.,* 1794, 25 fév., réponse du Ministre (2e Division) à la lettre ci-dessus :
« Paris, ce 7 ventôse l'an 2e de la République une et indivisible.
Le Ministre de l'Intérieur au Conservatoire du Musoeum des arts.

Vous m'avez informé, Citoyens, qu'il doit se faire sous peu de jours une vente publique de desseins de Raphael, de Michel-Ange, du Poussin, Jules Romain, Léonard de Vinci et d'autres grands maîtres dont vous jugés infiniment intéressant d'enrichir le Musoeum des arts, et vous me demandez si ce qui reste libre du fonds de 100.000 livres, décrété le 21 vendémiaire pour les dépenses du Musœum de la République et celles relatives à la recherche des objets de sciences et arts, permet de faire cette acquisition. J'ai vérifié Citoyens, que la majeure partie de ce fonds est encore disponible en ce moment et conséquemment que le prix de l'acquisition de ces desseins pourra être acquitté conformément au Décret aussitôt que vous m'aurés remis l'extrait du procès verbal de vente qui constatera les sommes auxquelles auront été adjugés les articles que vous aurez fait acheter pour le compte de la République. On ne peut sans doute que s'en rapporter à votre zèle sur les moyens que vous croirés devoir employer pour éviter le prix excessif auquel ces objets pourraient être portés si l'achat s'en faisait ouvertement.

Salut et fraternité. Paré ».

11. — *Arch. Louvre,* S 30, Lorta, 1794, 22 fév., lettre du 4 ventôse an 2 :
« Lorta prévient le Citoyen Vicar auquel il a remis le dessein du tombeau de Sipion dont l'éxécution est en marbre blanc, statue qui ce trouve placé dans la chapelle du cidevant palais Durainsi *(sic)* a 4 lieux de Paris apartenant au cidevant Légalité. Joffre au Conservatoire de leur donner tous les ransainement nécessaire ou même de me charger de faire dépauser et conduire cette ouvrage dans l'androi qui lui sera destiné : attendu que ce tombeau a été condui et fait exécuté par moi je n'ai d'autre désire que celui de me rendre util à ce qui peut intéresser les beaux arts et suis mon Camarade ton consitoyen Lorta rue du bac N° 635 et si tu mécris dans le mois germinal mon adresse est rue jacob n° 1229 section de lunité ».

[dans la marge :] renvoyé à la Commission des arts.

12. — *Arch. Louvre,* P 16, 1794, 26 fév., lettre de Hacquin au Conservatoire :
« Ce 8 ventôse l'an 2 de la République française.
Citoyens, vous m'avez fait suspendre le travail très avancé du tableau de Léonard de Vinchy qui m'a été confié pour être enlevé de dessus bois et remis sur toile; il n'est plus sur son fond et l'air agit fortement dessu, il est urgent que vous preniez un parti, soit de le mettre sur toile ou bois, il est impossible qu'il reste longtemps sans être fixé d'une manière ou d'une autre.

Salut et fraternité. Votre concitoyen Hacquin ».

[Annotation en haut, à gauche :] « Deux commissaires sont nommés ». [Il s'agit de Picault et Bonvoisin désignés par le Conservatoire, au cours de la séance du 12 ventôse].

13. — *Arch. Louvre,* P 2, 1794, 28 fév., lettre de Robert au Conservatoire :
« Ce décadi 10 ventôse an 2 de la République.
Citoyens, Le changement que je viens d'appercevoir au Museum à la première travée de droite en entrant, m'a paru susceptible d'une observation que je ne crois pas indigne de quelqu'attention de votre part. Je vois six tableaux dont quatre de ceux qui y étaient et deux qui sont de la même grandeur à peu près que ceux qu'ils rem-

placent, ce qui revient au même pour ce que je veux dire : je vois dis-je ces six tableaux tenir et leur place et celle des huit autres qui y étaient en outre. Sans doute que plusieurs de ceux qui ont disparu seront replacés ailleurs, ce n'est point la ce que j'examine ici. Ce que je veux dire c'est que voilà une place assez considérable perdue. On doit sans doute faire bien moins attention à la quantité des tableaux qu'à leur qualité, mais à qualité égale la quantité n'est pas à mépriser. Or donc pourquoi dans une place donnée qui peut recevoir quatorze tableaux se borner à six des quatorze qui peuvent y tenir, lorsqu'on a de quoi les avoir tous bons. D'abord au coup d'œil cette travée à présent paraîtra peut être un peu nue et dégarnie. Je ne pense pas que l'on ait eu en vue une symétrie plus régulière. On peut observer une symétrie aussi exacte avec un plus grand nombre. D'ailleurs un ordre strictement symétrique est d'une faible importance auprès de l'avantage d'avoir quelques bons tableaux de plus, ensuite si le même principe d'ordonnance, si le même mode d'espacer les tableaux était suivi dans toute l'étendue de la gallerie il serait aisé d'appercevoir quelle énorme quantité d'ouvrages ne pourrait trouver place dans ce précieux et magnifique Museum qui bien dirigé doit être un jour la huitième merveille du monde. Pour mériter vraiment ce nom il faut indispensablement que les jours soient ouverts par le haut, il n'est pas nécessaire d'appuyer sur cette observation, tout homme qui a des yeux et quelqu'amour des arts en sent toute la nécessité et y concourra de toute son influence.

Vous pèserez dans votre sagesse des observations qui dictées par l'amour des arts n'ont pour but que leur plus grande gloire et leur plus grande prospérité.

Salut et Fraternité.

Robert (Joseph Alexis) artiste et Md de tableaux.

[en haut à gauche de la première page :] Passe à l'ordre du jour.
Fra.d.présd par intérim ».

14. — *Arch. Louvre,* P 2, 1794, 15 mars, lettre de Dandrillon au Conservatoire : « Frères. Un oubli de principe est commis, les progrès des arts sont entravés et c'est par le Conservatoire du Museum persuadé de la pureté de ses intentions. C'est à lui que je m'adresse.

Le Comité d'instruction public vous a donné vos pouvoirs; l'origine dont vous les tenez prouve que ce n'est pas assez de conservé à la postérité ses chefs-d'œuvre, ses productions rares qui vous sont confié, les présenter à l'œil vivant avec l'ordre, l'aspect grand qui convient à un peuple philosophe et fort. Il faut qu'ils servent essentiellement à l'instruction public, les offrirent a la Méditation de ceux que leurs Génies porte à l'étude des arts, leur présenter de près afin que sidentifiant avec l'ouvrage ils parviennent à produire comme l'auteur.

Quoi, la république n'offrirait pas aux génies les mêmes avantages qui sont offert chez des despotes.

Ne vous resouvenez vous donc plus de Florence, celui qui veut copier un tableau ou dessein, on le lui met près du jour sur un chevalet, on fournit le chevalet, traiteaux échafaud s'il est nécessaire, on fait du feu on lui en donne. Des custodes payés on soin et des hommes et des choses.

A la Gallerie de Dusseldorff chez l'électeur palatin on fait plus, on fournit couleurs, brosse, papier, crayon à tous ceux qui n'en n'ont pas, qu'importe de quel pays ils viennent et qu'ils soyent.

Je t'interpelle particulièrement, Wicar. N'avons nous pas résident ensemble à Florence, rendu justice à la bonté de cette administration, et est til un de vous composant le Conservatoire qui n'est joui de ce même bienfait.

Ce bienfait chez des despotes, n'est til pas justice et devoir dans un gouvernement démocratique; qui peut nier que cet établissement n'ai un caractère national.

Un artiste peintre de fleurs qui a des talents faisait dans le Museum (après en avoir fait la demande), la copie d'un tableau de Vanussen qu'il avait mis au jour afin de mieux étudier le Maitre et qu'un membre du Conservatoire attacha lui-même. Sur ce que la Commission avait pris l'arrêté qu'à l'avenir les tableaux ne seraient plus descendus, qu'ils seraient copié en place, motivé sur ce qu'il serait possible que quelqu'un mouilla le tableaux, ou fit quelleque dommage cherchant à voir mieux.

Que ce motive est petit et maigre. Combien il tient de l'ancien régime. Frères, voyez touttes les choses plus en grand — par des simples soupçons n'arrettez pas les progrès des arts, N'outragés pas à la vertu des Citoyens. Car dit Moi, ne sommes nous pas chacun en particulier Conservateur des propriétés nationalles, et s'il se trouvait parmi nous un citoyen assez vil pour atténuer la propriété de tous, les lois ne sont telles pas la.

Je vous invite en frères a réparé un moment d'oubli en invitant cet artiste a continuer ces éttudes, voici son adresse : le C[t] Vandael peintre rue du Mail n° 36 chez le parfumeur. Des républicains doivent se hâter de réparer leurs erreurs afin de continuer à mériter l'estime de leurs concitoyens.

Salut et fraternité.

Dandrillon franciade n° 25
vis à vis les forges nationales ».

15. — *Arch. Louvre,* P 4, 1794, 19 mars, arrêté du Conservatoire :
« Conservatoire du Museum national des arts.
Séance du 29 ventôse deuxième année républicaine.

Il est arrêté que les Citoyens Picault, Fragonard et Bonvoisin, sont autorisés à se transporter au dépôt des petits augustins pour enlever les quatre paysage de Champagne et en donner la décharge au bas du présent. R.G.D. ».

16. — *1901 Guillaume,* p. 1, p. v. de la séance du 1er germinal (21 mars 1794), *extrait :*
« Le Citoyen Lenoir, garde du dépôt national rue des Petits Augustins, prévient le Comité d'instruction publique que les citoyens Picault et Fragonard sont venus pour enlever de ce dépôt plusieurs tableaux et qu'il s'y est opposé parce qu'ils n'étaient munis d'aucun pouvoir constatant, etc... Le Comité arrête : 1° que le Conservatoire du Museum sera autorisé à extraire des dépôts nationaux provisoires les objets d'art qu'il jugera à propos de faire placer dans le Museum, à la charge de donner son récipissé aux gardiens des dépôts; 2° qu'il sera donné par écrit connaissance de cet arrêt auxdits gardiens, en instruisant le citoyen Lenoir que le Comité approuve sa surveillance ».

17. — *Arch. Louvre,* Z 2, 1794, 25 mars, extrait du Registre des Délibérations de la Commission temporaire des arts près du Comité d'instruction publique :
« Ce 5 germinal, l'an deuxième de la République Française, une et indivisible.

Lecture d'une lettre du C. Lenoir, dans la quelle il informe la Commission, que les membres du Conservatoire du Museum des arts se sont présentés au dépôt national, rue des Petits Augustins, pour y faire choix des tableaux et autres objets d'Arts dont ils se proposaient d'effectuer aussitôt le transport au Museum. Le Président déclare que le même avis ayant été donné au Comité d'instruction publique, ce Comité a arrêté que les membres du Conservatoire du Museum des arts pourront à l'avenir enlever dans les dépôts nationaux les objets qu'ils auront choisis pour le Museum, en donnant décharge aux gardiens. La Commission approuve la conduite du C. Lenoir.

Pour extrait conforme. A Paris le 7 germinal l'an 2 de la République une et indiv.

Le Président de la Commission temporaire des arts. Mathieu ».

18. — *Arch. Louvre,* Z 2, 1794, 24 mars, lettre du 4 germinal :
« Aux Citoyens composant le Conservatoire du Museum. Salut et fraternité.

Citoyens, j'ai la faveur de vous prévenir que le Comité d'instruction publique à qui j'ai fait part que vous aviez désir d'enlever plusieurs tableaux du Dépôt confié à ma garde, vient de me faire parvenir l'arrêté qu'il a pris qui autorise à vous remettre : objets qui peuvent servir à l'ornement du Museum national. Je vous prie en conséquence de me prévenir du jour que vous aurez choisi pour votre opération, afin que je puisse vous recevoir.

Je vous prie de croire à l'intérêt particulier que je porte aux beaux arts et à ceux de nos concitoyens qui les professent avec distinction.

Lenoir, garde du dépôt des monumens ».

19. — *Arch. Louvre,* Z 2, 31 mars, extrait du Registre des Délibérations du Comité d'instruction publique :
« Ce 1er germinal an deuxième de la République Française une et indivisible.

Le Comité arrête que le Conservatoire du Museum sera autorisé à extraire des dépôts nationaux provisoires, les objets d'art qu'il jugera à propos de faire placer

dans le Museum à la charge de donner son récipissé aux gardiens des dépôts.
Pour copie conforme. A Paris le 11 Germinal l'an 2e de la République une et indivisible.
Villar président ».

20. — *Arch. Louvre,* P 5, 1794, 4 avril, copie d'une lettre de Lenoir au Conservatoire : « Ce 15 germinal l'an deux de la République une et indivisible.
Aux citoyens composant le Conservatoire du Museum.
Je vous préviens Citoyens, qu'en conséquence de votre arrêté du 11 du présent, je me suis empressé pour répondre à vos désirs de faire enlever le papier qui couvrait le tableau attribué au Valentin pris aux Clunistes. Il est disposé.
Je vous invite à le venir voir lorsque vous pourrez quitter un moment vos travaux patriotiques.
Salut et fraternité. Votre Concitoyen.
Lenoir, garde du dépôt des monumens ».

21. — *Arch. Louvre,* P 3, 1794 : « Copie, vues des ports de la République peints par Joseph Vernet placés au Museum Nl des arts,
1 une vue du port de dieppe
1 une vue du port d'antibes
1 une vue du port de rochefort
1 une vue de la pêche du thon
1 une vue du port de Cette
2 deux vues de Bayonne
2 deux vues de Marseilles
3 trois vues de toulon
2 deux vues de Bordeaux
1 une vue du port de la Rochelle
—
15
Le présent état certifié véritable par nous membres du Conservatoire.
signé Fragonard et Bonvoisin ».

22. — *Arch. Louvre,* P 3, 1794, lettre de Desmarest au Conservatoire :
« Citoyens, je suis possesseur dans ce moment de cinq esquisses terminés par Le Sueur, qui sont les cinq tableaux du plafond de l'hôtel de Lambert, dont les Grands appartiennent à la Nation et qui sont au Museum; je trouves à les vendre et je refuse de le faire parceque je crois qu'il serait agréable de les joindre au Museum avec les ouvrages de ce célèbre artiste. Si vous le jugez de même et que vous vouliez en faire faire l'acquisition à la Nation, je vous prie de venir les voir ou de me faire savoir. Si mon offre ne convient point, alors j'en disposerais en faveur des ceux qui me la demande.
Salut et fraternité l'an 2e de la République.
Desmaret Maison de Bullion Rue J. J. Rousseau ».

23. — Pièces trouvées parmi les minutes des p. v. :
« Extrait du Registre des Délibérations du Conservatoire du Museum national des arts.
Ce 29 floréal an deuxième de la République Française, une et indivisible.
Le Conservatoire autorise le Citoyen Bonvoisin l'un de ses membres, dans la section de Peinture, chargé des dépenses matérielles du Museum à demander à la Commission exécutive de l'instruction publique un mandat de la somme de deux mille livres pour l'acquittement du quatrième mois échu le 27 floréal présent mois, de l'indemnité attribuée au C.C. Fragonard, Bonvoisin, Le Sueur, Picault, Dardel, Dupasquier, David Le Roy, Lannoy, Wicar, Varon, par le décret du 27 Nivôse dernier ».

24. — *Ibid.,* « Le Conservatoire assemblé atteste que les citoyens Fragonard, Bonvoisin, Le Sueur, Picault, Dardel, Dupasquier, David Le Roy, Lannoy, Wicar, Varon ont été trés exacts à leur poste et qu'ils remplissent à cet égard toutes les vues de la Convention nationale.
R. G. Dardel, président, David le Roy, secrétaire ».

25. — *Arch. Louvre,* Z 2, 1794, 16 avril : « Projet d'arrêté, original ».
« Le Conservatoire de la république française considèrant combien il est important de surveiller les tableaux des grands maîtres dont la collection forme le Museum national, combien la négligence de ses prédecesseurs a été nuisible à cette collection, le nombre des tableaux qui ont été dégradés par l'impéritie des peintres restaurateurs à qui ils avaient été témérairement confiés et pour éviter à l'avenir de semblables accidens, arrête ce qui suit :

article 1er

Il sera ouvert un concours pour la restauration des tableaux de la République.
[mention dans la marge] adopté.

2

A cet effet le Conservatoire choisira parmi les tableaux recueillis dans les divers dépôts de Paris celui des dits tableaux qu'il jugera le plus mutilé et qu'il ne croira pas susceptible d'être réparé.
[mention dans la marge] rejetté sauf rédaction.

3

Ce tableau sera divisé en quarrés égaux.

4

Ces quarrés seront numérotés.

5

Les Nos de ces quarrés seront écrits sur des bulletins et déposés dans un vase.

6

Chaque peintre restaurateur qui se présentera au concours, tirera un bulletin du vase et le quarré correspondant au numéro qu'il aura porté lui sera délivré après que le Conservatoire aura fait, en présence du concourent, procès verbal de l'état de dégradation ou se trouvera le dit quarré.

7

Chaque concurrent sera tenu
1° de nétoyer le quarré qui lui sera échu, et de le représenter au Conservatoire après le nétoyage.
2° d'enlever les repeints et les mortiés qui pourront se trouver sur le dit quarré, et de le représenter après cette seconde opération.
3° de mastiquer les parties écaillées du quarré ou de remplacer les anciens mortiés par de nouveaux et de représenter ce troisiéme travail.
4° de raccorder la peinture sur les mortiés en imitant le coloris et le faire du maître.

8

Chaque concurrent signera le quarré qu'il aura raccordé.

9

Le Conservatoire examinera successivement avec soin le travail de chaque concurrent dans chacune des quatre opérations exposées dans l'article sept et jugera quels sont ceux dont les procédés peuvent donner les meilleurs résultats.

10

Les quarrés signés conformément à l'article 8 seront déposés en un lieu sur, et six mois après le dépôt, ils seront confrontés les uns avec [les] autres pour connaitre ceux dont les repeints auront le moins changé. Il sera du tout dressé procès verbal par le Conservatoire.

11

Six mois après cette première confrontation il en sera fait une seconde, qu'on constatera comme la première.

12

Les confrontations seront continuées de six en six mois pendant l'espace de dix années.

13

La restauration des statues, bas reliefs et généralement de tout monument et sculpture sera également confiée au concours.

Picault

[article 14, ainsi rédigé : « Le présent décret aura son exécution dans l'étendue de la République » a été entièrement barré].
original proposé au Conservatoire par le Cn Bouqier membre du Comité d'instruction publique.

Bonvoisin, Président

26. — *Arch. Louvre*, Z 2, 1794, 26 mai, rapport du Conservatoire du Museum national des arts, fait par Varon, l'un de ses membres, au Comité d'instruction publique, le 7 prairial l'an 2 de la République une et indivisible :

« Citoyens

Les travaux provisoires de la gallerie sont terminés. Le Conservatoire s'empresse de vous rendre compte des motifs qui l'ont entrainé dans la marche qu'il a tenüe jusqu'à ce jour et des vuës nouvelles qui doivent le diriger à l'avenir. Une carrière plus vaste s'est ouverte devant lui; il s'adresse avec confiance au Comité d'instruction Publique et le prie de dissiper ses doutes, de fixer ses idées, d'encourager son zèle. Il va classer dans ce raport autant qu'il lui sera possible, d'une manière simple et naturelle les questions qu'il vient vous soumettre. Il vous sera facile, Citoyens, de les résoudre, si vous vous pénétrez des développemens que nous leur avons donnés : ils consistent à vous offrir un ensemble d'idées, tel qu'on détermine enfin, ce que devrait être un musœum chez une nation puissante, régénérée et libre; quelle devrait être l'influence des arts sur l'opinion, quel caractère ils impriment au peuple, et jusqu'à quel point ils sont utiles à son bonheur.

Ce serait peut-être ici le lieu de répondre à ces esprits chagrins, qui ne voyent le bien que dans un mieux impossible, qui ne s'attachent par tout qu'à chercher des défauts, où ils pourraient trouver des beautés, dont la critique amère, injuste, exagérée substitue la mauvaise foi à la raison, se dispense des difficultés, pour ne montrer que des moyens de perfection qui ne sont au pouvoir de personne, qui calomnient les hommes quand ils sont las de calomnier les choses, à qui nul établissement ne convient, dès que leur savoir faire n'a pas été l'objet de la prédilection publique. Le Conservatoire n'ignore pas qu'il est en butte aux traits de l'envie, aux méprises de l'ignorance, mais il mériterait peu la confiance de la Convention nationale, s'il n'avait appris à dédaigner les unes, à s'honorer des autres.

Un Conservatoire des arts est un Etablissement sublime dans l'état, si des conservateurs ne se croyent pas restreints aux monotones fonctions de gardiens; il est intéressant de vous donner ici un léger apperçu de ses devoirs et du pas immense que vous avez franchi, en faisant décrèter par la Convention nationale, qu'il remplacerait la Commission du Musœum. Nous voulons croire que celle-ci a manqué des moyens qui donnent à celui là plus d'essor, qu'elle n'a dû marcher qu'en tremblant, qu'elle a fait un essai dangereux, qu'on lui doit obligation de ses faux pas, puisqu'ils ont fait sentir la nécessité de se frayer une route nouvelle. Quoiqu'il en soit, la Gallerie n'offrait qu'un grand désordre, lorsque nous y sommes entrés, un magazin de meubles plutôt qu'une gallerie, un fouilli de toutes sortes de choses qui fatiguaient les regards par leur multiplicité et détournaient l'attention des seuls objets dignes de la fixer, le besoin, sans doute, de couvrir toutes les travées y avait attiré cette fourmillière de petits tableaux, qui n'y étaient qu'aperçus, et des tableaux très mauvais, qu'on désirait n'y point appercevoir.

Nous n'avons senti d'abord que la nécessité de faire un choix, et tout naturellement les écoles rangées l'une près de l'autre, autant que l'ont permis et la disposition du local et la grandeur des tableaux destinés à l'orner; il reste encore des objets inférieurs, qu'il faudra sans doute mettre un jour à l'écart, mais ils ne sont pas de nature à mériter qu'on en prononce sitôt la proscription, et du moins leur ensemble actuel ne déshonore plus les arts.

L'ancienne Commission avait entassé dans un même lieu toutes les richesses qui lui étaient tombées dans les mains; mais ces richesses sont de plus d'une nature à quelque degré de gloire qu'il soit intéressant de porter l'industrie de la France, on ne saurait nier que la plus belle vaisselle, la plus belle porcelaine, ne soit déplacée auprès des formes simples et pures d'un vase Etrusque. Quelque réputation que se soyent acquise, chez les peuples corrompus, ces hommes qui prostituaient hier leurs pinceaux, aux caprices de la mode et du faux goût, quelque dépense d'esprit qu'étale leurs tableaux, il est certain qu'une bambochade et des magots ne peuvent s'allier aux toiles des Poussin, des Raphaël, des Le Sueur, ni un Scarron se mesurer avec un Corneille.

L'Epine entière de la gallerie dérange les pas des admirateurs, les empêche de se placer à une distance convenable, ôte à la gallerie sa sévérité, sa noblesse; il était entré dans l'arrangement provisoire dont nous vous rendons compte, de la débarasser de cet attirail qui la gêne. Les retards que nous avons éprouvés pour nous faire remettre tout le local dépendant du Musœum, nous ont arrêtés dans cette dernière partie de nos opérations : elle aura son effet et concourera à donner une idée de l'aspect imposant et simple qui convient au Musœum. Tous les meubles seront relégués dans les salles particulières et recevront les objets utiles ou curieux, ou précieux qui sont aujourd'hui déplacés dans la gallerie.

Voici maintenant un tableau de notre manière d'administrer. Nous n'avons trouvé dans les mains des anciens commissaires, que des catalogues très succints des objets dont ils nous ont fait la remise : ni papiers dans leurs cartons, ni procès verbaux, ni correspondances, rien de ce qui nous était renvoyé par le décret de la Convention, ne nous est parvenu. Il est à croire, que cette commission ne s'étant point organisée, ainsi que nous l'avons fait, leurs travaux spéculatifs se sont bornés à si peu de choses, qu'il n'en est point resté de vestiges.

Notre bureau respire au contraire, l'ordre, la précision, l'exactitude la plus scrupuleuse jusqu'à nos moindres discutions sont transcrites sur le registre de nos procès verbaux.

Un autre registre contient les noms et toute l'inscription de la carte des Citoyens qui désirent de copier au Musœum, avec l'indication de l'objet qu'ils copient, ce qui nous donne une grande sécurité sur le dépôt qui nous est confié.

Un autre registre nous astreints tous à nous trouver exactement à nos séances.

Enfin des extraits imprimés de nos procès verbaux, donnent une forme plus positive et plus valide à toutes les opérations de dépenses, de décharges, de recette, qui nous concernent. Nos discussions ont toujours pour but le plus grand intérêt de la république et la plus grande gloire de l'art; la majorité seule des avis les termine; des commissaires sont toujours nommés pour en mettre sur le champ les résultats à exécution. Enfin nous avons établi dans l'intérieur une police nécessaire qu'on n'y connaissait point avant nous; la décence y règne de toute part, les gardiens font respecter nos arrêtés. Ces arrêtés loin de gèner la liberté des Citoyens, font jouir les artistes, qui copient dans la gallerie, de cette paix profonde, sans laquelle il n'est point d'étude, sans laquelle la méditation serait impossible au génie le plus facile, et l'enthousiasme une ressource impuissante contre la distraction : bien plus, chacun de nous veille à son tour dans ce dépôt national et se familiarise de jour en jour avec tous les chefs d'œuvre qu'il renferme.

Telle est la situation précise, où se trouve actuellement le Conservatoire; il va vous tracer l'esquisse du grand tableau, dont ces premiers essais lui ont inspiré la pensée.

Il ne vient point vous apporter ici un traité profond sur les musées des anciens, et par des applications toujours imparfaites, souvent exagérées, tordre le sens du principe, quand il ne faut que l'adapter; encore moins prétend-il examiner la question de savoir, s'il convient de donner d'autres musées à la France et de quelle manière se peuvent répartir les richesses qu'elle possède dans les Arts question qui entraîne nécessairement des questions politiques sur lesquelles il n'appartient qu'à vous d'éveiller l'attention du législateur. C'est un devoir bien doux de se soumettre à l'impulsion donnée, lorsque cette impulsion garantit à chacun son repos, sa liberté, son bonheur. Quant à présent, il est indispensable de tout confondre dans un même rassemblement; c'est de l'assemblage des ressources nombreuses pour y parvenir, que doit sortir la plus grande perfection de l'enseignement publique. Cette circonstance est déjà le partage de Paris, puisque cette Ville renferme dans son sein tout ce que les sciences, les arts et les lettres ont vû fleurir de plus brillant. Un jour naitra peut-être où le plus beau génie ne dédaignera point d'habiter Corinthe, Argos, Thèbes, Mytilène, Olympie; un jour viendra ou Athène portera autour d'elle un regard d'étonnement et d'envie, où de honteux préjugés n'accuseront plus un homme de n'être qu'un poète, un peintre, un sculpteur de département, où le foyer de lumière étant également réparti, tous les points de la surface seront également honorés. Aujourd'hui on ne peut se dissimuler que tous les arts ne doivent être concentrés dans un seul théâtre, afin que leur unité concourre à faire triompher l'unité de principe politique que nous avons fondé.

Cette vérité une fois établie, les regards se promènent sur une étendue immense; le Palais du Musœum n'a point assez de portiques, tous les arts se pressent en foule dans ce sanctuaire et se disputent une place distinguée. Concevez vous l'amas considérable de tableaux que la *Peinture* vous présente. L'*Antiquité* vous offre des collections immenses de médailles, de camées, de pierres précieuses, de divinités, d'ustensiles et de vases; elle exige de plus un abri pour les ouvrages de tous les savants qui l'ont honorée. La *Sculpture* apporte le peu qu'elle possède et ne laisse pas de jeter dans l'avenir un regard d'espérance et de satisfaction. L'*Architecture* nous montre ses chapiteaux, ses entablements, ses frises, les restes glorieux de tous les monuments qu'elle a construits. Le *Dessein* vous offre ses portefeuilles et demande qu'ils soyent rendûs au jour. Il n'est pas jusqu'à la gravure qui ne réclame une place au milieu des conceptions originales du génie de l'homme. L'*art Gothique,* si l'on peut qualifier du mot *art,* ou l'enfance, ou la décrépitude des siècles passés, l'art gothique étale aussi ses hardis tours de force et se flatte d'attirer les regards.

Placés au centre d'un aussi vaste champ, nous appellerons près de nous les âges, et confondant ensemble les deux époques de leur faiblesse, ils sont, dans la gallerie nationale, une introduction naturelle, qui conduit insensiblement et par une marche graduelle l'histoire vivante de l'art, au plus haut période de sa grandeur et de sa force, c'est à dire, à son terme.

Sous ce point de vûe, disparaissent bientôt ces distinctions ridicules d'*histoire* ou de *genre,* de *paysages* ou d'*histoire :* la nature n'ayant dit à personne, qu'une danse de village fût une scène déplacée dans la gallerie d'un peuple qui s'est imposé à lui même le devoir d'honorer les vertus champêtres, et d'en préférer les douceurs. La nature n'ayant dit à personne qu'elle ne respire que sous la tente d'Alexandre et cesse de se complaire dans les détours d'un site enchanteur.

Mais la nature en souriant aux efforts de *l'art* ne veut pas qu'on en confonde les jeux, et si elle ne reconnait point de genre, elle demande qu'on en distingue les productions. Et telle est la série d'idées que présente une gallerie, qu'on ne saurait y voir accolés ensemble un *Poussin,* un Ruiss d'al *(sic),* un *Corrège.* Nous ne parlerons pas de ces invitations serviles d'une nature dégradée et basse; celles-ci n'ont point de genre, et comme ces portraits sont des exceptions facheuses dans l'ordre admirable que la nature observe, l'instruction les rejette et ne sait où les aller cacher.

Ainsi donc si l'art régénéré ne doit offrir ici que l'expression de la grandeur, ou des sentiments exquis de l'âme, il ne reste plus que d'en classer les chefs d'œuvre de la manière la plus convenable à l'instruction publique. Nous avons déjà fait pressentir quel est l'ordre dans lequel tous les ouvrages qu'il avoûe, viennent naturellement se classer; nous mettrons, en nous résumant, le Comité d'instruction à portée d'en embrasser l'ensemble, par une série de demandes sur lesquelles nous le prions de nous aider de ses lumières, de ses moyens, de toute son autorité.

Un regret involontaire se mèle au plaisir de vous étaler nos richesses, l'art s'est éloigné de son origine céleste, il y a longtemps qu'on ne reconnait plus son type sacré, à tant d'essais frivoles ou dangereux qui lui sont échapés de longs siècles d'esclavage et de honte ont avili son essence : de quelque côté qu'on tourne la vûe, toutes ses productions sont marquées au coin de la superstition, de la flatterie, du libertinage; il ne retrace point au peuple régénéré, les fières leçons qu'il aime : il n'est rien pour la liberté. On serait tenté de briser tous ses hochets du délire et du mensonge, si l'on ne comptait pas sur sa force pour en éviter les prestiges. Mais du moins est-il quelque adresse à voiler ses fautes, quelque moyen détourné de lui arracher ses préceptes. Voilà notre tâche, et nous essayerons de la remplir. C'est à l'ensemble qu'il convient particulièrement d'opérer ce prodige; c'est par un air de grandeur et de simplicité que la gallerie nationale doit attirer le respect. C'est par un choix sévère qu'elle doit attacher les regards jusqu'au moment favorable et peut-être voisin de nous, où mieux pénétrés de leurs devoirs et des grandes idées que présente à l'esprit la renaissance de l'art : les Français iront le replacer au faîte dont il est tombé, et ne craindront plus d'en comparer les prémices aux fruits heureux qu'il produisit autrefois dans la Grèce.

Il importe encore, Citoyens, d'appeller votre attention sur quelques objets non moins sérieux, et qui soyent liés essentiellement aux questions que vous aurez à résoudre.

Le but de la Convention Nationale en rassemblant dans un même lieu les chefs d'œuvre de l'art, ne serait rempli qu'à demi, si les hommes qui se sentent appelés à lui rendre son éclat, se voyaient uniquement bornés à une contemplation passive; d'un autre côté, ces richesses n'appartiennent point à quelques uns, mais à tous. Il semble que le peuple, quant il lui plait, peut exiger l'ouverture de cette partie de ses domaines, et que toute autre disposition porterait atteinte à ses droits.

Nous n'avons pas besoin de rappeller à votre mémoire, ce que nous avons dit plus haut sur la nécessité d'entourer les élèves de ce calme profond qui convient à la méditation. On se pénètre aisémant de cette idée; quelque amour que le public portât aux arts, c'est surtout auprès des élèves qu'il se rendrait en foule : il tromperait par ses encouragements même l'espérance, comme en fatiguant de distraction celui pour lequel il forme déjà des vœux. Une curiosité bien naturelle aux hommes qui sont étrangers à l'art, les conduit à vouloir en connaitre les procédés, et le chef d'œuvre en serait ainsi délaissé pour la copie.

C'est à vous, Citoyens, à peser ces inconvénients, et à décider si la gallerie doit s'ouvrir tous les jours, s'il faut en réserver qui soyent uniquement consacrés à l'étude.

La gallerie doit être éclairée par le haut, le Comité de salut public en a donné l'ordre.

Le musée exige une bibliothèque, le centre de la gallerie devrait la contenir. Il est indispensable que le citoyen soit mis à portée, lorsqu'il considère un tableau, une statüe, un antique, d'en connaitre le caractère et la description en recourrant à la source sans sortir du lieu qui l'attache.

Les statües de bronze d'un poids considérable réclament une place dans les salles basses, et l'escalier du musœum lui même exige une autre entrée. Le portique se dessine naturellement en face de cet escalier, et c'est sous ce portique même que seraient rangées les statues trop pesantes, les modèles d'architecture tant ancienne que moderne, ce qui donnerait un avant goût des chefs d'œuvre contenus dans les hautes salles.

On verrait aussi avec plaisir figurer à cette place tous les modèles de constructions diverses des différents peuples, que leurs usages séparent les uns des autres sur la surface de la terre; objets très précieux à l'instruction.

Nous attendons avec empressement de vos vües républicaines que vous pèserez ces observations et que vous statuerez bientôt sur les demandes dont nous attachons ici la nomenclature, c'est à savoir,

1° Une entrée nouvelle pour le musœum.

2° Que ces premiers vestibules recevront les objets dont il est parlé plus haut.

3° Que la Gallerie sera éclairée par la voute de la manière la plus favorable à l'éclat et à la conservation des objets qu'elle renferme.

4° Que la grande salle qui précède la Gallerie, continuera toujours de recevoir tous les ans et dans le cours de l'année, les ouvrages qu'il plaira aux artistes d'y exposer.

5° Que la gallerie offrira une suite non interrompue des progrès de l'art et des degrés de perfection où les ont portés tous les peuples, qui les ont successivement cultivés.

6° Qu'en conséquence les conservateurs pourront mettre en réserve, tout ce qu'ils croiront devoir être utile à cette histoire positive de l'esprit humain.

7° Qu'il y aura une salle destinée aux petits tableaux.

Des salles destinées à la sculpture antique, à la sculpture moderne, aux plâtres moulés sur l'antique; une salle consacrés aux desseins.

Une salle pour les médailles, les camées, les pierres antiques.

Une salle enfin pour les gravures. C'est alors, Citoyens, et le moment qui dépend de vous n'est pas loin, qu'à mesure que nous classerons nos richesses, nous commencerons le grand œuvre d'un catalogue descriptif qui ne sera plus, comme par le passé, une nomenclature aride et sèche de numéros, mais une histoire sage et détaillée de la vie, des principes des hommes célèbres qui nous ont devancés et du degré de mérite qui distingue entre eux leurs ouvrages.

Il nous reste à former un dernier vœu, c'est que vous engagiez vos commissaires à se rendre au musœum, pour y prendre connaissance de l'arrangement provisoire que nous y avons établi ».

Bonvoisin, Président.
David Le Roy, secrétaire ».

27. — *Arch. Louvre,* X Salon, 1794, 6 juin :

« Etat des tableaux

déplacé du Salon d'exposition lesquel provenait de l'exposition de l'année 1792, partie desdit tableaux appartenait à la nation il ont étté mis a par dans les magazins du Museum et ceux apartenant aux artistes déposés dans la galerie d'apolon pour être rendus à leurs auteurs.

Ce déplacement a eu lieux pour faire place aux objets de Concours d'après les arretté du Comité de salut public.

Ce 18 prairial l'an deux de la République une et indivisible.
Tableaux apartenant à la Nation. Travaux d'encouragement.
N° du Catalogue
du Salon 1793
N° 624 Tableaux du Citoyen Lefevre
N° 306 T. . . . . .du C. . . . . Vien
N° 218 T. . . . . .du C. . . . . Girodet
N° 125 T. . . . . .du C. . . . . Bertaux
N° 111 T. . . . . .du C. . . . . Machi
N° 112 T. . . . . .du C. . . . . Taillason
N° 227 T. . . . . .du C. . . . . Lemonier
N° X T. . . . . .de Citoyenne Bouillard
251 T. . . . . .du C. . . . . Hue
X T. . . . . .du C. . . . . Bidaudt

Tableaux aux artistes
— 487. Tableaux du C. . . . . Desson
— 149 . .T. . . . . .du C. . . . . Demarne
— 147 . .T. . . . . .de C. . . . . Bertaux
— 302 . .T. . . . . .de C. . . . . Garnier
— 550 . .T. . . . . .de nature morte
— 736 . .T. . . . . .de la Cyne Ledoux
— 258 . .portrait par Landry
271 . .T. . . . . .de fleurs
200 . .Marine du C. Cazin
104 . .Tableaux du C. Garnier
599 . .Baurepaire du C. Défont
109 . .Colonnade du C. Machi
103 . .T. du C. Petit Couperais
628 . .Tableaux du C. Lebrun
Par le Conservatoire du Museum national des arts.
Ce 18 prairial l'an deux de la République une et indivisible.

Le *Livret de l'exposition de 1793* permet de préciser la nature des tableaux :

624	Lefebvre	La mort de Sénèque
306	Vien	Hélène poursuivie par Enée
296	Girodet	Le sommeil d'Endymion - [*Musée national du Louvre,* Inv. : 4935].
125	Berthaud	La journée du 19 août 1792
111	Demachy	vue du Pont-neuf
112	Taillasson	Pauline sauvée sur ordre de Néron
227	Lemonnier	La mission des apôtres
X	Bouliar P.	a exposé 4 tableaux
251	Hue	vue du port de l'Orient
X	Bidault	a exposé 9 tableaux
487	Desfonts	Massacre des troupes de Cortés
149	Demarne	De grands animaux
147	Berthaud	Attaque d'un village
302	Garnier	Un guerrier se sauvant du naufrage
550	Duvivier	Attributs de la peinture et sculpture
736	est un tableau	de Lejeune (Nicolas); deux tableaux de la Citoyenne Ledoux
644	Ph. Ledoux	Le repos de la peinture
730	Id.	Une jeune fille repoussant l'amour

258	Landry	Un portrait de femme
271	Provost jeune	Fleurs et fruits
200	Cazin	une tempête sur mer
104	Garnier	Hippolyte saisi d'horreur après l'aveu de Phèdre
599	Desfonts	La mort de Beaurepaire
109	Demachy	La colonnade du Louvre et ses environs L. 1,57; H. 1,24;[n'est donc pas celle du Musée national du Louvre.]
103	Petit-Coupray	Le départ pour les frontières
628	Lebrun (J.-B.-P.)	Didon expirante sur un bûcher ».

28. — *Arch. Louvre,* X Salon, 1794, 13 juin, brouillon du rapport du 25 prairial l'an deux de la République une et indivisible :

« Le Conservatoire du Museum des arts au Comité d'instruction publique.

Citoyens, Le Conservatoire vient d'être chargé par la Commission exécutive de l'instruction publique, par une lettre en date du 16 prairial d'effectuer le transport et l'exposition des ouvrages d'art mis aux concours d'après les arrêtés du Comité de salut public, du sallon de la Liberté dans la salle du Laocon.

Le Conservatoire considérant la cantité d'objets à exposer, la nécessité de les bien éclérai, tant pour la jouissance du peuple que pour faciliter aux Membres du juri la comparaison naicéssaire, a cru remplir les intentions du représentant du peuple en exposant les divers concours dans le grand sallon du Museum de tout tems consacré aux expositions publics. Mes à cette époque il cest encor trouvé garni de plusieurs ouvrages provenant de l'exposition générale de 1793 don partis des dis ouvrages apartienent à la République comme travaux d'encouragement distribués l'année précédente 1792 et d'autre atendait un mode de jugement et de récompense qui jusquici na pas etté déterminé par aucun décret.

La proclamation du concours a comblé les vœux de tous les artistes, ils peuvent servir la Patrie : quel puissant motif pour enflammer le génie. Les arts vont prendre un libre essort : cest du puis du volcan qui lance la foudre sur les tyrans que sélance à l'envie les arts qui doivent charier et transmettre à la postérité les travaux sublimes du peuple libre.

Il paraît donc que les ouvrages de l'exposition de 1793 (dont la plus grande partie a etté retiré par les artistes) ne serons pas mis en jugement.

Le Conservatoire a du depuis les ordres pour les expositions des concours se hâter de préparer le local convenable, cest se qu'il a fait : les tableaux qui apartiennent à la nation ont été déposé dans les magasins du Museum, et ceux qui apartienent à leurs auteurs mis àpart pour leur être rendu après la décision du Comité qui devra être rendu public par la Commission de l'instruction, afin que le local nécessaire au service du Museum ne se trouve plus embarassé.

Le Conservatoire consulte le Comité d'instruction publique sur cette objet pour qu'il lui indique la marche qu'il doit suivre afin de consilier l'activité qu'il doit employer à l'exécution des lois qui les concerne, avec les égars que l'on doit à des frères, à des artistes.

(adopté par le Conservatoire)

Pour copie conforme ».

Pièce jointe :

Noms et demeures des artistes dont il reste dans les salles de la ci devant Académie, des ouvrages de l'exposition au Salon 1793.

Les Citoyens.

Ricourt sculpteur rue Poissonière n° 2.. plusieurs ouvrages

Milot S........ cour du Louvre.... idem

Ramey S. place des Piques, Maison du C^en^ Giraud S.

Desmurs S. rue St Martin N° 345

Tessier S. rue St Lazare N° 64

Dumont S. au Louvre

Masson S. (il est mort) il demeurait rue du fg. St Denis N° 21.

Taunay P. rue Montorgueil N° 119

Gudin P. rue St Louis au Marais N° 76

Le Tellier P. rue des bons Enfans n° 8

Duvivier P. Cour du Louvre

Riffault, architecte, rue de la République N° 15.
Perrard Montreuil Architecte - Enclos du Temple
Guyot Graveur rue St Jacques N° 10
Tourcaty G. rue Chantier de l'Ecu, quay St Bernard
Masqueties G. rue de la Harpe N° 493
Budelot Sculpt. Cour du Louvre chez le C^en Bridan
La C^ene Laborde sculpt. (on ignore sa demeure) ».

29. — *Arch. Louvre*, Z 2, 1794, 21 juin, lettre de Le Brun au Conservatoire : « Citoyen. Mathieu député et président de la Commission temporaire des arts, maiant demandé la copie de votre arrêté du 10 ou 11 prairial ma chargé expressément de vous invitté à lui faire parvenir dans la journée ou le soir tridi au Committé d'instruction public, affin de pouvoir therminé cette objet dans la séance de se soir et affin de pouvoir procédé à l'enlèvement, ce jour étant celui fixé de rigueur.

J'aime à croire mes cher camarade que tandis que je m'occupe a therminé la besogne dont vous m'avez chargé, vous vous empresseré de remplir un devoir auquel votre place vous apelle puisse que sait pour conserver des aubejets présieus et hutille qui apartienne à la nation étant devenu son débiteur. Salut et fraternité.

Ce 3 messidor au matin — Le Brun
L'an 2e de la république

Pièce jointe :

2 messidor — Tableaux au Citoyen Le Brun

un Rosaire de Gaspar de Crayer		7.200 livres
un Repos en égypte de J. Jordans, pendant		4.800
un paysage de Glaubert et lairesse		6.000
Les deux rivo par le Citoyen Le Brun		4.800
Les deux robert du Sie devan Duc de Choiseul		3.000
Le reniement de St pierre par Segerse		3.000
notta il n'est pas a moy	28.800	

Dessins

Les deux dessins de Le Brun le triomphe de Constantin et la chutte du pon de Maixence faisait suitte au bataille monté sous glace		600
Sept dessins; savoir une grisaille de Rembrandt, une de G. Lairesse, une autre de Lairesse, deux d'annibal Carrache; un christ de Vandick et un du parmesan. les 7		1500
	5.100	

Buste en marbre

Deux buste de porphyre rouge du plus beau travail antique représentant auguste et vespasien Cabinet Boinet et Lebœuf		9000
notta sest deux objets ne m'appartienne pas		
Le buste de Raphael et Rubens en marbre blanc par Chaudet et Villet		3000
	12.000	

Divers objets

Deux fusts de colonne de jaspe vert granité avec base et socle en granit de hauteur de 4 pieds et de 13 pouces de diamètre		2400
Deux superbe table de 6 pieds 1/2 de long de forte épaisseur et plaine *(sic)* en verd campas sur leurs pieds en bois sculpté et dorré		2000
Six socles avec leur encadrements en bronzes sizellé et dorré; en granit oriental roze albatre		1500
Six meubles de six pieds de long sur 3 de hauteur de la plus belle forme et enrichie de glace		13600
Deux autres plus grande moins riche		2400
	21.900	

Platres

L'apollon du Vatican		1500
Les deux muses de la Comédie et Tragédie		1800

Le Centurion 500
La Vénus a croupie 500
13 belles têtes antiques 750
5550 73.350 livres

notta Le Citoyen Le Brun se trouve devoir 86.500 livres à la nation pour des objets qu'il avait vendu et que l'on lui doit et dont on devait pour la nation comme l'homme a émigré et qu'il ne vault rien je suis aubligé de paié et nai que cela de bon a pouvoir offrir.

Le beau berchem du musehome et le Diogéme de rubense sont deux des objets que j'avais vendu et que je perd.

Puis 36 à 40 pieds de long en 4 armoires vitré et enrichi de bronse 2400

Paris le 2 messidor l'an 2e de la république une et indivisible.

Le Brun ».

30. — *Arch. Louvre,* P 5, 1794, 21 juin, copie d'un arrêté du Conservatoire : extrait du Registre des Délibérations du Conservatoire du Museum national des arts.

« Séance du 3 messidor

Le Conservatoire arrête que les objets contenus dans la note à lui remise le 2 du présent messidor par le Citoyen Le Brun sont propres à l'enseignement ou favorables à des échanges pour l'embellissement du Museum; qu'en conséquence conformément à l'arrêté de la Commission temporaire des arts cette note sera remise aux C. Bouquier et David membres du Comité d'instruction publique nommés commissaires à l'effet de prendre connaissance des dits objets; arrête en outre que le C. Le Brun est invité dans le cas où les objets contenus dans sa notice ne suffiraient pas à l'acquittement des sommes qu'il doit à la République, (il est invité) à y joindre les 4 portraits par antoine moore et jacques jordans, sauf à revenir sur le tout après l'estimation qui en aura été faite par experts convenus et nommés à cet effet ».

31. — *Arch. Louvre,* 4 BB 1, ff. 2-4, 7 messidor an 2, le Comité de salut public au Conservatoire :

« En exécution du décret du 6 messidor, les Comités de salut public et d'instruction publique réunis arrêtent :

Article premier. Le concours pour la restauration des monuments formant la collection du Museum national s'ouvrira le 1er thermidor.

Art. 2. Aussitôt après la publication du présent arrêté, les artistes qui se proposeront de concourir se feront inscrire au Conservatoire.

Art. 3. Le Conservatoire choisira parmi les plus grands tableaux d'histoire recueillis dans les divers dépôts de Paris, celui desdits tableaux le plus mutilé et qu'il ne croira pas susceptible d'être avantageusement réparé.

Art. 4. Ce tableau sera divisé en carrés égaux qui seront numérotés.

Art. 5. Les numéros de ces carrés seront écrits sur des bulletins et déposés dans un vase.

Art. 6. Chaque peintre restaurateur qui se présentera au concours tirera un bulletin du vase, et le carré correspondant au numéro lui sera délivré après que le Conservatoire aura fait en présence du concurrent procès verbal de l'état de dégradation où se trouve ledit carré.

Art. 7. Chaque concurrent sera tenu : 1° de rentoiler et nettoyer le carré qui lui sera échu et de le déposer au Conservatoire après cette première opération; 2° d'enlever les repeints et les vieux mastics qui pourront se trouver sur ledit carré, et le déposer après cette seconde opération; 3° de mastiquer les parties écaillées du carré, ou de remplacer les anciens mastics par de nouveaux, et de déposer le carré après ce troisième travail; 4° de raccorder la peinture sur les mastics en imitant le coloris et le faire du maître.

Art. 8. Chaque concurrent signera le carré qu'il aura raccordé.

Art. 9. Le jury examinera successivement le travail de chaque concurrent dans chacune des quatre opérations ci-dessus détaillées, et jugera quels sont ceux dont les procédés auront donné les meilleurs résultats.

Art. 10. Les carrés signés conformément à l'article 8 seront déposés en un lieu sûr. Six mois après le dépôt, ils seront confrontés les uns aux autres pour connaître ceux dont les repeints auront le moins changé. Il sera, du tout, dressé procès verbal par le jury.

Art. 11. Six mois après cette confrontation, il en sera fait une seconde qui sera constatée comme la première.
Art. 12. En attendant l'épreuve exigée par les deux articles précédents pour constater la beauté et la solidité des raccords, le Conservatoire emploiera pour le rentoilage, le nettoyage, l'enlèvement des repeints, des vieux mastics et leur remplacement par des mastics nouveaux, ceux des artistes qui, au jugement du jury, auront réussi d'une manière satisfaisante soit dans une ou plusieurs des opérations qui ont précédé la retouche.
Art. 13. Les artistes sculpteurs qui se présenteront pour concourir à la restauration des statues, bas-reliefs ou autres morceaux, seront tenus d'offrir au jugement du jury des morceaux de sculpture dont ils auront réparé les dégâts préalablement constatés par procès verbal du Conservatoire.
Art. 14. Les artistes qui, au jugement du jury, auront été reconnus en état de travailler à la restauration des monuments des arts formant la collection du Museum national, seront employés, chacun dans sa partie, par le Conservatoire et sous sa surveillance.
Signé au registre. B. Barrère, Billaud Varenne, etc... ».

32. — *Arch. Louvre,* **4 BB 1, f. 5, s. d., 9e arrêté :**
« Le Comité de salut public arrête :
1° Que les salles que la cidevant Académie des arts occupait au Louvre seront prises et mises dans le plus court délai à la disposition du Conservatoire du Museum des arts, sans que cette disposition puisse porter atteinte à l'ordre provisoirement établi relativement aux salles du modèle;
2° Les salles du rez de chaussée, en y comprenant le jardin du Museum, seront également remises à la disposition du Conservatoire dans le même délai;
3° Il sera pourvu sans délai par la Commission de l'instruction publique au remplacement du logement des artistes logés dans cette partie du Louvre, et qui donneront des témoignages de civisme et de talent;
4° La section d'architecture du Conservatoire se concertera, pour l'exécution du présent arrêté, avec la Commission des travaux publics, ainsi que pour faire faire d'après les plans et les vues proposés par le Conservatoire les changements nécessaires à l'embelissement du Museum national des arts;
5° Les représentants du peuple David, Granet et Fourcroy sont invités à surveiller l'exécution des mesures portées dans le présent arrêté.
Signé au registre : Barère etc... ».

33. — *Arch. Louvre,* **4 BB 1, f. 5, 19 messidor :**
« Le Comité de salut public arrête que les conservateurs du Museum des arts sont autorisés à enlever des salles des cidevant Académies de peinture et architecture, les tableaux, statues et bronzes qui y étaient exposés; ceux des auteurs encore vivans leur seront rendus; ceux dont les auteurs sont morts seront soumis au jugement du jury des arts qui décidera quels sont les objets, tableaux, desseins et statues qui méritent d'être exposés dans le Museum, quels sont les objets qu'il faut en exclure, pour les remettre ensuite aux familles des auteurs qui les réclameront.
Signé au registre : Barère etc. ».

34. — **Document trouvé avec la minute du procès verbal du 23 messidor :**
« Ce 23 messidor de l'an deuxième de la République une et indivisible.
Le Conservatoire du Museum national des arts aux commissaires de la Commission exécutive de l'instruction publique,
Citoyens, conformément au vœu de la Commission exécutive de l'instruction publique, le Conservatoire s'empresse de vous faire passer l'état rempli de ses dépenses et besoins annuels. Il vous invite à lire les courtes observations qu'il y a jointes et vous prie de l'appuyer de votre autorité auprès du Comité de salut public. L'intérêt des Arts que vous servez avec tant de zèle demande que vous nous aidiez de vos lumières et de votre appui.
Pour copie conforme Pt Dardel ».

35. — *Arch. Louvre,* O 28, 1794, 7 sept., extrait du Registre des Délibérations du Comité d'instruction publique :
« Ce 15 thermidor an deuxième de la République française une et indivisible.

Le Comité arrête le renouvellement de tous les établissemens concernant les arts faits par David et l'épuration de tous les membres du Museum où il n'y aura plus de sections; de le composer de sept membres seulement au lieu de dix, savoir : Renaud, Langlier, Picault, Dupasquier, Dewailly, Varon, Watte *(sic)*.

Le Comité arrête en outre que Fragonard, Beauvoisin *(sic)*, David le Roi et Lannoy, seront conservés dans la commission temporaire des arts.

Pour copie conforme, à Paris ce 21 fructidor, l'an 2e de la Répque faise une et indivisible.

Plaichard, secrétaire ».

36. — *Arch. Louvre*, O 28, 1794, 6 sept., extrait du Registre des Délibérations du Comité d'instruction publique :

« Ce 17 thermidor an deuxième de la République française une et indivisible.

Les C.C. Le Sueur et Vicart, tous deux membres du Conservatoire du Museum national des arts, et de la Commission des arts, adjointe au Comité d'instruction publique, présentent leur démmission de l'un et l'autre emploi. Elles sont acceptées.

Pour extrait conforme.

Le 20 fructidor l'an 2d de la République fse une et indivisible.

A. Thibaudeau Se ».

37. — *Arch. Louvre*, *AA 1, pp. 68-69, 4 vendémiaire, lettre 99e :

« Le Conservatoire aux membres composant la 2e section du Comité d'instruction publique.

Le Conservatoire ayant reconnu que l'état constaté des tableaux de Rubens, arrivés de la Belgique, demande une réparation provisoire et prompte, il désire que le Comité d'instruction publique charge de cette réparation les citoyens Le Brun et Picault, consistant à nétoyer légèrement ces tableaux et à réadapter les parties qui en sont détachées et qui forment des écails *(sic)* prêts à tomber, il surveillera avec le plus grand soin cette opération comme son devoir l'exige ».

38. — *Arch. Louvre*, P 16, 1794, 27 sept., extrait du Registre des Délibérations du Comité d'instruction publique :

« Ce 6 vendémiaire an troisième de la République une et indivisible.

Le Comité, sur les observations faites par le Conservatoire national des arts, considérant qu'il est urgent de faire quelques réparations provisoires aux tableaux de Rubens arrivés de la Belgique, consistant à nettoyer légèrement ces tableaux et à réadapter les parties qui sont détachées et qui forment des écailles prêtes à tomber, arrête que les citoyens Picault et Lebrun sont chargés de faire promptement ces réparations seulement, et sous la surveillance du Conservatoire du Museum.

Signé au registre : Boissy, Lakanal, Bonnet, Mathieu et Arbogaste.

Pour extrait conforme à l'original, le 6 vendémiaire an 3 etc...

Bonnet, Boissy, Lakanal, Arbogaste, Mathieu ».

39. — *Arch. Louvre*, 4 BB 1, f. 8, 2 vendémiaire, arrêté n° 14 :

« Le Comité, sur le compte qui lui a été rendu par le Conservatoire du Museum des arts, approuve les mesures qu'il a prises pour placer les tableaux arrivés de la belgique, et ceux qui arriveront dans le grand Salon qui précède la gallerie et l'autorise à transférer dans une autre salle des ouvrages déposés au Concours.

Signé sur le registre, Boissy etc... ».

40. — *Arch. Louvre*, Z 4, 1794, 27 septembre :

Brouillon d'un rapport sans date ni signature classé avec « une notte des tableaux arrivés de la Belgique dont les inventaires sont à la Commission exécutive qui doit en transmettre les copies au Conservatoire » (22 tableaux).

« Motifs qui doivent baser le considérant de la Common exécutive sur la nécessité de mettre provisoirement dans la partie de la gallerie non occupée tous les tableaux qui sont dans les salles basses servant de dépôts au Conservatoire.

1° 6 à 700 tableaux et plus, sont empilés les uns sur les autres et, sur les besoins continuels qu'ont les artistes de tels ou tels tableaux, le Conservatoire est journellement occupé à faire remuer une majeure partie de ces tableaux avant de rencontrer ceux demandés pour l'étude. Ce travail, malgré la précaution qu'on y apporte, ne se fait qu'au détriment de cette propriété nationale.

2° Ceux de ces tableaux qui restent empilés faute de servir à l'étude reçoivent une humidité qui, faisant renfler les colles, servent à alimenter les souris qui rongent toutes les toiles autour des chassis. Lorsqu'elles auront consommées ces parties, elles ne manqueront pas de se porter derrière ces mêmes tableaux et en détruire les toiles, ce qu'elles ont déjà fait à plusieurs.

3° Il est de toute impossibilité que la Commission et le Conservatoire puissent arrêter le dépérissement journalier, ordonner les réparations nécessaires, conserver enfin dans un état désirable ce fonds inapréciable de richesses, si des moyens faciles impérieusement utiles de surveillance ne sont à leur disposition et ne les tranquilisent sur une responsabilité effrayante.

La Commission ne peut oublier sans doute que les tableaux venus de la belgique sont la propriété de tous les peuples et que c'est les ravir à tous que de les entasser dans des magazins ».

41. — *Arch. Louvre,* 4 BB 2, f. 10, vendémiaire, pièce 27, « sans datte de jour » *(sic)* :

« Citoyens, nous avons chargé le citoyen Madaye, l'un de nos employés, de faire transporter au Conservatoire du Museum divers objets provenant de la démolition des statues qui se trouvaient sur les places publiques, vous voudrez bien en conséquence disposer un local propre à recevoir tous les objets désignés dans le rapport de la Commission temporaire dont nous vous envoyons l'extrait. Nous vous invitons, en outre à dresser procès verbal du dépôt et à nous en transmettre la copie.

Salut et fraternité. Ginguené. Clément de Ris ».

[*Nota :* Cette lettre est du 24 vendémiaire, date donnée par les documents, *infra* 45 et 47, dans lesquels elle est citée en référence].

42. — *Arch. Louvre,* 4 BB 2, ff. 11-12, 15 vendémiaire, pièce 33 :

« Copie du rapport de J. B. P. Le Brun sur la demande, faite à la Commission temporaire des arts, des bronzes qui peuvent être livrés à la fonte et qui [sont] déposés au dépôt national du Roule.

Citoyens, je me suis transporté heure de neuf heure convenue; mes collègues ayant oublié ce rendez vous à dix heures jay pris le parti de vous faire le rapport suivant.

Je vous propose de garder.

1° les quatre figures venant du pied de la place des Victoires, chef d'œuvre de la sculpture française par Desjardins.

2° Les superbes casques, étendarts, sabres et autres objets du même gout, et des plus belles formes qui en dépendent.

3° Les quatre figures du pied d'Henri IV. dont le dessin svelte et léger honore les premières antiquités de la france.

4° Le beau bas relief de Michel ange du pont au change sculpté en pierre de Tonnerre, et la Renommée en bronze.

5° Sept masques de fontaines par Girardon et Bouchardon qu'un moment permettra de replacer aux monuments qu'ils décoraient.

6° Les statues de Louis 13, de sa femme et de son fils, venant du pont au change par Angier soient réservées pour être renversées aux pieds du colosse du Peuple souverain.

7° Un vase de mauvaise forme, mais surmonté de trois enfants portant un cœur dans le stile de Jean Goujon, venant de St André des arts.

8° Le pied gauche. La statue de Louis 14 de la place Vendôme pour conserver la proportion de ces monumens qui placés auprès du pied du peuple français montrera la petitesse de leurs monumens dans ceux qu'ils regardaient comme les plus grands.

Jay maintenant à vous proposer de livrer à la fonte des canons.

1° La statue de Louis 14 venant de la maison commune.

2° Tous les débris du cheval d'Henri 4.

3° Les inscriptions dégoûtantes qui flagornaient les tyrans.

4° nombre d'objets inutiles provenant des églises inutiles aux arts.

Je demande en outre que le Conservatoire fasse enlever trois voitures de bordures venant des tableaux de la maison commune, qui y sont démontées, qui étant redorées, seront d'une grande économie pour la nation.

Si la Commission approuve ce rapport, je demande que copie du présent soit envoyée en réponse avec votre décision.

Remis à la Commission temporaire des arts le 15 vendémiaire l'an 3 de la République française. Signé Le Brun.

Pour copie conforme à l'original. Signé Oudry ».

[*Nota :* le monument du Pont-au-Change était de Simon Guillain : *Musée national du Louvre, Les sculptures du Moyen Age et de la Renaissance au Musée du Louvre, catalogue,* 1957, pp. 140-142].

43. — *Arch. Louvre,* 4 BB 2, ff. 12-13, 28 vendémiaire, pièce 34 :

« La Commission nationale de l'instruction publique au Conservatoire du Museum,

D'après les renseignemens que nous nous sommes procurés, nous avons chargé le C^n Madaye de faire transporter, dans le jardin cidevant de l'infante, tous les objets désignés dans le rapport du Citoyen Le Brun dont nous vous avons transmis l'extrait. Nous vous invitons à les y faire placer de manière à ce que nos concitoyens puissent jouir de la vue de ces monumens et à vous concerter à cet égard avec le citoyen Hubert. Quant aux bordures, elles seront aussi déposées provisoirement au Museum et nous nous réservons de statuer ultérieurement sur l'objet de la demande contenue dans votre arrêté du 26 vendémiaire.

Salut et fraternité. Ginguené ».

44. — *Arch. Louvre,* *AA 1, p. 81, 27 vendémiaire, lettre 122 :

« J'ai chargé les gardiens de remettre ce billet à celui de mes collègues qu'ils pourraient trouver, le plutôt possible, pour qu'il soit présent à l'arrivée des grands bronzes du dépôt du Roule qui vont être transportés aujourd'hui au jardin du Museum, par ordre de la Commission exécutive; ne pouvant pas m'y trouver, attendu que je suis de garde à la Samaritaine, d'où l'on m'a envoyé chercher pour cet objet, afin de parler chez Hubert au citoyen chargé du transport qui trouvait mauvais que le Conservatoire refusât ces bronzes, mais que j'étais désabusé. Bonvoisin ».

[*Courajod (1878, Introduction,* p. CVII) date ce billet du 27 vendémiaire, 10 heures du matin. Le copiste l'avait omis dans sa rédaction du registre *AA 1, il l'a daté ensuite du 1 brumaire, ce qui est une erreur évidente, en renvoyant à la lettre n° 144, sans rapport avec le problème des bronzes].

45. — *Arch. Louvre,* Z 4, 1794, 18 oct., copie du pouvoir donné par la Commission de l'instruction publique au Citoyen Madaye :

« Ce 27 vendémiaire an 3 de la République française, une et indivisible.

2e division - 2e section - Musées.

Paris ce 27 vendémiaire l'an 3.

La Commission nationale d'instruction publique au C^n Madaye.

Par notre lettre du 24 de ce mois nous t'avons chargé, Citoyen, de faire le triage des bronzes venans des démolitions des statues dans les places publiques et de les déposer au Museum, nous venons d'inviter les membres du Conservatoire à faire placer dans le jardin cydvt de l'infante les statues et les autres monumens. Tu voudras bien te concerter avec eux à cet égard.

Quant aux trois voitures de bordures dont il est parlé dans le rapport du C^n Le Brun, il est nécessaire qu'elles soient aussi placées provisoirement dans une des salles du Museum jusqu'à ce que nous ayons statué sur l'usage qu'il est convenable d'en faire.

Salut et fraternité : Ginguené ».

[au bas de la lettre] : timbre de la Commission d'instruction publique.

46. — *1878 Courajod, Introduction,* p. CIX :

Extrait du Registre des Délibérations du Conservatoire du Muséum national des Arts;

« Ce 28 vendémiaire l'an IIIe.

Nous, membres du Conservatoire, Dupasquier et Picault, présents ce jourd'huy, 28 vendémiaire, lors de l'arrivée audit Conservatoire du C^n Madaye, l'un de vos employés, chargé par vous de déposer, dans le cydevant jardin de l'infante dépendant des localités attribuées au Conservatoire, les bronzes venant du dépôt du Roule, avons engagé ledit C^n Madaye de les faire transporter de suite au dépôt national, rue de Beaune, suivant l'arrêté cydessus pris par le Conservatoire assemblé, auquel nous n'avons cru devoir déroger.

Picault ».

47. — *Arch. Louvre,* Z 4, 1794, 25 oct., copie, sans doute, d'un extrait du Registre des Délibérations du Conservatoire national des arts :

« Aux termes de la lettre adressée au Conservatoire en datte du 24 vendémiaire par la Commission exécutive de l'instruction publique qui l'invite à dresser procès verbal du dépôt que luy fera son agent le C^n^ Madaye de trois voitures dites chargées de bordures,

Nous, membres du Conservatoire, soussignés, en vertu de l'extrait de l'arrêté cy dessus, avons cejourd'huy quatre brumaire procédé à l'examen de ce qui pourrait être utile au Museum, attestons en conséquence avoir reçu du C^n^ Madaye, employé à ladite Commission, trois voitures tant de bordures dorées que non dorées et autres bois provenans des différens cadres de la maison commune, lesquels étaient déposés au magazin du Roule et, après en avoir fait le triage, nous n'avons trouvé que quatre cadres dont deux de seize pieds de haut sur huit environ de large, deux autres douze pieds sur sept à huit et portant 14 pouces de largeur de profil. Le reste des bordures et bois dorés et non dorés n'étant d'aucune utilité ne peuvent qu'être retransportés au dépôt de Nesle, rue de Beaune, en foy de quoy nous avons signé. Picault ».

48. — *Arch. Louvre,* S 4, 1794, 29 nov. :

« Ce 9 frimaire l'an 3 de la République (...).

Citoyens, les deux figures de Michel Ange que vous avez fait mettre au Museum n'étant point sur des selles tournantes ont le côté de l'ombre totalement perdu pour l'étude. Je prie d'examiner la demande que je vous fais d'ôter les planches qui empêchent le jour des deux croisées; je prends liberté de vous observer encore qu'il n'y aurait que ces deux croisées dans la galerie pour les sculptures, et que celle dont je vous parle est si essentielle pour l'étude de ces figures, que je sais que tous ceux qui entreprendront de les copier, vous renouvelleront la même demande.

Votre concitoyen Taunay ».

49. — *Arch. Louvre,* P 4, 1794, 28 nov., « Copie des inventaires des tableaux venus de la Belgique, 8 frimaire an 3 », faits par Lavallée, Madaye et Le Brun, *extrait :*

« Il sera urgent que le Comité d'instruction publique ordonne le rentoilage de tous ces chefs d'œuvres qui se trouvent sans chassis et qui pourraient s'écailler et se dégrader sans ce secours.

Le total de l'envoy, consiste en 37 tableaux tant sur bois que sur toile, dont 10 beaux Rubens, 3 compositions de Wandick et deux Jacques Jordans *(sic)*; lesquels objets ont été remis aux membres du Conservatoire le 4 du présent, et ont signé avec nous, commissaires nommés à cet effet.

A Paris ce 8 frimaire, l'an 3 de la Rép. française une et indivisible.

Pour copie conforme signé Clément de Ris adj.,
Ginguené, adj. ».

50. — *Arch. Louvre,* P 4, 1794, 4 déc., « Inventaire et état des tableaux envoyés de la Belgique, 14 frimaire an 3 », *extrait :*

« Il résulte que l'on a reçu de cet envoy soixante et quinze tableaux une statue de marbre, un dessein et une estampe colorée.
On remarquera 23 tableaux de Rubens dont 15 capitaux.
8 Vandick dont 5 très capitaux.
10 Crayer dont un beau et 2 passables.
5 Jordance *(sic)* dont 3 très beaux.
Enfin un portrait de Martin Divos.
un beau Sneider.
et la très belle statue de Michel ange.
Total 28 tableaux capitaux et un marbre.

La plupart de tous ces chefs d'œuvre ont besoin d'une prompte réparation, soit de rentoillage ou autres; la plus grande partie étant sans chassis, décollés de leur toile et souffriront si on différait leur réparation, ils ont la plupart souffert des nettoyages peu soignés qui ont été fait au savon (...)

Tous les objets ci dessus détaillés ont été remis aux membres du Conservatoire le quatorze de ce mois et an que dessus et ont, ainsi qu'il a été déjà dit, signé avec nous, commissaires nommés à cet effet. signés Madaye, Le Brun, Lavallée.

Nous membres du Conservatoire du Museum national des arts, soussignés, cer-

tifions avoir reçu des Citoyens Le Brun, peintre, Lavallée et Madaye employés à la Commission d'instruction publique, les tableaux désignés dans l'inventaire ci-dessus. En foi de quoi nous leur en donnons récipissé. Fait au Conservatoire du Museum national des arts ce 23 frimaire an 3e de la République une et indivisible.
Signés David Le Roy R. G. Dardel, Bonvoisin,
Lannoy, Picault Dupasquier.
Pour copie conforme Clément De Ris adj.
Ginguené adj ».

51. — *Arch. Louvre,* P 16, 1794, 13 déc. :
« Extrait du Registre des Délibérations de la Commission exécutive de l'instruction publique ».
« Ce 23 frimaire l'an 3 de la République française une et indivisible.
Art. 1.
La Commission arrête que le Conservatoire fera transporter dans les atteliers de restauration, tous les tableaux venus de Liège et de la Belgique qui sont sans chassis.
Art. 2
Le Conservatoire prendra les mesures convenables, pour utiliser les bois qui sont à sa disposition, ou qui se trouvent dans les dépôts nationaux et il les employera à la construction des chassis.
Art. 3
Le Citoyen Picault conservateur est chargé de faire faire dans le plus bref délai, des chassis à clefs en bois de sapin, de bonne qualité, à double et triple croix, montans et traverses, d'après les proportions de chaque chassis.
Art. 4
A mesure que les chassis seront construits, on fera attacher et tendre les tableaux qui leur seront destinés.
Art. 5
Aussitôt que l'un de ces tableaux sera attaché et tendu sur son chassis, le Conservatoire le fera transporter dans le 1er Sallon qui précède la Gallerie du Museum, et le fera placer de manière à en procurer la jouissance au public.
Art. 6
Quant aux tableaux qui ont besoin d'être rentoilés, le Citoyen Picault en réservera deux seulement à la fois qu'il fera rentoiler. Il surveillera l'exécution de ce travail avec tout le soin dont il est capable.
Art. 7
Lorsque les tableaux seront remis sur toile, et les chassis faits, Picault rendra compte par écrit de cette opération au Conservatoire qui le transmettra à la Commission exécutive d'Instruction Publique.
Ginguené adjt., Clément de Ris adj.
Garat ».

52. — *Arch. Louvre,* P 4, 1795, 23 fév., état des tableaux arrivés de la Belgique le 20 pluviôse et reçus par les citoyens Madaye, Lavallée et Le Brun (...), *extrait :*
« Il résulte de cet envoy le tableau capital de Quentin Metsu avec ses deux volets du même maître dont nous n'avions pas d'ouvrage; un Crayer assez beau sans être de son plus beau faire; quant aux trois tableaux provenant d'Aix la Chapelle, ils sont peu méritans. Total sept tableaux y compris les volets.
Lesquels sept tableaux ont été remis aux membres du Conservatoire; Paris ce 23 pluviôse an 3e de la République française une et indivisible.
Lavallée fils, Le Brun, Madaye.
Nous membres du Conservatoire du Museum national des arts, soussignés, certifions avoir reçu des Citoyens Le Brun, peintre, Lavallée et Madaye employés à la Commission d'instruction publique, les tableaux désignés dans l'inventaire ci-dessus.
En foi de quoi nous leur donnons récipissé. Fait au Conservatoire du Museum national des arts ce 5 ventôse l'an 3 (...).
Bonvoisin, Lannoy, Varon, Picault, Fragonard, David Le Roy, R. G. Dardel ».

53. — *Arch. Louvre,* 4 BB 1, ff. 9-10, 10 germinal, lettre de la Commission exécutive de l'instruction publique au Conservatoire :
« Citoyens,

Nous vous adressons copie de l'arrêté du Comité d'instruction publique du 10 germinal relatif à la nouvelle organisation du Conservatoire, vous voudrez bien en donner connaissance aux membres qui le composaient antérieurement afin qu'ils se conforment aux dispositions qui les concernent.

Salut et fraternité Signé Ginguené.

Arrêté du 10 germinal.

Le Comité considérant qu'il est urgent d'accélérer l'organisation du Museum national des arts, de prévenir les dégradations auxquelles sont exposés les chefs d'œuvre qui sont dans les dépôts provisoires, et de mettre un ordre stable dans l'administration d'un établissement aussi utile pour les arts arrête :

Art. 1er

Le Conservatoire du Museum nat[l] des arts sera à l'avenir composé de cinq membres, savoir :

Les citoyens Robert peintre, Vincent peintre,
Fragonard, peintre, Pajou sculpteur,
Picault restaurateur.

art. 2. Il y aura en outre un secrétaire nommé par le Conservatoire.
art. 3. Les membres du Conservatoire auront chacun 5000 livres de traitement annuel, le secrétaire 4000; ils auront un logement.
art. 4. Le Conservatoire sera sous la surveillance de la Commission de l'inst. publ.
art. 5. Les membres du Conservatoire actuel rendront compte de leur administration à la Commission d'instruction publique.
art. 6. Ils remettront aux membres [nommés] par le présent arrêté tous les états, inventaires, catalogues des objets d'arts, les notes et Registres des Délibérations concernant les travaux qui leur étaient confiés.
art. 7. Le Conservatoire est chargé de retirer de tous les dépôts provisoires les objets d'arts nécessaires au complément du Museum et de proposer tous les moyens de perfectionner ce monument.
art. 8. Les membres du Conservatoire qui se trouvent supprimés par le présent arrêté resteront membres de la Commission temporaire des arts.
art. 9. Il sera adressé une expédition du présent arrêté à la Commission de l'instruction publique qui est chargée de son exécution.

Pour extrait conforme, signé Grégoire, Plaichard, Thibaudeau.
Pour copie conforme, signé Ginguené adj. ».

54. — *Arch. Louvre,* Z 4, 1795, 4 avril, extrait du Registre des Délibérations du Conservatoire du Museum nationale des arts :

« Ce quinze germinal l'an troisième de la République française une et indivisible.

Le Conservatoire arrête qu'il sera donné par le présent, décharge au C[n] Philippeau, concierge des salles de la cidevant académie de Peinture et de sculpture, des tableaux qui proviennent des dittes salles, et que le Conservatoire a fait transporter et joindre à ceux qui décorent la Gallerie du Museum national des arts, dont la notte est cy. après :

Le tableau représentant la Suzanne peint sur toile par Santerre avec sa bordure.
Le tableau rep. Hercule qui tue Cacus peint sur toile par Lemoine, avec sa bordure.
Le tableau représentant un pélerinage dans l'isle de Cythère peint par Watteau avec bordure.
Le portrait de Vleughers *(sic)* peint sur toile par Pesne avec sa bordure.
Le portrait de Mignard peint sur toile par Rigaud.
Le portrait de Desjardins peint sur toile par Rigaud.
Le portrait de Corneille le père, par Jacques Vanloo peint sur toile, ces trois portraits avec leurs bordures.
Le tableau représentant Caton d'atique peint sur toile par Le Brun avec sa bordure.
Le buste en marbre de Le Brun.
Le buste en marbre blanc de Mignard.
Le tableau représentant une Descente de Croix par Jouvenet peint sur toile avec sa bordure.
Le tableau r. La présentation de N. S. au temple peint sur toile par Simon Vouet.
Plus un tableau peint sur toile par Champagne Neveu représ[t] Hercules foulant aux

pieds des couronnes etc. h. 3 pieds 1/2 environ, l. 3 pieds.
Ce dernier tableau provient des dépôts de l'académie
signé Robert Présid., Foubert secrét[e].
Pour copie conforme Ginguené
Copie pour pièces de renseignements
N° 16 copie collationnée et renvoyée pour titre par la Commission exécutive au Cons. le 25 thermidor an 3.
Robert Président - Foubert secrt[e] ».

55. — *Arch. Louvre,* T 1, 1795, 17 mai :
« Convention nationale. Comité de sureté générale - section de la police de Paris. Du vingt huit floréal l'an troisième de la République française une et indivisible.

« Les représentans du Peuple membres des Comités de salut public, de sureté générale, des finances et d'instruction publique ont arrêté ce qui suit :
article premier. La bourse sera placée au Louvre dans les salles au res de chaussée qui sont au dessous de la Galerie d'apollon jusque et compris le passage qui conduit au jardin du Museum et le jardin sera ouvert aux citoyens qui se réuniront à la bourse.
article 2. L'ouverture de la bourse se fera le 1er prairial à onze heures du matin.
article 3. L'inspecteur des bâtimens du Louvre demeure chargé de faire de suite tous les arrangements en disposition convenable pour mettre l'emplacement cidessus désigné en état de remplir sa destination.
article 4. Les tableaux et autres objets dépendans du Museum seront transportés dans les salles qui étaient occupées par le grand conseil et prévôté de l'hôtel.
article 5. Le public sera instruit par des affiches et les journaux de l'ouverture de la bourse pour le 1er prairial.
article 6. L'administration du Département de Paris demeurera chargée de l'exécution du présent arrêté.
Signé : Cambacérès Président, Delecloy, Mercier, Gaultier, Johannot, Tallien, Merlin (de Douay), Monnot, Rabaut, Maisse, Mathieu, Laporte, Courtois, Bergoeing, P. Guyomar, Mont-Moyon.
Pour copie conforme; signé Houdeyer, secrétaire gl au Comité de sureté générale.
pour copie conforme : Hubert ».

56. — *Arch. Louvre,* *AA 1, p. 156, 1 thermidor, lettre 39e :
Le Conservatoire à la Commission exécutive de l'instruction publique.

« Citoyens, Le Conservatoire s'est transporté hier chez le C[n] Le Brun, rue de gros Chenet (1), pour examiner une collection de tableaux dont le catalogue est distribué et la vente s'ouvrira demain 3 du courant.

Parmi ces tableaux, nous en avons distingué quatre dont la désignation est ci jointe (2). Il est de notre devoir de vous prévenir que, dans l'immense quantité de tableaux appartenant à la République, il n'en existe aucun des maîtres, auteurs des quatre tableaux que nous vous indiquons.

L'empressement que le Conservatoire, met à vous solliciter de l'autoriser à faire l'acquisition de ces quatre tableaux vous sera garant qu'ils sont dignes de faire partie de la collection du Museum.

La vente devant s'ouvrir demain, nous vous prions, citoyens commissaires, de nous mettre à même de saisir une occasion difficile à rencontrer ».

1. actuellement rue du Sentier, 11e arrondissement.
2. aucune liste jointe.

57. — *Arch. Louvre,* P 4, 1795, 20 juil. :
« Commission exécutive de l'instruction publique.

Je viens de faire un rapport au Comité pour l'engager à ne pas permettre que trois tableaux qui sont compris dans la vente annoncée passent à l'étranger. Ces trois tableaux sont un Lairesse, un Gérard de la Motte et un Philippe Coning. Si ces tableaux sont ceux que le Conservatoire désire qui soient acquis c'est un motif de plus pour que nous insistions. On a omis de joindre à la lettre du Conservatoire la désignation des quatre tableaux qui en sont l'objet. Je le prie de me la renvoyer sur le champ car il n'y a pas un moment à perdre. Je ferai tout ce qui dépend de la Com-

mission pour que nous n'ayons pas à regretter la perte des quatre tableaux désignés.
Salut et fraternité. J. Le Brun.
2 thermidor an 3e »

Ibid., fiche jointe.
« Cens mille pardon de l'oubli qui vient d'être fait : nous nous hâtons de le réparer.
Vous voyés par la notte ci jointe que nous nous rencontrons parfaitement avec le rapport que vous venez de faire au Comité, appuyés le, nous vous en conjurons, car il serait chagrinant pour les amis des arts que les tableaux dont il s'agit échappassent sans retour à la collection de la République ».

58. — *Arch. Louvre,* P 4, 1795, 29 juil., copie :
« Le Brun aux membres du Conservatoire national des arts.
Citoyens, Je vous préviens que conformément aux ordres que jay reçus de la Commission exécutive, j'ai à vous livrer les deux tableaux ci après scavoir :
Le N° 22 représentant Pilate lavant ses mains par Gérard della Motte de 4 pieds 1/2 sur 6 pieds 2 pouces.
et le n° 74 vue de l'arcadie par Gaubert et de Gérard de Lairesse de 3 pieds 10 pouces sur 7 pieds 1/2 de large, acquis dans la vente qui a commencé le 3 du courant.
Je vous prie donc de vouloir bien envoyer vos porteurs pour les enlever avec un brancard et de grand matin afin d'éviter tout accident.
Je vous serai obligé de m'en faire remettre une décharge en forme, afin sur pièce d'en faire autoriser le payement.
Je suis avec fraternité, votre concitoyen signé Le Brun.
Paris ce 11 thermidor an 3 de la répub. une et indivisible.
Pour copie conforme Ginguené.
N° 30. Copie collationnée et renvoyée pour titre au Conservatoire par la Commission exécutive d'instruction publique le 25 thermidor.
Robert, Président, Foubert, secrétaire ».

59. — *Arch. Louvre,* Z 4, 1793, 27 juil. :
« Décret de la Convention nationale (n° 129) du 27 juillet 1793, l'an second *(sic)* de la république française,
Qui fixe au 10 août l'ouverture du Musée de La République.
La Convention nationale, sur le rapport de ses comités d'instruction publique et des monumens, décrète ce qui suit :

Article premier

Le ministre de l'intérieur donnera les ordres nécessaires pour que le musée de la république soit ouvert le 10 août prochain, dans la galerie qui joint le Louvre au Palais national.

II

Il y fera transporter aussitôt, sous la surveillance des commissaires des monumens, les tableaux, statues, vases, meubles précieux, marbres déposés dans la maison des petits Augustins, dans les maisons ci-devant royales, tous autres monumens publics et dépôts nationaux, excepté ce que renferment actuellement le château de Versailles, ses jardins, les deux Trianons, qui est conservé par un décret spécial dans ce département.

III

Il y fera également transporter les peintures et statues, bustes, antiques qui se trouveront dans toutes les maisons cidevant royales, châteaux, jardins, parc d'émigrés, et autres monumens nationaux.

IV

Il sera mis à la disposition du ministre, par la trésorerie nationale provisoirement, une somme de cent mille livres par an, pour faire acheter dans les ventes particulières les tableaux ou statues qu'il importera à la république de ne pas laisser passer en pays étrangers, et qui seront déposés au musée, sur la demande de la commission des monumens.

V

Il est autorisé à faire les dépenses nécessaires pour le transport des tableaux et statues dans le musée, des dépôts particuliers où ils sont maintenant.

Visé par l'inspecteur. Signé J. C. Battellier.

Collationné à l'original, par nous président et secrétaires de la Convention nationale. A Paris, les jour et an que dessus.

Signé Danton, président; Dupuy fils et David, secrétaires ».

60. — *Arch. Louvre,* Z 2, 1793, 12 oct. :

« Décret de la Convention nationale (n° 1708).

Du 21e jour du 1er mois de l'an second de la république française, une et indivisible. Qui accorde un fonds annuel de 100,000 livres, pour dépenses relatives au Musée de la République, et à d'autres objets qui intéressent et les sciences et les arts.

La Convention nationale décrète ce qui suit :

Pour seconder les travaux de la commission des monumens, la trésorerie nationale tiendra à la disposition du ministre de l'intérieur, un fonds annuel de cent mille liv., sur lequel il sera autorisé à imputer, tant les dépenses relatives à l'exécution des articles II et III du décret du 27 juillet dernier, que toutes celles concernant la recherche, la conservation et le rassemblement des tableaux, statues, livres collections d'histoire naturelle, machines ou tous autres objets utiles aux sciences et aux arts, renfermés dans les églises et maisons nationales, et dans celles des émigrés, lesquels objets seront recueillis, pour la répartition être faite entre les musées de Paris, et ceux qui pourraient être établis dans les autres départemens.

Visé par l'inspecteur. Signé S. E. Monnel.

Collationné à l'original, par nous président et secrétaires de la Convention nationale. A Paris, le 21e jour du 1er mois de l'an second de la république française, une et indivisible.

Signé L. J. Charlier, président; P. Ft. Piorry, G. Jagot, secrétaires ».

61. — *Arch. Louvre,* *AA 1, pp. 160-161, 5 thermidor, lettre 47e :

« Le Conservatoire au Cn Le Breton chef des bureaux des Musées.

Citoyen, Nous vous faisons passer le décret qui affecte une somme de cent mille livres annuellement aux dépenses et acquisitions à faire pour le Museum.

Le Registre de l'ancien Conservatoire contient une lettre du Ministre de l'intérieur Paré qui vient à l'appui des observations que vous pourrez faire d'après ce décret. La lettre porte : « vous m'informez qu'il doit se faire une vente publique de desseins de Raphael, etc. et vous demandez si ce qui reste libre des fonds de 100.000 l. décrété le 21 vendémiaire pour les dépenses du Museum et celles relatives à la recherche des objets de sciences et arts permet de faire cette acquisition. Jay vérifié que la majeure partie de ce fonds est encore disponible... Le prix de l'acquisition de ces desseins pourra être acquitté conformément à ce décret aussitôt que vous m'aurez remis l'extrait du procès verbal de vente qui constatera... le prix de l'adjudication des articles que vous aurez fait acheter pour le compte de la République ».

Le Conservatoire Citoyen, espère beaucoup du zèle avec lequel il sait que vous ferez valoir ces titres pour la réussite de sa demande. Il vous prie instamment de lui renvoyer l'exemplaire imprimé qui luy a été prêté par un particulier, cet écrit fait partie d'une collection à laquelle il est attaché. Nous n'avons pu nous en procurer chez aucun imprimeur.

Salut et fraternité ».

62. — *Arch. Louvre,* O 30^{2}, Pasquier, lettre originale :

« Citoyens Représentants du Peuple

J'étais commissaire et trésorier de la première Commission du Museum. L'envie et la calomnie, après m'avoir longtems poursuivi sous l'affreux régime du terrorisme, parvinrent enfin à me faire incarcérer et j'ai demeuré 9 mois dans les fers.

J'ai été destitué de la place de commissaire du Museum; mes collègues ont été également destitués et le calomniateur Picaut *(sic)* bas adulateur de David a été pourvu de l'une de ces places dont il est encore en possession.

Nous osons affirmer que jamais on n'a mis plus de zele et plus d'économie qu'on n'en a vu dans notre gestion; c'est une vérité dont on pourra se convaincre par le tableau cy joint.

Le Représentant David est l'auteur de l'horrible persécution que j'ai essuyée en particulier. Non content de m'avoir fait tourmenter par des visites domiciliaires au milieu de la nuit; d'avoir fait fouiller tous mes papiers; de m'avoir fait incarcérer le

1er frimaire de l'an 2e; le 23 du même mois il eut l'audace d'en imposer à la Convention en avançant, dans un rapport pour recréer une nouvelle commission du Museum, que l'ex ministre Roland avait été trouvé ayant dans sa poche une adresse de mon frère, chez lequel il devait aller loger à Rouen; et j'ai jamais eu dans cette ville ni frère, ni parent, ni ami, ni aucune sorte de correspondance.

Où sont les motifs de ma destitution; je n'ai fait que du bien dans ma place, je m'y rendais utile par des connaissances physiques, et la pratique d'un art qui est au dessus de la restauration des tableaux; quoiqu'en ayent pu dire les charlatans curieux et ignorans qui ont écrit et imprimé partout cette opinion absurde, qu'il n'y a que les marchands de tableaux qui s'y connaissent, qui puissent en diriger la restauration et former un museum.

Je redemande donc, justes Représentans, une place qu'on m'a otée sans motif, et que le calomniateur Picaut soit puni et ne souille plus une administration qu'il déshonore.

Pasquier
peintre en émail.

aux galeries du Louvre 27 messidor l'an IIIe de la République française une et indivisible.

No 2362. renve par le Comité d'instruction au Museum des arts, invité à donner son avis, le 7 thermidor l'an 3e ».

Pièce jointe :

« Apperçu de la gestion économique de la première commission du Museum.

Pour fonder le Museum nous avons reçu pour les mêmes dépenses 7200 l. en 15 ou 16 mois; avec cette somme nous avons payé tous les transports de tableaux des différens lieux ou dépôts; nous les avons fait placer, nous avons payé des ouvriers ou porteurs à 6 ou 10 l. par journées, des pourboires extraordinaires, une immense quantité de cordes pour attacher les tableaux, frais de chaufage du Museum, chaufage du Comité, chandèles, cire d'Espagne, papier, plumes, balayages, et beaucoup d'autres menues dépenses imprévues. Il nous reste encore 3000 l., quoique nous ayons depuis longtems demandé inutilement à pouvoir remettre ces fonds. Il résulte que notre dépense de 13 mois ne va qu'à 4200 l., et l'on nous a destitués sans sujet. De six commissaires que nous étions, cinq avaient chacun 2000 l. d'apointemens, le 6e le C. Bossut n'en avait pas. On a crée 10 autres membres du Conservatoire qui n'ayant presque plus rien à faire, ont imaginé des changemens de caprice et de sistème et ont fini par revenir à ce que nous avions fait. On leur a donné à chacun 2400 l., il est vrai qu'on a été obligé d'en chasser plusieurs comme brouillons et intrigants (ils étaient du choix de David), on en a réduit le nombre, mais on n'a pas rendu justice aux anciens, on a laissé en place le calomniateur Picaut, vil restaurateur de tableaux; et l'oprimé qui a été 9 mois en prison a été oublié; quoique depuis sa sortie son zèle et ses avis ayent procuré à la république la possession d'un chef d'œuvre de l'art, un des plus précieux objets de curiosité, une vierge en marbre de Michel ange qui sans lui aurait resté ignoré à Bruges d'où on l'a fait venir au Museum ».

63. — *Arch. Louvre,* Z 4, 1795, 6 juil., inventaire de marbres arrivés de la Belgique, [et des caisses venues de Brest], *extrait :*

« Aujourd'huy dix huit messidor l'an 3e de la République française, nous soussignés Madaye et Mazade, Commissaires nommés par la Commission exécutive d'instruction publique, nous sommes transportés au Museum des arts a dix heures du matin où en présence des citoyens Bonvoisin et Foucault *(sic)*, membres de la Commission temporaire des arts, nous avons procédé dans l'ordre qui suit à l'inventaire des marbres, statues, bronzes arrivés de la Belgique le 16-17 et 18 floréal de l'an 3e, ainsi qu'à l'ouverture de deux caisses venues de Brest et contenant des tableaux. Tous ces objets, les caisses de Brest exceptées, ont été recueillis par l'instruction publique pour la recherche des objets de sciences et arts dans la Belgique.

Marbres précieux et granits

(...) [soit un total de 35 colonnes, et 22 chapiteaux plus]

1 sarcophage antique dit tombeau de Charles magne orné sur 3 faces d'un bas relief représentant l'enlèvement de Proserpine, fracturé en divers endroits, 6 pieds 1/2 de long sur 2 pieds de large.

deux groupes en marbre de statuaire de 3 pieds de haut; l'un représente la foy ayant un voile sur la tête et un enfant à ses pieds, l'autre représente la charité.
Ces objets sont de Bruxelles de la Chapelle Taxis.
Le mannequin de Charles magne avec les attributs de l'empire servant dans les cérémonies publiques d'aix la Chapelle.

Bronzes

(...)

Tableaux

[un total de 6 tableaux dont : « le christ à table avec les disciples d'Emmaus présumé de l'école vénitienne et deux paysages de Gaspar Poussino »].
signé Madaye, Mazade, Bonvoisin, Foucou.

Nous membres du Conservatoire du Museum national des arts certifions avoir reçu (...) les objets désignés dans l'inventaire
(...)

Fait au Conservatoire le vingt deux messidor an 3e de la République.
Signé : Fragonard, Picault président, Dewailly, Robert, Pajou, Foubert sre.

Pour copie conforme Ginguené adjt ».

64. — *Arch. Louvre,* M 4, 1795, 7 sept. :
« Ce 21 fructidor an 3 de la République française.
Le Conservatoire du Museum national des arts
aux Citoyens composant la Commission des revenus nationaux, 12e division.

Citoyens commissaires,

Le Conservatoire ne devant plus différer de répondre au vœu général et pressé de remplir l'un de ses premiers devoirs, celui de réunir au Museum et d'y exposer aux regards publics les objets précieux destinés à completter la collection de ce monument, nous vous invitons à seconder notre empressement à cet égard.

Vous avez été instruits par la Commission temporaire des arts, qu'après vérification faite des objets du garde meuble désignés dans un inventaire du Cn Le Brun, nos commissaires ont reconnu que cet inventaire contenait tous les objets précieux qui méritent d'être recueillis au Museum.

Deux objets seulement non compris dans cet inventaire ont été depuis désignés par les commissaires, pour le Museum des arts. Ils portent sur leur étiquette : Egalité condamné n° 72. Ce sont deux cuvettes de gryotte d'italie portées par deux cariatides adossées en bronze sur un pied d'estal de même marbre orné de bronze.

Pour accélérer le transport de tous ces objets au Museum, le Conservatoire vient de nommer deux de ses membres à l'effet de se rendre auprès de vous, Citoyens, et d'y exprimer son vœu général, celui de recevoir de vous l'autorisation nécessaire à l'inspecteur du garde meuble de nous livrer tous les objets détaillés dans l'inventaire du Cn Le Brun vérifié par les commissaires nommés.

Plus les deux objets désignés par eux cydessus nottés.

Plus et enfin les armoires à glaces dans lesquelles les objets précieux étaient renfermés au garde meuble et qui deviennent nécessaires à la même destination pour le Museum des arts.

Fragonard, Président.
Foubert, secre ».

65. — *Arch. Louvre,* P 4, 1795, s. d., brouillon d'une lettre sans signature :
« Cn Commissaire,

Je vous donne avis que je me suis transporté hier à St Germain avec les pouvoirs que j'ai cru necessaires pour y enlever un tableau du poussin placé dans la chapelle du chateau.

Mon voyage a été infructueux. Le procureur sindic du district à qui je me suis adressé m'a fait part à ce sujet de réclamation très instante du Museum de Versailles à qui il a, comme à moi, refusé le dit tableau. Je me suis même aperçu que ce refus venait du grand désir que le district de St Germain avait de garder le tableau pour un Museum qu'il a projet de faire.

Je crois citoyen commissaire qu'un des plus capitaux tableaux du poussin est plus fait pour le plus beau Museum de la République que pour être placé dans celuy de versailles qui est déjà trop nombreux ou pour rester tout seul dans le Museum de St Germain.

D'ailleurs ce beau tableau ayant besoin d'une restauration très prompte je crois qu'il est plus convenable qu'elle soit faite à paris sous les yeux d'artiste en état d'y présider qu'à St Germain ou à versailles.

Voilà, C. Commissaire, ce que j'avais à vous dire à ce sujet ne doutant nullement que le Comité et la Commission s'intéressent assez au permier museum de la Nation pour ne pas [comme le] désire son Conservatoire y placer le tableau en question.

Le procureur syndic m'a assuré, qu'avec un arrêté prompt et bien motivé du Comité ou de la Commission à luy envoyé, il ferait avertir du jour où les porteurs ne feraient point un voyage inutile.

Salut et fraternité ».

66. — *Arch. Louvre,* P 4, 1795, 9 oct. :

« Inventaire et remise aux membres du Conservatoire du Museum, par la Commission exécutive de l'instruction publique.

d'un tableau ci après décrit

En fructidor, an deuxième de la République, le Citoyen Le Brun, en vertu d'un pouvoir et d'une autorisation de la Commission Temporaire des arts, se transporte à la Montagne du Bel air ci devant St Germain en Laye et à Triel. Il en est résulté, par le rapport n° 142 remis à la Commission temporaire des arts le 20 fructidor par le citoyen Le Brun, que l'article 2 porte que :

La Communion par Nicolas Poussin, figures de grandeur naturelle, effet de nuit, d'une grande harmonie, commence à s'écailler et qu'il est urgent de le faire enlever pour en éviter la ruine, d'autant plus que le prompt enlèvement en était désiré pour l'utilité du local qui servait ci devant de Chapelle au Chateau de la Montagne du Bel air.

Enfin ce tableau vient d'être transporté au Museum et remis aux membres du Conservatoire le [en blanc] vendémiaire, an quatrième, dans l'état ci après décrit.

Ce tableau peint sur une impression rouge s'écaille :

1° dans les draperies du Christ plusieurs grandes parties se détachent de l'impression.

2° une figure, un apôtre à genoux ayant une draperie jaune et bleue, la tête de cette figure s'écaille en plusieurs endroits.

3° une autre figure aussi à genoux et près de la précédente est écaillée dans une partie de cheveux et plusieurs écailles sont perdues, la draperie coloriée de cette même figure est fort écaillée, sans qu'il ait cependant d'écailles perdues excepté quelques parcelles.

La narine droite du nez d'une figure debout est écaillée et deux petites parties de cette narine sont perdues.

Plusieurs petites écailles çà et là éparts sur la superficie de ce beau tableau sont perdues sans être très considérables.

Le remettage sur toile fera du bien à ce tableau, mais il ne peut suffire à fixer d'une manière constante et solide le faire du maître sur son impression.

Le dit inventaire fait par moi Jean Baptiste Pierre Lebrun, chargé par la Commission exécutive d'instruction publique, et remis ce jourd'huy 17 vendémiaire, an 4e de la république. Le Brun.

Nota. Il reste encore sur le même inventaire, article 1er, deux tableaux de Rozelli, sujets de l'histoire de Judith. Le même rapport dit que ces deux tableaux sont importans sous divers rapports pour le Museum.

Les articles 3-4-5-6 sont du plus beau faire de Jacques Stella, et dans un danger de ruine s'ils y restent abandonnés ».

67. — *Arch. Louvre,* P 4, 1795, 25 oct., lettre :

« Paris 3 brumaire, an 4e de la Rép. Fr. u et indivisise.

Barrois l'ainé Conservateur du Dépôt national littéraire situé aux cydevant Cordeliers, aux Citoyens composants le Conservatoire du Museum national des Arts.

Citoyens,

Je vous prie de me faire passer une copie en forme de l'arrêté du Comité d'instruction publique qui autorise le Conservatoire du Museum national des Arts à retirer du Dépôt qui m'est confié les quatre objets d'Arts venus de la Belgique. Cette pièce m'est absolument nécessaire, un autre arrêté nous enjoignant de ne rien laisser sortir des Dépôts, sans qu'il nous soit remis un arrêté du Comité relatif aux objets qui sortent des Dépôts.

Le Citⁿ De Wailly m'a laissé seulement votre arrêté, au bas duquel il a mis son récépissé.

Salut et fraternité.

Barrois l'ainé.

[Note sur la lettre :]

Arrêté d'expédier l'art. 7 de l'arrêté du Comité, et en suite copie de la lettre de la C^on exécutive. »

68. — *Arch. Louvre,* P 16, 1795, 29 sept. :

« De La Savonnerie le 7 vendémiaire 4e année.

Duvivier directeur

aux citoyens composants le Conservatoire des arts.

Citoyens,

Le Citoyen Guillemard, peintre et restaurateur de tableaux, m'a fait voir sur son livre que les quatre toiles sur chassis dont vous aviez idées ont été employées pour quatre tableaux de Sneider et qu'elles lui ont été comptées et payées. Ces quatre tableaux venaient de la Pitié et sont maintenant au dépôt des Augustins.

En conséquence il attend, ainsy que moi, les ordres que vous voudrez bien lui donner, non pour remettre les Bachelier sur toile, mais pour refaire Le Moisy *(sic)* qui s'endommage, ainsy qu'un vernis qui est sur deux Déportes qui étaient à Chantilly, tirés du dépôt des Augustins. Le plustôt qu'il vous sera possible.

Salut et fraternité. Votre concitoyen Duvivier ».

69. — *Arch. Louvre,* *AA 1, p. 221, 6 brumaire, lettre 140 :

« Le Conservatoire au Cⁿ Ginguéné, commissaire de la Commission exécutive de l'instruction publique.

Citoyen commissaire.

Nous vous faisons passer une lettre du Cⁿ Lenoir; elle annonce un arrêté du Comité de l'instruction publique qui contrarie tous ceux qu'il avait pris en faveur du Museum des arts, et les ordres que vous nous aviez donné pour l'exécution de ces arrêtés. Ainsi, les dépôts provisoires deviendront autant de Musées, dont les gardiens se feront une affaire. Ainsi le Museum national se verra privé des objets essentiels au complément d'une collection aussi utile à l'étude et au progrés des arts et conséquemment à la gloire nationale.

Nous abandonnons à votre sagesse les réflexions qui naissent de tels événemens.

Salut et fraternité ».

70. — *Arch. Louvre,* minutes des p. v. des délibérations du Conservatoire, p. 192, n° 453 :

« Museum central des arts,

Le salon d'exposition, où l'on a réuni des tableaux choisis dans les trois écoles et placé quelques ouvrages précieux de l'école flamande qui n'ont point encore été vus en france, sera ouvert en faveur de l'étude le. . . . prairial. Cette exposition aura lieu pendant la durée des travaux qui se font dans la gallerie.

Les sept premiers jours de la décade sont consacrés à l'étude.

Attendu que le salon est très bien éclairé et vu son peu d'espace comparé à celui de la gallerie, les artistes sont prévenus qu'aucun tableau ne sera déplacé pour être livré à l'étude. Comme elle pourrait être facilement troublée dans ce lieu plus resseré, les étrangers qui étaient admis au Museum sur la présentation de leurs passeports, les sept premiers jours de la décade, ne pourront être introduits au salon, ces mêmes jours, que depuis une heure après midi jusques à quatre.

L'ouverture publique du salon sera la même que ci devant, scavoir les huit, neuf et dixième jour de la décade ».

71. — *Arch. Louvre,* T 1, 1796, 19 nov., mémoire n° 1 :

« Apperçu de la Dépense extraordinaire à faire tant pour exposer les Dessins des grands maitres dans la gallerie d'Apollon et l'ouvrir incessamment au public que pour classer et mettre en place les tableaux et les autres objets précieux dans la gallerie du Museum en terminant cette seconde opération dans l'espace de *quatre mois.*

Na. On suppose que tous les tableaux seront placés dans l'état où ils se trouvent, avec les anciennes bordures pour ceux qui en ont : sans bordures pour ceux qui n'en ont pas.

De même dans le présent apperçu il ne sera point question des dépenses de rentoillages et des restaurations nécessaires à la majeure partie des tableaux en bon état, dont le terne exige cette opération.

article 1er pour achaps d'objets nécessaires à l'exposition des dessins des grands maitres dans la gallerie d'Apollon, environ 600 francs	600 fcs
art. 2. transport et raport des tableaux qui seront échangés entre le Musée de Versailles et celui de Paris, ces dépenses évaluées	700 fcs
art. 3 pour la mise en place de tous les tableaux on joindra six ouvriers du dehors aux six gardiens du Museum en état de se livrer à ce travail.	
Six ouvriers à 4 francs par jour pendant quatre mois, coûteront 2880 f.	
Gratifications d'encouragements 384	3.264
art. 4. Le Musée des arts possède les deux tiers des fers que demande la suspension des tableaux : il s'agit de lui procurer l'autre tiers pris dans quelques dépôts	
pour façon des ferremeurs qui restent à établir, tels que crochets, suspenseurs, crochets de retraite pour les tableaux du 1er cordon : tirrefons de tirage, annaux suspenseurs à pattes et a vis, la somme de	4.000 fcs
Na. cet article est tiré de l'apperçu présenté par le serrurier.	
art. 5. Les grands et petits tirrefonds pour les tableaux des second et 3e cordons au nombre de quatre par tableau, coûteront environ	1200
cordages, cordes ou fortes ficelles	600
crochets pour contenir des planches et des tringles de bois pour y suspendre les tableaux des second et trois[me] cordons, ensemble une couche en détrempe à donner à ces tringles. . . . ci la somme de.	1200
trépans, vrilles, cloux, pointes	600
balais de crin, houssoirs, paniers	600
brosses à froter, cire, teinte générale à donner au parquet en bistre ou à la rouille, environ	900
art. 6. pour laver et vernir ceux des tableaux dont le bon état le permettra et pour le verni,. . . . ci	600
éponges, balais de crin et blairaux pour vernir. . . . ci	100
art. 7. pour le transport et la pose des figures, socles, vases, tables, la somme de	3600
Na. cet article tiré et réduit de l'apperçu demandé au C. Scellier marbier	
La mise en place des deux grands vases de porcelaine de Sèvre,. . . . ci	300
art. 8. pour la construction et l'établissement sur les balcons de la gallerie, de deux cabinets d'aisance, l'un pour les femmes, l'autre pour les hommes. . . . ci, mémoire, ces objets dépendans des batimens	
Total des dépenses présumées	18.264 francs
cette somme payable en quatre mois consécutifs à raison de 4566 francs par mois.	

Les travaux indiquées au présent apperçu ne pourront commencer qu'après le payement du premier mois, attendu les achaps à faire et les journées d'ouvriers à payer : ils cesseront s'il y avait incertitude pour le mois suivant — l'exigence des ouvriers ne permettant pas maintenant de suspendre l'aquit des engagemens contractés avec eux surtout dans un établissement tel que celui dont il s'agit.

Certifié conforme aux évaluations données au Conservatoire assemblé le 29 brumaire an 5 de la République ».

72. — *Arch. Louvre,* T 1, 1796, 19 nov., mémoire n° 2 :
« Etat des dépenses annuelles fixes, du Musée central des Arts, comprenant les traitement primitifs des employés, fixés par le Conseil d'Instruction publique, leur réduction suivant les derniers payements effectifs : les dépenses intérieures du Musée et du bureau du Conservatoire aquittées par lui sur la somme attribuée à cet usage.

Le présent état sera suivi d'un apperçu de l'augmentation de ces dépenses annuelles que parait devoir nécessiter l'accroissement du Musée.

		Traitements	
....	primitifs	effectifs	effectifs
....	par année	par mois	par année
....			
huit gardiens. traitement primitif....	2500 f.		
Traitement effectif, actuel, par mois	......	110 f. 41 c.	
aux taux actuel c'est par année, pour un gardien	1325 f.		
et pour les huit gardiens, par année			15,900 (1)
(1) Il y a une erreur : 1325 x 8 = 10.600.			
trois portiers appointés comme les gardiens (l'un des trois nommé Chévre, n'a pas encore reçu de traitement) pour les trois, par année			3,975
un gardien de la salle des antiques, au Louvre : même traitement que les gardiens du Musée.... pour une année			1,325.
un ouvrier en menuiserie, attaché à l'atelier de restaurations.			
traitement primitif, par année	4.000		
payement effectif actuel, par mois		176.67	
et par année, ci			2,120
un commis expéditionnaire			
traitement primitif, par an	1.800		
payement effectif actuel, par mois		79,50	
et par année			954
Conservatoire			
un secrétaire du Musée faisant volontairement ses recettes et ses différentes parties de comptabilité			
traitement primitif par année......	4.000		
payement effectif actuel, par mois		176.67	
et par année			2,120
à chacun des cinq conservateurs			
traitement primitif, par année	5.000		
payement effectif actuel, par mois		220.83	
à chacun par année 2650 et pour les cinq			12.250 (2)
(2) Une erreur : 2650 x 5 = 13.250.			
Total des payements effectifs pour les traitements, par année			38,644.

Dépenses dites matérielles ou intérieures. Pour fournir à ces dépenses, la Convention par un décret avait assigné au Conservatoire une somme ensemble de 12000. francs, de l'emploi de laquelle il est tenu de rendre compte.

mais cette somme n'ayant été payée qu'en papier, valeur nominale, pour la 1re année en assignats, pour la 2de en mandats, ce n'est que par une extrême économie que l'administration est parvenue a reculer jusqu'à présent la demande d'une valeur effective pour fournir à ces sortes de dépenses : elles devaient comprendre :

Les frais de Bureau, papier, encre, etc. Ces frais ont été si modiques qu'ils n'ont employé que la moindre partie de la faible recette en valeurs nominales.

Le luminaire. l'impression des consignes, des annonces, affiches, etc. les balais, houssoirs et autres ustenciles à renouveller pour l'entretien du Museum. Les voitures, le sciage du bois à bruler. Les cordes, les pitons, les clous employés pour les expositions. Le blanchissage du linge, les frais de voyages pour les opérations relatives au Musée. Les transports urgents d'objets, pour lesquels on ne peut avoir recours aux entrepreneurs, en fin une multitude de mêmes dépenses imprévues.

Si une somme pareille de 12000 francs en argent était maintenant payée en la divisant par douzième, sauf au Conservatoire à rendre compte, il résulterait de l'emploi qui en serait fait diverses économies essentielles qu'on ne peut espérer des entreprises, et le service du Musée y gagnerait encore de l'activité.

C'est dans cette suposition que l'on porte ici la somme entière de 12,000.
pour une année 12,000

Pour cinquante cordes de bois de chaufage par année, évaluées à raison de 60. francs la corde, y compris les frais accessoires 3,000
Total des dépenses annuelles et fixes 53,644

Apperçu de l'augmentation des dépenses fixes, annuelles, nécessitées par l'acroissement du Musée des arts.

En supposant les huit gardiens déjà attachés au Musée dans l'age de la force et propres à tous égards à leur emploi, il parrait nécessaire d'en porter le nombre au moins à quatorze, ce qui fera six hommes de plus.

Le traitement étant de 1325 francs par année, sur le taux réel actuel, ci pour les six nouveaux gardiens .... 8,100.

Il faudrait en outre deux hommes de peine, employés à titre de porteurs.

Traitement pour chacun 1000, ci pour deux .... 2,000.

Il parrait encore utile pour attacher d'avantage à leurs emplois, les gardiens, les portiers, les porteurs, qui tous seront logés au Musée, de les habiller complettement tous les deux ans, d'un vêtement uniforme. Il faudrait même leur fournir en outre un vêtement de travail chaque année.

On évalue les uniformes et les habits de travail à 400 fr. par homme pour les deux années, ci pour 20 hommes, par année 4,000.

Na. les emplois de gardiens seraient recherchés par des hommes probes, qui se conduiraient de manière à s'y maintenir, si l'on assurait une retraite aux vétérans après un nombre déterminé d'années de service.

En supposant trois pensionnaires vétérans à 800 francs, ci 2,400.

L'aprovisionnement du bois de chauffage devant être proportionné au nombre des employés à qui on en distribue, ci, par augmentation.... 10 cordes par année .... 600.

pour l'entretien du gardien du Musée, par année ci .... 1,000.

Les traitemens n'étants portés dans cet état que pour la portion qu'on en paye, et attendu que les valeurs n'en sont pas réparties également en raison de la nature et de l'utilité des différens emplois, ci pour suplément, par année .... 10,000.

Total, par apperçu des dépenses fixes...................... 81,744.

Certifié conforme à l'arrêté pris dans le Conservatoire assemblé le 29 Brumaire an 5 de la Rép.

Le Conservatoire a reçu le 15 prairial, an 4, la somme de 12.000 francs en mandats pour ses dépenses intérieures; il va en rendre compte.

Le Ministre est justement prié de faire expédier une ordonnance, au moins de la somme de *mille Livres* pour que le Conservatoire puisse subvenir à ces sortes de dépenses, jusqu'au moment ou il aura été statué sur la somme annuelle fixe que l'on voudra y consacré.

Fait au Conservatoire assemblé le 29 Brumaire an 5 de la République ».

73. — *Arch. Louvre,* T 1, 1796, 19 nov., état n° 3 :
« Apperçu des établissements et des travaux à faire pour donner au Musée central des Arts tout l'éclat dont il susceptible.
Na. Les objets dont on va traiter étants presque tous du ressort des bâtimens, le Conservatoire ne saurait en apprécier les dépenses.
art. 1er. L'objet le plus important comme le plus urgent est de completter en tableaux de choix les collections des trois Ecoles, par des échanges également avantageux entre le Musée central et les Musées des différents départements, en commençant tout à l'heure par celui de Versailles.

Ce sera de ce complément que dépendront l'ordonnance, la beauté et la stabilité de l'arrangement du Musée dont on doit s'occuper jourd'hui.
art. 2. Il convient d'aproprier le jardin du Musée afin d'y placer convenablement les statues, les vases et les objets de marbre qui y sont destinés. Il faudrait aussi établir un embranchement de thuyeau pour faire saillir à volonté, dans la cuve antique du milieu, l'eau qui devrait dès à présent fournir la fontaine scituée dans la cour du Centaure.

Na. L'entretien peu dispendieux du jardin du Museum pour qu'il fut fait avec exactitude, doit être mis sous l'inspection du Conservatoire en lui passant en dépense une modique somme annuelle déterminée pour cet objet.

art. 3. Il sera de même utile de préparer les salles basses, régnantes sous la gallerie d'Apollon, pour recevoir les statues et les autres objets de sculpture qui ne doivent pas être exposés à l'air. Les communications de ces salles demandent à être élargies; leur décoration serait terminée dans un genre analogue aux ornemens des plafonds existans que l'on doit conserver.
art. 4. La gallerie d'Apollon sera disposée d'après le plan arrêté, pour l'exposition permanente des dessins des grands maitres.
art. 5. Le bout de la gallerie du Museum dont l'espace est de sept croisées, peut être terminé à peu de frais. La prompte jouissance de cette partie est importante pour y placer le plus grand nombre de tableaux de l'école d'Italie que doit réunir le Museum.
art. 6. Ce monument réclame encore la partie du Pavillon de flore qui lui est utile ainsi que l'un des escaliers de ce Pavillon.
art. 7. Le public appelle chaque jour la lumière à introduire, par la voute du Museum. C'est dans la partie non terminée que l'essai de cette manière de l'éclairer devrait être fait sans retard. On sçait que l'on pourra continuer d'établir les lanternes dans le surplus de la gallerie sans déranger les tableaux lorsqu'ils y seront placés. On sçait aussi que cette opération peut être combinée de manière à ne point nuire à la décoration extérieure du batiment.
art. 8. pour décorer intérieurement le Musée des arts en architecture il ne faut que placer les colonnes et les marbres précieux qui y existent et dans les dépôts. Cette décoration doit être assujettie à la division des trois écoles.
art. 9. De la restauration des tableaux et de leurs bordures. On ne sçaurait évaluer avec précision les dépenses qu'exigeront ces deux opérations dont la nécessité est éminente. Nos voisins nous blameraient sans doute s'ils voyaient périr entre nos mains les tableaux qui sont le fruit de nos conquêtes et en même tems nos anciennes propriétés de ce genre. Notre collègue le Cn Picault, restaurateur, nous produira pour le Ministre des détails particuliers et précis et une apréciation des dépenses sur ces objets intéressans. Il s'agit seulement ici d'exposer la nécessité des restaurations en observant qu'a telle somme qu'elles puissent monter le gouvernement peut la diviser de sorte qu'elle soit répartie sur un certain nombre d'années. Il suffirait pour satisfaire le public qu'il vit chaque année quatre ou six tableaux capitaux restaurés et autant d'embordurés, pour qu'il attendit patiemment, soutenu par l'espérance, la

restauration complette de tous les tableaux qui la demandent. On conçoit qu'il faudra commencer par ceux dont le besoin est le plus pressant : ce choix et la surveillance seront plus faciles lorsqu'il ne s'agira que d'un petit nombre.
art. 10. Pour complément au Musée des beaux arts modernes, on rapelle ici la proposition déjà faite d'y joindre le Musée des Antiquités. Leur analogie réclame un tel raprochement : La demie épaisseur de la façade du Louvre regardant la rivierre offre un local superbe au Musée des Antiquités : il se trouverait ainsi de plain pied avec le Musée des arts modernes. De celui ci on communiquerait à l'autre par l'extrémité de la gallerie d'Apollon. Il n'y a qu'un comble et des planches à faire pour loger le Musée des Antiquités.
art. 11. Pour amener le Musée central des arts au point de perfection ou l'on doit tendre et pour l'y maintenir, son administration a besoin d'être réglée, le service et la police déterminés, les dépenses annuelles fixées. Cette administration, sous la direction du Ministre, doit être libre dans l'intérieur de son enceinte ».

74. — *Arch. Louvre,* T 1, 1797 (?), janv., Ministère de l'intérieur, 5e Division, Bureau des Musées, Bibliothèques et Conservatoires :

« Paris le *(sic)* Pluviôse an 5e de la République française une et indivisible.

Le Ministre de l'intérieur aux Conservateurs du Museum central des Arts.

L'importance du Museum fixe, depuis sa formation, les regards de tous ceux qui exercent ou qui aiment les arts. Jusqu'ici l'autorité publique n'a pas paru s'en occuper assez. Les circonstances en sont sans doute la cause. Mais le Gouvernement constitutionel ne peut pas négliger un établissement aussi précieux et qui doit avoir une si heureuse influence sur le génie et sur l'industrie nationale.

Il faut que dans cet établissement tout porte un caractère d'ordre, de dignité et d'utilité publique. Jusqu'à présent le public et les Artistes n'ont pas semblé satisfaits sous ces différens rapports et après avoir examiné attentivement la manière dont le Museum a été dirigé et administré, depuis son origine, j'ai senti que le Gouvernement n'aurait jamais dû être satisfait lui-même que du zèle individuel que chaque artiste a pu mettre a faire ce qu'il croyait bien. Mais il y a souvent fort loin de cette bonne volonté individuelle ou même collective à une bonne administration. Je crois que le Conservatoire actuel a eu les meilleurs intentions, cependant soit que le système d'organisation exigeât réellement trop de tems des artistes qui le composaient, tous n'ont pas montré le même zèle, la même assiduité, tous n'ont pas pris également part au service public. Le fardeau n'étant point partagé également devenait trop pesant pour ceux qui en restaient chargés et l'administration ne pouvait plus être régulière. Je suis persuadé que cet inconvénient provenait de deux vices de l'organisation faite par le Comité d'instruction publique : Premièrement de ce qu'elle exigeait de fait trop de tems de la part des conservateurs, ce qui les aurait forcés, s'ils s'étaient entièrement dévoués au service du Museum, à renoncer aux travaux qui intéressent leur gloire et leur fortune. Je pense qu'avec cet inconvénient, on ne pourait jamais placer auprès du Museum que des talens inférieurs, ce qui nuirait à la considération que doit avoir l'établissement. J'ai voulu remédier à ce vice, en laissant dans la nouvelle organisation aux artistes qui composeront le conseil d'administration du Musée central du loisir pour leurs travaux, ils en auront aussi plus de dignité dans l'établissement.

L'autre vice de l'organisation du Comité consiste ce me semble, à éxiger que des artistes deviennent des administrateurs, ce qui est tout opposé à leur éducation primitive, à leur génie et contraire à leur manière d'être habituelle. Il peut s'en trouver quelque fois à qui ces soins conviennent, mais c'est par exception. Il n'est donc point étonnant que le Conservatoire n'ait pas formée une bonne administration. Mais les conséquences en sont graves quelqu'innocente qu'ait pu être la cause et pour ne parler que de la dépense vous serez, sans doute étonnés vous mêmes citoyens, d'apprendre que sans que j'aie permis d'organiser les travaux de restauration et quoique les dorures aient été suspendues, la dépense de votre établissement se monte pour treize mois, en calculant la valeur relative des assignats et des mandats sur le cours, à une somme de plus de cent soixante mille livres, valeur métallique. Il est impossible de ne pas être surpris de cette dépense, de la facilité avec laquelle vous l'autorisiez et peut être même de l'irrégularité administrative dont cette facilité a du nécessairement être cause. Si je vous fesais des rapprochemens avec d'autres parties de service public, votre étonnement serait plus grand encore; et si je vous demandais ce qu'a produit en résultat cette énorme dépense, excepté la pose d'un parquet qu'il n'a pas fallu payer, puis qu'on l'a tiré des magasins de la République, vous ne pourriez vous empêcher de convenir qu'il est très important, même pour votre tranquilité, d'établir un système d'administration précis et combiné de telle sorte que vos talens et vos lumières soient utiles, sans vous imposer des devoirs et des embarras qui ne vous conviennent point. C'est ce que je me suis proposé dans l'organisation ci-jointe. J'ai cru devoir vous exposer mes motifs, afin que vous y reconnassiez que l'intérêt public seul ma dirigé. Je recommande avec instance aux membres du Conservatoire qui restent dans l'administration du Musée central des arts de se pénétrer des principes sur lesquels pose cet organisation et de s'y conformer avec précision. J'attends beaucoup de l'amour qu'ils ont pour les arts et de leurs sentimens de civisme. Quant à ceux que j'ai le regret de ne pas conserver à ce poste, je chercherai à rendre leur zèle utile aux arts et à les servir personnellement.

La nouvelle organisation date du 1er de ce mois et j'invite l'administration du Musée central des arts à entrer sur le champ en fonctions.

Salut et fraternité

[signé :] Benezech

Le Directeur général de l'instruction publique

[signé :] Ginguené ».

BIBLIOGRAPHIE

1866	Reiset	: FREDERIC REISET, *Notice des Dessins, cartons, pastels, miniatures et émaux exposés dans les salles du 1er étage au Musée impérial du Louvre,* 1re partie, Paris, Charles de Mourgues Frères.
1878	Courajod	: LOUIS COURAJOD, *Alexandre Lenoir, son journal et le Musée des monuments français,* tome Ier, Paris, Honoré Champion.
1889	Guillaume	: M.-J. GUILLAUME, *Procès-verbaux du Comité d'instruction publique de l'assemblée législative,* Paris, Imprimerie nationale.
1891 à 1904	Guillaume	: M.-J. GUILLAUME, *Procès-verbaux du Comité d'instruction publique de la Convention nationale,* Paris, imprimerie nationale; tome I, 1891; tome II, 1894; tome III, 1897; tome IV, 1901; tome V, 1904.
1897	Benoit	: FRANÇOIS BENOIT, *L'art français sous la Révolution et l'Empire,* Paris, L.-Henry May.
1902 et 1903	Tuetey	: LOUIS TUETEY, *Procès-verbaux de la Commission des Monuments,* Paris, Charavay, tome I, 1902; tome II, 1903.
1903	Lapauze	: HENRY LAPAUZE, *Procès-verbaux de la Commune générale des arts, de peinture, sculpture, architecture et gravure (18 juillet 1793) — fin de la première décade du deuxième mois de l'an II et de la Société populaire et républicaine des arts (3 nivôse an II - 28 floréal an III),* Paris, Bulloz.
1910	Tuetey-Guiffrey	: ALEXANDRE TUETEY ET JEAN GUIFFREY, *La Commission du Muséum et la création du Musée du Louvre,* Paris.
1912	Cornu	: PAUL CORNU, *Correspondance des Directeurs de l'Académie de France à Rome, Table générale,* Paris, Jean Schmit.
1912	Furcy-Raynaud	: MARC FURCY-RAYNAUD, *Les tableaux et objets d'art saisis chez les émigrés et condamnés et envoyés au Museum central* (Extrait des *Archives de l'Art français,* nouvelle période, tome VI, 1912), Paris, 1913.
1912 et 1917	Tuetey	: LOUIS TUETEY, *Procès-verbaux de la Commission temporaire des arts,* Paris, Imprimerie nationale, tome I, 1912; tome II, 1917.
1927	Vasselot	: J.-J. MARQUET DE VASSELOT, *Répertoire des Catalogues du Musée du Louvre,* (1793-1926), deuxième édition, Paris, Musées nationaux.

1930 Brière : GASTON BRIERE, « L'école française », *Histoire des collections de peintures au Musée du Louvre*, I, pp. 9-44, Paris, Musées nationaux.

1930 Hautecœur : LOUIS HAUTECOEUR, « Les Ecoles italiennes », *Histoire des collections de peintures au Musée du Louvre*, II, pp. 45-64.

1930 Rouchès : GABRIEL ROUCHES, « L'école espagnole », *Histoire des collections de peintures au Musée du Louvre*, III, pp. 65-78.

1930 C. Brière-Misme : CLOTILDE BRIERE-MISME, « Les écoles septentrionales », *Histoire des Collections de peintures au Musée du Louvre*, IV, pp. 79-107.

1956 G. Emile-Mâle : GILBERTE EMILE-MALE, « Jean-Baptiste-Pierre Le Brun (1748-1813), son rôle dans l'histoire de la restauration des tableaux du Louvre », *Mémoires publiés par la Fédération des sociétés historiques et archéologiques de Paris et de l'Ile-de-France*, tome VIII, 1956, pp. 371-417; Extrait 1957.

1964 G. Emile-Mâle : GILBERTE EMILE-MALE, « Le séjour à Paris de 1794 à 1815 de célèbres tableaux de Rubens », *Bulletin de l'Institut royal du patrimoine artistique*, n° VII, 1964, pp. 153-171.

1967 Thuillier-Foucart : *Le storie di Maria dé Medici di Rubens al Lussemburgo*, Milan, 1967. Edition française, *Rubens, La galerie de Médicis au Palais du Luxembourg*, texte de Jacques Thuillier, appendice historique et documentation de Jacques Foucart, Paris, 1969.

1974 Schnapper : ANTOINE SCHNAPPER, *Jean Jouvenet* (1644-1717) *et la peinture d'histoire à Paris*, Paris, Léonce Laget.

1976 Dorival : BERNARD DORIVAL, *Philippe de Champaigne* (1602-1674). *La vie, l'œuvre et le Catalogue raisonné de l'œuvre*, 2 volumes, Paris, Léonce Laget.

1979 Rosenberg : PIERRE ROSENBERG, *Les relations artistiques entre la Toscane et la France sous la Révolution : à propos de l'échange d'un Le Sueur*, publications de l'Institut français de Florence, IVe série, tirage à part, Paris, Editart Quatre-Chemins.

CATALOGUES DU MUSEUM ET DU MUSEE DU LOUVRE

Museum 1793	: Catalogue des objets contenus dans la gallerie du Museum Français. Décrété par la Convention nationale, le 27 juillet 1793 l'an second de la République Française.
Reiset 1866	: Notice des Dessins, cartons, pastels, Miniatures et émaux exposés au Musée impérial du Louvre, première partie, Paris, 1866.
Reiset 1869	: *Idem*, 2e partie.
Demonts 1922	: Musée national du Louvre. Catalogue des peintures exposées dans les galeries, III, écoles flamande, hollandaise, allemande et anglaise, par Louis Demonts, Paris, 1922.
Vitry 1922	: Musée national du Louvre. Catalogue des Sculptures du Moyen Age de la Renaissance et des Temps modernes, 1re partie, Moyen Age et Renaissance, par Paul Vitry, Paris, 1922.
Brière 1924	: Musée national du Louvre. Catalogue des peintures exposées dans les galeries, I, école française, par Gaston Brière, Paris, 1924.
Hautecœur 1926	: Musée national du Louvre. Catalogue des peintures exposées dans les galeries, II, école italienne et école espagnole, par Louis Hautecœur, Paris, 1926.
Les sculptures 1957	: Les sculptures, Moyen Age, Renaissance, Temps modernes au Musée du Louvre, par Michèle Beaulieu, Marguerite Charageat et Gérard Hubert, Paris, 1957.
Peintures 1972	: Musée national du Louvre, Catalogue des peintures, I, Ecole française, Avertissement par Michel Laclotte, Paris, 1972.
Peintures. Ecole française, 1974	: Musée du Louvre. Catalogue illustré des Peintures. Ecole française. XVIIe et XVIIIe siècles, 2 tomes, par Pierre Rosenberg, Nicole Reynaud, Isabelle Compin, Paris, 1974.
Sculptures 1978	: Description raisonnée des sculptures du Musée du Louvre, Tome II, Renaissance française, par Michèle Beaulieu. Avant-propos de Jacques Thirion, Paris, 1978.
Peintures. Ecoles flamande et hollandaise, 1979	: Catalogue sommaire illustré des peintures du Musée du Louvre. I. Ecoles flamande et hollandaise, par Arnauld Brejon de Lavergnée, Jacques Foucart, Nicole Reynaud. Avertissement par Jacques Foucart et Arnauld Brejon. Paris, 1979.

EXPOSITIONS

ex. 1793 Paris : Sallon du Louvre, Description des ouvrages de peinture, sculpture, architecture et gravures exposés par les Artistes composans la Commune générale des Arts, le 10 août 1793, l'An 2e de la République Française...

ex. 1795 Paris : Grand Sallon du Musoeum, au Louvre, Explication des ouvrages de peinture, gravure, dessins, modèles, etc... exposés par les artistes de la France, sur l'invitation de la Commission Exécutive de l'instruction publique, Au mois Vendémiaire, An quatrième de la République Française.

ex. 1796 Paris : Sallon du Museum, Notice des tableaux des trois Ecoles, choisis dans la Collection du Museum des Arts, rassemblés au Sallon d'exposition, pendant les travaux de la Gallerie, au mois de Prairial an 4. Se vend au Sallon, au profit de l'indigence.

ex. 1796 Paris : Salon du Musée central des Arts. Explication des ouvrages de Peinture, Sculpture, Architecture, Gravure, Dessins, Modèles, etc... exposés... sur l'invitation du Ministre de l'intérieur, Au mois Vendémiaire An cinquième de la République Française.

ex. 1952 Paris : *Philippe de Champaigne*, Paris, Orangerie des Tuileries. Avant-propos par Mauricheau-Beaupré. Introduction et catalogue par Bernard Dorival.

ex. 1957 Port-Royal : *Philippe de Champaigne et Port-Royal*, Musée national des Granges de Port-Royal. Introduction et catalogue par Bernard Dorival.

ex. 1966 Rouen : *Jean Jouvenet, 1644-1717*, Rouen, Musée des Beaux-Arts. Préface par O. Popovitch. Introduction et catalogue par A. Schnapper.

ex. 1970 Rouen : *Jean Restout (1692-1768)*, Rouen, Musée des Beaux-Arts, Catalogue par Pierre Rosenberg et Antoine Schnapper.

ex. 1972 Paris : *Le Cabinet de l'Amour de l'Hôtel Lambert*, Paris, Musée du Louvre, Catalogue par Jean-Pierre Babelon, Georges de Lastic, Pierre Rosenberg, Antoine Schnapper.

ex. 1977 Paris : *Le XVIIe siècle flamand au Louvre, Histoire des collections*, Paris, Musée du Louvre. Catalogue par Alain Roy.

ex. 1978 Paris : *Jules Romain. L'histoire de Scipion*, Paris, Grand Palais. Introduction par Bertrand Jestaz. Catalogue par Bertrand Jestaz avec la collaboration, pour les dessins, de Roseline Bacou.

ex. 1979 Paris : *Le Louvre d'Hubert Robert*, Paris, Musée du Louvre, Catalogue par Marie-Catherine Sahut.

REPERTOIRE DES MATIERES

PLAN DU REPERTOIRE

LES OEUVRES D'ART AU MUSEUM

REGENERATION DES ARTS : critères de sélection; les traces de féodalité; œuvres médiocres ou en surnombre; prêts pour des immeubles officiels.

RECUPERATION D'OEUVRES : œuvres des anciennes académies; travaux de réception à l'académie; prix d'encouragement.

RETRAITS DES DEPOTS, BIENS SAISIS : administration de la Monnaie; Anet; bibliothèque nationale, cabinet des antiques; Chaillot; Cordeliers; Durvey; Fontainebleau; Franciade; garde-meuble; Infantado; Le Raincy; Maisons; Marly; Meudon; Nesle; Petits-Augustins; Orsay; Saint-Cloud; Saint-Germain-en-Laye; Saint-Sulpice; Orfèvrerie saisie.

SAISIES REFUSEES PAR LE CONSERVATOIRE : bas-reliefs de Chartres; bronzes des places de Paris; œuvres du Couvent des Dames prêcheresses de Metz; Vierge des Invalides par J.-B. Pigalle; Vierge en plâtre de Saint-Sulpice.

PRISES DANS LES PAYS CONQUIS : Belgique; Hollande; Italie.

ACHATS : crédits alloués; achats effectués; propositions de vente sans indications de la suite donnée par le Conservatoire; propositions d'acquisitions ayant échoué; refus d'acquisition du Conservatoire.

ECHANGES : bases; œuvres acquises; propositions d'échange refusées par le Conservatoire; négociations en cours; le projet d'échange de tableaux de grands maîtres avec la Toscane.

COMMANDES : David, les Sabines; Gérard; Hue, les ports de France; Vincent.

RESTITUTIONS D'OEUVRES SAISIES.

RESTAURATIONS

SITUATION TROUVEE PAR LE CONSERVATOIRE EN 1794 : les ateliers; restaurations en cours.

RESTAURATIONS DE TABLEAUX ORDONNEES PAR LE CONSERVATOIRE : œuvres prises en Belgique; œuvres prises en Hollande; tableaux à exposer; pour les manufactures de La Savonnerie et des Gobelins; bordures; matériaux; inscription sur les œuvres des noms des auteurs et des sujets.

RESTAURATIONS DE SCULPTURES ORDONNEES PAR LE CONSERVATOIRE : bases; travaux effectués.

CONCOURS POUR LE RECRUTEMENT DES RESTAURATEURS.

EXPOSITIONS

SITUATION A L'ARRIVEE DU CONSERVATOIRE.

EXPOSITIONS PERMANENTES : grande galerie; cour, jardin et salles basses; l'exposition de prairial an 4, dans le grand salon.

LES OEUVRES EXPOSEES : peintures; sculptures; dessins; architecture; vases étrusques; pendules et horloges; glaces; vitraux; mètre étalon.

EXPOSITIONS TEMPORAIRES : concours de 1794; exposition de 1795; exposition de 1796.

EXPOSITIONS EN PROJET : réouverture de la grande galerie; exposition des dessins des grands maîtres; exposition des œuvres prises en Italie.

REPERTOIRE DETAILLE

Les nombres suivant la mention P.A. (pièces annexées) indiquent les nos des pièces annexées.

Les nombres suivants les mentions t. *I ou* t. *II (tome I ou II) indiquent les nos des procès-verbaux dans chacun de ces tomes.*

LE CONSERVATOIRE

SITUATION GENERALE

Rôle et attributions : P.A., 1, 2, 3; t. I, 2, 6, 10, 12, 23, 49, 64; t. II, 23, 191. — *Participation aux travaux de la Commission temporaire des arts :* P.A., 4, 6, 7; t. I, 12, 13, 15, 16, 17, 18, 21, 45, 91 bis, 93, 99, 101, 109, 118. — *Droits sur les dépôts nationaux :* P.A., 15, 16, 17, 18, 19, 69; t. I, 9, 11, 20, 22, 35, 42, 43, 44, 45, 46, 49, 54, 202, 327, 328, 384.

COMPOSITION

Premier Conservatoire : P.A., 3; t. I, 1. — *Remaniement après le 15 thermidor an 2 :* P.A., 35, 36; t. I, 118, 123, 134, 140.

Deuxième Conservatoire : P.A., 53; t. I, 241, 243, 259; le secrétaire, t. I, 259, 260, 262, 278. — *Problèmes particuliers :* Dardel, t. I, 9, 62, 63, 118, 119, 123; Dupasquier, t. I, 86, 192, 193, 196, 216, 217, 253, 254; Le Sueur, t. I, 72, 74, 140; Picault, t. I, 64, 308; Robert, t. I, 290, 303, 324; Varon, t. I, 7; Wicar, t. I, 7, 140.

ORGANISATION

Règlement intérieur : t. I, 9, 12, 23, 29, 49, 55, 62, 64, 70, 71, 101, 114, 123, 125, 140, 179, 235, 236, 248, 249, 250, 254, 255, 361. — *Le Bureau :* t. I, 6, 7, 25, 45, 56, 62, 69, 78, 91, 105, 117, 125, 130, 139, 141, 156, 166, 171, 178, 192, 207, 214, 222, 229, 236, 278, 288, 304, 318, 336, 353, 369; t. II, 21, 52. — *Le trésorier :* t. I, 6, 26, 27, 267, 268, 278; t. II, 52, 85, 182. — *Registres tenus :* t. I, 11, 16, 28, 43, 44, 80, 99, 105, 120, 139, 160, 161, 182, 394.

PRISES EN COMPTE ET INVENTAIRES

Par le premier Conservatoire : t. I, 1, 2, 4, 5, 9, 10, 12, 26, 29, 37, 43, 47, 49, 54, 151, 152, 155, 163, 164, 165, 190, 314; les dessins, t. I, 1, 5, 9, 11, 12, 18, 19, 20, 21, 23, 34, 35, 47, 165, 172, 174, 175, 179. — *Par le deuxième Conservatoire :* t. I, 245, 246, 256, 257, 258, 259, 260, 261, 262, 263, 264, 265, 266, 283, 284, 285, 286, 296, 304, 309, 311, 315, 378. — *Par l'Administration du Musée central des Arts :* t. II, 191, 192, 195.

COMPTE RENDU D'ACTIVITE :

t. I, 242, 245, 250, 251, 252, 253, 255, 256, 314.

LE MUSEUM

ORGANISATION GENERALE

Rapport du 25 pluviôse an 2 (13 fév. 1794) : P.A., 8; t. I, 10, 11, 12, 14. — *Rapport du 7 prairial an 2* (26 mai 1794) : P.A., 26; t. I, 63, 67, 74, 75, 76, 77, 79, 80, 98. — *Rapport du 7*

FONCTIONNEMENT DU MUSEUM

CONDITIONS DU TRAVAIL ET DES VISITES

SURETE DES LOCAUX ET SURVEILLANCE

LES OEUVRES D'ART AU MUSEUM

REGENERATION DES ARTS

RECUPERATION D'OEUVRES.

RETRAITS DES DEPOTS, BIENS SAISIS

SAISIES REFUSEES PAR LE CONSERVATOIRE

EXPOSITIONS

SITUATION A L'ARRIVEE DU CONSERVATOIRE, EN 1794

EXPOSITIONS PERMANENTES

OEUVRES EXPOSEES

EXPOSITIONS TEMPORAIRES

EXPOSITIONS EN PROJET

ABREVIATIONS

Arch. nat.	: Archives nationales.
Arch. Louvre	: Archives des Musées nationaux.
Bibl. nat.	: Bibliothèque nationale.
p. v.	: procès-verbal.
P. A.	: pièce annexée.

REPRODUCTIONS PHOTOGRAPHIQUES

TOME I

1. Minutes des p. v. nos 2 et 3 des séances du 17 pluviôse an 2 (5 fév. 1794).
2. Minute du p. v. no 4 de la séance du 17 pluviôse soir (5 fév. 1794).

TOME II

1. Minute du p. v. no 104 du 19 thermidor an 4 (6 août 1796).
2. Minutes des p. v. nos 190 et 191 des 7 et 8 pluviôse an 5 (26 et 27 janv. 1797).

Couverture des t. I et II : Projet d'aménagement de la Grande Galerie, de Hubert Robert, de 1796. Musée du Louvre, R.F. 1975-10.

INDEX

BACARIT ou BACCARIT (Louis-Antoine), sculpteur francais, 1755 † ? : *t. I*, 15.

Bacchus (statue de, en marbre) : *t. II*, 22.

BACHELIER (Jean-Jacques), peintre français, professeur à la Manufacture de Sèvres, 1724 † 1806 : *t. I*, 219, 229, 256, 264, 271.

Bagatelle (tableaux au château de) : *t. I*, 203, 226.

BAILLEUL (Jacques-Charles), membre du Comité d'instruction publique : *t. I*, 137, 268.

BAILLY (Jean-Sylvain), maire de Paris, exécuté, 1736 † 1793 : *t. I*, 69.

BALEUX, marbrier : *t. I*, 90.

BALLIERES, directeur du port Saint-Nicolas, à Paris : *t. I*, 234.

BALLOIS ou BALLOY, gardien au Muséum : *t. I*, 231, 263, 266, 273, 274, 293; *t. II*, 46, 49, 79.

BALTAR (Louis-Pierre), peintre, graveur et architecte français, 1764 † 1846 : *t. I*, 15.

BARAILLON (Jean-François), médecin, député de la Creuse à la Convention, membre du Comité d'instruction publique, 1743 † 1816 : *t. I*, 137.

BARBIER ou BARBIER-WALBONNE (Jacques-Luc), peintre français, chargé de la recherche des œuvres d'art en Belgique, 1769 † 1860 : *t. I*, 92, 96, 218.

BARBIER, copiste au Muséum : *t. I*, 63, 64.

BARBIERI, voir GUERCHIN (Le).

BARBIER LE TRINGUILIER, candidat à l'emploi de gardien ou de frotteur au Muséum : *t. II*, 134.

Barrière blanche, actuellement place blanche et boulevard de Clichy, à Paris : *t. I*, 31, 32, 34, 35.

BARROIS (Louis-François), libraire, membre de la Commission temporaire des arts, conservateur du dépôt littéraire des Cordeliers : *t. I*, 171, 182, 257; *t. II*, 13.

BARTHELEMY de COURCY (André), conservateur des médailles au Muséum des antiquités, membre de la Commission temporaire des arts en 1795, † 1795 : *t. I*, 207, 262; *t. II*, 121.

Bas-reliefs de Chartres : *t. I*, 46, 194.

Batailles d'Alexandre (les), de Ch. Le Brun : *t. I*, 104; *t. II*, 7, 13.

BATELIER ou BATTELIER (Jean-César), député de la Marne à la Convention, administrateur de la Manufacture de Sèvres du 16 sept. 1793 au 19 fév. 1795, 1757 † 1808 : *t. I*, 17.

BAYARD (François-Louis), inspecteur du garde-meuble national : *t. I*, 229, 241, 258, 293, 294; *t. II*, 24, 43.

Beaune (dépôt de), voir Nesle.

Beauvau (Hôtel de), à Paris, siège de la Commission du commerce et des approvisionnements : *t. I*, 134.

Belgique (œuvres venant de) : XXI, XXII, XXVIII, XXXII, XXXV, XXXVI, XXXIX; *t. I*, 92, 93, 95 à 98, 100, 106, 111, 115 à 118, 121, 123, 124, 129, 133, 134, 135, 137, 138, 140, 142, 144, 146 à 149, 158, 159, 160, 162, 169 à 173, 182, 184, 206, 210, 217, 226, 250; *t. II*, 13, 16, 21, 76.

Bélisaire demandant l'aumône, de David : *t. I*, 41.

BELLE (Augustin-Louis), peintre français, fils du peintre Belle (Clément), 1757 † 1841 : *t. I*, 75; *t. II*, 147.

BENATE (citoyenne), entrepreneur de charrois : *t. I*, 177, 178; *t. II*, 124.

BENEZECH (Pierre), ministre de l'intérieur du 3 nov. 1795 au 16 juil. 1797, 1745 † 1802 : XXVIII, XXXI, XXXV; *t. II*, 42, 55, 85, 100, 103, 141, 159.

BERCHEM ou BERGHEM (Nicolaes, Pietersz), peintre et graveur hollandais, 1620 † 1683 : *t. I*, 9.

BEREMBERG (Bartholomé), voir BREENBERG.

Bergame, ville d'Italie qui a donné son nom à un modèle de tapisserie fabriquée initialement à Bergame, imitée en France à Rouen et à Elbeuf : XXVI; *t. I*, 8.

Berger et bergère, de Aalberg Cuyp : *t. I*, 41.

BERGHEM, voir BERCHEM.

BERNARD, marchand de toiles et papiers : *t. I*, 163.

BERNARD de SAINTES (André-

Antoine), député de la Charente à la Convention : *t. I*, 187.

BERNIER, artiste faisant des études au Muséum en 1794 : *t. I*, 21.

BERTHELEMY (Jean-Simon), peintre français, désigné, en 1796, par le Directoire comme membre de la Commission chargée de la recherche des objets de sciences et d'art en Italie, au Musée central des arts du 12 août 1798 au 22 nov. 1802, 1746 † 1810 : *t. II*, 131, 154, 167.

BERTHOLLET (Claude-Louis, comte), chimiste français, désigné, en 1796, par le Directoire, comme membre de la Commission chargée de la recherche des objets de sciences et d'art en Italie, suivit Bonaparte en Egypte : *t. II*, 69, 131.

BERVIC (Charles-Clément BALVAY, dit), graveur français, 1756 † 1882 : *t. I*, 156.

BESNIER, menuisier : *t. I*, 141, 149.

BESSON (Alexandre-Charles), député du Doubs à l'Assemblée législative et à la Convention, membre de la Commission temporaire des arts, 1758 † 1826 : *t. I*, 39, 125.

BEVIN, menuisier : *t. I*, 48.

BIAGI ou BIADGI (Antoine), gardien au Muséum, 1748 † 1828 : *t. I*, 10; *t. II*, 13, 30, 79, 146, 159.

Bibliothèque nationale; dépôt de la : *t. I*, 182, 186. Cabinet des antiques de la : XXVIII, *t. I*, 143, 144; *t. II*, 9, 14. Cabinet des estampes de la : *t. I*, 221, 222; *t. II*, 155.

BIDAULT ou BIDEAU (Nicolas), gardien au Muséum, 1740 † ? : *t. I*, 9, 10, 31, 32, 57, 58, 74, 192, 270. *t. II*, 8, 13, 33, 59, 79, 88, 118, 127, 130, 138, 145-146, 152, 159.

BIENAIME (Pierre-Théodore), architecte français, 1765 † 1826 : *t. I*, 59, 60.

BILLET, président du comité révolutionnaire du 4e arrondissement de Paris : *t. I*, 123.

BISSARDIERE (La), chargé de la surveillance des œuvres d'art pendant leur transport d'Italie en France : *t. II*, 103.

BLAMPIGNON, serrurier; *t. I*, 15, 162, 223, 266, 285, 295, 303; *t. II*, 14, 69, 111, 112, 145, 146, 155, 159, 163, 164, 167, 169, 173.

BLESIMARD ou BLESIMARE (Laurent), commissaire chargé de la vente du mobilier de la liste civile : *t. I*, 44, 57, 58, 59, 218.

BOILEAU, expert en tableaux : *t. II*, 140, 151, 160, 161.

BOILLY (Louis-Léopold), peintre et graveur français, 1765 † 1845 : *t. I*, 90.

BOISSY D'ANGLAS (François, Antoine), homme politique français, président de la Convention, 1756 † 1826 : *t. I*, 115.

BOL (Ferdinand), peintre et graveur hollandais, 1616 † 1680 : *t. I*, 41.

Bondy (forêt de), située au nord-est de Paris : *t. I*, 177.

BONNET, architecte, inspecteur général des bâtiments civils : *t. II*, 76-77.

BONNET ou BONNOT, conducteur de chariots entre la Belgique et Paris : *t. I*, 147, 171.

BONVOISIN (Jean), peintre et graveur français, exposa au Salon de 1791 à 1821, professeur de dessin à Paris puis à Saint-Quentin où il fut conservateur du musée, membre du premier Conservatoire, 1752 † 1837 : XV, XVI, *t. I*, 6 à 13, 16 à 20, 23, 24, 25, 28, 29, 31, 35 à 40, 44 à 47, 49, 51 à 57, 59, 60, 62, 64 à 71, 73 à 77, 80, 81, 83, 84, 86 à 93, 95 à 109, 112 à 119, 122 à 125, 127 à 133, 136, 138 à 141, 143 à 151, 153 à 157, 159 à 163, 178, 210, 241, 242, 249.

BORELLY, résidant à Paris en 1794, a proposé de céder des tableaux au Muséum : *t. I*, 29, 31.

Borghèse (palais), voir *Heures Borghèse*.

BOSSET, portier de la cour du Muséum : *t. I*, 34, 93, 213, 253, 263, 265, 273, 274, 279; *t. II*, 13, 28, 31, 37, 129, 133, 141, 153.

BOSSUT (Charles, abbé), géomètre, membre de l'Académie des Sciences et de l'Institut, membre de la Commission du Muséum, 1730 † 1814 : *t. I*, 3, 6, 12, 226; *t. II*, 55.

BOUCAULT ou BOUCAUT

membre de l'Académie des inscriptions en 1779, ambassadeur de France à Constantinople en 1784, émigré à Saint-Pétersbourg, rentré en France en 1802, pair de France en 1815, 1752 † 1817 : *t. I*, 9, 12, 35, 130, 137, 158.

CHOISEUL-PRASLIN (Antoine, César de), maréchal de camp en 1791, emprisonné en 1793, libéré en juillet 1794, membre du Sénat Conservateur, 1756 † 1808 : *t. I*, 84.

CHOTARD, doreur : XXXVI; *t. I*, 113, 121, 130, 135, 160, 206, 253, 254, 257, 274, 288, 301; *t. II*, 19, 39-40, 50, 104, 132, 170.

CHOUTEAU, balayeur au Louvre : *t. I*, 271; *t. II*, 8, 49, 85, 106, 127, 145, 148, 167, 168, 173.

Christ (le), (Philippe de Champaigne) : *t. I*, 104; (Dumont le Romain) : *t. II*, 50, 51.

Christ apparaît à Madeleine en jardinier (le), de Van der Werff : *t. II*, 162.

Christ au désert servi par les anges (le), de Ch. Le Brun : *t. I*, 65, 67.

Christ au tombeau (le), de Bartoloméo Schedoni : *t. I*, 41.

Christ entre les larrons (le), de Rubens : XXXII; *t. I*, 98, 189.

Christ, Paul et Pierre (le), de Pourbus le Vieux : *t. I*, 41.

Clair de lune, de J. Vernet : *t. I*, 41.

CLEMENT de RIS (Dominique), avocat, Maître d'Hôtel de la Reine, membre de la Commission exécutive de l'instruction publique en 1794, membre du Sénat conservateur, 1750 † 1827 : *t. I*, 129.

COGIOLA (Jean-Ange), sculpteur italien, exposa au Salon, à Paris, de 1808 à 1817, 1768 † 1831 : *t. I*, 91.

COLIKERS, suisse à la porte du midi du Louvre : *t. II*, 31, 33.

Cologne (objets venant de); estampes et dessins : *t. I*, 182, 186, 221, 222; objets d'histoire naturelle : *t. I*, 246.

Colosse (le), allégorie colossale du peuple projetée par David : *t. I*, 68.

COLSON, commissaire du Conseil exécutif du district de Versailles : *t. I*, 37, 116.

Combat (un), de Wouwerman, *t. I*, 283.

Combat des Sabins et des Romains (le), du Guerchin : *t. I*, 41.

Commission du Muséum : XIII, XVI, XVIII, XXV, XXVI, XXVIII, XXXV : *t. I*, 3 à 7, 10 à 13, 16, 18, 20 à 24, 28, 32, 34, 102, 110, 111, 112, 116, 117, 118, 120, 127, 132.

Commune affranchie, voir Ville affranchie.

Concert (un), de l'école napolitaine du XVIIe siècle : *t. I*, 112, note 294.

Conclusion de la paix (la), de Rubens : XXVI; *t. I*, 82, note 217.

CONDE (Louis-Joseph de BOURBON, prince de), émigré, 1736 † 1818 : *t. II*, 147.

Conseil des Anciens, l'une des deux assemblées créées par la Constitution de l'An III (1795) : *t. II*, 70, 107.

Conseil des Cinq-Cents, assemblée de 500 membres qui, avec le Conseil des Anciens, formait le Corps législatif : *t. I*, 262, 295; *t. II*, 159.

CONSTANTIN, fonctionnaire (?) en service à Metz : *t. I*, 261.

CONSTANTIN, marchand de tableaux : *t. II*, 94, 95.

CONTI (Louis-François Joseph de BOURBON, prince de), rue de Grenelle à Paris, émigré : XXXVIII; *t. II*, 114, 115, 117, 123, 124, 128, 140, 151, 160, 161.

Convention nationale, assemblée révolutionnaire, 21 sept. 1792-26 oct. 1795 : XIV, XVI, XVII, XVIII, XX, XXIV, XXV; *t. I*, 4 à 9, 14, 49, 54, 63, 85, 87, 88, 102, 125, 135, 155, 205, 232; les inspecteurs de la salle de la : XXXIII; *t. I*, 74, 75, 76, 121, 135, 146, 148, 164, 220, 229.

COPPEE, a proposé, en 1794, de vendre un tableau au Muséum : *t. I*, 149.

COQUES ou COCKES (Gonzalès), peintre flamand, avant 1618 † 1684 : *t. I*, 41.

Cordeliers (dépôt du Couvent des) : XVII; *t. I*, 171, 182, 257.

CORMIERE, sculpteur d'ornements, demeurant à Gentilly : *t. I*, 176, 177.

CORMONT, inventeur habitant Amsterdam : *t. I,* 281.

Cornélie, mère des Gracques, de Suvée : *t. I,* 62.

CORNU (Jean), rue de Touraine, n° 3, à Paris, fondé de pouvoir du prince de Conti : *t. II,* 114, 115, 117, 128, 151, 161.

Corps législatif (tableaux pour le) : XXXVIII; *t. II,* 54, 55, 57.

CORREGE (Antonio ALLEGRI, dit Le), peintre italien, 1489 † 1534 : note 45.

COSSARD (Pierre), peintre français, 1720 † 1784 : *t. I,* 6.

COSSARD (Jean), peintre français, élève de Vincent, membre de la Commission du Muséum, 1764 † 1838 : *t. I,* 6, 32, 36, 37, 39, 167, 179.

COURAJOD (Louis-Charles-Léon), conservateur au département des sculptures du Musée du Louvre, professeur à l'Ecole du Louvre, 1841 † 1896 : XXIX, XL.

COUSIN, concierge du Louvre : *t. I,* 158, 250, 271; *t. II,* 140, 141, 147, 148, 164-165.

COUTURE (Guillaume-Martin), architecte français, 1732 † 1799 : *t. I,* 55.

CRAYER (Gaspar de), peintre flamand, 1584 † 1669 : XXVII; *t. I,* 32, 34.

CROY (Pierre de), duc d'HAVRE, rue de Lille, à Paris, émigré : *t. I,* 253.

CUVILLIER, membre de la Commission exécutive de l'instruction publique : *t. I,* 191.

CUYP (Aalbert), peintre hollandais, 1620 † 1691 : *t. I,* 41.

DABOS (Laurent), peintre français, 1761 † 1835 : *t. I,* 51, 52.

DAGUERRE, bijoutier, rue Saint-Honoré, n° 85, à Paris, mandataire de la reine Marie-Antoinette : *t. I,* 39.

DAMALRIC, employé à la direction générale de l'instruction publique : *t. II,* 139, 140.

DAMBREVILLE, conservateur au dépôt de la rue Saint-Marc : *t. I,* 186.

DANDRILLON (Pierre-Charles), peintre français, 1757 † 1812 : *t. I,* 15, 27; *t. II,* 142.

DANIEL da VOLTERRA (ou Danièle RICCIARELLI, dit), peintre et sculpteur italien, 1509 † 1566 : *t. I,* 36, note 120.

DARANTION, commissaire chargé de la vente du mobilier de la liste civile : *t. I,* 58.

DARDEL (Robert-Guillaume), sculpteur français, élève de Pajou, membre du premier Conservatoire, administrateur du Muséum de Versailles, 1749 † 1821 : XV, XVI, XXXVII; *t. I,* 9, 17 à 28, 30 à 34, 40, 42 à 52, 55, 58, 60 à 71, 76, 78 à 88, 96 à 101, 105 à 109, 111 à 114, 135 à 139, 145, 149 à 153.

DARLAY ou DARLET (Lespinasse), résidant à Paris, a proposé de céder au Muséum en 1794 différents objets d'art, en 1797 un pastel de La Tour, *portrait de Madame de Pompadour : t. I,* 31, 34, 35; *t. II,* 161, 162.

DAUJON (François), sculpteur français, travailla à Paris entre 1796 et 1809 : *t. II,* 148, 152, 154.

DAUNOIS ou DAUNOY (Jean-François), 1756 † ?, gardien au Muséum : *t. I,* 113, 120, 148, 150, 153, 156, 173, 175, 191, 192, 202, 204, 207, 208, 213; *t. II,* 13, 30, 33, 79, 116, 130, 139, 140, 143, 145, 146, 153, 154.

DAUTRICHE, sculpteur d'ornements : *t. I,* 136.

DAVID (Louis), peintre et homme politique français, député de Paris à la Convention, membre de la Commission des monuments, du Comité d'instruction publique et du Comité de sûreté générale, décrété d'arrestation d'abord le 2 août 1794 puis après « les journées de prairial an 3 », (mai 1795), amnistié en octobre 1795, 1748 † 1825 : XIV à XIX, XXI, XXV à XXIX, XXXV, XXXVII, XL; *t. I,* 7, 8, 14, 15, 41, 44, 53, 63, 65, 69 à 73, 88, 204; *t. II,* 21, 22, 24, 29, 38.

DAWANT, candidat à l'emploi de gardien au Muséum : *t. I,* 219, 263.

DEBREST ou de BREST, employé

en 1794 : XXI; *t. I,* 17, 21, 25, 26, 83, 86, 93, 95, 125, 134, 135, 142, 146, 148, 151, 157, 177, 180, 203, 211, 212, 217, 221, 222, 225, 256, 258, 259, 267, 268, 271, 272, 275, 291, 295, 296, 298; *t. II,* 7, 11, 12, 13, 38, 39, 50, 54, 56, 64, 65, 85, 88, 89, 137, 141, 148.

HUE (Jean-François), peintre français, 1751 † 1823 : *t. I,* 145, 146, 220, 286; *t. II,* 120, 143, 144.

HUIN, vitrier : *t. I,* 163, 189, 257, 285, 303; *t. II,* 38, 76, 85, 90, 110, 113, 129, 139-140, 147, 157, 159.

Incendie du port de Toulon (l'), de Taurel : *t. II,* 143.

Infantado (dépôt de la Maison Infantado, Hôtel Saint-Florentin) : *t. I,* 190, 258, 262, 277, 291, 295, 296; *t. II,* 14, 20, 43, 85, 153.

Infante (jardin de l') : XXIX; *t. I,* 104, 115, 177, 221, 283; *t. II,* 109, 123.

Institut des sciences et des arts, créé par la loi du 3 brumaire an 4 (25 oct. 1795) : XXI, *t. II,* 15, 24, 87, 130, 132, 137, 138.

Intérieur, de Teniers : *t. I,* 253.

Invalides (dôme des) : *t. II,* 42.

Isaac bénissant Jacob, de Victors : XXXVIII; *t. I,* 214, note 518.

Italie; école italienne : XXVIII, XXX, XXXI; *t. I,* 108, 145; *t. II,* 65, 74, 75, 76; modèles de monuments antiques : *t. I,* 137; œuvres d'art saisies : XXII, XXXII, XXXIII; *t. II,* 80, 81, 94, 98, 103, 106, 119, 131, 135, 139 à 142, 153, 154, 167.

JACQUEMARD, marchand de toiles et papiers : *t. I,* 163.

JANSENNE, imprimeur : *t. I,* 246-247.

JANVIER (Antide), horloger mécanicien du roi, membre de la Commission temporaire des arts, 1751 † 1835 : XX; *t. I,* 10, 42; *t. II,* 61, 64.

Japon (porcelaines du) : t. I, 19, 197, 245, 298.

JAY (Attiens), directeur de l'imprimerie des sciences et des arts, rue Thérèse, nº 6, à Paris : *t. II,* 68, 71, 72, 73, 119, 130, 135, 147, 156.

Jésuites (dépôt du couvent des, rue Saint-Antoine) : *t. I,* 182.

Jésus-Christ chez le pharisien, de Subleyras : *t. I,* 113.

Jésus-Christ instituant l'eucharistie, de Poussin, voir *Cène (la).*

Jeune enfant avec un chien, de Greuze : *t. I,* 219.

Jeune femme ou bergère, de G. Flinck : *t. I,* 41.

JOLLAIN (Nicolas-Jean-René), peintre français, membre de l'Académie royale de peinture en 1773, garde du Musée du roi en 1788, membre de la Commission du Muséum, 1732 † 1804 : *t. I,* 3, 6, 12, 22, 25, 102, 104, 132; *t. II,* 92, 171, 172.

JOLY, garde du Cabinet des estampes de la Bibliothèque nationale : *t. I,* 221, 222.

JORDAENS III (Hans), peintre flamand, 1595 † 1643/1644 : XXXVII, note 15.

Joueuses d'osselets, de Sablet : *t. II,* 142.

JOUVENET (Jean-Baptiste), peintre français, 1644 † 1717 : *t. I,* 24; *t. II,* 19.

Jules ROMAIN, voir ROMAIN.

JULIEN de PARME (Simon JULIEN, dit), peintre et graveur français, 1735 † 1798/1800 : XXXVI; *t. I,* 12, 15.

Junon, statue en marbre, copie d'antique : *t. I,* 259.

Jupiter et Antiope, du Titien : XXXV; *t. I,* 21.

JUSSIEU (Antoine-Laurent de), botaniste, conservateur du Muséum d'histoire naturelle, 1748 † 1836 : *t. I,* 174, 280; *t. II,* 16.

KERSAINT (Armand-Gui-Simon de Coetnempren, comte de), membre de l'Assemblée législative et de la Convention, démissionnaire après l'exécution du roi, exécuté, prononça un discours sur les monuments publics le 15 décembre 1791, 1742 † 1793 : *t. I,* 148.

KINSKI (Marie-Sidonie, princesse de), défunte, rue Saint-Dominique, à Paris ; *t. II,* 139, 147.

KONINCK ou KONINGH (Philips de), peintre hollandais, 1619 † 1688 : *t. I*, 214-215, note 518.

KONINCK (Salomon), peintre hollandais, 1609 † 1656 : *t. I*, 52, note 144, 214-215, note 518.

LABORDE de MEREVILLE (Jean-Joseph, marquis de), banquier de la Cour, 1724 † 1794, exécuté : *t. I*, 48, 90, 264.

LACOUR ou DELACOUR, fournisseur du Muséum en produits d'entretien : *t. I*, 211, 275.

LACROIX, membre de la Commission de conservation des objets des arts et des sciences : *t. II*, 99.

LACROIX, chef de bureau au ministère des finances : *t. II*, 158.

LADEY (Jean-Marc), peintre français, 1710 † 1749 : *t. I*, 219, 271.

LAFOND, peintre et doreur : *t. I*, 148.

LAFOREST, voiturier : *t. I*, 302.

LAFOSSE (Charles de), peintre français, 1636 † 1716 : *t. I*, 41.

LAGARDE (Hughes), bibliothécaire et conservateur du Muséum de Versailles : *t. I*, 203.

LAGNEAU, candidat à un poste de gardien au Muséum : *t. I*, 251, 263, 276.

LAGRENEE (Louis-Jean-François, dit l'Aîné), peintre français, 1725 † 1805 : *t. II*, 118.

La Haye (œuvres d'art venant de) : XXXII; *t. II*, 101, 124, 143.

LAIRESSE (Gérard de), peintre et graveur hollandais, 1641 † 1711 : *t. I*, 41, 208; *t. II*, 21, 37, 38.

LAMARCK (Jean-Baptiste-Pierre, Antoine de MONET, chevalier de), naturaliste français, membre de la Commission temporaire des arts, 1744 † 1829 : *t. I*, 173, 174.

LAMBERT, préposé au service des écoles, gardien au Muséum : *t. I*, 274; *t. II*, 144, 145, 148, 167.

LANDON (Charles-Paul), peintre et critique d'art français, conservateur des tableaux du Musée du Louvre et de la Galerie de la duchesse de Berry, 1760 † 1826 : *t. I*, 68.

LANGLIER ou LENGLIER, sculpteur français : XV; *t. I*, 88.

LANGLOIS (Pierre, Gabriel, dit l'Aîné), graveur au burin français, 1754 † 1810 : *t. I*, 144.

LANGLOIS (Antoine-Louis), gardien au Muséum : *t. I*, 9, 26, 35, 36, 54, 64, 67.

LANLE de L'ISLE, commissaire en Belgique : *t. II*, 50.

LANNOY (François-Jean de), architecte français, membre du premier Conservatoire et de la Commission temporaire des arts, 1745 † 1835 : XV, XVI, XVIII; *t. I*, 6, 7, 17 à 27, 31, 37, 38, 40, 42, 44, 46, 47, 52 à 56, 58, 60, 61, 70, 71, 78, 79, 81 à 84, 86, 88, 89, 90, 101 à 105, 112 à 119, 122, 126 à 136, 139 à 145, 149, 152 à 157, 161.

LANOS, résidant, en 1794, rue du Petit-Musc, à Paris, proposa de céder au Muséum un tableau du Primatice : *t. I*, 76.

Laocoon, bronze d'après l'antique : *t. I*, 83.

LAPILLE, proposa, en 1794, de céder des bordures de tableaux au Muséum : *t. I*, 73.

LAPORTE (Armand de), intendant de la liste civile : *t. I*, 114, 171, 174.

LAPORTE (Martin), peintre et restaurant de tableaux : XXXV; *t. I*, 21, 26, 61.

LARUE, voiturier : *t. II*, 161.

LA TOUR (Maurice-Quentin de), peintre et pastelliste français, 1704 † 1788 : XXXV; *t. II*, 161.

LAURENT (Pierre-François), graveur français, 1739 † 1809 : *t. I*, 125, 229, 242-243, 254; *t. II*, 52, 130, 136.

LAURENT, voiturier : *t. II*, 20.

LAVALLEE (Athanase), commissaire de la Commission exécutive de l'instruction publique, secrétaire du Conseil d'administration du Musée central des arts, 1768 † 1818 : *t. I*, 95, 100, 117, 124; *t. II*, 171.

LE BARBIER (Jean-Jacques-François, dit l'Aîné), peintre français, 1738 † 1826 : *t. I*, 90, 91, 119, 120.

LEBE, dit Saint-Louis, candidat à l'emploi de gardien au Muséum : *t. I*, 239, 263.

LE BLOND (Gaspard-Michel, dit), archéologue français, membre de la Commission temporaire des arts, 1738 † 1809 : *t. I*, 142; *t. II*, 99.

LEBRETON, chef du bureau des Musées à la Direction générale de l'instruction publique : *t. I*, 205, 223, 224, 229, 237, 299, 300, 303; *t. II*, 7, 13, 23, 26, 32, 42, 68, 82, 109, 126, 130, 134.

LE BRUN (Charles), peintre français, 1619 † 1690 : XXXVII, note 15; *t. I*, 57, 59, 65, 67, 152; *t. II*, 7, 13, 133, 164.

Le Brun, buste en marbre : *t. I*, 152.

LE BRUN (Jean-Baptiste-Pierre), marchand de tableaux et d'œuvres d'art, expert en tableaux, 1748 † 1813; critique d'art : *t. II*, 57; propositions de cessions d'œuvres d'art pour s'acquitter d'une dette : XXXVIII; *t. I*, 27 à 31, 33, 53, 60, 79, 80; expertises : *t. I*, 90, 91, 103, 104, 125, 175, 271, 276, 287; *t. II*, 80, 83, 87, 88, 91, 93 à 96, 113, 114, 118, 123, 124, 128, 132, 139, 151; inventaires : XXI, XXIX, XXXIII; *t. I*, 95, 100, 117, 124, 135, 196, 197, 202, 228, 234, 242, 258, 272, 287, 288, 292, 293; *t. II*, 12, 13, 16, 17, 18, 75, 139, 140, 142, 156; restaurations : XXXV; *t. I*, 97; ventes : XXXVIII; *t. I*, 203, 208, 214, 215.

LEBRUN, restaurateur de tableaux à Rambervillers, département des Vosges : *t. I*, 121.

LECLERC, marchand de bois : *t. I*, 297, 300.

LECOMTE, inspecteur des travaux de la Convention : *t. I*, 54.

LE COMTE, conservateur du dépôt de la rue Saint-Marc : *t. I*, 186.

LE COURT (Pierre), 1764 † ?, artiste étudiant au Muséum en 1794 : *t. I*, 23.

LE DREUX, architecte : *t. I*, 153, 263; *t. II*, 155.

LEFEVRE, agent de change, rue Thérèse, à Paris : *t. II*, 90, 107, 115, 150.

LEFEVRE, brossier, membre du Comité révolutionnaire du 4e arrondissement de Paris : *t. I*, 123; *t. II*, 101.

LEFOURNIER (Veuve), résidant à Paris en 1794, proposa de céder au Muséum deux tableaux attribués l'un au Titien, l'autre à Carrache : *t. I*, 117.

LEGENTIL, cohéritier de la succession Prédican : *t. II*, 70.

LEGER, commissaire désigné pour la recherche des objets d'art en Belgique : *t. I*, 116, 149, 218.

LEGRAND, peintre, exposa en 1794 : *t. I*, 97.

LELIEVRE (Claude-Hughes), ingénieur des mines, membre de la Commission temporaire des arts : *t. I*, 39.

LEMOINE ou LE MOYNE (François), peintre français, 1688 † 1737 : *t. I*, 110.

LEMONNIER (Anicet-Charles-Gabriel), peintre français, 1743 † 1824 : *t. II*, 10, 14.

LEMONNIER, commissaire des guerres à Metz : *t. I*, 254-255, 288.

LE NAIN (genre), peinture française du XVIIe siècle : *t. I*, 41.

LENOIR (Alexandre-Marie), peintre et archéologue français, garde des dépôts des Petits-Augustins et de la Maison Infantado, conservateur du Musée des monuments français, membre de la Commission temporaire des arts, 1761 † 1839 : XVII, XIX, XXVIII, XXIX; *t. I*, 31, 36, 45, 100, 103, 142, 143, 230, 277, 295, 296; *t. II*, 37, 101, 120, 145, 147, 154.

LE NOIR DU BREUIL (Charles-Joseph), rue Montmartre, n° 124, à Paris, émigré : *t. I*, 102.

LEONARD de VINCI, peintre, architecte, ingénieur et anatomiste italien, 1452 † 1519 : XXXIII, XXXV, XXXVI; *t. I*, 20, 23, 24, 127, 132, 199.

LEPRINCE (Jean-Baptiste), peintre français, 1734 † 1831 : XXVIII.

LEQUINIO (Joseph-Marie), avocat, député du Morbihan à l'Assemblée législative et à la Convention, membre du Comité d'instruction publique, 1730 † 1813 : *t. I*, 146, 164.

LE ROUGE ou LEROUGE, marchand de tableaux, place des Victoires, à Paris : XXXVIII; *t. I*, 53; *t. II*, 128, 129, 130, 141, 160, 162.

LE ROY ou LEROI (Julien-David), architecte et archéologue français, membre de l'Académie royale d'architecture, membre du premier Conservatoire et de la Commission temporaire des arts, membre de l'Institut en 1795, 1724 † 1803 : XV, XVI; *t. I,* 3 à 6, 8, 12, 13, 19, 31, 40, 42 à 53, 55 à 58, 60, 61, 64 à 67, 69, 71, 73, 75, 77, 79, 82, 83, 84, 86 à 89, 91, 92, 93, 95, 96, 97, 99, 101, 105, 107, 108, 111 à 114, 117, 119, 122 à 128, 131, 133 à 137, 139 à 145, 148, 149, 153, 160 à 164, 288; *t. II,* 170.

LEROY, médecin à Dunkerque, inventeur d'un procédé de restauration des tableaux, *t. II,* 92.

LE SUEUR (Eustache), peintre français, 1616 † 1655 : XXXVI, XXXIX; *t. I,* 24, 25, 26, 29, 38, 42, 43, 196, 216, 260, 268.

LE SUEUR (Pierre-Etienne), peintre français, membre du premier Conservatoire et de la Commission temporaire des arts, † après 1810 : XVIII, XXVIII, XL; *t. I,* 6 à 18, 20, 22, 26, 28, 29, 30, 35 à 40, 44, 45, 47, 49, 55 à 60, 69, 70, 73, 75, 76, 77, 90, 93.

LEUCHERE, directeur général des charrois : *t. II,* 44, 45.

LEVI (Marc-Antoine), émigré ou condamné : *t. I,* 299.

LHUILLIER (Nicolas-François-Daniel), sculpteur français, 1736 † 1793 : *t. I,* 27.

Liège (œuvres d'art venant de) : XXI; *t. I,* 109, 121, 280, 282, 285, 292, 294; *t. II,* 16, 17, 21, 36, 40, 81.

LIGNEREUX, bijoutier, mandataire de la reine Marie-Antoinette : *t. I,* 39.

Lille (charroi venant de) : *t. II,* 50.

LIONNAIS ou LYONNOIS, voiturier : *t. I,* 292; *t. II,* 19.

LIPSE (Juste) ou Joost LIPST, humaniste flamand, 1547 † 1606 : *t. I,* 182, 277.

Lisieux (œuvres d'art venant du collège de) : *t. I,* 29.

LIVERNOIS (Jean), garde-adjoint du dépôt de l'Hôtel de Nesle, 1749 † ? : *t. I,* 44.

Lorient (jadis L'Orient), port militaire et de commerce : *t. I,* 145, 146.

LORRAIN (Claude GELLEE, dit Le), peintre et graveur français, 1600 † 1682 : *t. I,* 84; *t. II,* 61, 88.

LORTA (Jean-Pierre ou Jean-François), sculpteur français, 1752 † 1837 : *t. I,* 17.

Loudun (cloches de la commune de) : *t. I,* 55.

Louis IX, statue de Fontainebleau : *t. I,* 68.

Luxembourg (galerie du palais du), voir *galerie Médicis.*

MADAYE, employé de la Commission de l'instruction publique : *t. I,* 104 à 107, 117, 124, 164, 186, 191, 210, 242, 246, 248, 287.

MADEROY (frères), marbriers : *t. II,* 57.

Maestricht (œuvres venant de) : *t. I,* 147.

MAGIN, directeur de l'agence de la navigation : *t. I,* 275.

MAILLE, marchand de bois, quai Bernard, à Paris : *t. I,* 277.

MAILLY (Charles-Jacques de), peintre français, sur émail, membre de la Commission temporaire des arts : *t. I,* 75, 77.

Maison carrée de Nîmes, ouvrage en liège : *t. I,* 233.

Maisons (grilles du château de) : *t. II,* 154, 160.

MALLET, marbrier : *t. I,* 264.

MALPE, artiste étudiant au Muséum en 1796 : *t. II,* 42.

MARAIS (Jean-Baptiste), fondé de pouvoir de la famille Nicolaÿ : *t. II,* 100, 101.

MARBEUF (Anne-Michelle, marquise de), domicile rue Faubourg-Saint-Honoré, à Paris, exécutée : *t. I,* 114, 136; *t. II,* 50.

MARGUE, proposa, en 1794, de céder des bordures de tableaux au Muséum : *t. I,* 102 à 105, 124.

MARIE-ANTOINETTE (bijoux de la reine) : *t. I,* 39.

MARIGUEZ ou MARTIGUEZ (père), gardien au Muséum : *t. I,* 172, 174, 207; *t. II,* 13, 79, 98, 106, 116, 130, 139, 149, 150.

MARIGUEZ ou MARTIGUEZ (fils), gardien au Muséum : *t. I,* 131, 133, 134, 207, 208; *t. II,* 13, 42, 79, 130, 132, 149.
MARILLIER (père), gardien au Muséum : *t. I,* 10, 25.
MARILLIER (fils), gardien au Muséum : *t. I,* 85.
MARIN (Joseph-Charles), sculpteur français, 1759 † 1834 : t. I, 299.
Marius prisonnier à Minturnes, de Drouais : XXXVIII, *t. I,* 210, 211.
Marly (Château de) : *t. I,* 37, 116, 229, 261, 264, 274, 278; *t. II,* 23, 35, 37, 42, 44, 48.
Marseille (collection Choiseul-Gouffier à) : *t. I,* 9, 12.
MARTIGUES, membre de la Commission des secours publics : *t. I,* 140, 167, 170, 171.
MARTIN (Guillaume), peintre français, 1737 † 1800 : *t. II,* 146.
MARTIN, commissaire du bureau des domaines : *t. II,* 48.
MARTIN, vétéran de garde au Muséum : *t. II,* 31, 32, 33.
MARTINET, député à la Convention : *t. I,* 251.
Martyre de sainte Catherine (le), de Van Veen : *t. I,* 41.
MATHAU ou MONTAU, préposé de Ville d'Avray à la vente du bois : *t. I,* 131, 224.
MATHIEU (Jean-Baptiste-Charles), homme de lettres français, député de l'Oise à la Convention, membre des Comités d'instruction publique et de salut public, président de la Commission temporaire des arts, 1754 † 1833 : *t. I,* 31, 69.
MAUFRA ou MAUFRAT, fournisseur du Muséum : *t. II,* 165, 166, 173.
MAUVAGE, constructeur d'une pendule mécanique : *t. I,* 64.
MAZADE, employé d'abord de la Commission de l'instruction publique, puis du bureau des Musées de la Direction générale de l'instruction publique : *t. I,* 164, 186, 191, 210, 242, 248, 287, 288, 292, 293, 294; *t. II,* 12, 13, 16, 18, 20, 76, 77, 78, 101, 124, 143.
Méduse (tête de), du château de Saint-Germain-en-Laye : *t. I,* 283.
Melun (œuvres d'art saisies à) : *t. I,* 69.
MENAGE de PRESSIGNY (François), fermier général, domicile rue des Jeûneurs, à Paris, exécuté : *t. I,* 220.
Menus (Cabinet des Menus plaisirs du roi) : *t. I,* 206; *t. II,* 125.
Mère de Coriolan aux pieds de son fils (la), du Guerchin : *t. I,* 41.
MERLIN (Philippe-Auguste, comte), dit MERLIN de DOUAI, homme politique français, député à la Convention, membre du Conseil des Anciens, 1754 † 1838 : *t. II,* 34.
MESNIERES (Jean-Nicolas), logé chez le citoyen Picault : *t. I,* 292.
MESNIERS ou MEYNIERS, employé de la Commission de l'instruction publique : *t. I,* 204, 231.
METSU (Gabriel), peintre hollandais, 1629 † 1667 : *t. I,* 273, 282.
METTEMBERG (de), notaire : *t. II,* 8.
Metz (œuvres saisies à) : *t. I,* 243, 246, 254, 261, 285, 287, 288, 291, 295, 296.
Meudon (château de) : *t. I,* 37, 44.
MEUNIER (Jean-André), candidat à l'emploi de gardien au Muséum; *t. II,* 134.
MEUNIER-DUPRE, chef de bureau au ministère des finances : *t. II,* 165.
Mézières (œuvres expédiées de) : *t. II,* 18, 19, 20, 22.
MICHALLON (Claude), peintre français, 1751 † 1799 : *t. I,* 75.
MICHEL-ANGE (Michelangelo BUONARROTI, dit), sculpteur, peintre, architecte et poète italien, 1475 † 1564 : XXIX, XXX, XXXVI; *t. I,* 83 à 86, 99, 100, 103, 199; *t. II,* 160.
MICHELI, mouleur : *t. II,* 152, 154.
MIGNARD (Pierre), peintre français, 1612 † 1695 : *t. I,* 152; *t. II,* 133.
Mignard, buste en marbre : *t. I,* 152.
MILET de MUREAU (Louis-Marie-Antoine DESTOUFF de), officier du génie, directeur des fortifications au ministère de la guerre : *t. II,* 49.
MILLECENS, fournisseur du

Muséum : *t. II,* 104.
MILLIN de GRANDMAISON (Aubin-Louis), membre de la Commission temporaire des arts, conservateur des antiques et des médailles, 1759 † 1818 : *t. I,* 199, 235, 250, 262; *t. II,* 61.
Ministre de la justice (tableaux pour le) : XXXVIII; *t. II,* 132, 146, 153.
Ministre des finances (tableaux pour le) : XXXVIII. *t. II,* 83-84, 97, 98, 99, 117-118, 123, 124, 132, 159.
Miracles de sainte Marie pénitente (les), de Philippe de Champaigne : 22, 28, 34, note 116, 35.
MOITTE ou MOETTE (Jean-Guillaume), sculpteur français, 1746 † 1810 : XV; *t. I,* 88, 192, 204; *t. II,* 167.
Monaco : *t. I,* 59.
MONGE (Gaspard, comte de PELUSE), mathématicien français, ministre de la marine en 1792-1793, suivit Bonaparte en Egypte, membre de l'Institut, membre du Sénat conservateur, membre de la Commission temporaire des arts en 1794, 1746 † 1818 : *t. II,* 131, 167.
MONGEZ (Antoine, dit l'Aîné), archéologue français, membre de l'Académie des Inscriptions en 1785, membre de l'Institut, membre du Tribunat, administrateur des Monnaies en 1804, 1747 † 1835 : *t. II,* 69, 87.
Monnaie (administration de la) : XVII, XXXVIII; *t. II,* 69, 70, 83, 155, 156, 170.
MONSIEUR, frère puîné du roi de France : *t. II,* 10, 14.
MONTAU, voir MATHAU.
Montbéliard (château d'Etupes, maison de plaisance des princes régnants) : *t. I,* 28.
MONTGERY, employé au bureau des finances de l'instruction publique : *t. II,* 84.
Montmarat (commune de Montmartre) : *t. I,* 87, 88.
MONTMORENCY (Anne-Léon, duc de), domicile rue Saint-Marc, à Paris, émigré : *t. II,* 44; voir aussi : Saint-Marc (dépôt de la Maison Montmorency, rue).
MOREAU (Jean-Michel), peintre français, membre du Comité révolutionnaire du 4e arrondissement de Paris : 1741 † 1814; *t. I,* 123, 128.
MOREAU, commandant le détachement de garde au Muséum : *t. I,* 79, 80, 81, 115, 124, 129, 140.
Mort de Cléopâtre (la), de Turchi, dit Alessandro Véronèse : *t. I,* 41, 99, note 260.
Mort de la Vierge (la), du Caravage : *t. I,* 99.
MOURET (Jean-François), sculpteur français d'ornements, 1775 † 1820 : *t. II,* 65.
MOUTON ou MOUTONI (Antoine), sculpteur français, 1765 † ? : *t. I,* 15.
Musée central des arts : XIII; *t. II,* 171, 172.
Muséum des antiquités : *t. I,* 194, 195, 196, 199, 201, 235, 237, 250; *t. II,* 61.
Musicien à la porte d'une taverne (un), de Van Ostade : *t. I,* 282.

NADRAU, entrepreneur de menuiserie : XXII, XXIII, XXVIII; *t. I,* 119, 136, 140 à 143, 162, 163, 202, 204, 206, 225, 227, 232, 245, 249, 255, 283, 293, 294, 302; *t. II,* 19, 20, 21, 36, 37, 45, 55, 88, 97, 100, 101, 108, 112, 126, 127, 131, 132, 140-141, 152, 163, 165, 167, 169, 170, 173.
NAIGEON (Jean-Claude), peintre français, élève de David, conservateur du dépôt de l'Hôtel de Nesle, membre de la Commission temporaire des arts, directeur du Musée du Luxembourg, en 1812, 1753 † 1832 : XXXVII; *t. I,* 75, 122, 158; *t. II,* 54, 70, 72, 74, 75, 100, 101, 114, 139, 154, 156.
Naufrage (le), de J. Vernet : XXXVIII; *t. I,* 96, 114.
Néron, statue en marbre : *t. II,* 57.
Nesle (dépôt de l'Hôtel de, rue de Beaune) : XVII, XXVII, XXVIII, XXIX; *t. I,* 9, 16, 40, 41, 43 à 46, 77, 84, 100, 104, 107, 112, 122, 128, 135, 140, 144, 149, 158, 194, 198, 200, 225, 230, 231, 252, 257, 278, 280; *t. II,* 17, 37, 40, 42, 64, 66, 70, 74, 75, 76, 98, 99, 100,

114, 115, 132, 133, 139, 147, 156, 161.

NEVEU, professeur de dessin à l'école centrale des travaux publics : *t. II,* 49.

NEVEUX, président du jury des arts, peut-être (François-Marie), peintre français qui exposa au Salon de 1793 et de 1796 : *t. I,* 64, 83.

NICOLAY (Aymard-Charles-François de), ancien premier président de la Chambre des Comptes, domicile rue des Enfants-Rouges, à Paris, exécuté : *t. II,* 100, 107.

NIEPCE, fondé de pouvoir de Mme de Spinola, héritière de la marquise de Marbeuf : *t. II,* 50.

NIODOT, papetier, fournisseur du Muséum : *t. I,* 286; *t. II,* 18, 97.

NITOT (Etienne), joaillier, membre de la Commission temporaire des arts : *t. I,* 39.

NOAILLES (Catherine-Françoise-Charlotte de COSSE-BRISSAC), veuve de Philippe de MOUCHY, duc de NOAILLES, maréchal de France, exécutés : *t. I,* 41, 197.

NOBILLOT, conducteur de charrois militaires de l'arsenal de Douai : *t. I,* 96, 97, 98, 218.

NOGARET, représentant, auprès du Conservatoire du ministre des finances, Ramel de Nogaret : *t. II,* 98, 99, 118, 124, 132, 159.

NUNEZ (Fernando de), ambassadeur d'Espagne à Paris : *t. II,* 137.

ORLEANS (Louis-Philippe-Joseph, duc d'), connu sous le nom de PHILIPPE-EGALITE, domicile au Palais-Royal, exécuté : *t. II,* 10.

ORLEANS (Louise-Marie, Adélaïde de BOURBON-PENTHIEVRE, duchesse d'), propriétaire du château du Raincy, émigrée : voir Raincy (dépôt du château).

ORSAY (Pierre-Gaspard-Marie GRIMOD, comte d'), ex-fermier général, propriétaire du château d'Orsay, émigré : *t. I,* 80, 81.

PACLOIN, député à la Convention : *t. II,* 124.

PAJOU (Augustin), sculpteur français, conservateur de la salle des antiques, membre du deuxième Conservatoire et du Conseil d'administration du Musée central des arts, membre de l'Institut, 1730 † 1809 : XL; *t. I,* 62, 75, 83, 156, 165 à 168, 170 à 174, 176, 178, 179, 180, 182, 190, 195, 196, 218, 222, 226, 227, 233, 239, 240, 242, 243, 244, 246 à 256, 259, 274, 278, 293, 294, 295; *t. II,* 14, 18, 29, 35, 37, 39 à 47, 55, 57, 69, 74, 78, 79, 91, 94, 95, 97, 98, 101, 106, 113, 125, 150, 152, 155 à 160, 162, 164, 165, 166, 168, 173, 174.

PAJOU (Jacques-Auguste-Catherine), peintre français, fils du sculpteur Pajou (Augustin), 1766 † 1828 : *t. I,* 75.

Palais-Bourbon, Hôtel construit en 1722, acheté en 1764 pour Louis-Joseph de Bourbon, prince de Condé, saisi après l'émigration du prince : *t. I,* 86; *t. II,* 151, 159, 161.

Palais du Louvre : XVII, XX; *t. I,* 194, 201, 242; *t. II,* 61.

Palais-Egalité, nom révolutionnaire du Palais-Royal : *t. I,* 197, 202; *t. II,* 120, 123.

Palais national, nom révolutionnaire du Palais des Tuileries : XVII, *t. I,* 123, 229, 299.

PANNINI (Giovanni Paolo), peintre italien, 1691 † 1765 : *t. I,* 41.

Panthéon (colonne pour le), projet dessiné par Villiar : *t. I,* 164.

Paphnuce libérant Thaïs, de Philippe de Champaigne : 22, 28, 34, note 116, 35.

PARE (Jules-François), ministre de l'intérieur en 1793-1794, † 1819 : XX; *t. I,* 205.

PARENT, garçon au dépôt de l'Hôtel de Nesle : *t. II,* 75.

Paris (œuvres à transporter à) : *t. I,* 9, 12, 68, 87, 97, 116, 148, 149, 262, 265; *t. II,* 10, 11, 23.

Paros (vase de) : t. I, 75.

PARRATE (Joseph), candidat à l'emploi de gardien au Muséum : *t. II,* 151.

PASQUIER, peintre français, membre de la Commission du Muséum, 1731 † 1806 : *t. I,* 3, 6, 16, 18, 102, 208, 209.

PASQUIER, huissier priseur, a proposé, en 1794, de vendre un tableau de Ribera au Muséum : *t. I,* 87.

Passage du Granique (le), de Le Brun : *t. II,* 164.

Pavillon de Flore (au Palais du Louvre) : XXV; *t. II,* 70.

PAYAN (Joseph-François, dit PAYAN-DUMOULIN), commissaire de l'instruction publique : *t. I,* 56, 72.

PAYEN (Jean-Joseph), intendant de la marquise de Marbeuf : *t. II,* 48, 50.

PAYET, marchand de tableaux : *t. II,* 94, 95.

PAYARD, employé à la Commission des travaux publics : *t. I,* 250.

Paysage avec bergers et joueur de flûte, de Glaubert : *t. I,* 208, note 501.

Paysage avec un taureau et des cochons, de Potter : *t. I,* 282.

Paysage dans le brouillard, de J. Vernet : *t. I,* 41.

Paysans, genre Le Nain : *t. I,* 41.

Pêche miraculeuse (la), de Rubens : *t. I,* 274.

Pèlerins d'Emmaüs (les), du Titien : *t. I,* 145-146.

PELLAGOT, entrepreneur en charpenterie : XXII, XXIII; *t. I,* 146, 163, 222, 226, 255, 280, 283, 284, 285, 289; *t. II,* 50, 76, 86, 91, 103, 105, 152, 171.

PELLERIN, chef de l'agence des subsistances et approvisionnements : *t. I,* 293.

PENTHIEVRE (Louis-Jean-Marie de BOURBON, duc de), propriétaire des châteaux de Rambouillet, Sceaux et Anet, 1725 † 1793 : *t. I,* 47, 52, 99, 101, 103.

PERCHER, trésorier du bureau général de bienfaisance : *t. II,* 113.

PERIN, menuisier, rue Fromentau, à Paris : *t. I,* 91, 144.

PETIT-COUPRAY, peintre français, exposa au Salon de 1791 à 1812 : *t. I,* 46.

Petite Renommée, bronze, version du Pont-au-Change : *t. I,* 252.

PETITOT, peintre français de miniatures sur émail, 1607 † 1641 : XXVIII; *t. I,* 143, 144, 206, 262; *t. II,* 9, 10, 14, 43, 70.

Petits-Augustins (dépôt de l'ancien couvent des) : XIX, XXVIII, XXIX; *t. I,* 22, 24, 26, 28, 31, 34, 36, 46, 100, 103, 110, 128, 135, 141, 142, 143, 194, 219, 227, 229, 230, 231, 281; *t. II,* 37, 42, 62, 87, 101, 133, 147, 150, 154, 158, 159.

PEYRE (Antoine-François), architecte, peintre et archéologue français, 1739 † 1823 : *t. I,* 188, 225.

PEYRON (Jean-François-Pierre), peintre et graveur français, membre de la Commission temporaire des arts, 1744 † 1814 : *t. I,* 196, 260; *t. II,* 83.

PHILIPPEAU, ex-concierge des écoles de peinture et sculpture, gardien au Muséum : *t. I,* 11, 92, 104, 143, 149, 152, 164, 239, 244, 246; *t. II,* 70, 72, 73, 74, 79, 82, 84, 85, 86, 88, 92, 96, 105, 106, 115, 116, 125, 126, 128, 130, 135, 138, 140, 143, 144, 145, 149, 150, 153, 156, 162, 164 à 167, 174, 176.

Philosophe au livre ouvert (le), de Salomon Koninck : *t. I,* 52, note 144.

Philosophe en méditation (le), de Rembrandt : *t. I,* 52, note 144.

PIAZZETTA (Giovanni Battista), peintre et graveur italien, 1683 † 1754 : *t. II,* 126.

PICARD, inspecteur des bâtiments nationaux à Marly : *t. I,* 116; *t. II,* 23, 35, 37, 42.

PICAULT (Jean-Michel), peintre et restaurateur de tableaux, membre des deux Conservatoires et de la Commission temporaire des arts : XV, XVI, XIX, XXXII, XXXV, XXXVII, XL; *t. I,* 6, 7, 13, 16, 20, 23, 24, 28 à 31, 33, 36, 40, 42, 43, 47, 50, 51, 52, 60 à 65, 67 à 79, 82 à 93, 96 à 101, 104 à 107, 109, 111, 112, 113, 115, 116, 117, 119 à 129, 132 à 136, 138, 140, 141, 142, 144, 146, 149, 150 à 163, 165, 166, 168, 169, 178, 186, 189 à 198, 200, 202, 203, 208, 209, 212, 213, 216, 222, 224, 227 à 231, 233, 240, 242, 245, 253, 264, 265, 271 à 283, 285 à 292, 295, 297, 300, 302, 304; *t. II,* 8, 9, 14, 16, 18, 25, 29, 54, 55, 57 à 61, 63 à 67, 69, 73, 81, 84, 99, 100,

102, 109, 110, 112, 118, 123 à 129, 131, 139, 142, 143, 147, 152, 153, 154, 156, 157, 159, 160, 161, 163 à 166, 168 à 174.

PICHENAT, visiteur du Salon, en 1795 : *t. I,* 249.

Pierre gravée, de Dejouy : *t. I,* 51, 75.

PIETRO da CORTONA (Pietro BERRETTINI, dit), peintre et architecte italien, 1596 † 1699 : *t. I,* 41, 101.

PIFFRE (Sylvain), modèle à l'école polytechnique, 1742 † ? : *t. II,* 49.

PIGALLE (Jean-Baptiste), sculpteur français, 1714 † 1785 : *t. II,* 42.

Pilate se lavant les mains, de Stomer : *t. I,* 208, note 501.

PISCATORI, payeur général au ministère des finances : *t. II,* 145, 158.

PITOIS, trésorier-payeur : *t. II,* 158, 162-163, 165, 166, 170.

PLAICHARD, secrétaire du Comité d'instruction publique : *t. I,* 89.

POIRIER (Don Germain), membre de l'Académie des inscriptions, de la Commission des monuments et de la Commission temporaire des arts, conservateur du dépôt littéraire des Cordeliers : *t. I,* 171, 182.

Pont-au-Change, pont de Paris : *t. I,* 112, 252.

PONTCHARTRAIN (Mme de) : *t. I,* 220.

Port de Brest (vue du), de Hue : *t. II,* 143.

Port de Lorient (vue du), de Hue : *t. II,* 143.

Ports (les), de J. Vernet : *t. I,* 37, note 124, 38, 108, 110, 155.

Ports de France (les), de Hue : *t. I,* 286; *t. II,* 143.

Portrait d'Adrien Van der Brochet, de Van Dyck : *t. I,* 149.

Portrait de la mère de l'artiste, de Rigaud : *t. II,* 132.

Portrait de l'artiste, de Poussin : XXXVIII; *t. II,* 128, 129, 130, 141, 160, 162.

Portrait de l'artiste tenant sa palette, de Gérard Dou : *t. I,* 41.

Portrait de Madame de Pompadour, pastel de La Tour : *t. II,* 161.

Portrait de Madame Vigée Le Brun : *t. II,* 72.

Portrait de Monsieur, de Petitot : *t. II* 10.

Portrait d'une femme, de Rembrandt : *t. I,* 42.

Portrait d'un homme, de Rembrandt : *t. I,* 42.

Portrait d'un homme vêtu de noir, de Van Dyck : *t. I,* 41.

Portrait d'un homme vêtu de noir, avec une fraise blanche, de Frans Hals : *t. I,* 41.

Portrait d'un vieillard, de Téniers : *t. I,* 41.

Portrait du Petit Capet, de Le Brun : *t. I,* 57.

Portraits de deux femmes, de Van Honthorst : *t. II,* 132.

POTTER (Paulus), peintre hollandais, 1625 † 1654 : *t. I,* 273, 282, 288; *t. II,* 66.

POURBUS (Frans 1er), dit le Vieux, peintre flamand, 1545 † 1581 : *t. I,* 41.

POURBUS (Frans II), dit le Jeune, peintre flamand, 1569 † 1622 : *t. II,* 133, note 1065.

POURBUS (Peeter Jansz), peintre flamand, vers 1510 † 1584 : *t. I,* 76.

POUSSIEGLE, fonctionnaire au ministère des finances : *t. I,* 277.

POUSSIN (Nicolas), peintre français, 1594 † 1665 : XXVIII, XXXVI, XXXVIII; *t. I,* 41, 99, 101, 225, 232, 244, 245, 257; *t. II,* 52, 128, 129, 130, 141, 160, 162.

POUSSIN ou DUGHET (Gaspard), peintre italien, 1615 † 1675 : *t. I,* 145.

PRASLIN, voir CHOISEUL-PRASLIN.

PREAU, menuisier : *t. I,* 52.

PREDICANT (Louis-Dominique-Augustin), notaire, rue du Petit-Lion-Saint-Sauveur, à Paris, condamné : *t. II,* 70.

PRIMATICE (Francesco PRIMATICCIO, dit Le), peintre, sculpteur et architecte italien, 1505 † 1570 : *t. I,* 76.

PRUDHON (Pierre-Paul, dit Pierre), peintre français, 1758 † 1823 : *t. I,* 75.

Psyché et l'amour, de Guyard : *t. II,* 95.

PUCCINI (Tommaso), directeur de la galerie royale de Florence, en 1795, XXXVIII-XXXIX.

Quatre-Nations, nom du Collège fondé par Mazarin et supprimé par la Révolution, les bâtiments servirent quelque temps de maison d'arrêt et furent attribués, en 1806, à l'Institut : *t. I,* 237, 298, 304; *t. II,* 21.

QUIRIQUEZ, architecte, exposa au Concours, en 1794 : *t. I,* 148.

Rade et port de Brest (vue de la), de Hue : *t. II,* 143.

Raincy (dépôt du château du, voir duchesse d'Orléans) : *t. II,* 10, 11, 14, 15, 16, 24, 36, 45, 48, 90.

RAMEL de NOGARET (Dominique-Vincent), avocat, député de l'Aude à la Convention, membre du Comité des finances et adjoint au Comité de salut public, ministre des finances sous le Directoire, 1760 † 1829 : XXXVIII; *t. II,* 82, 83.

RAPHAEL (Raffaello SANTI ou SANZIO, dit), peintre et architecte italien, 1483 † 1520 : XXX, XXXVI; *t. I,* 41, 52, 99, 146,199, 205, 291.

RASPIELLE, député à la Convention : *t. II,* 151.

REGNAULT (Jean-Baptiste, baron), peintre français, membre de l'Académie royale de peinture, de la Commission du Muséum, de l'Institut, 1754 † 1829; XV; *t. I,* 3, 4, 6, 12, 22, 25, 88, 102, 135, 220.

REGNIER ou RENIER, menuisier, rue Basse-du-Rempart, à Paris : *t. I,* 142, 159, 218, 255, 266, 275, 296, 301, 305; *t. II,* 8, 20, 36, 37, 54.

REMBRANDT (Rembrandt Harmenszoom VAN RIJN, dit), peintre, graveur et dessinateur flamand, 1606 † 1669 : *t. I,* 42, 51, 52, 273.

RENI (Guido), voir GUIDE (Le).

RENOU (Antoine), peintre français, secrétaire de l'Académie royale de peinture, 1731 † 1806 : XXXIV, XXXV; t. I, 51, 217, 219, 221, 231 à 234, 236 à 239, 246, 275.

Repos de Diane (le), (Benvenuto Cellini) : *t. II,* 38, note 831; (bronze, version du Pont-au-Change) : *t. I,* 252.

RESTOUT (Jean), peintre français, 1692 † 1768 : *t. II,* 133, note 1065.

RIBERA (Jose de), dit Lo Spagnoletto, peintre et graveur espagnol, vers 1588 † 1652 : *t. I,* 87, 92, 93.

RICHARD (Mme), fille de Ménage de Pressigny : *t. I,* 220, note 537.

RICHARME (Benoît), candidat à l'emploi de gardien au Muséum : *t. II,* 71.

Richelieu (Hôtel de), ancien Hôtel du duc d'Antin, acheté en 1756 par le maréchal duc de Richelieu, saisi en 1791, détruit en 1839 : *t. I,* 83, 84.

RIGAUD (Hyacinthe Rigaud y Ros, dit), peintre français, 1659 † 1743 : XXVIII; *t. II,* 132.

ROBERT (Joseph-Alexis), marchand de tableaux, rue de l'Egalité, n° 301, à Paris : XXIX; *t. I,* 20, 216.

ROBERT (Hubert), peintre français, membre de l'Académie royale de peinture et de sculpture, membre du deuxième Conservatoire et du Conseil d'administration du Musée central des arts, 1733 † 1808 : XXXIX, XL; *t. I,* 156, 165, 167, 180, 180, 186, 190, 191, 196, 203 à 212, 214, 215, 216, 218, 219, 225, 226, 232, 239, 240, 245, 291 à 295, 297, 298, 300, 301, 303, 304; *t. II,* 7 à 10, 23, 51, 53, 55, 69 à 73, 75 à 79, 109, 126, 132 à 136, 138, 139, 142, 143, 151, 162, 164, 174.

ROBESPIERRE (Maximilien de), avocat, homme politique français, député à la Convention, animateur du Comité de salut public, exécuté, 1758 † 1794 : XV, XVIII.

ROBIN (Jean-Baptiste-Claude), peintre français, portraitiste, 1734 † 1818 : *t. II,* 14.

ROBIN (Louis-Antoine-Joseph), député de l'Aube à la Convention, 1757 † 1802 : *t. I,* 256, 268.

ROBIN, horloger au Louvre : *t. I,* 13, 21, 71, 110; *t. II,* 61, 64, 66.

ROBINEAU, officier municipal de la Commune de Montmartre : *t. I,* 87, 88.

ROLAND de LA PLATIERE (Jean-Marie), député de la Somme à la Convention, ministre de l'intérieur en 1792, 1734 † 1793 : XIII, XVIII.

ROLAND, gardien au Muséum : *t. I,* 6.

ROLAND, fonctionnaire du ministère des finances : *t. II,* 158.

ROMAIN (Giulio PIPPI, dit GIULIO Romano ou Jules), architecte et peintre italien, 1492 ou 1499 † 1546 : XXVI, XXX, XXXVI; *t. I,* 35, 41, 77, 78, 81, 82, 177, 199, 204, 206, 211, 214; *t. II,* 135, 137.

Rome (monuments antiques de) : *t. I,* 55.

Romulus et Rémus recueillis par Faustine, de Pietro de Cortone : *t. I,* 41, 101.

RONDELET, membre de la Commission exécutive des transports publics : *t. I,* 192, 194, 236.

RONESSE (A.-J., abbé), commissaire à la garde des livres de la Commune de Franciade : *t. I,* 98, 123, 227.

Rosaire (le) de Crayer : XXXVII, note 15.

ROSENBERG (Pierre), conservateur au Département des Peintures du Musée du Louvre et du Musée de Blérancourt : XXXIX.

ROSER (Edme-Mathias-Barthélemy-Abilly), peintre français et restaurateur de tableaux, école allemande, 1757 † 1804; *t. I,* 91.

Roule (dépôt du) : *t. I,* 103, 105, 106.

ROUX, bijoutier, rue des Fossés-Saint-Germain-des-Prés, à Paris, proposa en 1794, de vendre au Muséum une *descente de Croix,* de Peeter Pourbus : *t. I,* 76.

RUBENS (Petrus-Paulus), peintre flamand, 1577 † 1640 : XVIII, XXVI, XXXII, XXXV; *t. I,* 82, 86, 96, 97, 98, 111, 117, 120, 158, 189, 245, 253, 274, 283, 288; *t. II,* 50-51, 53, 62, 64.

RUEL ou RUELLE, commissaire aux ventes du mobilier national : *t. I,* 241, 245, 283; *t. II,* 10, 11, 14, 16.

Ruines dans un paysage (deux vues de), de Breenberg : *t. I,* 41, 42.

Ruines d'architecture (deux vues de), de Pannini : *t. I,* 41.

RUISDAEL ou RUYSDAEL (Salomon, 1600 † 1670 ou Jacob, 1625 † 1682), peintres hollandais : XXVIII.

SABLET (Jacques), peintre français, 1749 † 1803 : *t. I,* 102; *t. II,* 142.

Sabines (les), de David : *t. II,* 21, 24.

Sacrifice de Noé à la sortie de l'arche (le), de Bourdon : *t. I,* 41.

Saint-Cloud (château de) : *t. I,* 44, 57, 59; *t. II,* 104.

Saint-Denis (commune de), voir Franciade.

Sainte famille (la), (Lafosse) : *t. I,* 41; (école de Raphaël, attribué à Jules Romain) : *t. I,* 41.

Sainte Marie l'Egyptienne communiée par saint Zozyme, de Philippe de Champaigne : *t. I,* 22, 28, 34, note 116, 35.

Sainte Pélagie se retirant dans la solitude, de Philippe de Champaigne : *t. I,* 22, 28, 34, note 116, 35.

Saint Georges, de Raphaël : *t. I,* 52.

Saint-Germain-en-Laye; commune de : *t. I,* 218; château de : XXVIII; *t. I,* 225, 232, 241, 244, 245, 248, 257, 283.

Saint-Gervais et saint Protais, de Le Sueur : XXXIX; *t. I,* 24, note 85, 25, 26.

Saint Jean Baptiste, de Léonard de Vinci : XXXV; *t. I,* note 45, 20, 23, 24, 127, 132, 199.

Saint Jérôme dans le désert, de Crayer : XXVII; *t. I,* 32, 34, note 117.

Saint Macaire de Gand secourant les pestiférés, de Van Oost : XXVIII, XXXVIII; *t. II,* 117, 160, 161.

Saint-Marc (dépôt de l'Hôtel Montmorency, rue) : *t. I,* 182, 186.

Saint Michel, de Raphaël : *t. I,* 52.

Saint Pierre délivré de prison, de Jean-Baptiste Van Loo : *t. I,* 110.

Saint-Sulpice (dépôt de l'église) : *t. I,* 85.

SALBRUCK, directeur de l'imprimerie Hérissant : *t. I,* 246.

Salle aux trois serrures, du Muséum : *t. I,* 58, 74 à 77, 80, 83, 87, 88, 98, 101, 134, 135, 136, 144, 248; *t. II,* 59, 109.

Trois chiens dans un garde-manger, de Snyders : *t. II,* 47, 81.
Tuileries (palais des) : *t. I,* 58; voir aussi : palais national.
TURCAT, tapissier : *t. II,* 149.
TURCHI (Alessandro), dit ORBETTO et Alessandro VERONESE, peintre italien, 1582 † 1648 : *t. I,* 41, 99, 101.
Uzès (Hôtel d'), siège de l'administration du domaine national : *t. II,* 164.

VACQUE ou VACQUIER, employé du Comité des inspecteurs de la salle : *t. I,* 155.
VALENTIN de Boulogne (Jean de BOULLONGNE, dit Le), peintre français, 1594 † 1632 : *t. I,* 36, 80.
VALETTE, candidat à l'emploi de frotteur au Muséum : *t. II,* 141.
VAN de VELDE (Adriaen), peintre hollandais, 1636 † 1672 : *t. I,* 41, 45.
VAN der DOES (Simon), peintre et graveur hollandais, 1653 † 1717 : *t. I,* 273.
VAN der WERFF (Adriaen), peintre hollandais, 1659 † 1722 : XXVIII, XXXVIII; *t. I,* 41; *t. II,* 162.
VAN DYCK (Anton), peintre flamand, 1599 † 1641 : XXVIII; *t. I,* 41, 84, 149; *t. II,* 125.
VAN HONTHORST (Gerrit), dit GERARD DELLA NOTTE, peintre et graveur hollandais, 1590 † 1656 : *t. I,* 208; *t. II,* 132.
VAN LOO (Jean-Baptiste), peintre français, 1684 † 1745 : XXVIII; *t. I,* 110.
VAN OOST (Jacob II), dit le Jeune, peintre flamand, 1637 † 1713 : XXVIII, XXXVIII; *t. II,* 117, 160, 161.
VAN OSTADE (Adriaen), peintre hollandais, 1610 † 1685 : *t. I,* 273, 274, 282.
VAN RIJN, voir REMBRANDT.
VAN VEEN (Otto), dit VAENIUS ou VENIUS, peintre flamand, 1556 † 1629 : *t. I,* 41; *t. II,* 95.
VARON (Casimir), littérateur, membre du premier Conservatoire et de la Commission temporaire des arts, 1761 † 1796 : XIV, XV, XVI, XVIII, XXI, XXXVII; *t. I,* 4 à 8, 12, 13, 26, 31, 33 à 38, 42, 49 à 52, 56 à 60, 64, 65, 66, 68, 69, 77, 78, 79, 82, 84 à 88, 92, 96, 104 à 108, 110, 111, 112, 114, 120, 122, 132, 133, 136, 139, 141, 145 à 150, 153, 157, 159 à 164.
Vases étrusques (les) : XVIII; *t. I,* 17; *t. II,* 142, note 1804.
VAUBALION ou VAULALION, employé de l'agence de l'habillement des troupes : *t. I,* 279, 287.
VAUDE ou VAUDET, cocher du directeur de l'Académie de Rome, gardien au Muséum : *t. I,* 57, 58; *t. II,* 48, 79, 114, 134, 165-166, 170, 173.
Vendée (région de l'ouest de la France) : *t. I,* 259.
VENIT (père), candidat à l'emploi de frotteur au Muséum : *t. II,* 158.
VENIUS, voir VAN VEEN.
Vénus, marbre, copie de la *Vénus des Médicis : t. II,* 23, 35.
Vénus et Adonis, de Rubens : *t. I,* 283.
Vénus et l'amour, de Rembrandt, voir *Hendrickje Stoffels en Vénus.*
VERGER (DU), restaurateur de tableaux : *t. I,* 98.
VERNET (Joseph-Claude), peintre français, 1714 † 1789 : XXXVIII; *t. I,* 37, 38, 41, 108, 110, 155; *t. II,* 80, 82, 87, 90, 91, 93, 94, 96, 107, 113, 114.
VERONESE (Alessandro), voir TURCHI.
VERRIER, peintre en bâtiment : *t. I,* 266; *t. II,* 22, 124.
Versailles : ville de : *t. I,* 95, 223, château et dépendances de : XVII; *t. II,* 125, 136, 152, 153, 168, 169, 171; Muséum de : XXX, XXXIII; *t. I,* 203-204, 220, 224; Musée spécial de l'Ecole française : XXXI.
VICTORS (Jan), peintre hollandais, 1620 † 1675 ou après : XXXVIII; *t. I,* 214, note 518.
Vie de saint Bruno (la), de Le Sueur : *t. I,* 38, 110.
Vieillard écrivant (un), de Brekelenkam : *t. I,* 41.
VIELLE, copiste employé par le Conservatoire : *t. I,* 48.
VIEN (Joseph-Marie), peintre français, 1716 † 1809 : *t. I,* 111, 112,

TABLE GENERALE DES MATIERES

TOME I

TOME II

4.

Séance du 19. Thermidor an 4.

...t des tableaux
...andés par le
...istre des finances
...yés au Ministre
de l'Intérieur.

Le Cen Rogaret qui s'est présenté à diverses reprises et qui a choisi dans tous les tableaux du dépôt du Muséum ceux qu'il croit convenir au Ministre des finances et qu'il dit que le Ministre desire, annonce l'empressement du Ministre à jouir de ces tableaux. Les Conservateurs lui réitèrent ce qu'ils lui ont dit chaque fois, que parmi les tableaux qu'il choisit ils ne peuvent lui délivrer que ceux qui ne sont point destinés au Muséum. En conséquence ~~on dr~~ on a dressé l'Etat des tableaux choisis par le Cen Rogaret qui peuvent être livrés par le Conservatoire et cet Etat va être envoyé au Ministre de l'intérieur, ~~en~~ le prévenant qu'il ne sera livré que des tableaux de la classe contenue dans cet Etat (sauf les tableaux qu'il contient des maîtres vivans lesquels rentreront au Musée après leur mort). L'approbation du Ministre au bas de l'Etat lui est demandée avant la délivrance des tableaux.

...ttre du Mtre.
...gallerie d'apollon
...préparée pour y
recevoir les objets
qui seront envoyés d'Italie
...autres travaux
...ont dans le Muséum.

On fait lecture de deux lettres du Ministre de l'Intérieur, l'une en datte du 16, l'autre du 18. courant.

La 1ere est relative aux demandes que le Conservatoire avoit dès longtems faites pour l'arrangement de la gallerie d'apollon. Le Mtre annonce qu'il ne sera fait aucun travaux ni dans cette gallerie, ni ailleurs dans le Muséum, excepté la terminaison du parquet, attendu qu'il attend un plan général d'après lequel on puisse procéder sans courir le risque de faire des dépenses inutiles.

La gallerie d'apollon doit seulement être nétoyée pour y déposer les objets qui seront envoyés d'Italie.

L'autre lettre invite le Conservre à envoyer le matin à jour fixe deux Consres du Conservatoire au Dépôt de Nesle, pour y faire définitivement avec ceux du Conseil de Conservation le triage définitif des objets à conserver pour le Muséum. Les Cens Pajou et Fragonard se rendront à cette Commission.

Les deux Commissaires reviennent à l'assemblée du Conservatoire et lui rendent compte qu'ils ont fait au Dépôt de Nesle, en présence des Cens Lannoy et Leblond, membres de la Comon de Conservation des objets d'art et de science, le triage positif des objets qui doivent être réservés pour le Muséum: pour cet effet on en a enlevé la marque du Muséum, qui est la lettre M. placée sur chaque objet de ceux auxquels les Commissaires renoncent, et cette même marque a été définitivement laissée sur les objets conservés.

Écrit pour la troisième fois au ministre de l'Intérieur pour lui rappeller la demande d'un approvisionnement de bois.

Pajou
Président

Foubert Sre

Séance du 7. Pluviôse an 5. présidence du C. Dewailly.

[Au]torisation du [Minis]tre, de prendre [à] Versailles les bois [deman]dés pour bordures

On fait lecture d'une lettre du Ministre en datte du 4. Pluviôse, il annonce qu'il a autorisé le C.en Leroi architecte du Palais National de Versailles à délivrer les bois qui ont été ci devant demandés pour employer à des bordures.

[payé] 18.s — à Vaudé.

payé à Vaudé pour blanchissage de draps, dix huit sols

Le Conservatoire autorise le C.en Picault l'un de ses membres à se transporter demain 8 à Versailles, de présenter au département et à toute autorité constituée qui doivent en connoître la lettre du ministre de l'intérieur contenant l'autorisation au C.en Leroi, architecte du Palais National de Versailles de délivrer les bois de charpente marqué pour être employés au Musée central des arts. Le C.en Picault donnera au nom du Conservatoire toute reconnoissance et décharge convenables.

Dewailly
Présid.

Foubert Sre

Séance extraordinaire du 8. Pluviôse an 5. présidence du C.en Dewailly.

Les membres du Conservatoire instruits qu'il avoit été apporté hier dans l'après midi et mis sur leur bureau un paquet contresigné du Ministre, se sont réunis dans la salle d'assemblée à neuf heures du matin.

L'ouverture du paquet a présenté deux pièces dont le secrétaire a fait lecture. La première est une lettre du Ministre de l'Intérieur dattée du présent mois mais sans indication du jour, adressée aux Conservateurs du musée.

Cette lettre expose les motifs qui ont déterminé le Ministre à donner une nouvelle organisation au Musée central des arts.

La seconde pièce contient en douze articles, cette nouvelle organisation: il resulte de cet acte ministeriel que le Musée central des arts sera dirigé et administré par un conseil d'artistes, un administrateur et un adjoint. ~~quatre~~ des membres du conservatoire feront partie de ce conseil et ~~trois~~ deux autres artistes y sont appellés, sçavoir les C.en Suvée ~~peintre~~ et Jollain peintres et le C.en Leon Dufourny comme administrateur et membre du Conseil. Le C.en Foubert secrétaire du Conservatoire est nommé membre du Conseil et adjoint à l'administrateur. ~~Dep~~ la décision du Ministre ~~avec~~ pour l'exécution de cet

Achevé d'imprimer
sur les Presses
de l'Imprimerie S I T O L
Direction : M. Guibert
240, Route d'Olonne
85340 OLONNE SUR MER
4e trimestre 1981.
Dépôt légal 495.